옥스퍼드 세계도시 문명사

4

THE OXFORD HANDBOOK OF
CITIES IN WORLD HISTORY

4

근현대 도시 II

피터 클라크 총괄편집 | **홍호평 외** 지음
민유기 옮김

책과함께

제4권 | 근현대 도시 II | 차례

주제

제1권 | 초기 도시 | 차례

제1부 초기 도시

개관

주제

제2권 | 전근대 도시 | 차례

제2부 전근대 도시

개관

주제

제3권 | 근현대 도시 I | 차례

제3부 근현대 도시

개관

제3부

근현대 도시

MODERN AND CONTEMPORARY CITIES

주제

Themes

제34장

산업화와 도시: 동양과 서양

Industrialization and the City: East and West

홍호평
Ho-fung Hung

잔사오화
Shaohua Zhan

지난 두 세기 동안의 근대성modernity을 규정한 19세기 초반 산업자본주의industrial capitalism의 부상과 20세기 후반의 그 변형은 우리에게 수수께끼와 논쟁을 남겼다.[1] 특히 잉글랜드 산업자본주의의 기원은 수 세대에 걸쳐 관련 분야 학자들이 이와 같은 심오한 사회경제적 혁명이 왜 잉글랜드에서 일어났고 중국과 같이 여타의 같은 정도로 선진화한 전산업pre-industrial 경제에서는 일어나지 않았는지 질문하게 했다. 마찬가지로 20세기 후반에 동아시아와 중국은 산업 강국으로 부상한 데 비해 유럽과 북아메리카는 오래 계속된 경제적 위기와 제조업의 쇠퇴를 겪은 것은 중국의 산업 경쟁력 토대에 대해 논의할 필요성을 제기하게 한다.

[표 34.1] 동양과 서양의 GDP, 인구, 1인당 GDP의 세계 분담 비율에서의 대분기

	1500년			1820년			1940년			2008년		
	GDP	인구	1인당 GDP	GDP	인구	1인당 GDP	GDP	인구	1인당 GDP	GDP	인구	1인당 GDP
중국	24.9	23.5	1.1	33.0	36.6	0.9	6.4	22.6	0.3	17.5	19.8	0.9
일본	3.1	3.5	0.9	3.0	3.0	1	4.8	3.2	1.5	5.7	1.9	3
영국	1.1	0.9	1.2	5.2	2.0	2.6	7.3	2.1	3.5	2.8	0.9	3.1
서유럽	15.5	11.0	1.4	20.4	11.0	1.9	27.5	10.8	2.5	14.5	5.0	2.9
미국	–	–		1.8	1.0	1.9	20.6	5.8	3.6	18.6	4.5	4.1
전 세계	100	100	1	100	100	1	100	100	1	100	100	1

출처: Angus Maddison, "Historical Statistics of the World Economy 1-2008AD", http://www.ggdc.net/MADDISON/Historical_Statistics/verticalfile_02-2010.xls

이 장에서 우리는 두 가지 대분기大分岐, Great Divergence 즉 유럽이 산업화industrialization에 착수했을 때 중국은 그러지 않았던 근대 초기의 대분기, 그리고 중국의 경제 역동성과 서양의 상대적 쇠퇴가 만들어낸 현대의 대분기의 기원들을, [표 34.1]이 예시해주는 것처럼, 경제발전에 끼친 도시의 역할을 통해 설명하려 한다.

근대 초기의 대분기 논쟁

1970년대 이후 유럽의 산업자본주의industrial capitalism 성장을 설명하는 많은 이론은 시골countryside에 초점을 맞추어왔다. 그 이론들은 농업 생산성의 큰 도약과 그에 따라 18세기 잉글랜드에서 시작된 자생적인 자본주의적 산업을 촉발한 풍부한 농업 잉여의 생성을 강조하는 특수한

조건들을 확인하려고 시도해왔다.[2]

그러나 산업혁명Industrial Revolution에 대한 이와 같은 농촌 중심의 설명은 약 1600년부터 1800년까지의 근대 초기 잉글랜드의 〔농업〕 생산성과 비교해 높은 중국의 농업 생산성에 대한 새로운 발견으로 이의를 제기 받아왔다. 이러한 발견은 다음과 같은 새로운 난제難題를 수반한다. 19세기 직전 중국의 농업 생산성이 잉글랜드의 농업 생산성만큼 높았다면, 왜 중국에서는 잉글랜드의 경우처럼 상당한 농업 잉여가 산업으로의 전환을 촉진하지 않았을까?

수수께끼를 풀기 위한 일련의 설명이 생겨났다. 가장 주목받은 한 가지 설명은 케네스 포메란츠Kenneth Pomeranz의 생태학적 주장이다.[3]* 그는 잉글랜드와 중국 사이 발달 양상의 차이가 18세기로의 전환기까지 발생하지 않았다고 주장한다. 포메란츠에 따르면, 그전에는 두 경제 모두 상업, 인구, 농업 생산성에서 유사한 성장을 경험하고 있었다. 18세기 말을 향해가면서 잉글랜드와 중국 두 지역의 발전은, 목재와 경작지 같은 이용가능하며 감소하는 생태 자원이 허용하는 한계에 이르렀다. 이 시점에서 중국의 발전은 정체되었으나 잉글랜드는 생태적 제약을 성공적으로 극복하고 산업혁명으로 도약했다. 잉글랜드가 이 제약을 극복할 수 있었던 가장 중요한 비결은 북아메리카의 식민 지배를 통해 원면raw cotton 및 설탕 같은 광대한 아메리카의 자원에 접근한 것에서 비롯했다.

* 케네스 포메란츠는《The Great Divergence: China, Europe, and the Making of the Modern World Economy》(2000)에서 "대분기"란 용어를 처음 사용한 시카고대학 역사학과 교수다. 책은 국내에서는 "대분기: 중국과 유럽, 그리고 근대 세계 경제의 형성"이란 제목으로 번역·출간되었다.

이 설명은 깔끔하지만 여러 면에서 문제점을 안고 있다. 첫째, 이 설명은 왜 잉글랜드가 자본주의적 산업의 발전을 촉진하기 위해 아메리카의 자원에 쉽게 접근할 수 있도록 더 일찍 자본화하지 않았는지를 설명할 수 없다는 점이다. 둘째, 이 설명은 아메리카 자원에 대한 잉글랜드의 가용성可用性, availability과 중국의 불가용성unavailability을 과장하고 있다는 점이다. 18세기 아메리카의 자원은 잉글랜드에 결코 저렴한 가격이 아니었다. 이러한 자원 대부분은 실제로 세계시장의 평균 가격보다 높은 가격으로 잉글랜드에 판매되었다.[4] 수 세기에 걸친 무역 흑자로 막대한 은을 비축한 중국은 필요할 경우 세계시장에서 신세계New World의 자원을 구매하는 것이 어렵지 않았다.[5] 공교롭게도, 일본은 아메리카의 자원에 접근할 수가 없었지만 19세기에는 세계시장에서 필수 원자재를 대부분 구매해 성공적인 산업화를 이루었다.[6]

세계사에서 독특한 시기에 독특한 장소에서 발생한 산업자본주의의 부상은 여러 요인의 우연적 결합의 결과일 것이다.[7] 위에서 언급한 각각의 요인은, 산업자본주의가 부상한 데서 한 요인인 것을 부인할 수는 없지만, 개별적으로나 집합적으로나 18세기 잉글랜드의 산업화로의 전환과 18세기와 19세기 내내 중국의 산업화로의 비非전환을 정확하게 설명하지는 못한다. 결정적 요인이 누락이 된 것이 틀림없다. 잉글랜드와 중국의 발달 양상의 변화를 충분히 설명하려면 어떤 결정적 요인이 18세기 잉글랜드에는 있어야 하지만 18세기와 19세기 중국에는 있지 않아야 한다. 도시city의 핵심 역할이 이 시기의 대분기를 설명하는 데서 점점 더 중요해지고 있다. 최근의 연구는 18세기 초반 잉글랜드와 네덜란드의 도시에서 생활수준이 현저히 높았다는 증거를 제시하는데, 이는 노동시장 통합, 공산품과 서비스의 생산 및 소비 증가, 경제적 혁신을 반영하는 것이다.[8] 그러나 또 다른 도시 요인 또한 주목해야만 한다. 바로 도시 기업가의 역할이다. 아래서는 농촌 잉여를 손에 쥐고 생산적·혁신적 용도로 활용할 수 있는 도시 중심지의 기업가 엘리트들의 명성을 살펴볼 것이다.

다시 도시를 불러오기

최근 잭 A. 골드스톤Jack A. Goldstone은 중국과 잉글랜드의 차이를 설명하고자 '공학문화engineering culture' 이론을 개발했다. 19세기로의 전환 시기에 잉글랜드의 자본주의적 산업을 시작하게 만든 열쇠는 아이작 뉴턴Isaac Newton의 독특한 세계관과 공학문화의 대중화였으며, 이를 통해 기업가들은 기존의 과학지식을 상업적 모험의 실질적 개선으로 바꿀 수 있었다는 이론이다.[9] 골드스톤은 17세기 잉글랜드 학회들과 학교들에서 발생한 이런 문화가 일련의 역사적 사건에서 비롯했다고 주장한다.[10] 뒤따르는 질문은 이와 같은 공학문화가 어떻게 과학자 공동체 밖에서 확산되어 산업 생산의 세계에 정착할 수 있었는지, 그 확산을 담당한 행위자는 누구였는지 하는 것이다.

그 해답의 일부는 로버트 앨런Robert Allen의 '집합적 발명collective invention' 이론에서 찾을 수 있다.[11] 이 이론에 따르면, 산업혁명 기간에 추상적 과학지식을 혁신적이고 실용적으로 적용하려면 자본집약적 기업의 반복적이고 비용이 많이 드는 실험과 그 기업들 사이에 후속 지식의 상호 확산이 필요했다. 마찬가지로, 데이비드 리더David Reeder와 리처드 로저Richard Rodger는 잉글랜드의 산업화가 19세기 '정보 초越고속도로information superhighways'의 출현으로 가능해졌다고 지적하는데, 정보 초고속도로는 기업가들의 밀집된 네트워크를 통해 기업가적인 인적 자본과 물적 자본이 서로를 강화하는 대도시big city에서 산업에 필요한 노하우와 재원을 갖추어준다.[12]

산업화를 추진하는 데서 도시 중심지urban centre의 중요성은, 리처드 라흐만Richard Lachmann도 지적하는바 지나가는 말로 한 것이지만, 그는 잉글랜드의 농업혁명Agricultural Revolution과 그에 따른 토지소유주와 소작농의 소득 증가가 자동으로 산업화를 촉발하지 않았다는 점을 발견해냈다. 도시 기업가urban entrepreneur들의 손에 농촌의 고소득을 집중하게 하는 '강제통풍強制通風, forced draught'의 중간 단계를 농업혁명의 이득을 산업으로의 투자나 혁신의 연료로 전환해 결국 산업혁명을 '자연연소spontaneous combustion'로 촉발하는 것이 필요했다. 이러한 농촌에서 도시 부문으로의 소득 이전은 토지 보유 젠트리landed gentry 계층의 도시 기업 투자, 그들의 도시 거주, 도시 기업가와 농촌의 토지소유주 또는 임차인 사이에서 도시 기업가에게 유리한 조건으로 이루어지는 상업적 교류 등 다양한 경로를 통해 이루어질 수 있었을 것이다.[13] 다시 말해, 집합적 발명 즉 공학문화를 생산과정으로 확산하는 것은 활기찬 기업가들(상인, 전문직 종사자, 제조업자, 토지소유주의 혼합)의 임계질량 없이는 불가능했으며, 이들은 농촌 엘리트의 높은 수입을 착취·전유專有할 수 있었고 이 집중된 잉여를 생산기술의 값비싼 시행착오 개발을 실행하는 데 사용할 수 있었다.

잉글랜드에서 이와 같은 기업가적 사업 엘리트의 성장은 국가의 역할과 관련이 있었다. 21장에서 바스 판 바벨Bas van Bavel과 그의 동료들은 국가와 정치 제도들이 전근대 도시경제urban economy에 어떻게 영향을 끼쳤는지에 대한 일반적 모델을 제시하며 유럽에서의 도시성장urban growth의 다른 궤적을 강조했다. 1688년 명예혁명Glorious Revolution 이후 잉글랜드에서는 정부가 사회에 개입할 능력과 의욕이 줄어들었으나, 생산자의 요구를 충족하기 위해 무역 관세가 개정되었고 영국의 상업적 이익을 보호·증진하기 위해 해외에서 군사적 행동이 취해졌다. 그러나 의회는(점점 더 적극적인 태도를 보이고 사업 로비스트들에게 영향을 받는) 기업가의 요구를 충족시키고자 구빈법을 조정하고 노동조합을 반대하는 입법에 적극적이었다.[14]

따라서 높은 토지 소득 형태의 풍부한 농업 잉여와 이 소득을 손에 넣을 수 있는 강력한 도시 기업가 엘리트의 존재 '둘 다' 자본주의적 산업이 발생하는 데 필요하다. 이는 19세기 잉글랜드와 이후 유럽의 여러 곳에서 산업화 시기에 성장한 대규모 산업도시industrial city가 농촌타운rural town의 발전을 대체하지 못한 이유를 설명해주는바, 농촌타운은 소규모 제조업과 서비스의 번화한 중심지로 남아 있었고 농업 이익과 기본 산업 제품을 더 큰 중심지로 전달하는 데 도움을 주면서 도시체계urban system의 중개자 역할을 했다.[15]

강력한 도시 기업가 엘리트의 존재를 18세기와 19세기 잉글랜드에서 산업화를 촉진한 충분요소로 받아들이는 것은 우리에게 또 다른 질문을 제기한다. 왜 이런 종류의 기업가 엘리트들이 18세기와 19세기 중국에서는 주도적 지위를 얻지 못했는가? 사실 청 대에는 경제의 급속한 상업화commercialization와 함께 도시에 기반을 둔 기업가 계층이 출현했었다(17장 참조). 그러나 청 대 엘리트 대부분은 매우 다른 전략을 추구했고 이는 그들이 잉글랜드의 기업가들이 했던 것처럼 재산을 축적하는 것을 막았다.

중국 엘리트들은 보통 토착민 정체성 및 공유하는 방언으로 결속하는 상인 집단에서 활동했다. 청 정부가 항상 상거래 활동에 적대적이었고 유교적 상업 혐오 때문에 상업의 성장을 억제하고자 했다는 전통적인 교조적 해석과는 대조적으로, 최근 연구들은 "청은 아마도 제국적인 중국의 역사에서 가장 상업친화적인 체제처럼 보인다"는 견해에 동의한다.[16] 많은 관리와 농촌의 신사층鄕紳層, gentry은 상업을 자신들의 수입원을 다변화할 기회로 보았다. 청 대 내내 많은 유명 상인 집단이 가장 수익성 높은 사업 부문을 독점했다. 가장 두드러진 사례는 안후이安徽성에서 유래해 양저우揚州, 쑤저우蘇州, 한커우漢口 등 양쯔강을 따라 경제적으로 발전한 거대도시metropolis에서 소금·섬유·차 등의 생산과 무역으로 번창한 안후이 상인 집단〔상방商幇〕이었다〔휘상徽商, 휘주상인徽州商人, 안휘상방〕. 그들은 항상 정기적으로 소비재를 공급하고 세금 납부는 물론 뇌물을 마다하지 않는 국가 관리들의 도움으로 사업을 운영했다. 안후이 상방이 크게 주목받았음에도, 그들은 대부분 연속적으로 성장하고 쇠락하는 개별적인 상인 가문들로 이루어진 분권화한 네트워크에 지나지 않았다. 이 가문들은 몇 세대에 걸쳐 번성하는 일이 거의 없었다. 일반적 양상은 초기 재산을 축적한 이후 성공한 기업가 가문이 상업에 더는 종사하지 않고 자신들의 부를 제국의 과거제를 준비하는 자기 자손들에게 투자함으로써 신사층이나 국가 엘리트 계층의 일원으로 변모하는 것이었다.[17] 상거래에서 가장 성공적인 구성원이 반복적으로 이탈함에 따라 자본 축적과 이들 상인 네트워크의 추가 확장이 제한되었으나, 네트워크의 유지는 적절한 배경이 있는 새로운 구성원의 지속적 진입으로 보장되었다. 이러한 중국의 상황과는 대조적으로 잉글랜드에서는 자리를 잡은 기업가 가문들이 18세기 후반과 19세기 초반에 많은 최초의 산업가를 공급했다.[18]

성공한 기업가 가문이 신사층과 국가 엘리트로 변모하는 높은 경향은 중국에서 기업가 계층의 규모 및 권력의 성장을 제한했다. 그 결과, 청 대 상업경제는 18세기 잉글랜드와 19세기 일본에서 상업적 왕조들이 운영했던 기업체에 근간에 둔 '회사 중심 경제'와 비교되는 '강력한 네트워크 내의 약한 회사'로 특징지어졌다.[19] 중국에는 강력한 기업가적 엘리트가 없었기 때문에, 풍부한 농업 잉여를 중앙집중화하고 이 잉여를 비용이 많이 들고 모험적인 생산적 투자와 혁신으로 전환할 능력이 있는 행위자가 부족했다.

도시 기업가 가문들이 사업을 그만두는 이러한 경향은 부분적으로 생계 위기 때마다 상거래의 이익보다 대중적 생활수준의 향상을 우선한 청나라의 가부장적 정책 때문이었다. 청 제국은 평상시 도시 기업가 엘리트들을 지원했지만, 생계 위기 또는 공방 주인과 노동자 사이에 계층 갈등이 있을 때는 가부장적 국가가 자주 하류층의 생계에 우선권을 주고, 도시 기업가들에게 노동자의 임금을 올리거나 보유 곡물을 시장가격 이하로 판매하라고 압력을 가하곤 했다. 따라서 계급정치class politics는 도시 기업가들이 자신들의 사회적 재생산 전략을 선택하는 데 영향을 끼치는 불안정한 환경을 만들어냈다. 그것은 이 엘리트 집단이 자신의 자손들에게 상거래의 경력보다는 신사층과 관료를 목표로 하도록 장려한 18세기 중국의 도시 기업가 엘리트의 상대적 약점을 이해하는 데 도움을 준다.

두 도시·산업 따라잡기 이야기

대중 투쟁과 그것에 대응하는 국가의 보호 부족에 직면한 도시 기업가들의 불안은 19세기 중국에서 더욱 악화할 따름이었는바, 청 제국은 1840년대부터 서양의 제국 열강들과 벌인 연속적 전쟁으로 사회경제적·재정적 위기의 심화를 겪었기 때문이다.[20] 중국에서 19세기는 간헐적인 도시 폭동 외에도 1796~1805년의 백련교도白蓮教徒의 난White Lotus Rebellion에서 1851~1864년의 태평천국太平天國의 난Taiping Rebellion까지 더 오래 계속되고 폭력적이었던 이단적인 종교 봉기가 발생한 시기였다.[21] 이러한 반란들은 기업가 엘리트의 성장과 연속성을 직간접적으로 더욱 제약했다. 강한 평등주의적 욕구를 가진 종교 분파적 반군들은 축적된 부를 몰수하고 그 과정에서 부자들을 처형했다.

이와 같은 반란들이 상거래 활동에 끼치는 간접적 영향도 똑같이 파괴적이었다. 백련교도의 난을 통해 대규모의 부패하고 복지부동인 제국 군대가 반군을 근절하는 데 신뢰할 수 없음을 깨달은 청 왕조는 지역의 군사화라는 판도라의 상자를 열어 신사층이 관리들과 협력해 지방의용군〔곧 향용鄕勇〕을 조직하게끔 장려했다. 사회적 무질서가 커지는 가운데 이들 지방의용군은 제국 전역에서 확산했다. 태평천국의 난 기간에 지방의용군의 많은 수가 합병을 통해 더 크고 공식적인 군사구조가 됨으로써 제국의 한복판에서 자율적인 지방군대가 부상하게 되었다.

중앙정부의 재정 지원이 부족한 이들 군사조직은 현지의 타운 및 상업 중심지와 농업 생산자에게 무거운 특별 세금을 부과함으로써 자금을 조달했다.[22] 현지 군사화의 주체인 토지 소유 엘리트들은 보통 군사용으로 모금된 모든 자금의 20~30퍼센트를 자신들의 목적에 전유해 이 과정에서 상당한 이익을 얻었다.[23] 이는 군사적 약탈 계층 military-predatory class의 부상으로 이어졌다. 그들이 제공한 보호는 이미 격변으로 인한 재정적 손실로 고통을 받던 기업가 엘리트들에게 부과한 특별한 세금 부담에 필적하지 못하는 수준이었다.

1860년대에 청나라는 서양 산업 강국들에 굴욕적 패배를 당한 이후 국가가 후원하는 일련의 산업 기업을 육성하는 하향식 산업화 프로그램을 시작했다. 그러나 이러한 산업화 노력은 계속해서 확장해가던 군사적 약탈 엘리트들의 결탁으로 방해받았다. 그들이 새로운 산업 기업의 성장에 재정 지원을 하고자 했던 중앙정부가 동원했을지도 모르는 경제적 잉여의 상당 부분을 소비했기 때문이다. 이 산업화 프로그램이 엄청난 실패로 끝난 것은 놀라운 일이 아니다. 이 프로그램은 기껏해야 제국 전역에 흩어져 있는 몇 개의 고립된 '성장의 주머니'를 만드는 것 외에 아무것도 성취하지 못했다.[24] 서양 열강과 서양인의 투자가 지배했던 개항장[조약항]treaty port 지역에서만 근대적 산업 확장이 두드러졌다(17장 참조).

19세기 후반 일본의 성공적인 자본주의적 산업 따라잡기와 중국의 강압적 농업질서로의 퇴보를 비교하는 것은 인상적이다. 19세기 초반 일본 경제의 장점과 한계는 중국의 그것과 비슷했다. 도쿠가와德川〔에도江戶〕 막부 시대〔1603~1868〕의 농업혁명을 뒤이은 일본 경제에서는 농업 잉여가 농민 경작자들에게 분산되어 있었다[25] 일본에는 재력이 풍부한 상인들이 부족하지는 않았으나 이들 상인은 안정적으로 지배적인 것과는 거리가 멀었다. 그러나 1868년 메이지유신明治維新 이후 정력적인 개혁가들이 모든 종류의 대중적 논쟁을 효과적이고 잔인하게 억압하는 고도로 중앙집권적인 국가를 성공적으로 건설해 기업가 엘리트들에게 길을 열어주었다.[26] 일본은 무거운 농업 세금 부과를 통해 막대한 경제적 자원을 집중시킬 수 있었다. 일본은 산업 성장에 필요한 철도에서 전신 체계에 이르기까지 도시·산업의 기반설비를 건설하는 데 이러한 자원을 사용했다. 또한 널리 알려진 미쓰비시三菱와 미쓰이三井 사례처럼 재벌財閥, zaibatsu이라는 수직적으로 통합된 거대한 민간 대기업의 발전에 재정을 지원하는 데 국가 수익의 상당 부분을 투입했다.[27]

대도시들에서 자본주의적 산업 도약의 시동을 위해 상당한 농업 흑자를 집중하고 사용하는 데 효과적이었던 이와 같은 친자본주의적, 중앙집중적 정치구조는 19세기 중국에서는 전혀 존재하지 않았다. 중국의 군사적 약탈 네트워크의 확장은 국가의 재정 능력을 잠식했고 활력 있고 자체적으로 성장하던 도시 기업가 엘리트를 양성하려는 위로부터의 노력을 좌절시켰으며, 메이지 일본에서는 국가가 후원하는 경이로운 기업가 엘리트들이 형성되어 다음 세기 일본의 산업 확장을 위한 토대를 마련했다.

20세기 후반 중국의 부상 속에서의 도시-농촌 변증법

19세기 서유럽과 북아메리카의 산업화는, 산업 생산의 노동집약적 구성요소를 확보하는 데 비용적 우위에 있었던 시골의 대규모 중심지 및 소규모 타운 모두에서 낮은 수준의 자본과 기술을 보유했던 작업장 형태의 산업과 함께, 대도시에서 높은 수준의 자본과 기술을 보유했던 대규모 산업의 집중에 바탕을 두고 있었다. 그러나 20세기 중반까지 기술의 성장과 자본집약적 생산 덕분에 대부분의 선진국에서 제조업은 주요 산업도시들에 집중되었고, 농촌-도시 이주의 감소는 저비용 작업장 제조업을 위축시켰다.[28]

선진국의 고도로 집중되고 도시중심적 제조업 체계에서 노동의 경직성 증가와 임금 비용의 상승은 1970년대와 그 이후 산업 수익성의 장기적 위기 속에서 중요한 요소였다.[29] 더 작은 규모의 타운들을 포함해 전국에 흩어져 있는 중소 산업체들인 미텔슈탄트Mittelstand의 전통을 유지한 독일의 지속적인 산업 경쟁력과 또 다른 유럽 국가들의 경제에서 분권화되고 유연한 제조업의 부활은 이 규칙에서 예외였다.[30] 이와는 달리 북반구에서 대부분의 도시·산업 경제가 처했던 위기는 아시아 국가들, 특히 중국이 미개발 농촌 노동력의 풍부함으로 세계 무대에 진입해 제조업의 낮은 노동력 비용에 기반을 둔 새로운 산업 강국이 될 기회를 열어주었다. 아래에서는 현대 중국에서의 이 과정을 추적할 것이다.

마오쩌둥의 도시중심적 중공업화

1949년에 중국에서 집권한 중국공산당CCP 정부는 국가산업 체계의 급속한 발전을 통해 서양의 제국주의적 지배력에서 국가를 해방시키려 했다. 전쟁, 투자 부족, 한 세기 넘는 식민주의적 착취로 황폐해진 시골을 대면한 중국공산당의 임무는 소규모 농업 잉여를 산업화를 촉진하는 데 사용하는 것이었다. 이 도전은 사용하고 착취할 더 많은 농업 잉여를 가지고 있었던 19세기 초반 잉글랜드의 도시·산업 기업가들과 19세기 후반 일본의 국가가 후원하는 도시·산업 기업들이 직면한 도전보다 훨씬 더 혹독했다.

중국공산당은 혁명을 쟁취하는 데서 농민들을 성공적으로 동원했지만 1949년에 권력을 획득한 이후 도시의 산업으로 초점을 옮겼다. 우선순위는 산업화한 국가들을 '따라잡으려는catch up' 시도로 자본집약적 중공업을 발전시키는 것이었다. 당의 엘리트들은 1950년대 초반에 곡물, 면화, 여타 농산물의 구매 및 판매 독점을 통해 도시 중공업에 자금을 지원하기 위한 농업 잉여의 동원에 합의했다.[31] 이와 같은 중공업 부문에 대한 자원의 집중은 대규모 도시·산업 중심지를 형성했다.

소련과 소련식 발전 모델의 영향으로 1950년대 중국은 중공업에 전략적 중요성을 부여하고 산업 기반을 확장하려는 중앙의 경제계획을 통해 인적·물적 자원을 동원했다(28장 참조). 이러한 산업적 개요에서는 두 유형의 도시가 특히 중요해졌고 다른 도시보다 더 많은 자원을 지원받았다. 하나의 유형은 1949년 이전에 이미 산업 부문이 잘 발달한 도시들, 예컨대 상하이上海, 우시無錫, 톈진天津, 칭다오青島와 같은 항구도시port city들과, 일본인들이 강력한 산업 기반설비를 구축한 동북부 도시·산업 중심지들을 포함했다. 다른 하나의 유형은 중공업에 쓰이는 석탄·석유·광물과 같은 원자재 생산지와 인접한 곳에 건설된 새로운 산업도시였다. 해안 근처에서 전쟁의 가능성을 우려한 공산주의 국가는 의도적으로 배후 지역에 이와 같은 새로운 도시의 대부분을 건설했다. 1949년에서 1957년 사이에 공식적으로 지정된 도시는 3분의 1 또는 44개로 그 수가 증가했으며 그 가운데 23개는 중앙에 위치하는 성省들에, 17개는 서부의 성들에, 4개는 해안가 성들에 자리했다.[32] 같은 시기에 도시 인구는 72.6퍼센트 증가해 거의 1억 명에 이르렀다.[33]

그런데 중국의 경우 중공업 중심의 산업화가 한계에 이르자 곧 도시팽창urban expansion이 진행되었다. 현대 산업의 핵심으로 간주되는 중공업은 높은 자본 투입을 요구했다. 앞서 언급했듯, 중국 국가는 곡물 및 여타 농산물의 구매 및 판매를 독점함으로써 도시의 산업에 자금을 지원하려고 했다. 이것의 실행은 1953년에 시작되어 1958년에 널리 알려진 가구 등록 체계인 호구戶口 제도와 함께 농촌권rural area과 도시권urban area 사이 인구이동population movement을 엄격히 통제했다.[34] 농촌의 잉여는 농업과 산업 생산품 간의 국가 통제적 교환을 통해 도시경제로 옮겨졌고, 도시에 유리한 무역 조건이 강력하게 유지되었다. 국가가 〔중국의 개혁개방이 시작된〕 1978년 이전에 시골에서 6000억~8000억 위안元 정도를 거두어 산업 투자에 자금을 지원한 것으로 추산되었다.[35]

자본집약적 중공업은 노동력의 흡수에도 한계가 있었다. 공산주의 이데올로기에 따르면, 중국 국가는 도시에서 완전 고용 정책을 시행했다. 그러나 자원 대부분은 노동절약형 중공업 부문에 할당되었다. 그 결과, 산업 일자리의 확대는 도시 인구의 자연적 성장과 보조를 맞출 수가 없었고, 심지어 농촌 인구의 일부를 흡수하는 것도 어려웠다. 1966~1967년 문화대혁명文化大革命, Cultural Revolution 초기 2년이 지나면서 중국 국가는 도시 젊은이들을 시골로 보내기 시작했다. '상산하향上山下鄕' 운동으로 알려진 이 정치적 캠페인은 마오쩌둥毛澤東〔1893~1976〕 시대가 끝날 때까지 계속되었고, 이 기간에 1600만 명의 젊은이들이 도시에서 농촌권으로 보내졌다.

농촌의 산업화는 마오쩌둥 시대에 특히 1970년대에 여기저기서 시작되었지만, 중공업 특히 방위산업을 발전시키고자 도시·산업 중심지에 자원을 할당하는 우선순위는 해당 기간 내내 변함없이 유지되었다.[36] 이러한 지속적 자원 할당의 편향으로 마오쩌둥 시대 말에는 대규모 산업도시 중심지의 지배와 소규모 도시들의 쇠락이 나타났다. 1957년에서 1978년 사이에 대규모 도시는 24개에서 40개로, 중간 규모 도시는 37개에서 60개로 그 수가 증가했으나, 소규모 도시는 115개에서 93개로 그 수가 줄어들었다.[37] 따라서 마오쩌둥의 도시중심적 중공업화는 소규모 타운들이 대규모 산업도시와 공존하며 시골에서 산업도시로 자원을 전달하는 데 결정적 역할을 했던 19세기 잉글랜드 및 여러 서유럽 국가의 산업화 경험과 구별되었다. 이는 농촌의 산업활동이나 농촌타운rural town의 팽창을 제약하지 않고 산업화를 추구했던 일본·타이완 등 여러 동아시아 경제에서의 전후戰後 경험과도 달랐다.

덩샤오핑의 농촌중심적 시장사회주의

1978년에 시작된 시장지향적 개혁은 정치적 초점을 도시·산업 중심지에서 시골로 옮겼다. 농업과 농촌 산업에서 주목할 성공을 거두면서 개혁 초기인 1980년대는 마오쩌둥 시대 및 그 이전의 민국民國시기 Republican Period 모두와 분명한 단절을 보였다. 국가가 대규모 자본집약적 도시 기업을 제약하고 소규모 농촌 생산자를 지원하는 가운데, 글을 읽고 쓸 수 있으며 건강한 농촌 노동력을 창출한 농촌권의 사회 개혁에 관한 마오쩌둥의 유산과 함께 이 시기에는 '시장사회주의market socialism'라 불릴 수 있는 농촌 기반의 분권화한 산업화가 출현하고 번창했다.

당 엘리트들이 도시 기반의 중공업 우선주의 전략을 수용한 마오쩌둥 시대와는 달리, 개혁 초기에 농촌의 개혁들을 지지하고 농촌과 소규모 타운의 이익을 강조하는 당의 고위직 엘리트들이 출현했다. 덩샤오핑鄧小平(1904~1997)의 지도 아래에서 자오쯔양趙紫陽, 완리萬里 등 중앙당과 지방당 모두의 엘리트 집단이 농촌 개혁 프로그램을 추진했다.[38] 1982년부터 1986년까지 중앙정부는 농촌문제를 다루는 중요한 연례 1호 문서를 사용했다. 이 문서는 매년 초 발표되는 제1 정책지침을 통해 정부의 최우선 과제를 제시하는 것으로 국가 의제에서 농촌 개발이 가장 앞선 자리를 차지하고 있었음을 의미한다. 그러나 이러한 개혁은 현지 엘리트, 가장 중요하게는 현지 간부들의 지원 없이는 성공할 수 없었다. 1980년대 초반의 세제 개혁은 지방정부에 국가 수입의 일부 몫을 할애했고, 따라서 현지 간부들에게 농촌경제, 특히 소규모 타운의 산업을 발전시키기 위한 커다란 동기를 부여했다.[39] 마지막으로, 시장의 재확립과 국가로부터의 재정 지원을 받은 현지 기업가들도 농촌과 소규모 타운의 산업 확장에 중요한 역할을 했다.[40]

개혁은 먼저 농산물 구매 가격을 인상하는 것으로 시작했으며 초창기 인민공사人民公社, People's commune의 책임성을 〔가구 책임 체계의〕 가정연산승포책임제家庭聯產承包責任制, Household Responsibility System로 대체하는 제도적 변화가 뒤를 이었다. 더 많은 자원 및 더 많은 생산과 교환의 자유로 수백만 농촌 가구는 소규모일지라도 농촌경제를 변화시키는 놀라운 역량과 유연성을 과시했다. 1978년부터 1984년까지 5년 만에 곡물 생산량이 3억 톤에서 4억 7000만 톤으로 3분의 1이 증가하면서 중국은 1958년에 시작된 대약진운동大躍進運動, Great Leap Forward 이후 처음으로 1985년에 곡물 순수출국이 되었다.[41] 더 극적인 변화는 향진기업鄕鎮企業, Township and Village Enterprise, TVEs으로 알려진 농촌과 소규모 타운 산업의 폭발적 성장이었다. 1978년에 150만 개의 해당 기업이 2800만 명의 농촌 노동자를 고용하고 있었고, 1991년에는 1910만 개 해당 기업이 9800만 명을 고용했다. 1991년에 농촌산업은 농촌 생산의 43퍼센트를 차지했다.

급속한 농촌의 경제성장과 연계되어 농촌 시장 활동과 주거 정착의 중심지 역할을 하는 시장타운market town들은 개화를 누렸다. 1981년부터 1989년 사이에 소규모 타운들의 인구는 약 6000만 명에서 1억 7000만 명으로 2.9배가 증가하고 같은 기간에 타운과 도시의 총인구는 1.7배 증가해 소규모 타운들의 인구성장population growth이 일반적으로 도시의 인구성장보다 훨씬 빨랐음을 시사했다.[42] 소규모 타운 인구의 급속한 확대는 확실히 농촌산업의 노동력 흡수 능력에서 비롯되었다. 마오쩌둥 시대의 노동절약형 산업 기업과는 달리 향진기업은 가장 노동집약적이었고 1980년대 말까지 최대 1억 명의 농촌 노동자를 고용했다. 또한 곡물 생산량의 증가는 도시팽창에 필요한 식량 자원을 제공했다.

타운과 소규모 도시의 발전은 1980년대의 공식 정책과도 일치했다. 정치적 영향력이 있는 저명 사회학자 페이샤오퉁費孝通은 농촌경제를 활성화하고 농촌의 잉여 노동자들에게 제공할 수백만 개 일자리를 창출할 수 있도록 소규모 타운들과 소규모 도시들에 우선권을 줄 것을 당국에 요구했다.[43] 그의 의견은 1980년대에 정책입안자들 사이에서 널리 공유되었다. 따라서 대규모 도시의 확장을 엄격하게 통제하면서 소규모 도시 중심지를 적극적으로 개발한다는 정치적 결정이 내려졌다. 이 정책의 결과로 공식적으로 지정된 도시는 1983년 3430개에서 1989년 1만 1000개로 그 수가 급증했다.[44]

국제관계가 개선됨에 따라 중국은 외국자본, 특히 홍콩·타이완·동남아시아의 화교자본을 유치해 경제를 활성화하려 했다. 가장 중요한 정책 결정은 1980년 덩샤오핑이 해외 투자자들에게 유리한 조건들을 제시하며 해안[연안] 지역에 경제특구special economic zone, SEZ를 설립하기로 한 것이었다(28장 참조). 이와 같은 조치들은 해안도시[연안도시]coastal city들의 확장을 이끌었고 1990년대 중국이 글로벌 자본주의 경제로 통합되는 길을 닦았다. 그러나 1980년대의 경제성장에서 외국자본은 비교적 작은 역할을 했고 해안도시[연안도시]들의 확장도 시장타운들의 성장에는 못 미쳤다.

중국에서 도시 인구는 농촌타운들과 소규모 도시들에서 빠르게 증가했다. 1990년 도시 인구 비율은 26.2퍼센트에 이르렀으나, 일부 학자들은 통계에서 농촌 거주민으로 파악되었으나 이미 도시권에서 비농업 노동자가 된 농민이 증가하고 있는 점을 감안할 때, 당시 중국의 실제 도시화율은 30퍼센트에 달했을 것으로 추정한다.[45] 이러한 농촌 주도의 도시화urbanization는 대규모 도시에 집중된 도시·산업 자본의 성장을 바탕으로 한 이전 단계의 도시화와 달랐다. 새로운 농촌 주도의 확장은 1990년대의 도시화와는 대조적으로 농촌-도시의 소득 격차를 안정화하고 이에 더해 좁히기까지 했다. 그러나 이것은 아래에서 볼 수 있듯이 도시 내의 양극화뿐만 아니라 농촌-도시의 소득 격차를 다시금 확대했다.

1990년대 이래 중국 도시자본주의의 역동성과 한계

1990년대 이후 중국에서는 서양식 도시자본주의urban capitalism가 부상했다. 일부분 마오쩌둥 시대의 산업 기반과 1980년대 성장의 물질적 토대를 바탕으로 조성된 이 도시팽창의 주기는 훨씬 더 빠른 속도로 회전했고 중국 경제와 도시경관urban landscape을 크게 변화시켰다(28장 참조). 중국에서 수출지향적 제조업과 해안도시〔연안도시〕들에 대한 고정자산 투자에 힘입어 도시·산업의 성장이 강력하게 성장한 것은 더욱 일찍 산업화한 국가들 및 다른 동아시아 국가들에서 발생했던 성장과 병행했고 더 나아가 이를 능가하기까지 했다. 그러나 이런 성장은 소득 불평등 심화, 지역 격차, 자본 과잉축적, 환경 악화와 같은 많은 부정적 측면도 포함했다.

1980년대 후반 인플레이션으로 촉발된 도시의 동요는 중국 국가가 정치적 초점을 농촌권에서 도시권으로 옮기도록 강제했다. 타운 거주민들이 동요할 것을 우려한 국가는 농촌의 산업기업 성장을 통제하고 도시에 자리를 잡은 국영기업에 재정 지원과 더 많은 보조금을 제공함으로써 도시의 이익집단을 진정시키려는 움직임을 보였다.[46] 한편 자오쯔양이 제거되고 장쩌민江澤民·주룽지朱鎔基 같은 상하이에 기반을 둔 정치인들〔상하이방上海幇〕의 권력이 강화되면서 도시의 이익집단들은 농촌을 대체해 중앙정부의 지배적 정치 세력이 되었다.[47]

1992년 덩샤오핑의 남순강화南巡講話, Deng Xiaoping's Southern Tour 이후 홍콩·타이완·일본·한국 등 중국 주변 지역 국가들의 투자자들과 이어 서양의 투자자들이 몰려들어, 중국 연안 지역의 저임금, 발전한 기반설비, 우호적 정책의 혜택을 누렸다〔'남순강화'는 덩샤오핑이 1992년 1월 18일부터 2월 22일 동안 중국 남부 특구인 선전深圳, 주하이珠海, 상하이 등을 순시하면서 개혁과 개방을 더욱 확대·가속해야 한다는 내용으로 발표한 담화를 말한다〕. 중국은 1993년 이후 개발도상국 가운데 최대 해외직접투자Foreign Direct Investment, FDI 수혜국이 되었고, 2003년에는 미국을 대신해 세계 최대 FDI 수혜국이 되었다. 수출 위주의 제조업에 FDI 비율이 증가하면서 중국 연안〔해안〕은 세계의 공장으로 변모했다. 국내총생산GDP에서 수출이 차지하는 비중은 1992년 17.6퍼센트에서 2000년 23.1퍼센트로, 2008년 33.4퍼센트로 급증했다.[48]

중국에서 공식적 정책의 도시 편향과 수출지향적 경제로의 전환은 급속한 도시화의 시기를 가져왔다. 도시화율은 1991년 26.9퍼센트에서 2008년 45.7퍼센트로 매년 1퍼센트 이상 증가했다.[49] 도시에서 살아가는 농촌 출신 1억 명 이상의 이주노동자들을 고려하면 중국의 도시화율은 55퍼센트를 넘었다. 새로 추가된 도시 인구의 대부분이 소규모 도시 중심지에서 사는 경향이 있었던 1980년대와는 달리, 이 기간에 인구는 대규모 도시에 집중되었다.

대규모 도시와 연안[해안] 지역으로 도시·산업의 성장 방향성이 전환된 것은 종종 선진국에서 일어났던 현상을 반복하는 자연스러운 과정으로 여겨졌다. 그러나 면밀하게 조사해보면 그것이 의도적 정책과 계급적 이해관계의 실질적 결과였음을 알 수 있다.[50] 한편으로, 1980년대에 농촌과 소규모 도시의 성장을 촉진했던 관행 및 제도들—향진기업에 대한 쉬운 은행 신용대출, 농민친화적 곡물 구매, 농촌 기반설비 투자—이 축소, 중단 또는 폐지되었다. 다른 한편으로, 지방정부와 은행들은 단기적으로 더 높은 수익률을 올리려 자원 대부분을 도시 기업을 지원하거나 국내 혹은 외국 구매자의 관심 대상인 도시 고정자산에 투자하는 것으로 전환했다. 이것은 중앙정부의 자원 배분 편중과 대규모 도시와 연안[해안] 지역에 대한 정책적 지원과 결합했다. 이러한 도시 편향은 은행 체계를 통해 대규모로 농촌에서 도시로, 노동에서 자본으로 이동하는 흐름을 만들어냈다. 공장 체계, 조세 체제, 강제 토지수용은 모두 역동적인 도시·산업의 성장에 직접적인 자양분을 공급했다.[51]

중국에서 국가, 도시, 기업가의 변화하는 관계는 산업화에 복잡한 영향을 끼쳤다. 오늘날 농촌 중심의 향진기업은 더는 성장의 중요한 동력을 구성하지 않는다. 그 대신 중국의 발전은 주로 해안[연안] 도시 지역에 집중된 국내외 민간 기업가가 운영하는 수출지향적 산업과 도시 중심의 국영기업이 주도해왔다. 그것은 국영기업과 외국 투자 회사의 고위 경영진과 함께 부유한 도시 기업가들인 새로운 계층의 부상으로 이어졌다(한 추정에 따르면 중국에는 미국 달러로 억만장자가 271명이나 존재한다). 경영권 인수를 통한 국영기업의 민영화와 개혁은 새로운 도시 기업가 계층의 확대와 강화를 가속했다. 2001년부터 공산당은 민간 기업가와 경영자를 당에 영입하기 시작했고, 공식적으로 새로운 도시 기업가 계급과 권위주의 국가 사이 동맹을 조직했다. 주요 부문의 대규모 산업에서는 우호적 정책을 위해 정부의 여러 단계에서 로비를 하는 산업가 단체들이 나타났다.[52]

서양식 성장은 중국 도시들에 심각한 사회경제적 문제를 발생시켜 도시들의 사회적 안정성을 위협하고 장기적 경제발전의 잠재성을 약화했다. 제일 먼저 문제가 되는 것은 중국 사회의 소득 불평등 심화다. 농촌에서 도시로 흘러가는 잉여로 농촌-도시 간 소득 격차는 1990년대 이후 급격히 확대되고 있다. 농촌에 대한 도시의 1인당 소득 비율은 1991년 2.40에서 2008년 3.31로 증가했다.[53] 한편 도시 내 불평등도 심화했는데, 그 상당 부분이 노동과 자본에 대한 차등적인 수익률에 의해 야기되었다. 도시 지니계수Gini coefficient는 1992년 0.2473에서 2004년 0.3263으로 증가했다.[54] 도시 인구에 수백만 명의 농촌 이주노동자들을 포함하면 그 수치는 훨씬 더 높아질 것이다. 연안[해안] 지역으로의 FDI와 자원의 집중 또한 지역 격차가 커지는 요소였다. 1991년 연안[해안] 지역의 1인당 GDP는 내륙 지역의 1.76배였고, 2008년에는 2.68배로 증가했다.[55]

소득 불평등 외에도 자본의 과잉축적over-accumulation과 과소소비under-consumption 문제가 발생했다. 이 문제는 일찍이 1990년대 후반에 등장했고 그 이후로 중국 경제의 골칫거리가 되고 있다. 소득 분배 양극화로 내수domestic consumption 여력이 낮아지면서 중국 내 기업들은 주로 해외시장을 공략하게 되었다. 해외수익은 국내자본으로 전환되어 과잉축적과 수출 의존 자체를 더 고착하는 악순환을 일으킬 것이었다. 지방 정부와 은행 체계가 장려하는 수익성 있는 투자처가 없는 상황에서 중국의 잉여자본은 산업과 상업에서 벗어나 1998년 이후 도시 부동산 시장에 투기되었고, 이는 도시 주택 가격을 인상시키고 대규모 도시에 자산 거품을 만들어냈다.[56]

환경 파괴는 중국에서 도시자본주의가 발생시킨 또 다른 심각한 문제다. 이 문제의 규모는 중국의 생태적 취약성과 거대한 인구로 인해 다른 산업화 국가에서의 규모를 크게 뛰어넘는다. 현재 중국 도시들에는 7억 명이 넘는 인구가 살고 있으며 국내 및 해외 시장용 공업 생산으로 석탄·석유·전기 같은 에너지 소비량이 급증했다. 통계에 따르면, 1991년과 2008년 사이에 총 에너지 소비가 175퍼센트 증가했다.[57] 또한 중국 도시의 3분의 2 이상이 물 부족의 만성적 문제에 직면하고 있으며, 중국 당국이 댐을 건설하거나 강을 전용하거나 지하수를 과도하게 추출하고 있는 것은 향후 심각한 생태 위기로 이어질 수도 있다.[58] 지난 10년 동안 자동차산업의 급속한 팽창으로 수백만 대의 자동차가 중국의 모든 도시의 거리를 차지해 수백만 톤의 석유를 연소하며 전례 없는 양의 배기가스를 배출했다. 이에 더해, 해안[연안] 지역 도시산업의 환경 비용은 현재 시골과 내륙 지역으로 이전되고 있으며, 오염 공장들은 내륙 지역에서 시골로 이전되고 있다.

도시산업주의urban industrialism의 농촌적 토대

이 장에서 우리는 18세기로의 전환기에 잉글랜드의 산업화가 어떻게 (적어도 부분적으로는) 선진 농업경제에서 증가하는 농촌 잉여의 이전으로부터 혜택을 받은 도시 기업가 엘리트의 중요성에 달려 있었는지 살펴보았다. 이러한 농촌-도시 자원의 흐름은 대규모 산업도시의 성장에 이바지했거니와 소규모 제조업 중심지 역할을 하기도 하고 새로운 산업 생산물의 시장 역할도 한 시장타운 및 더 작은 규모 도시의 지속적 활력을 촉진했다. 대조적으로, 청나라의 가부장적 정책들은 역동적 도시 기업가 엘리트의 부상을 제한함으로써, 중국은 시골에 분산된 막대한 농업 잉여를 집중시킬 수 있는 핵심적 요소를 상실했다.

20세기 후반에 선진적 산업 경제국 대부분의 시골 지역에서 인구가 감소했고, 농업 부문은 막대한 국가 보조금에 의존해 생존했다. 농촌 출신 이주민의 제조업 노동력 공급 고갈은 많은 서양 국가의 오래된 산업 부문의 비용과 비융통성을 증가시켜 1970년대 이후 이들 국가의 수익성과 국제 경쟁력이 하락하는 요소로 작용했다. 대조적으로, 중국에서 마오쩌둥 시대의 중공업화, 덩샤오핑 시대의 농촌지향적 시장 개혁 및 농업 생산성 급등, 뒤를 이은 1990년대의 수출지향적 산업화는 저비용 노동력의 이주를 통해 시골에서 나오는 대규모 사회적·인적 자본에 의존하는 해안[연안]의 도시 제조업 시설 성장을 가능하게 했다.

요약하자면, 19세기 초반 잉글랜드의 산업혁명과 20세기 후반 중국의 수출지향적 산업화는 도시·산업 성공의 농촌적 차원을 주목하게 한다. 그러나 도시·산업의 성장이 종종 농촌의 기반을 침식한다는 점에서 이 성공은 그 자체로 몰락의 씨앗을 뿌리기도 한다. 10여 년 이상의 급속한 산업 확장으로 시골에서의 투자와 인력이 고갈된 이후, 중국이 산업 역동성의 농촌적 원천을 고갈시키는 것과 유사한 문제에 직면할 수 있다는 점은 논쟁의 여지가 있다. 이 문제를 예상한 중국 정부는 지난 5년 동안 이 문제의 선제적 처방책으로 시골을 되살리려 시도했다. 이러한 시도의 결과는 중국이 서양의 산업자본주의 위기를 반복할 것인지, 아니면 도시적 산업적 성장의 대안적이고 더욱 지속가능한 모델을 육성할 것인지에 대한 열쇠가 될 것이다.

주

1 편집자는 친절하게 이 글의 수정에 도움을 주었다.

2 논쟁의 개요에 대해서는 Ho-fung Hung, "America's Head Servant? The PRC's Dilemma in the Global Crisis", *New Left Review*, 60 (November-December, 2009), 5-25.

3 Kenneth Pomeranz, *The Great Divergence: Europe, China, and the Making of the Modern World Economy* (Princeton: Princeton University Press, 2000).

4 P. H. H. Vries, "Are Coal and Colonies Really Crucial? Kenneth Pomeranz and the Great Divergence", *Journal of World History*, 12:2 (Fall 2001), 407-445.

5 Jack A. Goldstone, "Neither Late Imperial Nor Early Modern: Efflorescences and the Qing Formation in World History", in Lynn A. Struve, ed., *The Qing Formation in World-Historical Time* (Cambridge, Mass.: Harvard University Asian Center, 2004), 242-302, 특히 279.

6 Christopher Howe, *The Origins of Japanese Trade Supremacy: Development and Technology in Asia from 1540 to the Pacific War* (Chicago: Chicago University Press, 1996), 90-137.

7 Randall Collins, "Weber's Last Theory of Capitalism: A Systematization", *American Sociological Review*, 45:6 (December 1980), 925-942.

8 Cf. R. C. Allen et al., "Wages, Prices and Living Standards in China, 1738-1925: In Comparison with Europe, Japan and India", *Economic History Review*, 64 No.S1 (2011), 18ff.

9 Goldstone, "Neither Late Imperial Nor Early Modern", 407-445.

10 Jack A. Goldstone, "Europe's Peculiar Path: Would the World Be 'Modern' if William III's Invasion of England in 1688 Had Failed?", Paper presented at the conference *Counter-Factual History* (Ohio State University, February 2001).

11 Robert C. Allen, "Collective Invention", *Journal of Economic Behavior and Organization*, 4:1 (March 1983), 1-24.

12 David Reeder and Richard Rodger, "Industrialisation and the City Economy", in Martin Daunton, ed., *The Cambridge History of Urban History of Britain, vol.3: 1840-1950* (Cambridge: Cambridge University Press, 2000), 554-555.

13 Richard Lachmann, *Capitalist in Spite of Themselves: Elite Conflict and Economic Transition in Early Modern Europe* (Oxford: Oxford University Press, 2000). 다음도 참고하라. Andrew Lees and Lynn Hollen Lees, *Cities and the Making of Modern Europe, 1750-1914* (New York: Cambridge University Press, 2007), 42-44.

14 Paul Gauci에 의해 편집된 최근의 종합과 비교하라. Paul Gauci, *Regulating the British Economy 1660-1850* (Aldershot: Ashgate, 2011). 의견을 준 Penelope Corfield와 Joanna Innes에게 감사한다.

15 Peter Clark, *European Cities and Towns: 400-2000* (Oxford: Oxford University Press, 2009), 256-258.

16 William T. Rowe, "Domestic Interregional Trade in Eighteenth-Century China", in Leonard Blussé and Femme Gaastra, eds., *On the Eighteenth Century as a Category of Asian History: Van Leur in Retrospect* (Aldershot: Ashgate, 1998), 173-192.

17 Hamilton, *Commerce and Capitalism in Chinese Societies, 43-47, 56-70; Wang Zhenzhong, Mingqing Huishang yu Huaiyang shehui bianqian* (Anhui Merchants and Social Change in Huaiyang Area in Ming and Qing Times) (Beijing: Sanlian Shudian, 1996), 1-57.

18 Fernand Braudel, *Civilization and Capitalism, 15th-18th Century* (Berkeley: University of California Press, 1992), 585-594; Richard Grassby, *Kinship and Capitalism: Marriage, Family, and Business in the English Speaking World* (New York: Cambridge University Press, 2001); Robert Brenner, *Merchants and Revolution: Commercial Change, Political Conflict, and London's Overseas Traders, 1550-1653* (Princeton: Princeton University Press, 1993), 51-91; Mary B. Rose, *Firms, Networks and Business Values: The British and American Cotton Industries since 1750* (New York: Cambridge University Press, 2000), 66-79; François Crouzet, *The First Industrialists: The Problem of Origins* (Cambridge: Cambridge University Press, 1985).

19 Gary G. Hamilton, "Hong Kong and the Rise of Capitalism in Asia", in *Cosmopolitan Capitalists: Hong Kong and the Chinese Diaspora at the End of the Twentieth Century* (Seattle: University of Washington Press, 1999), 14-34; S. G. Reddings, "Weak Organizations and Strong Linkages: Managerial Ideology and

Chinese Family Business Networks", in G. G. Hamilton, ed., *Business Networks and Economic Development in East and Southeast Asia* (Hong Kong: Center of Asian Studies, University of Hong Kong, 1991).

20 Madeleine Zelin, *The Magistrate's Tale: Rationalizing Fiscal Reform in Eighteenth-Century Ch'ing China* (Berkeley: California University Press, 1984), 264-308.

21 Philip A. Kuhn, "The Taiping Rebellion", in John K. Fairbank, ed., *Cambridge History of China*, vol. 10 (Cambridge: Cambridge University Press, 1978), 264-316; Ho-fung Hung, *Protest with Chinese Characteristics: Demonstrations, Riots, and Petitions in the Qing Dynasty* (New York: Columbia University Press, 2011).

22 Philip A Kuhn, *Rebellion and Its Enemies in Late Imperial China: Militarization and Social Structure, 1796-1864* (Cambridge, Mass.: Harvard University Press, 1970), 87-92; Susan Mann, *Local Merchants and the Chinese Bureaucracy, 1750-1950* (Palo Alto, Calif.: Stanford University Press, 1987).

23 Chang Chungli, *The Income of the Chinese Gentry* (Seattle: University of Washington Press, 1962), 69-73,

24 Tim Wright, "Growth of the Modern Chinese Coal Industry: An Analysis of Supply and Demand, 1896-1936", *Modern China*, 7:3 (1981), 317-350. Dwight H. Perkins, "Government as an Obstacle to Industrialization: The Case of Nineteenth-Century China", *Journal of Economic History*, 27:4 (1967), 478-492. Wang Yeh-Chien, "Shijie geguo gongye hua neixing yu zhongguo jindai gongye huade ziben wenti (Typologies of Industrialization in the World and the Question of Capital in China's Modern Industrialization)", in *Wang YehChien Qingdai jingji shi lunwen ji* (2003), 3 17-36.

25 Randall Collins, "An Asian Route to Capitalism: Religious Economy and the Origins of Self-Transforming Growth in Japan", *American Sociological Review*, 62 (1997), 843-865; Thomas C. Smith, *The Agrarian Origins of Modern Japan* (Palo Alto, Calif.: Stanford University Press, 1959).

26 Herbert P. Bix, *Peasant Protest in Japan, 1590-1884* (New Haven: Yale University Press, 1986), 189-214.

27 Hamilton, "Hong Kong and the Rise of Capitalism in Asia", 18-25; Smith, *The Agrarian Origins of Modern Japan*, 201-13; Eleanor D. Westney, *Imitation*

and Innovation: The Transfer of Western Organizational Patterns to Meiji Japan (Cambridge, Mass.: Harvard University Press, 1987); Christopher Howe, *The Origins of Japanese Trade Supremacy: Development and Technology in Asia from 1540 to the Pacific War* (Chicago: Chicago University Press, 1996), 90-200. 이 책의 29장도 참고하라.

28 Clark, *European Cities and Towns*, 256-258.

29 Robert Brenner, *The Boom and the Bubble: US in the World Economy* (New York: Verso, 2003); Clark, *European Cities and Towns*, 261-264.

30 Clark, *European Cities and Towns*; Charles F. Sabel and Jonathan Zeitlin, eds., *World of Possibilities: Flexibility and Mass Production in Western Industrialization* (New York: Cambridge University Press, 2002), Part III.

31 Bo Yibo, *Ruogan zhongda juece yu shijian de huigu* (Retrospect on Some Significant Decisions and Events) (Beijing: Zhonggong Zhongyang Dangxiao Chubanshe, 1991), 255-271.

32 Ye Shunzan "Zhongguo chengshi jiegou yu gongneng de lishi yuanyuan (The Evolution of China's City Structures and Functions)", in *Zhongguo: shiji zhijiao de chengshi fazhan* (China: Urban Development towards the Year 2000) (Shenyang: Liaoning Renmin Chubanshe, 1992), 115-140.

33 National Bureau of Statistics of China, *China Compendium of Statistics 1949-2004* (Beijing: China Statistics Press, 2005), 6.

34 Wen Tiejun, *Zhongguo nongcun jiben jingji zhidu yanjiu* (A Study on Rural China's Basic Economic Institutions) (Beijing: Zhongguo Jingji Chubanshe, 2000), 157-202.

35 Ibid. 177.

36 Chris Bramall, *Chinese Economic Development* (New York: Routledge, 2009), 83-89.

37 Ye, "The Evolution of China's City Structures and Functions", 125-126.

38 Huang Yasheng, *Capitalism with Chinese Characteristics: Entrepreneurship and the State* (New York: Cambridge University Press, 2008), 1-49.

39 Jean C. Oi, *Rural China Takes Off: Institutional Foundations of Economic Reform* (Berkeley: University of California Press, 1999).

40 Huang, *Capitalism with Chinese Characteristics*, 50–108.

41 Barry Naughton, *The Chinese Economy: Transitions and Growth* (Cambridge, Mass.: MIT Press, 2007), 242.

42 Lu Xueyi and Li Peilin, eds., *Zhongguo shehui fa zhan baogao* (The Report on China's Social Development) (Shenyang: Liaoning Renmin Chubanshe, 1991), 16–17,

43 Fei Xiaotong, "Xiaochengzhen Dawenti (Small Towns and Cities, Big Issues)", *Liao Wang*, Nos.2–5 (1984).

44 Lu Xueyi and Li Peilin, eds., *The Report on China's Social Development*, 18.

45 Ibid. 17.

46 Dennis Tao Yang and Cai Fang, "The Political Economy of China's Rural–urban Divide", *Working Paper*, No.62 (Stanford: Center for Research on Economic Development and Policy Reform, Stanford University, 2000).

47 Huang, *Capitalism with Chinese Characteristics*, 109–174.

48 *China Compendium of Statistics 1949–2004*, 9, 68; National Bureau of Statistics of China, *China Statistical Yearbook 2009* (Beijing: China Statistics Press, 2009), 37, 724.

49 *China Statistical Yearbook 2009*, 89.

50 Hung, "America's Head Servant?".

51 Ibid.

52 Bruce J. Dickson, *Red Capitalists in China: Ihe Party, Private Entrepreneurs, and Prospect for Political Change* (Cambridge: Cambridge University Press, 2003); Scott Kennedy, *The Business of Lobbying in China* (Cambridge, Mass.: Harvard University Press, 2005).

53 *China Statistical Yearbook 2009*, 317.

54 Cheng Yonghong, "China's Overall Gini Coefficient since Reform and Its Decomposition by Rural and Urban Areas since Reform and Opening–up", *Social Sciences in China*, 4 (2007), 45–60.

55 National Bureau of Statistics of China, *China Statistical Yearbook 1992* (Beijing: China Statistics Press, 1992), 18, 36, 82; *China Statistical Yearbook 2009*, 37, 49, 91.

56 Yi Xianrong, "Zhongguo fangdichan shichang guore yu fengxian yujing (The Overheated Estate Market and the Pre-warning System)", *Caimao Jingji* [Finance & Trade Economics] 282 (2005), 14-21.

57 China Statistical Yearbook 2009, 243.

58 Kenneth Pomeranz, "China's Water Woes: Past, Present, and Future", *The China Beat*, 12 (February 2009).

참고문헌

Clark, Peter, *European Cities and Towns: 400-2000* (Oxford: Oxford University Press, 2009).

Fei, Xiaotong, "Xiaochengzhen Dawenti", [Small Towns and Cities, Big Issues], *Liao Wang*, Nos. 2-5 (1984).

Goldstone, Jack A., "Neither Late Imperial Nor Early Modern: Efflorescences and the Qing Formation in World History", in Lynn A. Struve, ed., *The Qing Formation in World-Historical Time* (Cambridge, Mass.: Harvard University Asian Center, 2004), 242-302.

Huang, Yasheng, *Capitalism with Chinese Characteristics: Entrepreneurship and the State* (New York: Cambridge University Press, 2008).

Hung, Ho-fung, "Agricultural Revolution and Elite Reproduction in Qing China: The Transition to Capitalism Debate Revisited", *American Sociological Review*, 73 (2008), 569-588.

Hung, Ho-fung, "Rise of China and the Global Overaccumulation Crisis", *Review of International Political Economy*, 15. 2 (2008), 149-179.

Lachmann, Richard, *Capitalist in Spite of Themselves: Elite Conflict and Economic Transition in Early Modern Europe* (Oxford: Oxford University Press, 2000).

Pomeranz, Kenneth, *The Great Divergence: Europe, China, and the Making of the Modern World Economy* (Princeton: Princeton University Press, 2000).

Reeder, David, and Rodger, Richard, "Industrialisation and the City Economy", in Martin Daunton, ed., *The Cambridge History of Urban History of Britain*, vol. 3:

1840–1950 (Cambridge: Cambridge University Press, 2000), 553–592.
Sabel, Charles F., and Zeitlin, Jonathan, eds., *World of Possibilities: Flexibility and Mass Production in Western Industrialization* (New York: Cambridge University Press, 2002).

제35장

인구와 이주

Population and Migration

레오 루카센

Leo Lucassen

서론과 모형

지난 2세기 동안 사람들은 어떤 조건에서 도시city에 정착했으며, 세계의 여러 지역 사이 커다란 차이는 어떻게 설명할 것인가? 도시에 영구적으로 체류하는 것에서부터 농촌-도시rural-urban의 연속체continuum를 형성하는 매우 불안정하고 순환적인 이주에 이르기까지 이주민들의 정주 양상의 차이는 어떻게 볼 것인가? 이런 문제들이 이번 장의 핵심적 질문들이다. 전 세계의 도시화urbanization 수준과 속성의 차이를 모두 이해하려면 도시가 권리와 서비스 측면에서 (새로운) 거주민들에게 무엇을 제공해야만 하는지 고찰해야 한다는 게 이번 장의 기본적 주장이다. 더 나은 그리고 더 포괄적인 제공일수록 더 많은 사람이 도시 중심지urban centre에 영구적으로 정착할 것이고, 그들의 민족 네트워크 또는 친족 네트워크에 덜 의존할 것이며, 그 반대의 경우도 마찬가지다. 이와 같은 모델에서 종족집단 혹은 강한 유대관계에 대한 의존으로 묘사되는 민족적 속성은 주로 도시의 제도적 완전성의 함수로 간주된다. 도시가 더 많은 서비스를 제공할수록 친족과 동족에 의존할 필요가 줄어들고, 도시와 시골countryside 사이에 위험을 분산할 필요가 없어진다. 그러므로 이러한 관점에서는 민족성ethnicity이나 부족주의tribalism에 대한 설명이 더욱 필요하다. 지난 2세기 동안 세계 대부분의 농촌-도시 이주migration 형태를 요약하면 다음과 같은 유형([도형 35.1] 참조)이 도출된다.

[도형 35.1] 농촌-도시 이주 정주지 양상에 대한 지구사적 유형

유형	도시 서비스 접근성	민족 유대의 특징	농촌-도시 연계 강도
1. 완전한 시민권 모델	높음 (내외국인 모두)	낮음, 특히 장기 거주민에게 낮음	약함
2. 민족-국민 모델	민족과 종교에 따라 제도적으로 구분됨	높음, 장기 거주민에게도 높음	약함
3. 외부 차별 시민권 모델	외국인 (비숙련) 이주민 배제	높음, 특히 외국인 이주민 사이에서 높음	강함
4. 내부 차별 시민권 모델	내부 (농촌) 이주민 배제	높음, 특히 내국인 이주민 사이에서 높음	강함
5. '시민권 결핍' 모델	적용 불가능	높음	다양함: 시골 자원에 대한 접근/권리에 의존

이 유형학typology은 고정된 방식으로 사용되어서는 안 된다. 그보다 유형학은 상황이 바뀌면 지역, 국가, 또는 도시가 유형적인 이동을 할 수 있다고 규정한다. 게다가, 우리가 보았듯, 지리적 단위는 동질적 단위로 다루어져서는 안 된다. 오늘날 미국 도시들은 '완전한 시민권 모델'의 기준을 부분적으로만 충족하고 '시민권 결핍' 모델의 현실과 더 닮은 모든 종류의 개별 영역을 포함하고 있다. 반면에 시민권 결핍의 측면과 크게 분리된 시민사회를 결합한 인도 또는 아프리카의 도시들도 제한적이나마 공유되는 공론장public sphere을 발전시켰다. 따라서 이러한 계층적이고 개방적인 유형학은 (서)유럽 도시에 세계의 나머지 국가들이 뒤따르기를 기다리는 원형原型, master pattern과도 같은 특권을 부여하는 이분법적 가정과 함의를 거부한다.

완전한 시민권 모델The full citizenship model. 이것은 중세 남부 유럽 도시들에서 개발된 다음 점차 북서 유럽 방향으로 확산되었다. 이 도시들은 상대적으로 자치적이었고 시민들을 봉건적 의무에서 벗어나게 하고 시민들에게 친족이나 민족의 유대관계를 초월한 시민권을 제공했다. 도시의 거주민들은 빈민 구호로부터 노동시장 및 공유되는 공론장의 규제에 이르기까지 제도적 지원을 제공하는 공동체communitas를 공유했다.[1] 19세기부터 이러한 도시의 포용적 모델은 국가적(더 최근에는 초국가적) 수준으로 이전되었으며, 포용성의 정점에는 특히 서유럽, 북아메리카, 일본, 오세아니아의 포괄적 복지국가와 자유민주주의 국가가 있었다.

특히 서유럽, 남북 아메리카, 백인 정주민 식민지, 일본에서 도시 내부 및 외부로의 이주민 대부분은 '도착시민citizens on arrival'으로 분류될 수 있으며, 이는 합법적 이주민이 시민으로 대우받고 장기적으로는 정착사회host society에 통합될 것으로 기대된다는 것을 의미한다. 여기에 인종적 편견이 중요한 역할을 한바, 백인성whiteness에 대한 담론과 국가의 인종적 균형을 변화시킬지 모를 신중한 정책이 신세계New World에서 이러한 시민적 동질화homogenization를 자극했기 때문이다. 잘 알려진 사례가 1917년부터 북서 유럽인들에게 혜택을 준 미국의 이민 할당법Quota act들과 이와 유사한 정책을 채택한 캐나다·오스트레일리아 같은 예전 영국의 식민국가들이다. 한편 라틴아메리카 국가들도 인종적 세계관에 크게 영향을 받았다. 19세기 후반기에 브라질은 이전의 흑인 노예였던 인구와 인종적 균형을 맞추고자 유럽인들의 유입 이민을 자극했다. 완전한 시민권 모델의 또 다른 어두운 측면은 이미 존재하고 있었던 소수민족('원주민native peoples' 혹은 유럽의 집시Roma)들이 부분적으로 시민권에서 제외되었다는 것이다. 1960년대부터 대다수의 민주주의 국가에서는 민족성과 인종에 대한 압력이 점차 다른 국가 출신들을 영주권자로서 허용하는 주요 기준이 된 인적 자본으로 옮겨갔다.[2]

민족-국민 모델The ethno-national model. 러시아 제국, 합스부르크 제국, 오스만 제국(이스탄불은 제외)의 도시화 수준은 여타의 유럽 국가보다 훨씬 낮았고, 그 계승국가에서도 마찬가지로, 민족적/종교적 기준에 의해 형성되었다. 공유된 도시 시민권과 결합한 공론장은 어느 정도 발전했지만, 그것은 민족주의와 종교에 따른 집단(적) 사고group thinking를 억누르면서 분할된 탓에 오히려 도시 내에서 일종의 분리 형태를 발생시키고 민족적·종교적 유대관계를 조장했다.[3] 제1차 세계대전 기간과 전쟁 이후에 이들 다민족 제국은 최종적으로 해체되고 국민

국가nation-state 모델에 자리를 내주었다. 차이에 대한 상대적 관용은 갑자기 민족적 동질성에 대한 압박으로 바뀌었다. 극단적 경우에 이것은 제노사이드genocide(터키〔튀르키예〕의 아르메니아인에 대한), 대규모 인구 교환(1922년 터키와 그리스 간), 인종청소(1990년대 유고슬라비아내전), 유대인과 집시족뿐만 아니라 특정 국가 내부의 소수민족에 대한 치명적 형태의 차별로 이어졌다. 이러한 민족-국민주의적ethno-nationalist 기회 구조opportunity structure는 모스크바, 부다페스트〔헝가리어 발음 부더페슈트〕, 이스탄불 같은 도시로 이주하는 이주민들의 정착 과정에 지속적 결과를 낳게 했고 동화와 완전한 시민권에 대한 주요 장벽을 만들었다. 터키 도시들에서의 쿠르드족이나 러시아 타운들에서의 체첸인의 지위(혹은 더 일반적으로 러시아 내부 통행증 체계)는 이와 같은 극단적인 사회정치적 변화의 결과로 볼 수 있다.

외부 차별 시민권 모델 The external differential citizenship model. 이 모델은 시민권이 원칙적으로 모든 거주민에게 부여되는 자유민주주의 국가와는 달리, 여러 전제적, 독재적 또는 부분적으로만 민주적인 국가들은 국적을 핵심 기준으로 내부인과 외부인 사이에 주요 구분 선을 긋는다. 원주민들은 완전한 시민으로 대우받고, 외부인들에게는 거부되는 모든 종류의 권리와 (도시의) 혜택(정치적 권리 제외)을 누린다. 그 결과로 노동 이주민들의 순환성과 일시성의 영속적 조건이 형성된다. 적절한 사례는 1970년대부터 팽창해가던 도시들로 아시아 이주민들을 대량으로 모집해왔던 걸프만 국가들로, 이들은 이주민을 비시민으로 취급하고 이주민들에게 시민권을 부여하지 않는다.[4] 이로 인해 사실상 이주민들은 정착이 불가능하고 경제가 침체할 때에는 종종 추방된다.

그 유사한 기제가 민주주의는 발전했으나 시민권이 민족 기준 또는 종교 기준에서 규정되는 말레이시아 같은 국가들에서 작동한다.[5]

내부 차별 시민권 모델The internal differential citizership model. 이 모델은 시골에서 도시로의 내부 이주를 제한하고 통제하려는 목적으로 시민들 간 시민권을 거주지에 따라 차별하는 국가들에 해당된다. 결과적으로 도시에 정착하는 농촌 출신 이주민들은 불법이 되거나 자동으로 시민의 권리 및 도시 서비스(복지나 교육 등)에 동등한 접근권을 부여받지 못하게 된다. 이 모델은 근대 초기 유럽에서 널리 퍼져 있었고 러시아에서는 1800년 이후에도 계속되었다. 가장 극단적인 형태는 1950년대 공산주의 정권에 의해 만들어졌고 1970년대 후반까지 농촌에서 도시로의 이주를 성공적으로 둔화시킨 중국의 호구戶口 체계다.[6] 그러나 〔개혁개방을 시작한〕 1978년부터 고삐가 느슨해졌던 때에도 농촌 출신 이주민들은 도시 시민권에서 제외되어 두 부류의 도시 거주민이 생겨났다. 도시 시민권을 가지고 모든 종류의 서비스에 접근할 수 있는 사람들과, 일만 할 수 있고 시민권이 시골에 국한된 이주민들이 그 두 부류다. 이 모델은 도시의 사회적 지원이 부족하기에 (적어도 일시적으로) 고향으로 돌려보내려는 강력한 동기가 포함되어 있다.

또 다른 변종은 이스라엘에서 팔레스타인 사람들의 분리와 1948년에 제도화한 아파르트헤이트Apartheid 〔정책〕 아래 남아프리카공화국에서 인위적인 '홈랜드homeland'〔인종격리 정책으로 만들어진 흑인 자치 지역〕의 창설이다. 후자는 흑인 아프리카인들을 남아프리카와 나미비아의 광산타운mining town으로 이주할 수 있게 했으나 이 남성 이주민들을 자신들의 주거단지에 고립시켰다. 영구 정착은 금지되었고 시민권은 그들의 '홈랜드'인 반투스탄Bantustan으로 제한되었다. 아이러니하게도, 아파르트헤이트 체계의 요소들은 아프리카국민회의African National Congress, ANC의 새 정권 아래에서도 이웃 국가들에서 온 아프리카 이주민들을 겨냥해 계속 시행되고 있으며, 이주민과 원주민 사이에 격렬한 충돌을 발생시키고 있다.

'시민권 결핍' 모델 The 'empty citizership' model. 마지막으로, 새 이주민에게 제공할 게 거의 없는 도시들이 있다. 이들 도시는 아프리카(사하라 이남), 아시아의 일부(인도), 남아메리카의 다양한 지역에서 볼 수 있다. 이 지역의 국가들과 도시들은 너무 약하거나, 너무 가난하거나, 혹은 다른 이유로 도시로 이주하는 이주민들(대부분 내부 이주민)에게 공통의 안전망이나 도시 시민권을 제공하지 않는다. 독립 이후 사람들은 도시로 자유롭게 이주할 수 있지만, 대부분이 도시의 부유하고 출입이 통제되는 부분으로부터 고립되고 극도로 분리된 빈민가에 남겨진다. 어느 정도 '가벼운' 양상은 미국(및 그보다 낮은 정도로 프랑스와 이탈리아)에서도 찾을 수 있으며, 이들 나라에서는 인종적 소수민족과 가난한 이주민들이 거주하는 '하이퍼게토hyperghetto'〔대규모 게토〕가 도시들 주변에서 발전해왔고, 캘커타·라고스·리우데자네이루의 빈민가와 유사하다.[7]

주변화marginalization를 막으려 많은 이주민이 자신들의 출신지와 유대관계를 형성하고 다양한 종류의 고향 결사체들을 설립한다. 이와 같은 농촌-도시 연속체는 사회적 위험에 대한 보험으로 해석되어야 하거니와 이주민과 그의 친족에게 정서적·정신적 의미도 갖게 한다. 중국과 사하라 이남 아프리카 일부 지역에서 이주민이 사망하면 고향에

묻히기를 선호하는 것과 고향으로의 지속적 송금이 그것을 증명한다. 공동의 시민적 도시 제도들의 부족은 시골과 타운town 사이 이주의 통로를 제공하기도 하고 규제하기도 하는 민족 네트워크나 친족 네트워크의 중요성이 커진 점을 설명해준다. 고향 결사체들과 함께하는 일·종교·여가를 통해 유대감과 충성심이 형성될 여지가 있었고, 이는 적어도 부분적으로 공유된 도시문화를 창출했다. '민족성'과 '시민성', 혹은 '신민subject'과 '시민citizen'의 균형이 어떻게 이루어지는가는 구체적인 지역적·역사적 맥락에 달려 있다. 궁극적으로 농촌-도시 연계의 강도는 시골의 자원(토지, 부동산, 일자리 등)에 대한 접근이나 권리에 크게 의존한다.

이 장에서는 중국, 인도, 사하라 이남 아프리카와 같이 도시화·민족성·이주에 관한 논의에서 지금까지 주로 제외되었던 세계의 특정 지역에 초점을 맞출 것이다. 그런데 그전에 대서양 세계를 시작으로 도시화와 이주의 주요 동향을 간략하게 소개할 것이다.

대서양 세계와 그 너머에서의 이주와 도시화 수준

18세기 말에 유럽은 세계에서 가장 도시화한 지역이 아니었다. 거주민 1만 명을 도시의 최소 기준으로 삼는다면, 당시 유럽의 도시화 수준은 일본과 중동의 그것보다 낮았고 남아메리카와 인도의 그것보다도 크게 높지 않았다. 중국, 북아메리카, 아프리카만이 유럽보다 도시화 수준이 낮았다. 19세기 말에서야 서유럽과 미국의 도시화 수준이 세계의

[표 35.1] 일본·중동·유럽·중국의 도시화율, 1800~1890년 (1만 명 이상 거주 도시)

	1800년	1890년
일본	15	20
중동	12	15
서유럽	10	30
유럽	9	15
라틴아메리카	7	10
인도	6	9
미국	3	32
중국	3	5
아프리카	2	4
세계	6	13

출처: Paolo Malanima, *Pre-modern European Economy (10th–19th Centuries)*, (Leiden and Boston: Brill, 2009), 242; Paolo Malanima, "Urbanization", in Stephen Broadberry and Kevin O'Rourke, eds., *The Cambridge Economic History of Modern Europe*, vol.1: 1700–1870 (Cambridge: Cambridge University Press, 2010), 235–263; Bjoern Olav Utvik, "The Modernizing Force of Islam", in John L. Esposito and Francois Burgat, *Modernizing Islam: Religion in the Public Sphere in the Middle East and Europe* (New Brunswick: Rutgers University Press, 2003), 43–68; Anthony Gerard Champion and Graeme Hugo, eds., *New Forms of Urbanization: Beyond the Urban-Rural Dichotomy* (Aldershot: Ashgate, 2004), 44

다른 모든 지역을 능가했다([표 35.1] 참조).

그러나 이와 같은 매우 광범위한 경향은 경제성장, 도시화, 프롤레타리아화proletarianization와 관련해 유럽 내부의(여타 지역들 역시) 중요한 차이를 숨긴다. 예를 들어 16세기 이후 북서 유럽은 다른 대부분의 유럽 지역과는 매우 다르게 고도의 도시화와 상업화commercialization를 이룬 지역으로 발전했다. 이 '소분기小分岐, little divergence'는 중세 후기에 뿌리를 두고 있으며 17세기 네덜란드 공화국과 18세기 잉글랜드가 세계 강대국으로 부상한 이유를 설명해준다. 다른 대륙과 마찬가지로 유

[표 35.2] 유럽의 도시화율, 1700~1870년 (5000명 이상 거주 도시)

	1700년	1750년	1800년	1870년
네덜란드	45	39	24 (37)	32
벨기에	29	26	24 (20)	32
잉글랜드	15	22	30 (23)	50
이탈리아	15	16	18 (18)	20
스페인	14	14	19 (18)	25
유럽	11	12	12 (12)	20

출처: P. Malanima, "Urbanization", in S. Broadberry and K. O'Rourke, eds., *The Cambridge Economic History of Modern Europe*, vol.1: 1700-1870 (Cambridge: Cambridge University Press, 2010), 235-263

럽의 대부분 지역, 특히 북부와 동부에서 인구 대부분은 마을village에 살았고 도시경험urban experience이 거의 없었다([표 35.2] 참조).

19세기 산업적·농업적 혁명의 결합은 전례 없는 인구성장population growth을 가져왔고, 대서양 세계(유럽과 북아메리카)의 도시화 수준을 끌어올렸으며 남아메리카와 일본이 그 뒤를 따랐다. 그러나 도시화 수준의 이러한 놀라운 상승의 주요 원인을 이동(성)mobility이 증가한 결과로 해석해서는 안 된다. 도시로의 이주가 증가한 것은 사실이나 산업혁명Industrial Revolution이 시작되기 훨씬 전에도 유럽과 세계의 다른 지역에서 전반적 이주의 수준은 이미 상당히 높았다.

초기와 마찬가지로(22장 참조), 도시에서 대다수 이주민은 이동성이 높았고 타운들 사이를, 아울러 도시와 시골 사이를 이동했다. 예컨대, 건축 부문에서 도시에서의 고용 전망은 계속해서 너무 불확실하고 불안정했으며, 많은 젊은 이주민에게 도시의 일자리는 농촌-도시를 오가는 생활 주기의 일부였다. 도시 노동시장이 일 년 내내 지속적

인 일자리를 제공하고 농업이 더욱 기계화하면서 비로소 시골과의 연관성이 약해졌다.[8]

도시로의 이주에 대한 이와 같은 일시적 특성은 또한 대서양 횡단 이주의 많은 부분에 해당이 된다. 특히 남유럽에서 온 남성 노동 이주민들은 '철새'와 같았다. 수송혁명(증기 철도와 선박)으로 1860년 이후 대서양을 횡단하는 비용과 시간이 상당히 감소하면서 수백만 명의 노동자들이 임시로 대서양 너머 새로운 공간으로 향했다. 아르헨티나 팜파스Pampas(아르헨티나 부에노스아이레스를 중심으로 한 대초원)의 계절적 이주민seasonal migrant 또는 북아메리카 도시의 광산과 공장 임시노동자temporary worker가 그들이었다. 제1차 세계대전 이전에는 이탈리아인, 스페인인, 또한 남동 유럽 노동자들의 귀환 비율이 매우 높았다. 그중 많은 사람에게 이러한 임시 장거리 이주는 그들의 가계 전략에 잘 부합했다. 그 전략은 오랜 전통을 지닌 것으로 임시 이주를 통해 소득을 보충하는 것이었다. 1860년 이후의 유일한 차이점은 이주민들이 이주하는 분야의 규모였다.

20세기에는 새로운 형태의 임시 이주가 발전했다. 첫째, 양차 세계대전 사이 시기에는 프랑스·벨기에·스위스·네덜란드가 매력적인 주요 임시 이주지였다. 둘째, '영광의 30년Les trentes glorieuses' 기간(1945~1975)에 서유럽의 초청노동자guest worker 프로그램이 시행되었다. 그리고 마침내 21세기 첫 10년 동안 동유럽(특히 폴란드와 루마니아) 노동자들이 서쪽과 남쪽으로 이동하면서 변동성이 매우 큰 노동 이주 체계가 발달했다. 시간이 지나면서 많은 초청노동자가 영구 정착했으며 그중 압도적 수가 도시에 정착했다. 그곳에서 그들은 영국·벨기에·네덜란드·프랑스·포르투갈 식민지 출신의 신규 이주민들과 전 세계에서 온 망명 신청자, 난민, 고숙련 이주민들과 합류했다. 미국으로의 이민은 제1차 세계대전 기간과 그 이후에 급감했다가 1970년대에 들어와서야 재개되었으며 현재는 라틴아메리카·아시아·아프리카로부터의 이주가 주로 이루어지고 있다. 그사이 아프리카계 미국인의 미국 북부 도시로의 대이주와 멕시코에서 온 임시노동자들이 ('브라세로Bracero' 프로그램을 통해, 1942년부터 1967년까지) 미국 도시들의 민족 구성에 극적 영향을 끼쳤다. 대서양 세계에서 20세기의 다양한 이주의 결과는 해당 지역 국가 대부분에서 외국 태생 인구의 비율을 약 10퍼센트로 급증시켰고 도시들에서는 이 비율이 쉽게 30퍼센트 이상에 도달할 수 있었다.

이주민을 고유한 민족 네트워크에 자리 잡게 하며 민족단체들의 기반설비를 발전시키는 연쇄 이주 현상은 근대 초기와 현대에 모두 잘 알려져 있으며 세계의 모든 지역에서 목격할 수 있다. 그러나 그 광범위성과 지속성은 매우 다양하며, 이는 모두 이주민 자신들의 의도와 선호도, 도시(및 국가)의 기회 구조에 달려 있다. 특히 도시 기관들의 특성과 이주민에 대한 포용성은 유럽 내의 다른 양상들과 글로벌 관점을 설명하는 데서 중요하다.

19세기 서유럽의 국내 이주민에게는 민족성이 중요했는바, 그중 많은 이가 시골뜨기였거니와 문화적으로 외계인으로 여겨졌음을 확인할 수 있다. 이것은 특히 방언이나 종교에서 국가 표준과 다른 사람들이었던 파리의 브르타뉴인과 오베르뉴인, 영국 도시의 아일랜드인, 독일 도시의 폴란드인과 관련 있었다. 이들 모두는 공식적으로는 시민이었으나 근본적으로는 다른 이들로 인식되고 대우받았다. 많은 아일랜드인과 폴란드인은 또한 자신들의 국가적 응집력을 강조했고 민족적 기관들의 응집된 네트워크를 구축했다. 부여되었든 스스로 선택했든 민족정체성은 장기적으로는(대부분이 2세대 이후에) 희미해졌고 이 이주민의 후손들은 도시환경 속으로 혼합되었다. 이것은 유럽에서 가장 경멸받는 소수민족 중 하나인 유대인에게도 대체로 해당되었다. 유대인 다수는 19세기 동안 국내 이주민으로 도시로 이주해 점차 〔그 사회에〕 동화되었으나, 사적 영역에서는 많은 수가 유대인 정체성의 '옅은' 내용을 고수했다.[9]

유대인의 사례는 종교와 민족성의 두드러짐과 관련된 서유럽과 동유럽 사이의 중요한 차이점을 즉시 상기시킨다. 서유럽의 시민권은 대체로 포용적이었고 예전에 차별받은 집단에 큰 장벽이 되지 않은 반면, 민족 분류는 동유럽으로 이동해 〔계속 적용되었다는 점에서〕 더 탄력적인 것으로 입증되었다. 특히 19세기 동안 3개의 커다란 다민족 제국(오스트리아-헝가리 제국, 오스만 제국, 러시아 제국)들은 민족적, 언어적, 종교적 소수집단들을 같은 국적을 공유하더라도 근본적으로는 다른 이들로 규정하는 적대적 민족주의를 채택했다. 결과적으로 도시들에 정착한 소수집단 구성원들은, 이주하고 장기간이 지났다 하더라도, 여전히 눈에 띄었다는 점에서 두 번째 모델(민족-국민 모델)에 속하게 되었다. 따라서 유럽 내에서도 공유된 공론장과 시민사회의 형태에 분명히 한계가 존재했다.

1920년대부터 인구학적 이유로 유입 이민을 추진한 프랑스를 제외하고 제2차 세계대전 이후 대부분의 서유럽 국가들은 영구적 유입 이민에 반대했지만, 1940년대 말과 1970년대 중반 사이 경제 호황기에 외국인 임시 노동력은 피할 수 없는 것으로 여겨졌다. 영국에서는 식민지에서 온 이주민들로 노동력 부족 문제를 해결했지만, 유럽 대륙에서는 남유럽(스페인·포르투갈·이탈리아·그리스·유고슬라비아) 출신과 곧이은 터키〔튀르키예〕와 북아프리카(모로코·튀니지·알제리) 출신 남성 초청노동자들을 모집해 노동력 부족 문제를 해결할 수 있었다. 1970년대 석유위기가 유럽을 강타했을 때 예상하지 못한 일이 일어났다. 실업률이 가파르게 높아지는 동안에도 터키인들과 모로코인들은 계속 이주지에 머무를 것을 결정해 가족들에게 자신들과 합류할 것을 요청했다. 이것은 1970년대 후반과 1980년대에 장기간의 경제침체가 시작될 때 서유럽 도시로의 대규모 유입 이민을 유인했다. 이렇게 시기가 좋지 않을 때 대규모 이민이 발생한 이유는 두 가지였다. 첫째로, 1960년대부터 이주민들은 복지국가에 대한 공헌을 통해 사회적·법적 권리를 획득했다. 둘째로 ―그리고 대부분의 남유럽 초청노동자들과는 구별되는 점으로― 1970년대 중반 노동이민을 억제하기 위해 국경을 폐쇄하기로 한 결정이 그 반대의 효과를 낳았다. 그제야 비유럽 출신 초청노동자들은 출신국으로 귀국하면 모든 권리를 포기하고 다시는 입국이 허용되지 않으리라는 것을 깨달았는데, 이주 국가에 머무르는 것의 대안은 사회적 혜택이 없는 출신 국가에서 실업자가 되는 것뿐이었다.[10]

이주민들의 정착 과정이 높은 실업, 청소년 범죄, 학교 성적 저하, 버려진 동네로의 분리와 같은 사회문제들로 이어졌다는 사실은 놀랍지 않다. 이주의 잘못된 시점과 낮은 인적 자본의 결합은 통합적 문제를 일으킬 수밖에 없었고, 이는 이슬람에 대해 낙인찍기로 더욱 부각되었다. 이러한 배경을 고려할 때 이주민들의 많은 아이가 학교와 노동시장에서 꽤 잘 지내고 있다는 것은 주목할 일이다. 동시에 범죄와 적대적 문화가 만연한 내부도시inner city와 게토ghetto와 같은 교외banlieu에 갇혀 있다는 점에서 이주민 상당수의 장기적 전망은 우울하다.[11]

이주에 따른 사회경제적·문화적 문제는 통합 가능성에 대한 광범위한 비관론으로 바뀐바, 곧 정통 무슬림들이 '유라비아Eurabia'(유럽이 이슬람화되는 현상)를 만들지도 모른다는 두려움이다. 한 세기 전에 잉글랜드와 미국에서 가톨릭 아일랜드인과 러시아 유대인의 힘들고 긴 통합 과정과의 구조적 유사성은 고려된다고 하더라도 흔히 부정된다. 그러나 당시와 오늘날의 이주민에 대한 심층적 분석은 그러한 비교가 매우 관련이 있음을 보여준다. 가족 체계, 문화적 관습, 종교적 가치가 다르다는 점에서 유럽 도시, 특히 무슬림과 힌두교가 배경인 이민자들 사이에서 부분적인 민족집단이 형성된다는 점은 분명하지만, 그들의 자녀들은 구조적으로(직장, 교육, 주거의 영역에서) 그리고 —더 느리긴 하지만— 일체화identification(결혼, 친구, 협회)라는 관점에서 통합되고 있다는 충분한 징후가 있다. 초국가적 유대와 관행은 여전히 풍부하지만, 시간이 흐르면서 그 중요성과 강력함을 상실하고 있다. 미국의 경우처럼 유럽 도시들에서 주류 사회는 점차 변화하고 있으며, 자신의 자질로 주류 사회를 풍부하게 하고 부분적으로 변화시키는 이주민 자녀들에게 주류 사회는 더욱 포용적으로 되고 있다.[12]

불리한 상황(이민의 적절치 않은 시기, 이민의 문제화)을 감안할 때 이와 같은 상호 통합 과정은 주목할 만한 것으로서, 합법적 이주민과 그 후손을 원칙적으로 동등하게 대우하며 그들에게 복지 혜택, 정치적 권리, 교육, 공론장에서의 융합 가능성, 이미 활기찬 시민사회에 이주민 자신들의 제도들을 추가할 충분한 기회 등의 다양한 도시(와 국가) 제도를 제공하는 포용적이고 평등한 서유럽 모델의 강점을 예시해준다. 이 모델은 또한 새로운 이주민에 대한 갈등과 차별적 관행이 발생할지라도 지속적 통합 과정을 막지는 못하게 한다. 서유럽 국가와 도시의 상대적 개방성 및 포용성은 독일의 아우지들러Aussiedler(동유럽의 과거 독일 식민지이주민colonist들의 후손)에게도 확대·적용된, 식민지 해방 이후 이주민에 대한 의도적이고 포괄적인 〔개념〕 정의의 활용으로 더욱 도움이 되었다. 1940년대 후반부터 프랑스, 영국, 독일, 포르투갈, 네덜란드 정부는 과거 식민지이주민과 그 후손을 국가 구성원의 일부 또는 공통 제국의 시민으로 정의하는 것을 결정했고, 따라서 이들은 '모국mother country'에 정착할 권리를 인정받았으며 동등하게 대우받았다. 민족성은 어느 정도 인정되더라도 공통의 국가정체성을 옹호하는 차원에서는 대체로 민족성이 평가절하되었다.

대서양의 다른 쪽에서 미국의 발전은 중요한 유사점이 있지만 중요한 차이점도 두드러진다. 새 이민자들의 장기적 통합에 대한 비관론에도 불구하고 경험적 연구는 지속적 융합의 추세를 보여준다. 현재 아시아계 이민자와 히스패닉계 이민자의 자녀들은 자신들의 표준 언어로 영어를 계속해서 선호하며 민족 네트워크의 견인에도 애국심, 자본주의 및 개인주의의 핵심 가치를 공유한다.[13] 그러나 미국에서는 공식적·비공식적 도시의 민족적ethnic 기관들이 이주민의 삶에 더 큰 역할을 한다. 주로 유럽과 비교해서 미국의 훨씬 덜 발달한 복지국가적 측면과 바람직하지 않은 사회경제적 평등 때문이다. 유럽과의 가장 분명한 차이점은 종교보다는 인종, 특히 흑인에 대한 미국의 강박관념이다. '백인white' 미국인과 '흑인black' 미국인 사이 사회적·문화적 거리는 여전히 상당하며, 이는 〔미국 사회에서〕 많은 아프리카계 미국인의 매우 불리한 처지를 설명해준다. 이것은 국가가 대부분 방임하고 빈곤, 실업, 결손가정 및 범죄가 만연한 많은 도시의 방대한 흑인 빈민가에서 가장 가시적이다.

지금까지 '완전한 시민권' 모델과 '민족-국민' 모델이 지닌 미묘한 차이와 자격을 알아봤으니, 이제 상당히 구분되는 길을 따르는 것처럼 보이고 도시로의 이주가 다른 노선을 따라 구조화되는 세계의 또 다른 지역을 더욱 자세히 살펴볼 때가 되었다.

중국의 도시 시민권[14]

이웃인 일본의 사례와는 극명히 대조되는 것으로, 19세기와 20세기에 중국인들은 도시에 정착하기를 꺼렸고 따라서 중국의 도시화 수준은 양쯔강 하류와 같은 지역을 제외하고는 다소 낮았다.[15] 1800년경 중국과 유럽 사이의 차이는 여전히 작았으나 이미 중요해진 차이가 있었다. 서유럽에서는 대부분의 도시민이 시장경제에서 주변 시골을 통합한 수많은 상대적 소규모 도시에 거주했으나, 중국에서는, 시골에서의 광범위한 제조업과 함께,[16] 대규모 도시large city(10만 명 이상)에서 거주하는 것이 우세했다. 19세기와 20세기 내내 중국은 여전히 매우 농촌적이었고 도시화율은 1970년대 말부터서야 급격히 상승해 1978년

17퍼센트에서 2008년 45퍼센트로 증가했다.

중국의 이러한 양상은 국가 정책들과, 고향과의 지속적 접촉을 중시하는 중국인들의 문화적 선호도 둘 모두에 의해 강하게 형성되었다. 이주와 정착 과정을 해석하는 방식에 주요한 영향을 끼치는 중국 도시에 대한 논의에서 가장 지배적인 주제는, 혈통과 조상 숭배의 전통('씨족의 불가사의한 폐쇄성the magic closure of clans')이 도시 시민 연합의 출현을 막았기 때문에 중국 도시가 진정한 도시 공동체를 구성하지 않았다는 막스 베버의 주장이다. 이 견해에 따르면, 중국에서는 시민사회와 공론장의 형태가 거의 발전하지 못했다. 이것은 중국에서 왜 대다수 이주민이 회관〔후이관〕會館으로 알려진 민족적 (고향) 결사체 영역 내에서만 머물렀고 방언만이 아니라 고향 마을이나 지역과의 유대를 유지하는 강한 '체류인sojourner'의 사고방식을 발전시켰는지 이유를 설명해줄 것이다. 이것은 중국인들의 조상 숭배의 중추적 역할 때문에 중요하게 여겨졌다. 조상 숭배와 관련된 규정 가운데 하나는 중국인들은 죽으면 '고향'에 매장되어 조상과의 영적 연결을 계속해야 한다는 것이었다. 매장 문제와는 별개로 이주민과 그 후손들은 고향으로 송금을 하고 중국 새해와 같은 축제 기간〔춘제 春節〕에 고향 방문을 하기도 했다.

그러나 중국의 현실은 훨씬 다양하고 특정의 역사적 맥락에 크게 의존했다. 17장과 28장에서 살펴본 것처럼, 하나가 아닌 여러 중국이 있었고 도시와 중국의 다양한 지역 사이 차이점은 상당했다. 여기에 들어맞는 사례는 난징과 그 가까운 북동쪽의 양저우다.[17] 후이저우徽州 출신 상인〔휘상 徽商〕들이 지배하는 이 번성하는 상업과 이주민 타운에서는 언어적 배경이 매우 다양한 이주민들이 빠르게 하나의 공동체적 정체성과 공통의 도시 언어를 발전시켰으며, 동시에 특정의 상인집단은 강한 민족적 응집력과 체류인 사고방식을 보여주었다.

다른 타운에서는 출생지 결사체들의 영향력이 훨씬 두드러졌고 '고향'에 대한 애착의 중심성을 보여주었다.[18] 그러나 이러한 초점은 중국에서 농촌 이주민들의 정착 과정에 대한 본질주의적이고 정적이며 단순한 설명으로 쉽게 이어진다. 출생지 결사체들이 결성되었는지, 그 결사체들이 부에 의존했는지, 부유한 상인들이 특히 지역 신을 모시는 사원과 고향 지역을 대신할 매장지를 지었는가 하는 것들이다.

상하이에서는 회관의 확산이 공통적인 도시 정체성과 언어를 가로막았지만 공유된 도시경험과 계급정체성을 완전히 막지는 못했다. 중국에서 출생지 결사체들은 매우 유연했고 현대화의 물결에 적응할 수 있음이 입증되었다. 19세기 후반기에 출생지 결사체들은 더 민주적이고 덜 민족적으로 변해갔다. 20세기 시작 시기에 국가가 붕괴했을 때 공공서비스, 치안 유지, 빈민 구호 활동을 이어받아 확장한 것은 상인집단의 도시 기관들이었다.

1949년 공산주의 정권이 들어서면서 중국은 처음에는 도시화와 산업화industrialization를 강조하는 소련의 개발 모델을 채택했다. 이는 중국에서 도시로의 거대한 이주 흐름을 촉발했다. 그러나 이것이 도시 시민들의 특권적 복지 제공을 위협하자 국가는 이내 추방을 포함한 조치로 사람들이 시골을 떠나는 것을 막았다. 이러한 조치의 초석은 1958년 제정된 '중화인민공화국호구등기조례中華人民共和國戶口登記條例'였는바, 이 조례로 농촌 사람들이 도시에 정착하기는 매우 어려웠고 종종 불가능했다. 국가는 차별화된 복지 체제를 고수하는 것 외에도 내부 이주를 통제하고 도시성장을 늦춤으로써 통제할 수 없는 빈민가의 형성을 막을 수 있었다.[19] 중국에서는 시골에서 산업용 제품을 생산하는 선택이 약 4500만 명의 목숨을 앗아간 거대한 실패로 나타났고, 중국의 정권은 1970년대에 들어서야 '연해沿海 개발 전략coastal development strategy'에 착수했다. 1979년에 경제특구經濟特區, special economic zone, SEZ가 시작되었고 1994년에 완전한 이주의 자유가 허용되었다. 그 결과, 주로 동쪽과 남동쪽에 있는 도시로의 일시적 이주민이 1982년 660만여 명에서 2010년 약 2억 명으로 기하급수적으로 증가했다.

개혁·개방改革開放이 제시된 1978년 이후의 자유화liberalization는 도시화 수준을 극적으로 끌어올렸으나 여전히 호구등기조례의 차별적 효과가 느껴지고 있다. 많은 이주민은 도시 시민권을 획득하지 못한다면 주택, 일자리, 교육, 빈민 구호 같은 도시 제도들에 진입하지 못한다. 상하이 같은 일부 도시들은 숙련 이주민에게 복지 혜택을 주는 실험을 시작했지만, 다른 많은 도시는 규칙의 완화가 지역 납세자들에게 지나치게 많은 부담금을 요구할 것으로 우려하고 있다. 대다수 이주민은 이와 같은 상황을 받아들이는 것으로 보이는데, 이는 고향 마을과의 유대감을 강화하고 정기적으로 그곳으로 돌아가려는 이주민 자신들의 문화적 선호로 설명될 수 있다. 조상과 혈통에 대한 고려와는 별도로, 중국에서 이러한 과도기적 행동은 도시에서의 불안정한 존재에 대한 보험으로 볼 수 있다.[20]

도시의 규정에서 농촌 이주민을 배제하는 것은 '한족漢族'에 의한 중국화가 필요하다고 간주하는 지역들(도시 포함)에 정착하도록 국가가 설득한 사람들에게는 적용되지 않는다. 널리 알려진 곳은 남쪽의 윈난雲南성과 서쪽의 티베트와 신장新疆 자치구들이다. 이곳에서 이주민들은 식민자colonizer로서 왕성하게 활동하고 도착하자마자 권리를 부여받는다. 또한 이와 같은 배치에서는 민족정체성(한족 대 여타 소수 민족)이 강조되고, 이는 새로운 도시환경에서 중요한 지향성의 노드〔결절점〕node로 유지된다.[21]

인도 그리고 마을의 유인

2007년 세계에서 가장 큰 규모의 10개 도시 가운데 2개가 인도에 있었다. 봄베이(뭄바이)는 1900만 명의 거주민으로 멕시코시티·뉴욕·도쿄에 이어 4위를, 캘커타는 1500만 명의 거주민으로 8위를 차지했다. 그러나 인도 전체는, [표 35.3]에서 볼 수 있듯이, 고도로 도시화한 국가는 아니다(30장 참조). 인도와 크게 겹치는 남아시아의 도시화 수준은 세계의 다른 지역과 비교해 가장 낮은데, 1960년대 이후에는 아프리카에도 추월당했다.

그러나 상대적으로 낮은 인도의 도시화 수준이 인도인들이 부동적不動的, immobile 특성을 갖는다는 점을 의미하지는 않는다. 반대로 인도에서 국내 이동(성)은 특히 17세기와 18세기부터 상당히 높았다.[22] 그러나 많은 이주민이 도시에서 영속적 정착을 하지 않았다. 그 대신 대규모의 순환적·계절적 이주 양상이 발달했다. 이주민들은 도시로 몰려왔지만 대부분 일시적으로 도시에 머물렀고 태어난 마을과의 결속

[표 35.3] 세계 도시화율, 1920~2000년 (2만 명 이상 거주 도시)

	1920	1940	1960	1980	2000
아프리카	5	7	13	27	37
남아시아	6	8	14	24*	30*
인도			18	23	28
동아시아***	7	12	19	27	42
중국			16	20	36
일본			63	76	79
라틴아메리카	14	20	33	65	75
소련	10	24	36	64	73**
유럽(소련 제외)	35	40	44	69	74
오세아니아	37	41	53	72	74
북아메리카	41	46	58	74	77

*남아시아 및 중앙아시아 **러시아연방 ***한국·중국·일본 포함

출처: 1920년부터 1960년까지 통계는 United Nations, *Growth of the World's Urban and Rural Population, 1920-1960* (New York: United Nations, 1969), 31; 1980년부터 2000년까지 통계와 1960년부터 2000년까지 중국·일본·인도 통계는 *World Urbanization Prospects. The 2001 Revision* (New York: United Nations, 2002), 26-37 (표 A2)

을 유지했다.

캘커타에서는 많은 이주민이 황마黃麻 공장으로 향했는데 1960년대까지, 그 대부분은 남성이었고, 일시적으로 일했다. 도시 산업체들은 소수의 노동자를 제외하고는 연중 일자리를 제공하지 않았으며, 경기 순환은 예측할 수 없는 기복이 특징이었다. 게다가 인도 도시의 주택은 비교적 비쌌고, 실업·질병·사망과 같은 위험으로부터 피난처를 제공하는 도시 제도들은 거의 없었다. 따라서 중국에서와 마찬가지로 인도에서도 많은 〔도시〕 이주민이 출생했던 마을과의 관계를 유지했고, 이것은 본격적인 도시 이주민의 프롤레타리아화를 막아주기도

했다. 많은 〔도시〕 이주민이 빈민가에 정착했으나 정기적으로 자신들의 마을로 돌아갔는데, 특히 시골에 가족이 남아 있는 독신 남성들이 그러했다. 안정적이고 연중 일하는 노동자들도 사회적 위험의 확산에 대응하고자 농촌과의 유대관계를 선호했고 그것을 포기하지 않았다. 20세기 내내 인도 사회 내부의 발전은 값싸고 빠른 교통(버스와 열차)의 확산으로 일시적 이주를 간접적으로 촉진했다. 어떤 면에서는 많은 남성 이주민이 시간 대부분을 도시에서 보냈기 때문에, 계절적 이주가 도시에서 농촌 지역으로 이루어졌다고 말할 수도 있다. 이 양상은 캘커타의 공장 소유주들에 의해 촉진되었으며, 그들은 20세기 후반기까지도 유연한 노동력을 선호했고 안정적인 노동력을 창출하는 유럽의 산업 양상을 따르지 않았다.[23]

영구적 정착을 꺼리는 것은 도시 제도들과 노동시장의 특성으로 광범위하게 설명이 되지만 문화적으로 독특한 특성 또한 여기에 한몫했다. 무엇보다, 우리는 인도가 언어와 종교 면에서 다원적 국가임을 확실히 이해해야 하는데, 대다수 사람이 언어적으로 다소간에 동질적인 국가에 살고 있기에 그러하다. 게다가 중국과는 달리 인도는 이주의 자유가 있는 민주주의 국가임에도 다른 주 출신들은 때로 같은 국가의 다른 지역에서도 흔히 외국인으로 인식되곤 한다. 인도에서 농촌에서 도시로의 일시적 이주는 또한 민족 기준으로 노동자의 모집을 촉진했을 수 있다. 산업과 건축업 모두에서 도시의 많은 임시 이주민은 같은 민족 노동자를 선호하는 급여 관리자가 이끄는 팀으로 조직되며, 이는 근대 초기와 19세기 서유럽에서도 흔히 볼 수 있는 체계였다. 게다가 많은 이주민이 실업·질병·사망의 위험으로부터 회원을 보호하

고 신용 융자를 제공하는 상호 보험 제도로 마을 클럽 또는 '고향 결사체들'을 조직한다.[24]

그러나 인도(와 아프리카)의 다원주의와 민족적 유대에 대한 이와 같은 압박을 농촌 이주민들이 도시민이 되도록 활동하는 번창하는 시민사회와 공론장에 대한 대항과 같은 것으로 해석하지 않도록 주의해야 한다. 도시 시민권의 내용과 관련해서는 세계 여러 지역 간에 근본적 차이가 있으나, 지나치게 단순한 해석은 19세기 이후 인도(와 여타 지역)에서 발전한 다양한 종류의 매우 중요한 시민권의 형태를 무시하는 것이다. 인도에서 새로운 범종교적 정체성은 비슷한 종교적 배경을 가진 다양한 유형의 이주민과 도시민 사이에 유대관계를 형성시켰다. 또한 19세기 말부터 공론장은 공원, 도서관, 영화관, 라디오 방송, 박람회의 창설과 모든 종류의 도시 결사체에 의해 확대되었다.[25]

아프리카: 부족주의와 근대성

아프리카의 도시화 수준은 아시아의 도시화 수준과 비슷하다. 두 지역 모두 20세기 시작 시기에 도시에 살았던 인구의 비율이 유럽과 북아메리카의 그것과 비교해서 매우 낮았고(5~6퍼센트), 한 세기 이후 그 비율은 두 대륙 모두 약 38퍼센트 수준에 도달했다. 그러나 아프리카 남부와 북부의 높은 도시화 수준과 동부와 중부의 훨씬 낮은 도시화 수준으로([표 35.4]와 [도형 35.2] 참조) 두 대륙 사이에는 도시화에서 중요한 차이가 발생한다. 아프리카의 경로는 33장에서 빌 프로인드가 고찰

[표 35.4] 아프리카 도시화율, 1975년과 2001년

	1975	2001
동아프리카	12.3	25.1
중부아프리카	24.6	36.0
서아프리카	18.5	40.0
북아프리카	39.5	49.3
남아프리카	46.2	54.7
아프리카 전역	24.4	37.7

출처: K. C. Zacharia and Julien Condé, *Migration in West Africa Demographic Aspects* (Oxford: Oxford University Press and World Bank, 1981)

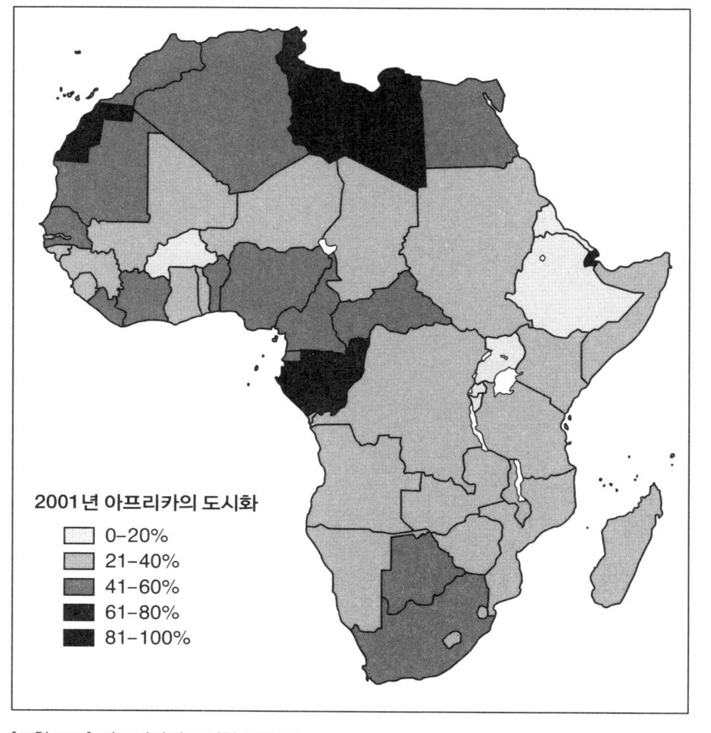

[도형 35.2] 아프리카의 도시화, 2001년

한 바 있다.

아프리카에는 라고스와 카이로(각각 거주민 1000만 명) 같은 대규모 도시가 있지만, 두 도시는 세계에서 가장 큰 규모의 10대 도시에는 포함되지 않는다. 대부분의 아프리카 도시들은 종주宗主도시primate city다. 이는 국가의 경계 내에 이 종주도시와 규모가 비슷한 다른 도시가 없으며 대부분의 농촌 이주민들이 수도로 이주한다는 점을 의미한다. 이런 양상은 일반적으로 대부분의 아프리카 국가에서 중앙정부가 지배적 역할을 담당한 것으로 설명이 가능한바, 그들은 대부분의 돈을 수도에서의 교육, 의료, 관료주의에 사용하고 그 결과 흔히 가장 중요한 고용주가 된다.[26]

아프리카의 여러 지역에서 도시화의 발전은 식민주의colonialism와 식민지 정책들에 크게 영향을 받았다. 도시로의 대규모 이주를 허용하는 것은 아프리카 사회를 불안정하게 하고 혼란과 분열에 놓이게 할 가능성이 있다고 생각되었다. 도시에 거주하는 아프리카인들은 유럽인들을 위한 '신도시ville nouvelle'의 건설이나 혹은 동네neighbourhood들의 구분을 통해 분리되어야 했다. 벨기에의 식민 지배는 도시에 정착할 수 있는 사람에 대해 엄격한 규칙을 두었는데, 서아프리카의 영국 식민지자들은 장벽을 만들지는 않았다.

제2차 세계대전 이후 영국과 프랑스는 도시화와 안정된 노동력에 높은 가치를 두는 근대화 패러다임을 추구했다. 이상적인 사회에 대한 이와 같은 전망은 부분적으로만 아프리카인들과 공유되었는데, 아프리카인들의 가족생활, 결사체, 시골과 도시 사이 지속적 유대 선호는 다소 다른 결과를 가져왔다. 인도에서처럼, 아프리카에서 대다수 이주민은 고향 마을과의 접촉을 단절하지 않았고 따라서 회복력이 있는 농촌-도시의 연속체를 유지했다. 이러한 양상을 이해하는 데서 다음의 네 가지 요인에 초점을 맞출 것이다. 첫째, 문화적 선호, 둘째, 도시경제 구조, 셋째, 시민권의 편향적 특성과 더욱 구체적으로는 도시 복지 구조의 부재, 넷째, '토착autochthony' 개념을 통한 정체성의 사회적·정치적 구성이다.

아프리카에서 제2차 세계대전 이후 도시로의 이주는 여전히 주로 남성의 문제였으나 이주민들은 더 오래 도시에 머물기 시작했다. 게다가 시골에 남아 농장을 돌보던 여성과 아이들이 점점 더 도시 이주에 동참했다. 토지 소유 양상의 변화, 상품작물〔환금작물〕의 도입, 개별적 토지 소유는 가족 전체의 도시 이주를 자극해 도시 이주에서 남성의 과잉대표성over-representation이 감소했다. 1970년대부터 도시화 속도가 빨라졌고 갈수록 많은 사람이 도시민이 되었다.

그러나 이러한 발전이 아프리카에서 도시 이주민의 출신지에 대한 강한 애착을 자동으로 약화시키지 못했다.[27] 중국과 인도에서처럼 아프리카에서 고향 결사체들은 많이 존재하며 고향으로의 송금은 예외라기보다는 규칙이 되었다. 출신지 마을과의 유대를 강화하는 이유 중 하나는 사람들이 토지 소유에 집착하고 죽은 뒤에는 고향 마을에 매장되기를 바라기 때문이다. 따라서 아프리카의 타운과 마을은 '상호 관련된 사회적 장social field'으로 남아 있다. 사람들이 어느 정도까지 토지를 보유하고 농촌-도시 연속체를 운영할 수 있는지는 아프리카 내에서도 크게 다르며 시간이 지남에 따라 변화할 수 있을 것이다. 그래서 시골과의 연결은 경제적, 사회적, 정치적 발전에 크게 의존한다는 점에서 그러한 연결이 아프리카인들의 본질적 특성으로 간주되어서는 안 된다.

아프리카에서는 이주민을 유인하는 적어도 두 가지 유형의 도시를 구별할 수 있다. 한편으로는 주로 탈식민 국민국가들의 수도인 종주도시가 있고, 다른 한편으로는 잠비아(이전의 북로디지아)의 구리 매장 지대와 남아프리카공화국의 광산타운들이다. 종주도시에서 많은 이주민을 유인하는 것은 산업이 아니라 중앙정부, 서양의 비정부기구, 호텔, 그리고 국가와 연계된 교육 및 의료 기관들의 관료 체계다. 이들 기관은 모든 종류의 서비스와 여타의 상업활동에 추가적인 유연한 수요를 창출하지만 동시에 이주민 흡수 능력은 제한적이었다. 아프리카에서 많은 일자리, 특히 비공식 부문의 일자리는 경제 변동의 영향을 받는다. 게다가 1950년대와 1960년대에는 노동조합 활동에도 임금이 너무 낮아서 추가적 수입원이 필요했고 가족 전체의 영구적 도시 정착이 불가능할 정도였다. 식민시기에 낮은 '미혼자 임금' 문제가 동아프리카에 매우 만연했으나, 서아프리카의 시에라리온과 나이지리아에서도 임금이 너무 낮아서 전체 가족의 도시 이주를 지원할 수 없었다.[28]

유럽의 복지국가 도시들과 비교해 아프리카 도시들의 당국은 복지 혜택 측면에서 원주민이든 이주민이든 주민들에게 제공할 것이 거의 없었고 지금도 그러하다. 일부 광산 회사는 복지 혜택과 연금을 실험했으나 그 진취성은 매우 제한적이었다. 이와 같은 비용을 다루는 사회정책은 사실상 부재하지만, 교육 및 건강 같은 여러 서비스는 종종 해당 비용을 감당할 수 있는 사람들이 접근할 수 있는 경우가 많다.

그러므로 시골에서 온 도시 이주민들이 새로운 환경에서 지원을 받을 수 있는 친족과 동일 민족의 개인적 네트워크에 크게 의존했다는 점은 놀라운 일이 아니다. 마을이나 출신 지역과의 유대관계는 식량과 계절적 일자리 같은 절실한 자원에 접근할 수 있게 해준다. 따라서 도시에 발판을 마련한 이주민들은 고향에서 오는 친척들의 안내와 부양을 예상했다. 그 결과, 아프리카 도시들에서 출현한 민족별 거주지 enclave는 이주민을 지원·보호하는 것은 물론이고 사람들을 도시로 오게 하는 네트워크의 노드 역할을 했다.[29] 시골과의 유대는 현금 송금과 물품 전달 모두에 의해 더 잘 유지되며, 이는 여러 권리 가운데서도 토지 권리를 지키는 일종의 최상의 보험으로 여겨졌다.

일반적이고 광범위하게 접근할 수 있는 도시 제도들이 없는 아프리카의 상황에서, 새로운 이주민뿐만 아니라 원주민들을 위한 민족성은 도시 생활을 구조화했으며, 캄팔라Kampala〔우간다 수도〕에서의 루오Luo 같은 여러 종류의 복지단체, 자원봉사 조직, 고향 결사체 등을 등장시켰다. 아프리카 도시, 특히 사하라 이남 아프리카 도시들에 관한 많은 연구는 민족성의 중심적 역할에도 도시의 변화하는 속성을 강조한다. 고향 결사체들만이 '시골의 평범한 사람의 재사회화'에 관여하는 게 아니며, 도시에서 이주민은 민족주의, 종교, 계급의식 같은 다른 형태의 정체성에 직면하게 된다. 아프리카에서 도시 결사체들은 민족성을 교차시키고 도시 동네에 초점을 맞추면서 새 형태의 사회적 결속을 창출했다.

활기차고 강한 사회적, 정치적 대안이 없는 아프리카의 상황에서 민족성은 정체성을 정의하고 사회적 범주를 만들어내는 강력한 방식으로 유지되었다.[30] 그렇기에 민족성은 안정적인 민주적 제도들의 창설을 방해할 수도 있다. 도시와 농촌의 자원을 ―그리고 시민권을― 둘러싼 투쟁에서 정치인들은 (농촌) 기원의 중요성을 강조하기 시작했다. '토착'과 소속의 개념은 (카메룬 같은) 아프리카의 많은 국가에서 뿌리와 기원에 대한 집착으로 이어졌고 정치의 강력한 기반으로 마을과 지역에 관한 집합적 관념collective conception을 만들어냈다. 민족 카드를 사용하는 도시의 엘리트 결사체들은 시민사회와 공론장에 대한 개념에 더 의존하는 정당들을 점점 더 밀어낸다.

이와 같은 경향은 아프리카에만 국한되지 않고 유럽과 아메리카 대륙을 포함한 다른 대륙에서도 볼 수 있다. 최근 이주민, 특히 이슬람교도에 대한 포퓰리즘적 반발은 프랑스·네덜란드·독일 그리고 러시아 같은 대부분의 동유럽 국가에서 매우 강력해졌다. 그러나 차이점은 유럽에서 이러한 공동체주의적, 토착주의적nativist 반작용이 이주민과 그 후손을 도시 또는 국가 제도들로부터 배제하고 민족적, 종교적, 또는 인종적 근거에 따른 복지 체제에서 제외하지는 않았다는 점이다.

결론

이번 장은 도시의 제도적 구조가 농촌-도시 이주 방식을 폭넓게 결정한다는 것을 밝혔다. 이주와 정착의 형태는 세계 여러 지역의 제도적 장치에 크게 의존한다. 핵심적 질문은 다음과 같다. 도시는 이주민에게 무엇을 제공해야 하고 도시 구성원은 어떻게 정의되어야 하는가? 도시의 개요는 가족 체계, 법적 장치. 상업화 수준에서부터 문화적·의식적 관행에 이르기까지 농촌 제도들과 상호작용을 한다. 다시 말해, 이번 장은 도시가 시간이 지남에 따라 변화하는 것을 이해하는 데서 제도적·물질주의적 접근이 마을과 가족에 대한 충성을 강조하는 종교적·문화적 요인보다 더 커다란 설득력이 있음을 보여주려 했다. 전 세계와 대륙, 지역, 더 나아가 국가 내에서의 당혹스러운 변화를 이해하는 데서 여기서 제안한 유형학은 유용한 분석 도구가 될 수 있을 것이다.

주

1 L. Lucassen and W. Willems, eds., *Living in the City. Urban Institutions in the Low Countries, 1200-2010* (New York: Routledge, 2012).

2 A. McKeown, *Melancholy Order: Asian Migration and the Globalization of Borders* (New York: Columbia University Press, 2008).

3 U. Freitag et al., eds., *The City in the Ottoman Empire. Migration and the Making of Urban Modernity* (London: Routledge, 2011).

4 A. Gardner, *City of Strangers: Gulf Migration and the Indian Community in Bahrain* (I thaca, N.Y. : ILR Press, 2010); G. Parolin, *Citizenship in the Arab World. Kin, Religion and Nation-State* (Amsterdam: Amsterdam University Press, 2009).

5 P. Ramasamy, "Globalization and Transitional Migration: The Malaysian State's Response to Voluntary and Forced Migration", *Asian and Pacific Migration Journal*, 15:1 (2006), 137-158.

6 F.-L. Wang, "Renovating the Great Floodgate: The Reform of China's Hukou System", in M. W hyte, ed., *One Country, Two Societies. Rural-Urban Inequality in Contemporary China* (Cambridge, Mass.: Harvard University Press, 2010), 335-366.

7 L. Wacquant, *Urban Outcasts: A Comparative Sociology of Advanced Marginality* (Cambridge: Polity Press, 2008).

8 S. Hochstadt, *Mobility and Modernity: Migration in Germany, 1820-1989* (Ann Arbor: University of Michigan Press, 1999).

9 M. A. Kaplan, ed., *Jewish Daily Life in Germany, 1618-1945* (Oxford: Oxford University Press, 2005).

10 J. Hollifield, *Immigrants, Markets, and States: The Political Economy of Postwar Europe* (Cambridge Mass.: Harvard University Press, 1992); S. Bonjour, "The Power and Morals of Policy Makers: Reassessing the Control Gap Debate", *International Migration Review*, 45:1 (2011), 89-122.

11 L. Lucassen, D. Feldman et al., eds., *Paths of Integration. Migrants in Western Europe (1880-2004)* (Amsterdam: Amsterdam University Press, 2006).

12 N. Fon er and L. Lucassen, "Past and Present: How the Legacy of the Past has

Affected Second-generation Studies in Western Europe and the United States", in M. Crul and J. Mollenkopf, eds., *The New Faces of World Cities* (New York: Russell Sage, 2012). 이 책의 27장도 참고하라.

13 G. Gerstle and J. Mollenkopf, eds., *E pluribus unum? Contemporary and Historical Perspectives on Immigrant Political Incorporation* (New York: Russell Sage, 2001).

14 중국 도시들에 대한 로Rowe가 집필한 이 책의 17장을 참고하라.

15 G. W Skinner, "Regional Urbanization in Nineteenth-century China", in id., ed., *The City in Late Imperial China* (Stanford, Calif.: Stanford University Press, 1977), 211–249.

16 J.-L. Rosenthal and R. B. Wong, *Before and Beyond Divergence. The Politics of Economic Change in China and Europe* (Cambridge, Mass.: Harvard University Press, 2011), 63.

17 A. Finnane, *Speaking of Yangzhou: A Chinese City, 1550–1850* (Cambridge, Mass.: Harvard University Asia Centre, 2004).

18 B. Goodman, *Native Place, City, and Nation. Regional Networks and Identities in Shanghai, 1853–1937* (Berkeley: University of California Press, 1995), 2–6.

19 Wang, "Renovating".

20 C. Fan, *China on the Move. Migration, the State, and the Household* (London: Routledge, 2008).

21 M. Hansen, "The Call of Mao or Money? Han Chinese Settlers on China's South-Western Borders", *The China Quarterly*, 158 (1999), 394–413.

22 I. J. Kerr, "On the Move. Circulating Labour in Pre-colonial, Colonial and Post-colonial India", in R. Behal and M. van der Linden, eds., *India's Labouring Poor. Historical Studies c.1600–c.2000* (New Delhi: Cambridge University Press, 2007), 85–110.

23 A. de Haan, *Unsettled Settlers. Migrant Workers and Industrial Capitalism in Calcutta* (Hilversum: Verloren, 1994).

24 R. Chandavarkar, *History, Culture and the Indian City* (Cambridge: Cambridge University Press, 2009).

25 P. Kidambi, *The Making of an Indian Metropolis: Colonial Governance and Public Culture in Bombay, 1890–1920* (Aldershot: Ashgate, 2007); 이 책의 제30장도

참고하라.

26 B. Freund, *The African City. A History* (Cambridge: Cambridge University Press, 2007). 이 책의 33장도 참고하라.

27 K. Little, *Urbanization as a Social Process. An Essay on Movement and Change in Contemporary Africa* (London and Boston: Routledge and Kegan Paul, 1974).

28 F. Cooper, *Decolonization and African Society. The Labor Question in French and British Africa* (Cambridge: Cambridge University Press, 1996), 326–327.

29 C. Conquerie-Vidrovitch, "The Process of Urbanization in Africa (From the Origins to the Beginning of Independence)", *African Studies Review*, 34:1 (1991), 1–98.

30 P. Geschiere, *The Perils of Belonging. Autochthony, Citizenship, and Exclusion in Africa and Europe* (Chicago: Chicago University Press, 2009).

참고문헌

Chandavarkar, R., *History, Culture and the Indian City* (Cambridge: Cambridge University Press, 2009).

Cooper, F., ed., *Struggle for the City. Migrant Labor, Capital and the State in Urban Africa* (Beverly Hills: Sage Publications, 1983).

Freund, B., *The African City. A History* (Cambridge: Cambridge University Press, 2007).

Goodman, B., *Native Place, City, and Nation. Regional Networks and Identities in Shanghai, 1853–1937* (Berkeley: University of California Press, 1995).

Gugler, J., ed., *World Cities beyond the West: Globalization, Development, and Inequality* (Cambridge: Cambridge University Press, 2004).

Kerr, I. J., "On the Move. Circulating Labour in Pre-colonial, Colonial and Post-colonial India", in R. P. Behal and M. v. d. Linden, eds., *India's Labouring Poor. Historical Studies c.1600–c.2000* (New Delhi: Cambridge University Press, 2007), 85–110.

Lees, A., and Lees, L. H., *Cities and the Making of Modern Europe*, 1750–1914

(Cambridge: Cambridge University Press, 2007).

Lucassen, L., *The Immigrant Threat: The Integration of Old and New Migrants in Western Europe since 1850* (Urbana and Chicago: The University of Illinois Press, 2005).

Moch, L. P., *Moving Europeans. Migration in Western Europe since 1650* (Bloomington: Indiana University Press, 2003).

Oliveira, O. d., and Roberts, B., "Urban Development and Social Inequality in Latin America", in J. Gugler, ed., *The Urban Transformation of the Developing World* (Oxford: Oxford University Press, 1996), 253-314.

Whyte, M. K., ed., *One Country, Two Societies: Rural Urban Inequality in Contemporary China* (Cambridge, Mass.: Harvard University Press, 2010).

제36장

빈곤, 불평등, 사회적 분리

Poverty, Inequality, and Social Segregation

앨런 길버트
Alan Gilbert

이번 장은 지구 곳곳 도시권urban area에서의 삶의 질과 사회적 관계를 살펴볼 것이다. 관련 사항이 매우 거대한 점을 고려해, 논의는 매우 중요하게 여겨지는 다섯 가지 주제인 가난, 불평등, 분리, 범죄 및 폭력, 도시 거버넌스로 제한한다.

우선 일반화로 시작하자. 지난 몇 세기 동안 대다수 사람의 삶의 질은 전반적으로 향상되었고 진보는 도시화urbanization와 완전하게 연관되었다. 물론 도시성장urban growth은 항상 문제를 만들어왔고, 어떤 사람들은 오늘날 사하라 이남 아프리카와 인도 아대륙에서 대다수 사람의 삶의 질이 과거 영국 도시들의 그것만큼이나 나쁘다고 주장할 것이다. 마이크 데이비스Mike Davis가 지적했듯, "디킨스, 졸라, 고리키가 서술한 빅토리아 시대의 불행 목록에는 오늘날 제3세계의 도시 어딘가에 존재하지 않는 것이 없다."[1]

현대의 도시city에 대해 너무나 많은 공포스러운 이야기가 전해져 오는 것은 사실이지만, 도시화가 경제적·사회적 진보 모두에 공헌했다는 것 역시나 오늘날 일반적으로 인정되고 있다. 도시들은 경제적 생산성을 높이고, 사회적 태도를 바꾸며, 정부가 공공 기반설비에 투자하도록 하는 데 도움을 주었다. 1950년부터 기대수명, 영아사망률, 문해력은 사실상 전 세계 모든 도시에서 향상되었다.

이 장은 시간과 공간을 가로질러 도시화에 관한 많은 일반적 서술을 하면서도 타운town과 도시가 전 세계적으로 크게 다양하다는 것을 인식한다. 소득, 기반설비, 주택, 가족 구조 측면에서 매우 다른 스톡홀름과 킨샤사에서의 삶을 합리적으로 비교하기는 어렵다. 또한 소득과 부의 수준이 비슷하더라도 일본의 도시는 미국의 도시와 크게 다르다.

삶의 질과 빈곤: 도시와 지역 간 차이

과거에는 전 세계 대개의 도시에서 삶이 상당히 비슷했다. 산업혁명Industrial Revolution이 많은 사람의 일상을 바꿀 때까지 사람들 대다수가 장인, 하인, 또는 상인이었다. 방어에 대한 고려는 사람들 대다수가 도시의 성벽 안에 거주해야 한다는 것을 의미한 터라 도시는 인구밀도가 높았다. 방어가 덜 걱정되었을 때에도 도시 교통의 부족은 사람들 대다수가 자신들의 일터에서 걸어갈 수 있는 거리 내에서 사는 것 외에는 선택지가 거의 없었다는 점을 의미했다. 1880년대가 되어서야 런던에서, 훨씬 이후에야 다른 곳들에서, 저렴한 도시 교통 수단을 이용할 수 있게 되었다. 대부분의 도시는 오물로 더러웠고, 질병에 시달렸고, 가장 필수적인 공공서비스가 부족했다. 물론 도시들은 여러 면에서 서로 차이를 보였다. 메디나medina〔이슬람권 여러 도시에서 구지구舊地區, 원주민 거주 지구〕가 있는 중동의 도시는 격자형 도로 계획과 공식 설계로 만들어진 스페인〔에스파냐〕 식민도시colonial city의 배치와 매우 달랐다. 거의 모든 곳에서, 부유한 사람들과 권력이 있는 사람들은 잘살았고, 가난한 사람들은 대부분 비참한 환경에서 살았다. "북서 유럽 도시 중심지urban centre의 기대수명은 19세기 이전에 대부분 20대 초반 미만이었던 것으로 보인다. 기대수명이 신뢰할 수 있는 수준에서 1841년 36.5세로 계산된 런던은 십중팔구 세계에서 가장 건강한 도시의 하나였을 것이다. 파리는 18세기 말에 〔기대수명이〕 23.5세로 추산되었다."[2]

산업혁명은 적어도 한동안 도시민 다수의 삶을 더욱 악화시켰을지도 모른다(25장 참조). 1841년 〔산업혁명의 중심지〕 리버풀과 맨체스터의 기대수명이 각각 28세와 27세에 불과해 〔영국〕 전국 평균인 40세보다 낮았다.[3] 질병과 전염병을 줄이려는 시도는 때때로 생활환경을 악화시키는 요인이었다. 예컨대 새로운 공공건설과 악명 높은 루커리rookery〔빈민굴〕 혹은 런던 내부의 슬럼slum 파괴는 극빈층의 주거밀도를 증가시켰을 뿐이다. 영국은 1850년대에 세계를 이끌었을지 모르지만, 그것이 도시민 다수에게 많은 이익을 가져다주지는 않았다.

그러나 오늘날 경제발전 수준과 도시에서의 삶의 질 사이에는 분명한 상관관계가 있다. 머서컨설팅Mercer Consulting사가 세계 전역의 도시를 조사한 결과, 2010년에 가장 살기 좋은 70개 도시가 모두 부유한 나라들에 있었다.[4] 아프리카, 아시아(일본과 싱가포르 제외), 라틴아메리카의 가장 좋은 도시들인 홍콩〔중국〕, 산후안San Juan(푸에르토리코), 쿠알라룸푸르〔말레이시아〕, 두바이〔아랍에미리트〕, 부에노스아이레스〔아르헨티나〕, 몬테비데오〔우루과이〕는 80번대 순위를 차지했다. '최악의' 도시들은 모두 가난한 나라들에 있었고 221개 도시 중 하위 10개 도시로는 브라자빌〔콩고〕, 포르토프랭스Port au Prince〔아이티〕, 하르툼Khartoum〔수단〕, 은자메나N'Djamena(차드), 방기Bangui(중앙아프리카공화국)가 있었다. 도시 빈곤과 열악한 생활 조건은 저발전의 증상이다.

과거와 비교해 현대에 빈곤이 더 만연해졌다고 주장하기는 어렵다. 19세기 도시에서는 대다수가 오늘날 우리가 빈곤으로 여기는 수준으로 살았다. 많은 수가 적절한 식사를 하지 못했고, 질병이 유행했고, 흔히 깨끗한 수자원이 없었고, 주택은 과밀했다. 도시 빈곤이 더 심각해지지 않았다면 이는 대부분의 가난한 사람들이 시골countryside에서 계속 거주한 때문이었다. 기술은 많은 발전을 가져왔다. 철도는 인도 아대륙에서 기근의 위험을 줄여주었다. 〔코로나 바이러스감염증-19Covid-19 이전〕 마지막 지구적 유행병이었던 스페인독감Spanish flu은 1918년에 발생했는데, 오늘날에는 식수에 더 잘 접근할 수 있으며 가난한 사람들 대부분은 텔레비전을 보고, 휴대전화를 사용하고 있다. 사실상 현대의 모든 사람이 이전보다 더 오래 산다.

그럼에도 2005년에는 약 14억 명이 하루에 1.25달러 미만〔세계은행의 절대빈곤선 기준, 미국달러〕으로 생활했고 그 대다수는 남아시아, 사하라 이남 아프리카, 동아시아 및 태평양 지역에 살고 있었다. 그 결과

"10억 명의 4분의 3 이상이 영양실조 상태"였다.[5] 그리고 전 세계적으로 빈곤의 발생이 감소하고 있더라도 도시 빈곤은 증가하고 있다. 이는 도시성장의 직접적인 결과다. 1800년에서 2010년 사이에 세계 인구는 약 10억 명에서 거의 70억 명으로 늘어났으며 이 과정에서 그 절반이 도시 거주민이 되었다. 그 결과, 오늘날 더 적은 비율의 인구가 빈곤 상태에서 살아가고 빈곤의 심각성이 줄어들었더라도, 현대 도시에는 그 어느 때보다도 훨씬 더 많은 빈민이 있다. 예를 들어 라틴아메리카의 도시권에서 살아가는 빈민은 1970년 4100만 명에서 2007년 1억 2700만 명으로 늘어났다(26장 참조).

그러나 도시 빈곤 증가의 원인을 도시화 과정으로 돌릴 수는 없는 것이, 빈곤이 시골에 더 만연해 있는 게 분명하기 때문이다([표 36.1]). 오히려 이주migration가 농촌권rural area의 빈곤을 줄이는 데 도움이 되었다.

도시와 농촌 사이 생활수준의 차이는 왜 수년에 걸쳐 많은 사람이 시골에서 도시로 이주했는지에 대해 알려준다(35장 참조). 때때로 이러한 이주는 전쟁이나 민간 폭력에 의해 가속화되었으나, 이주의 주 동기는 경제다. 도시에서는 더 많은 일을 할 수 있고 도시 거주민 대부분은 더 좋은 보수를 받는다. 그렇다고 해서 모든 사람이 도시와 특정 국가에서 더욱 잘 생활하고 있다는 의미는 아니다. 중요하고 때로는 성장하는 도시 소수자들은 극심한 빈곤 속에서 살아가고 있다.

많은 빈민이 어려운 환경에서 살고 있다. 아프리카와 남아시아 도시 대부분의 자조自助 정착촌self-help settlement에는 식수 공급이 부족하고 어떤 종류의 위생시설일지라도 이용할 수 있는 사람이 거의 없다. 적절한 쉼터는 부족하고 과밀overcrowding은 만성적 문제다. 충격을 받은

[표 36.1] 몇몇 국가의 도시권과 농촌권 빈곤 인구 비율, 2005~2007년

국가 및 연도	도시	농촌
볼리비아, 2007**	23.7	63.9
중국, 2005*	1.7	26.1
콜롬비아, 2006**	39.1	62.1
에콰도르, 2006**	24.9	61.5
가나, 2006**	10.8	39.2
인도, 2005*	36.2	43.8
인도네시아, 2005*	18.7	24.0
케냐, 2006**	34.4	49.7

* 2005년 하루 생계비 1.25달러 미만 인구. ** 국가별 빈곤선 기준 빈민 인구

출처: UNDESAUnited Nations Department for Economic and Social Affairs, Rethinking Poverty: Report on the World Social Situation 2010 (New York: UNDESA, 2009). http://www.unescap.org/stat/data/syb2009/18-Poverty-and-inequlity.pdf; World Bank (2010), World Development Indicators, 2010. http://data.worldbank.org/indicator/SI.POV.RUHC, http://data.worldbank.org/indicator/SI.POV.URHC

한 기자는 다음과 같이 보고했다. "나이로비 남서쪽 변두리의 비좁은 지역인 키베라Kibera에는 거의 100만 명이 거주한다—나이로비 인구의 3분의 1이다. 그들 대부분은 방 하나짜리의, 진흙이나 나뭇가지와 점토를 섞어 만든 오두막이거나 단순한 나무집 또는 돌집에서 거주하고 흔히 창문이 없다. […] 케냐는 거대하고 불법적인 스프롤sprawl 현상이 진행되고 있다—위생시설도, 도로도, 병원도 없다. 거대한 진흙과 오물 도랑에는 찔끔찔끔 갈색 개울물이 흐르고 있다"([도판 33.2] 참조).[6]

다행히도 도시에서 대다수는 위와 같은 끔찍한 환경에서 사는 경우가 거의 없다. 대부분의 가난한 도시에서 도시 빈곤은 언론이 시사하는 것만큼 만연하지 않다. 많은 사람이 부적절한 식단, 불안한 수입, 지속적인 건강 위협으로 고통을 받고 있으나 거리에서 죽는 빈민은 거

의 없다. 그러나 이러한 문제 가운데 일부는 이제 가난한 국가의 도시에만 국한되지 않는다. 오늘날 도시 빈곤은 국내총생산GDP 소득이 상대적으로 높은 국가에서도 나타난다. 1990년대 러시아에서는 국가 지원 체계가 사라지면서 광범위한 고통으로 이어졌고, 2005년 허리케인 카트리나Katrina가 뉴올리언스를 강타한 직후에 많은 사람이 처했던 곤경은 미국 도시들에서도 빈곤이 확장하고 있음을 확인해주었다. 구조적 경제 변화, 이주, 세계화의 결합은 가장 예상치 못한 곳에서 빈곤을 발생시키고 있다.

불평등

대부분의 전근대 도시들은 부유한 엘리트와 방대한 빈곤층 노동인구로 구성되었다. 근대화modernization는 점차 상당한 중산층을 창출함으로써 이를 변화시켰고 많은 선진국에서는 국가의 개입과 20세기 현대기술의 도입이 가난한 사람들의 생활 조건을 향상하는 데 도움이 되었다. 누진과세, 교육 접근성 확대, 공공서비스의 점진적 도입, 곳곳에서 복지국가의 등장 모두가 변화에 이바지했다.

20세기 내내 많은 사회가 좀 더 평등해졌을지라도 국가들 사이 격차와 국가들 내에서 도시들 사이 격차는 더욱 벌어졌다. 세계은행World Bank에 따르면, "세계가 부유해지는 동안 소득 불평등income inequality—상대적이고 절대적인, 국제적이고 지구적인—은 오랜 기간(1820~1992)에 걸쳐 엄청나게 커졌다."[7] 제2차 세계대전 이후 세계에서 가장 부유한 국가와 가장 가난한 국가 사이 격차는 엄청나게 벌어졌다. “산업선진국과 개발도상국의 평균소득 비율은 제2차 세계대전 종전 당시 약 30:1에서 1970년대에 60:1로 현재는 90:1 이상으로 증가했다.”[8]

그러나 지난 반세기 동안 한때 가난했던 많은 국가가 북반구에서 성공했으며, 싱가포르 같은 일부 국가는 부국의 대열에까지 합류했다. 따라서 유럽과 아프리카 사이 〔사회경제적, 정치적〕 격차는 더 커졌으나, 중간 수준 소득의 국가들로 구성된 중간집단의 출현은 오래된 남북격차 North-South gap를 그 의미가 훨씬 덜하게 만들었다. 그 과정에서 아프리카, 아시아, 라틴아메리카의 기업가들에 의해 많은 부가 창출되었다. 2005년 전 세계 부의 24퍼센트를 소유한 '초부자ultra-rich' 8만 5400명 가운데 1만 5400명이 아시아/태평양 지역에, 7700명이 라틴아메리카에, 3400명이 중동에, 1700명이 아프리카에 존재했다.[9]

이러한 부의 확산은 국제적·지구적 격차를 줄였지만, 국가들 내의 불평등을 높이는 요인이 되었다.[10] 대부분의 선진국은 1914년과 1980년 사이에 더 평등해졌으나 이후로 그 양상이 역전되었다. 물론 개발도상국들에서는 더 많은 평등을 향한 어떤 움직임도 흔치 않았다.

가난한 국가들에서는 불평등이 도시권과 농촌권 사이 생활수준의 격차로 표출되었다([표 36.1] 참조). 그러나 점차 부의 가장 큰 격차는 도시 내부에서 발견되었다. 불평등은 특히 빠르게 성장하는 남반구의 도시들에서 두드러지고 있다.[11] 그런데 불평등은 거의 모든 곳에서 심화하는 것이 분명하다. 뭄바이·런던·상파울루에서는 매우 부유한 사람들이, 적어도 비유적으로, 가난한 사람들과 함께 살고 있다. 대니

돌링Danny Dorling은 영국에 대해 다음과 같이 주장한다. "지난 30년 동안 […] 증가하는 금융 불평등은 사회 규범에서 배제되는 인원을 점점 증가시켰고, 새로운 종류의 빈곤에 고통을 겪는 사람들이 늘어났으며, 점점 더 차별을 받는 사회계층을 만들었다. 새로운 빈민, 배제된 자, 채무자 등이다."[12]

빈곤 및 불평등의 양상 변화에 관한 설명

많은 사람이 세계화 과정이 지난 30여 년 동안 대부분의 경제적·사회적 변화의 형식을 주도해왔다고 믿는다. "세계화globalization는, 단순히 말해서, 범위의 확장, 규모의 증가, 대륙횡단적 유동성과 사회적 상호작용의 가속화 및 심화를 나타낸다. 이는 멀리 떨어진 공동체들을 연결하고 세계의 여러 지역 및 대륙에 걸쳐 권력관계의 범위를 확장하는 인간 조직의 규모 변동 혹은 변화를 가리킨다."[13] 컴퓨터 사용, 운송 및 통신의 기술적 변화, 반도체의 발전이 그 과정의 중심에 자리한다.

생산의 새로운 지리학. 세계화는 이전에 자본이 부족했던 지역에 투자를 가져왔다. 제조업 생산은 중국과 동남아시아에서 그리고 미국과 멕시코 국경을 따라 호황을 누렸다. 콜센터는 인도의 일부 지역에서 성장했다. 농업의 세계 지리가 바뀌었다. 베트남은 현재 세계에서 두 번째로 큰 커피 수출국이며 콜롬비아는 두 번째로 큰 절화切花, cut flower〔꽃꽂이용의 자른 꽃가지〕 수출국이다. 많은 곳에서, 특히 아시아에서 세계화는 새로운 일자리를 창출했고 도시 빈곤은 감소했다. 동시에

이 과정은 종종 다른 곳에서, 일례로 서유럽의 도시에서 종종 실업을 발생시켰다. 물론 많은 도시는 세계경제에 크게 관여한 적이 없기에 생산의 변화에 영향을 받지 않았다.

금융자본의 흐름. 세계화는 세계를 가로질러 이동하는 훨씬 더 큰 자본의 흐름을 이끌었다. 주식시장의 기계화, 전자시장electronic market의 창출, 마우스 클릭으로 막대한 금액의 돈을 송금할 수 있는 능력은 자본 흐름을 촉진했고 거의 틀림없이 경제적 불안정을 심화했다. 부동산 붐과 붕괴, 과장된 상품 거래 주기, 통화 투기는 몇몇 런던과 월가 사람에게는 엄청난 이익을 가져다주었으나 대다수 사람에게는 불확실한 미래를 만들어냈다.

기술의 변화. 기술의 변화는 노동의 성격을 변모시켰다. 식량이나 자동차를 생산하고, 석탄을 채굴하고, 청구서를 작성하는 일손은 덜 요구되었다. 그러나 컴퓨터를 프로그래밍하고, 새 제품을 디자인하고, 새 서비스와 새 제조상품의 대규모 유통을 광고하는 일손은 더 많이 필요해졌다. 제조업 노동자와 공공 부문 피고용인의 오래된 '블루칼라 blue-collar' 계층의 일자리는 더욱 줄어들었다. 교육수준과 기술이 낮은 사람들은 팽창하는 도시 서비스 영역에서 보수가 낮은 일을 찾는 것으로 전락한다. 숙련자와 미숙련자 사이 소득 격차는 벌어지고 있다. 이러한 경향은 런던이나 뉴욕 같은 '글로벌도시global city'에서 가장 두드러지지만, 방갈로르(38장 참조)나 캘리포니아 실리콘밸리와 같은 곳에서도 분명 그러하다.

사람들의 움직임. 세계화는 더 가난한 국가에서 더 풍요로운 국가로 이주하는 사람들을 증가시켰다(35장 참조). 많은 수의 라틴아메리카 사람이 북아메리카 도시로, 아프리카인·남아시아인·터키인(튀르키예인)은 서유럽 도시로, 인도인·파키스탄인은 중동의 팽창하는 중심지 및 여러 장소로 이주했다. 2005년에는 세계 인구의 약 3퍼센트인 1억 9100만 명으로 추정되는 수가 자신들이 태어난 국가와는 다른 국가에 살고 있었다.[14] 선진국에서 살아가는 10명 중 1명꼴로 현재 이주민으로, 스위스에서는 6명 중 1명꼴로 그러하다. 이주민 대다수는 저임금 노동에 처했다. 런던 중심부의 사무실 청소원, 버스 운전사, 슈퍼마켓 직원 대다수가 이주민이다.

사람들의 국제적 이동은 많은 가난한 국가에서, 예를 들어 의료 분야 같은, 절실히 필요한 기술을 빼앗았다. 반면에 가난한 국가는 해외에서 일하는 사람들의 송금으로 이익을 얻었다. 요르단·레소토·니카라과·아이티·통가는 GDP의 4분의 1 이상이 송금으로 구성되어 있으며 아바나La Habana는 많은 가구가 미국에서 생활하는 친척들로부터 받는 달러에 기초해 살아남는다. 송금은 국가 간 불평등은 감소시키고 내부적 불평등은 증가시킨다.

신자유주의. 1970년대 말부터 케인스주의Keynesianism는 신자유주의neoliberalism에 자리를 내주었다. 북아메리카와 유럽에서는 점점 더 다국적 자본에 대한 통제가 완화되고, 기업과 부유층에 매기는 세율이 낮아졌으며, 빈곤층의 사회적 권리가 감소했다. 1980년 이후 다국적기업multinational corporation이 번창했고, 세계 생산 및 무역에서 다국적 기업이 차지하는 비중이 엄청나게 커졌다. 공정함은 더는 공공정책의 주요 목표가 아니었다. 누진과세와 정부가 사회의 모든 사람을 보호·육성해야 한다는 믿음에 근거한 전후戰後 복지국가는 더는 현명한 것으로 받아들여지지 않았다. 1980년 이후 대부분의 정부는 경제성장을 가속하는 데 도움을 주는 것이 자신들의 주요 역할 가운데 하나라고 해석했다. 이와 같은 태도 변화가 불평등의 심화와 얽혀 있었다. 미국에서는 "총소득aggregate income에서 최고 고액 소득자 1퍼센트가 차지하는 몫이 1980년 8퍼센트에서 2004년 16퍼센트 이상으로 2배 증가했다. 최고 고액 소득자 0.1퍼센트가 차지하는 몫은 1980년 2퍼센트에서 오늘날 7퍼센트로 3배 이상 증가했다."[15] 오늘날 1인당 소득과 평등 사이에 실증적 상관관계가 있다는 앨버트 O. 허시먼Albert O. Hirschman과 사이먼 쿠즈네츠Simon Kuznets의 견해를 받아들이는 사람은 거의 없다.[16] 신자유주의적 세계화neoliberal globalization는 오래된 분석 틀을 변화시켰다.

인구성장. 사하라 이남 아프리카는 인구가 1965년 2억 4300만 명에서 2010년 8억 6500만 명으로 확대되지 않았다면 십중팔구 덜 가난했을 것이다. 인구성장population growth은, 1960년대와 1970년대에 빈곤의 원인으로 지나치게 강조된 면도 없지는 않지만, 여전히 빈곤의 중요한 요소다. 결국, "과도한 인구성장은 빈곤의 심화로 이어지고, 심화된 빈곤은 높은 출산율에 기여한다."[17]

요컨대, 많은 서로 다른 과정이 세계경제의 작동방식에 변화를 가져왔다. 그 변화가 예전에 가난했던 몇몇 국가에 이익을 가져다주었더라도, 그것은 또한 이들 국가 내부와 전 세계의 거의 모든 도시에서 불평등을 심화시켰다. 30억 명 훨씬 넘게 도시권에 거주하는 만큼 그 불평등의 결과는 세계 인구의 절반에 영향을 끼친다.

사회적 분리: 경향과 과정

유럽인의 식민화colonization는 구분된 도시를 만들었다. 예컨대 델리는 "'유럽인'과 '원주민'이라는 지배하는 자들과 지배받는 자들이라는 두 개의 서로 다른 세계를 위해 지어졌다."[18] 대부분의 영국, 프랑스, 네덜란드 식민도시들 또한 비슷했다([도판 30.1] 참조). 유럽인 구역은 식민자colonizer들이 적절한 도시를 어떻게 설계해야 한다고 생각했는지를 보여주었다. 식민화된 사람들은 '계획되지 않은' 지역에 살았고 일반적으로 그들 자신의 도구들에 의존했다. 북아프리카에서는 식민 당국이 유럽인들이 거주할 새로운 주거 영역을 건설했고 아랍인 공동체는 메디나[옛 지구, 원주민 거주 지구]에 남아 있었다.[19] 도시가 하나 이상의 '열등한inferior' 집단의 근거지였던 곳에서는 때때로 이 집단들을 분리하려는 정교한 규칙이 고안되었다. 영국령 싱가포르에서는 유럽인, 중국인, 인도인, 말레이인, 부기Buginese족 구역이 각기 지정되었다. 네덜란드령 바타비아에서는 적어도 15개의 개별적 부족 구역이 설립되었다. 식민도시에 대한 자세한 내용은 40장에서 다루어질 것이다.

도시계획urban planning의 한 가지 목표는 식민자들을 열대성 질병으로부터 안전하게 지키는 것—이른바 '위생증후군sanitation syndrome'—이었다. 하지만 칭찬할 만한 목표가 적었다. 아프리카에서 "식민 당국은 공간적 형태와 기능에 영향을 끼칠 기회를 식민지에 대한 지배와 통제를 강화하는 것에 더해 유럽의 패권과 권력에 대한 선입견을 재확인할 수 있는 계기로 삼았다."[20]

그러나 식민주의colonialism가 근대적 도시 분리urban segregation에 대한 유일한 설명은 아니었다. 몇몇 이슬람 도시에서는 서로 다른 민족별로 오랫동안 모여 살았다. 그곳에서는 "동질적 이주민 집단(군인, 지배계급 구성원, 이주민, 난민 같은)의 이주, 도시 내 대규모 재편성(예컨대 유대인 멜라mellah〔북아프리카 도시의 유대인 주거 구역〕) 및 개별 기반의 인구이동population movement이 있었는바, 여기서 이주민 집단은 이주 양상, 가족 구성 양상, 관습 또는 상호 불신의 차이, 성지聖地의 유무, 사회경제적 지위와 관련해 집결할 수 있었다."[21]

아프리카와 아시아 국가들이 독립을 쟁취했을 때, 주거 양상의 유일한 실질적 변화는 새 통치자 중 일부가 오래된 유럽인 구역으로 이주한 것이었다. 대다수 민족집단은 계속해서 분리된 상태로 살았다.

민족별·인종별 분리는 미국과 남아프리카공화국에서 더 두드러지긴 했으나 전 세계의 많은 현대 도시에서 공통적 현상이다.[22] 백인들이 다른 곳에서 사는 것을 선택하기 때문에 미국 도시에서 가장 가난한 지역의 인구는 대부분 아프리카계 미국인이다. 남아프리카공화국에서는 아파르트헤이트apartheid가 법제사legal history적으로 비난을 받았음에도, 도시들은 인종 기준선을 따라 여전히 고도로 분리되어 있다. 그 외 지역에서는 때때로 분리 현상이 감소하고 있다. 예컨대 영국에서는 "미국식 게토가 존재하지 않으며, 불리한 경제적 지위와 지속적 차별의 실질적 증거에도 불구하고 런던에서 카리브 지역 출신 흑인의 분리 추세는 하향 조정되고 있다"라고 주장되고 있다.[23]

인종 분리racial segregation는 노골적인 차별이 그러하듯 적어도 인종에 따른 소득 차이에 기인한다. 브라질의 빈민촌 파벨라favela는 오랫동안 인종적으로 혼합된 곳이었으나 부유한 지역은 전적으로 백인만의 영역이었다.[24] 남아프리카공화국에서 흑인은 대부분이 가난하고 백인은 대부분이 그렇지 않다.

소득 격차가 일반적으로 더 벌어지고 있다는 점에서 주거 분리 residential segregation와 소득 사이 분명한 상관관계는 골치 아픈 일이다. 미국에서는 "1973년 이후 노동조합은 시들해졌고, 중산층은 분열되었으며, 소득 불평등은 커졌고, 빈곤은 심화되었다. 사회경제적 영역에서의 이와 같은 새로운 계층화stratification는 공간 영역에서 계급 간 공간적 분리의 증가를 동반했다. 소득 불평등이 커짐에 따라 부유한 가족과 가난한 가족이 점점 서로 다른 사회적 공간에 거주하게 되면서 계급 분리의 정도 역시 더해갔다."[25] 사스키아 사센Saskia Sassen은 특히 뉴욕·도쿄·런던 같은 '글로벌도시'가 제조업보다는 금융 및 사업 서비스에 의존해서 불평등 및 분리가 두드러지고 있다고 주장해왔다. 제조업은 새 서비스 부문보다 더 동등한 소득 분배를 창출한다.[26] 다행히도 지구촌 도시 인구의 상대적으로 적은 수가 그러한 글로벌도시들에 살고 있다.

그러나 세계 전역에서 구매력의 차이가 더 늘어나고 있으며 이것이 사람들이 사는 곳에 점점 더 영향을 끼치고 있다. 부유한 사람들은 녹지대의 교외suburb 혹은 엘리트의 중심지 동네에 살고, 가난한 사람들은 자신들이 거주할 수 있는 곳이면 어디에든 거주하며, 흔히 오늘날 세계에서 수많은 가난한 도시들에 지배적으로 분포한 교외 판자촌에서 산다(42장 참조). 사실 어떤 도시들은 다른 도시들보다 덜 분리되어 있다. 일본에서는 민족차별이 대규모로 나타나지 않는데, 이민자가 적기 때문이다. 일본에서는 다른 나라보다 계급에 따른 분리도 적다. 일본에서는 가구의 사회적 위상이 거주의 질이나 거주하는 도시 동네

urban neighbourhood보다는 남성의 직업과 가족의 사회적 평판에 더 기반을 둔다.[27]

일부 도시에서는 국가 또는 자치체가 사회주택social housing을 건설함으로써 도시 분리 및 주거 문제를 해소하려 노력했다. 수년 동안 공산주의 도시들에는 자본주의 사회에서 발견되는 경제적 분리가 거의 없었고 모든 사람에게 적절한 집을 제공하고자 방대한 아파트 블록이 건설되었다.[28] 대부분의 선진 자본주의 사회에서 사회주택 건설 계획을 통해 가난한 사람들의 생활환경을 개선하려는 노력은 덜 성공적이었고 실제 국민 간 통합으로 이어지지 않았다. 실제로, 오늘날 많은 프랑스 도시가 직면한 사회적 문제는 부유하고 일반적으로 백인인 프랑스인 '이웃neighbour'과 공간적으로 구분되는 공공주택〔공영주택〕 단지public housing estate로 아랍계 이민자 가정을 분리하는 데서 비롯했다. 유사하게 케이프타운은 아파르트헤이트가 인종적으로 뚜렷하게 구분되는 공공주택 구역 형태로 남겨놓은 유산에 의해 상처를 입었다. 주택 소유를 위한 자본 보조금을 제공함으로써 빈민을 돕는 신자유주의적 접근은 이러한 사회적 분열의 양상을 복제해서 퍼뜨렸다. 칠레에서는 효과적인 대상 설정으로 매우 빈곤한 가구를 동일한, 특별하게 건설된, 동네로 편성했다. 이들 동네는 일반적으로 도시에서 가장 가치가 낮은 구역에 위치했고, 이는 그곳의 집을 파는 것이 매우 어렵고 그곳을 떠날 수 있는 가족이 거의 없음을 의미한다. 남아프리카공화국에서도 새로운 보조금을 받는 주택은 일반적으로 시 중심지city centre에서 수마일 떨어진 값싼 땅에 위치했다.[29]

다른 곳에서는 교외화suburbization와 도시 스프롤urban sprawl이 주거 분리를 악화시켰다. 대중교통의 개선과 자동차 소유의 증가로 도시가 확대되었고, 서로 다른 계층들은 이제 종종 멀리 떨어져 산다(42장 참조). 이른바 "벽으로 둘러싸인 콘도미니엄, 보안 탑이 지키는 아파트 건물, 사설 경비, '무장 대응armed response' 등이" 있는 출입통제 공동체〔빗장 공동체〕gated community는 이러한 분리의 극단적 판본을 대표한다.[30] 이러한 주거단지의 매력은 주민들이 범죄로부터, 도시 생활의 더 불미스러운 측면으로부터 안전하다고 느낀다는 것이다. 공동체를 에워싸고 있는 벽과 문은 "사람들이 서로 보고, 만나고, 듣는 것을 막아버리고, 극단적으로는 고립시키고 배제한다."[31]

출입통제 공동체들은 확실히 바람직한 개발은 아니었음에도 도시를 매우 많이 변화시켰을까? 부유한 집의 아이들은 항상 별도의 학교에 다녔고, 아플 때는 항상 개인 병원에 갔다. 일부 출입통제 공동체들이 주민들에게 필요한 모든 것을 제공하더라도 대부분의 부유한 가족은 여전히 하루 중 일부 시간에는 자신들의 안식처를 벗어난다.

물론, 자신을 분리하고 싶어 하는 것은 부자만이 아니다. 모든 사회계층이 '벽을 치고 문을 통제하는' 것으로 보인다. "오늘날 미국에서는 중산층 교외, 중상류층 거주지, 은퇴자 공동체, 다양한 종류의 벽이 있는 공공주택 단지, 또는 사회적 위험에 대한 물리적 보호를 제공하려 고안된 동등한 조처들이 발견된다."[32] 보고타와 산티아고의 빈민 공동체들은 때때로 범죄와 폭력을 막으려고 자신들의 정주지settlement 주위에 벽을 쌓거나 울타리를 세우기도 한다. 마찬가지로, 벽이 있든 없든, 민족집단과 종교집단은 오랫동안 함께 살 방법을 모색해왔다. 시너고그synagogue〔유대교 회당〕나 모스크mosque와 가깝게 거주하고자 하는 욕망은 일부 유대인과 무슬림이 특정 구역에 모이도록 장려했다. 다른 문화적 요소들도 공동체들이 서로 떨어져 살도록 장려했다. 한편 영국에서는 고용과 주택의 공급 과정이 파키스탄 공동체를 집중하도록 만들었다. "이슬람 종교, 언어, 할랄halal 음식〔이슬람 율법 샤리아에 따라 허용되는 음식〕의 요건, 사촌 사이 결혼, 펀자브Punjab 또는 카슈미르Kashmir 마을의 지향성은 지리적 근접성에 의해 보존되는 강력한 네트워크 접촉을 선호한다."[33]

피부색이나 종교에 기초한 노골적인 차별의 정도는 십중팔구 대부분의 도시에서 특히 지난 반세기 동안 시간이 지남에 따라 감소했을 것이지만, 소득에 따른 분리는 그 어느 때보다 중요해졌다. 불평등이 심화하고 그 규모가 커짐에 따라 도시 부유층과 빈곤층은 이전보다 덜 사회적으로 상호작용할 수 있게 되었다. 동시에 선진국에서는 사회에서 소외되는 도시 외지인 집단이 늘어나는 것은 아닌지 의심스럽다.[34] 도시들은 오랫동안 종교, 민족, 언어, 소득, 사회계층으로 분리되어 있었고 앞으로도 그럴 것이다.

범죄, 공포, 폭력

범죄는 흔히 도시 생활과 관련이 있다. 찰스 디킨스Charles Dickens는 〔장편소설〕《올리버 트위스트Oliver Twist》〔1838〕에서 폭력적이고 범죄가 많은 런던의 흥미로운 모습을 제공한다. 1860년대 잉글랜드의 살인 범죄율은 오늘날의 그것과 유사하다.[35] 물론 예를 들어 뉴욕의 파이브웨이즈

Five Ways와 런던의 이스트엔드East End 같은 일부 도시권은 다른 구역보다 훨씬 더 위험했고, 이들 도시권의 범죄 이미지는 사람들 대다수가 범죄를 걱정하는 데 큰 영향을 끼쳤다. 그러나 심각한 범죄는 대개 매체의 묘사보다 제한적이며, 당연히, 역사적으로 많은 살인이나 심지어 강도로 인해 어려움을 겪은 이슬람 도시나 중국 도시는 거의 없다.

통계적으로 범죄율은 도시화율과 밀접한 관련성이 없다. 고도로 도시화한 유럽은 범죄로부터 합리적으로 자유로우나 도시화가 덜 이루어진 라틴아메리카와 남아프리카공화국은 그렇지 않다. 어쨌든 농촌권에서 많은 범죄가 발생하며, 콜롬비아와 다르푸르Darfur(수단 서부)와 같은 시골에서 약탈과 제노사이드genocide의 최악의 사례가 종종 발생한다. 도시화의 정도가 범죄에 대한 빈약한 지침이라면 도시의 규모 역시 마찬가지다. 로스앤젤레스·뉴욕·리우데자네이루는 범죄율이 높고, 도쿄·카이로와 같은 다른 거대한 도시giant city들은 그렇지 않다. 또한 미국의 범죄는 도시 규모와 관련이 없다. 가장 위험한 도시는 미국 남부에 위치하는 도시와 아프리카계 미국인 인구가 많은 도시다.[36]

범죄와 관련해 가장 신뢰할 수 있는 척도인 살인 범죄율은 도시마다 대단히 다르다. 2010년에 도시적 유럽의 대부분과 중동 도시, 많은 아시아 도시에서는 주민 10만 명당 2건 미만의 살인사건이 있었던 반면, 멕시코의 시우다드후아레스Ciudad Juárez에서는 주민 10만 명당 229건의 살인사건이 발생했다. 폭력은 공간적으로 분명히 집중되어 있으며, 세계에서 가장 폭력적인 25개 도시 가운데 3개인 칸다하르Kandahar(아프가니스탄), 킹스턴(자메이카), 뉴올리언스(미국)를 제외한 모든 도시가 라틴아메리카에 소재한다.[37] 문화와 종교의 차이는 때때로 범죄 양상의 변화를 설명하는 데 도움을 준다. 예컨대, 이슬람교 세계와 힌두교 세계에서는 범죄 발생률이 낮다. 그러나 그것은 왜 그렇게 많은 사람이 매우 종교적임에도 남아메리카·북아메리카에서 그렇게 많은 범죄가 일어나는지 설명하지 못한다. 아메리카의 높은 총기 소유율과 알코올 및 마약 사용률이 명백한 요인이며, 이는 남아프리카공화국에서도 마찬가지다.

빈곤은 범죄율 증가의 원인으로 종종 지적되나 살인 범죄율과 도시 빈곤 사이에는 거의 또는 전혀 상관관계가 없는 것 같다. 가난한 남아시아의 빈곤한 도시에서도 부유한 스칸디나비아 도시에서도 살인사건은 거의 일어나지 않는다. 일부 당국은 부의 격차를 범죄의 차이 설명에 활용하는바, 라틴아메리카 국가 대부분과 남아프리카공화국이 불평등과 폭력 순위표에서 모두 윗자리를 차지한다는 사실이 이런 주장을 얼마간 뒷받침한다.[38] 그러나 부에노스아이레스나 산티아고와 같이 극도로 불평등한 도시는 위험한 곳이 아니다. 보고타의 경험은 또한 범죄와 불평등 사이 연관성에 의문을 제기한다. 그곳에서 살인 범죄율은 1995년 10만 명당 59명에서 2007년 18명으로 감소했는데, 이 기간에 불평등은 처음에는 일부 심화했으나 이내 완화되었다.

도시 폭력을 설명하는 데서 중요한 것은 마약의 거래로 보인다. 콜롬비아 메데인Medellín에서는 1991년 10만 명당 381건의 살인사건이 발생했다. 1991년은 마약 카르텔 우두머리 파블로 에스코바Pablo Escobar가 콜롬비아 정부에 맞섰던 전쟁에서 최악의 해였다. 유사하게 최근 시우다드후아레스에서 발생한 살인사건은 마약 조직 사이의 영역 전쟁, 멕시코 정부가 마약 조직을 통제하려는 노력과 깊은 관련이 있다.

범죄와 폭력은 또한 연령 및 젠더와 밀접하게 연관되어 있다. 강도, 범죄, 폭력 대다수는 젊은 남성에 의해, 그리고 젊은 남성을 대상으로 저질러진다. 일례로, 보고타에서는 20대 남성이 같은 연령대의 여성보다 살해될 확률이 15배나 더 높다.[39] 다행히도, 남성들은 나이가 들면서 덜 범죄적으로 되는 것 같고, 젊은 남성의 범죄와 폭력 관련 비율 감소는 왜 런던의 강도사건이 최근 몇 년 동안 감소했는지 설명해줄지도 모른다.

그러나 도시 폭력성을 논의할 때 강도와 살인만을 생각해서는 안 된다. 실제로 세계의 모든 살인자, 범죄자, 테러리스트에 의해 죽임을 당하는 사람들의 합보다 더 많은 사람이 도시의 도로 위에서 사망한다. 6억 2000만 대 정도의 자가용은 모든 버스·밴·트럭과 함께 매년 약 120만 명을 죽이고 수백만 명 이상을 불구로 만든다. 도로 사망자는 실제로 15~29세 사이 연령대 사람들의 가장 중요한 사망 원인의 하나다.[40]

도시 갈등

전근대 세계에서 도시 인구는 강탈과 약탈의 정기적 위협에 시달렸다. 아프리카, 아시아, 아메리카 대륙의 식민도시 대부분은 외부의 공격으로부터 안전하다고 느꼈으나, 점령자 권력층은 현지인의 봉기를 늘 경계했다. "영국 지배자는 인도의 도시와 도시민을 불편한 문제로 간주했다. 도시와 타운은 종교개혁 운동과 정치적 각성의 씨앗이 되었다."[41]

유럽의 많은 지역에서 사회혁명 및 도시혁명urban revolution에 대한 두려움은 바스티유Bastille 함락 이야기로 자극을 받았다. 1885년 런던의 한 관찰자는 다음과 같이 선언했다. "나는 이 들끓는 인간의 불행이 사회의 구조를 뒤흔들 때가 다가오고 있다고 깊이 확신한다."[42] 당연히 카를 마르크스Karl Marx와 프리드리히 엥겔스Friedrich Engels는 이러한 의견을 공유했는데, 그들은 궁극적으로 두려움이 아닌 더 많은 희망을 전망했다.

도시가 전쟁(예컨대 이라크와 레바논)의 영향을 받았거나 테러(벨파스트Belfast, 카노Kano, 뉴욕, 뭄바이)의 영향을 받은 경우를 제외하고, 정치적으로 고조된 도시 폭력은 1945년 이후 비교적 드물었다. 물론 방콕, 나이지리아, 중국 북서부, 남아프리카공화국, 키르기스스탄 남부, 중동의 여러 도시에서 발생한 최근의 시위사건들은 국제적인 언론 보도의 제목들을 장식했고, 사람들의 마음속에 지울 수 없을 정도로 깊은 인상을 남겼다. 사람들은 여전히 와츠Watts 인종 폭동〔미국 로스앤젤레스, 1965〕, 샤프빌Sharpeville 대학살〔남아프리카연방〔지금의 남아프리카공화국〕, 1960〕, 프랑스 여러 도시에서의 무슬림 시위, 영국의 브릭스턴〔1981〕과 톡스테스Toxteth〔1981〕 시위를 이야기하곤 한다. 〔이들 사건 모두 도시에서 주류의 (인종적 혹은 종교적) 소수자 차별에 대한 저항이었다〕.

공동체의 폭력은 때때로 외부인들의 유입과 관련이 있다. 예를 들어, 2008년 요하네스버그에서 발생한 폭력사태는 남아 있는 일자리도 없고 주택도 부족한 도시로의 대규모 이주에 대한 지역적 분노로 촉발했다. 그러나 폭력은 또한 도시의 기성집단들 사이에서 일어날 수 있는데, 종교는 드물지 않게 분쟁의 원인이었고 혹은 적어도 분쟁을 '정당화'하는 원인이 되었다. 북아일랜드의 개신교도와 가톨릭교도 사이 오랜 투쟁, 인도 도시들의 이슬람교도와 힌두교도 사이 갈등, 이라크의 시아파와 수니파 사이 차별, 구유고슬라비아 마을에서의 이슬람교도 제노사이드, 나이지리아 북부의 이슬람교도에 의한 기독교도의 살육 등은 모두 종교가 얼마나 자주 폭력을 촉발하는지를 예시해준다. 그러나 공동체의 폭력은 완전히 다른 상황에서도 발생할 수 있다. 도시 폭동은 예컨대 알제리 독립투쟁에서 빈번한 전술이었고, 특히 선거 시기에 정치적 경쟁자들에 의해 계속 동원되었다. 때로는 덜 빈번하지만 2011년 아랍의 봄Arab Spring과 같이 인기 없는 정부를 축출하려는 시도로 대규모 시위가 일어나기도 한다.

그러나 도시 생활에서 직접 제기되는 문제로 인한 공동체의 폭력 사례는 거의 없다. 대부분의 시위는 도시의 폭동이 아니라 도시에서의 폭동이었다. 이것은 마누엘 카스텔Manuel Castells이 예전에 예측했던 것이 아니다. 카스텔은 도시가 규모가 커짐에 따라 도시사회를 유지하는 게 더욱 복잡해질 것이라 믿었다. 건강, 주거, 서비스, 일자리 등의 문제를 해결하고자 국가는 '집합적 생산수단collective means of production'을 제공하거나 적어도 촉진해야 할 것이었다. 이는 국가의 제한된 예산, 증가하는 대중의 기대, 만연한 빈곤을 고려할 때 어려울 것이다. 사회의 서로 다른 집단 사이 갈등을 빚는 요구는 정치적 압력을 불러일으키고 국가가 통제력을 잃게 될 상황으로 이어질 것이다. 도시의 저항은 적절하게만 이용된다면, 사회의 급진적 구조조정에 대한 요구로 이어질 것이다.[43]

다른 이들은 런던·파리·마드리드 같은 도시 폭력에 대한 마누

엘 카스텔의 전망에 주로 관심을 가졌으나 그는 도시 폭력이 제3세계 도시들에서 팽창해가는 빈민가에서 나타날 가능성이 크다고 예측했다. 1970년대와 1980년대에는 "청년·여성·주민단체·교회가 후원하는 '풀뿌리grass-roots' 공동체 및 이와 유사한 집단으로 구성된" 사회운동의 출현에 대중의 많은 관심이 있었다.[44] 브라질 교회, 칠레 캄파멘토campamento〔판자촌〕에서 형성된 집단, 멕시코 도시 전역에 건설되고 있는 도시민 연합이 지원하는 공동체 기반 시위는 가난한 사람들이 족쇄를 벗을 준비가 되어 있음을 보여주었다. 1980년대 부채위기의 결과로 발생한 '긴축austerity' 또는 'IMF(국제통화기금)' 〔반대〕 폭동은 외견상 더 혼란스러운 미래에 대한 또 다른 신호였다.[45] 공공서비스의 질, 빵 가격이나 버스 요금의 상승, 임금 동결 도입에 격분한 군중은 알제리, 카이로, 카라카스, 리마, 리우데자네이루의 거리에서 시위를 벌였다.

공동체적 시위와 관련한 이와 같은 예상을 고려해볼 때, 1900년 이후 대부분의 세계에서, 1980년 이후 아프리카·중국·인도의 많은 지역에서 일어난 도시 변화에서 가장 눈길을 끄는 것은 도시혁명이 거의 없었다는 점이다. 소득 격차, 빈민 수, 서로 다른 국적·종교·민족의 사람들이 함께 내동댕이쳐진 방식, 그리고 그렇게 많은 정부가 도시 기반설비와 서비스를 제공하는 일을 적절하게 수행하지 못한 것을 감안 해보면, 더 많은 갈등이 없었다는 것은 놀라운 일이다.

이러한 것에 대한 설명은, 내가 생각하기에, 간단하다. 대다수의 새로운 도시 이주민은 인접 지역에서 왔든 멀리서 왔든 더 나은 삶을 희구한다. 그들은 자기 가족의 삶을 개선하는 데 관심이 있다. 그들은 일자리를 찾고, 장시간 일하고, 자신의 피난처를 건설하고, 대개는 도시에서 생존하느라 너무 바쁜 나머지 집합행동collective action을 할 시간이나 에너지가 거의 없다는 것이다. 그들은 계급의식의 발달 또한 더디다. 노동조합은 활동 기반이 줄어들었고, 대다수의 사람이 '비공식 분야'에서 일하기에 그들은 "소규모 자본의 고용주이자 자기 자신 또는 가족 노동의 공급자 사이에 끼어 있는 존재"다.[46] 두려움도 한 역할을 한다. 매우 많은 정부, 특히 권위주의 정권의 국가에서는 시위자들에게 극단의 폭력을 행사할 준비가 되어 있는 상황이기에 거리에 모이는 것이 위험하다.[47]

도시 거버넌스와 정치

역사를 통틀어 바람직하게 통치된 도시는 거의 없다. 도시들은 대부분 공공서비스와 적절한 주택이 부족했고, 당국은 국민 다수의 요구를 무시했다. 19세기 내내 도시 규모가 커짐에 따라 일부 정부는 도시문제에 더 많은 관심을 기울이기 시작했다. 조르주-외젠 오스만 남작의 파리 재건설과 조지프 바잘게트Joseph Bazalgette의 런던 하수구 설치가 그 사례다. 물론 19세기 런던 중심부의 빈민가 철거에 따른 과밀화처럼 새로운 공공사업은 때때로 복잡하거나 심지어 오래된 문제들을 더 악화시키기도 했다. 그러나 20세기에 선진국 대다수 도시에서의 도시 생활은 더욱 전문적이고 더욱 유능한 자치체 거버넌스municipal governance의 결과로 개선되었다(25장, 27장 참조).

이와는 대조적으로, 수많은 가난한 국가의 경우는 오랫동안 효과적인 도시 정부의 부재가 주목할 점이다. "식민 지배의 종식은 [종종] 효율적 정부의 종말을 의미했다. 특히 아프리카에서는 식민주의가 자주 부패한 정부에 자리를 내주거나 아예 정부가 없기도 했다. 책임감 있고 효과적이며 정직한 정치가 없는 것만큼 고난·가난·고통을 강제하는 것은 없다."[48] 그러나 다행히 최근 도시 정부의 질이 향상되고 홍콩·한국·싱가포르 등 몇몇 지역에서 생활환경이 개선되고 있다. 마찬가지로 라틴아메리카에서 보고타, 메데인, 벨루오리존치, 쿠리치바, 포르투알레그리, 몬테비데오, 케레타로, 산티아고의 지방 당국이 지난 20년 동안 도시환경을 개선한 공로를 인정할 수 있다.

정부가 삶의 질을 개선하는 데 덜 효과적이었던 곳에서도, 대부분의 정부는 사회적 평화를 유지하는 데 매우 능숙한 것으로 나타났다. 정부는 정치적 반대를 막고 폭력을 방지하고자 도시문제에 대한 충분한 완화책을 제공했다. 대부분의 라틴아메리카 국가의 정부는 토지 점유를 외면하거나 심지어 부추김으로써 주택위기를 알고도 모른 체했다. 당국은 예의 있게 행동한 공동체에, 그리고 정치집회에서 항의하는 것에 무관심하거나 사람들을 충분히 동원하지 않은 공동체에 서비스를 제공했다. 회유하는 조처가 실패하면 당국은 다시 억압적으로 돌아섰다. 아르헨티나와 칠레의 잔혹한 군사정부, 동유럽의 공산주의 정권, 짐바브웨의 로버트 무가베Robert Mugabe[짐바브웨 대통령, 재임 1987~2017]의 폭력배들은 모두 국가의 억압이 대중의 저항을 억제하는 데 매우 효과적임을 보여주었다. 요컨대 긍정적 이유와 부정적 이유 모두에서 도시적 변화는 많은 사람이 예상한 것만큼 갈등을 보이지 않았다.

결론

역사상 대부분의 도시 거주민들은 빈곤 속에서 살았다. 그들은 흔히 짧고 거친 삶을 살았다. 주로 유럽과 북아메리카의 일부 정부가 도시민 다수의 삶을 개선하려고 노력한 것은 19세기 중반부터였을 뿐이다. 근대 기술은 전염병의 위험을 줄이는 데 도움이 되었고 대다수 사람의 삶을 변화시킨 도시 기반설비 및 서비스를 보장할 수 있는 수단을 제공했다. 한동안 지속적 진보는 모든 사람에게 괜찮은 삶을 만들어줄 것으로 보였다. 그런데 실제로는 급속한 인구성장, 부패 및 부적절한 정부 정책이 결합해 아프리카·아시아·라틴아메리카 도시의 너무 많은 수가 빈곤 속에서 계속해 살고 있다. 최근 대부분의 국가에서 빈곤 발생률이 감소했을지라도, 세계 대부분의 국가에서 도시 빈곤층은 그 수가 증가하고 있다. 급속한 도시로의 이주는 빈곤의 도시화 urbanization of poverty를 확고히 했다.

또한 도시 불평등이 심화하는 것도 분명하다. 제조업의 지리적 변화, 유동성 자본의 증가, 극동Far East의 경제기적으로 글로벌 불평등은 완화되었으나 지역 간 소득 격차는 더 벌어졌다. 도시화는 빈곤과 불평등을 동시에 발생시키는 데 중요한 역할을 해왔다. 도시화는 더 큰 생산성을 장려했고 생산성은 빈곤을 줄이는 자원을 창출했지만, 대개의 도시에서 통제되지 않은 시장 과정으로 새로운 부의 너무 많은 부분이 소수에게 돌아갔다. 투기성 부동산시장은 그러한 자원이 대다수를 위한 서비스와 피난처에 재정적 지원을 할 수 있었을 때 백만장자를 만들어냈다.

동시에 타운과 도시가 없었다면 세계는 대다수 사람의 삶의 질을 향상하기는커녕, 70억이 넘는 인구를 부양할 수 없었을 게 분명하다. 더 나은 도시 생활 조건은 왜 상대적으로 공동체 폭력이 적었는지에 대한 중요한 설명이다. 이는 어려운 사회적·경제적 여건을 참아내고, 비공식적 분야에서 생계를 꾸려나가고, 자신의 집을 짓고, 당국의 방임과 폭력이 뒤섞여 너무 자주 고통을 받는 가난한 사람들의 인내에 대한 칭찬이기도 하다. 그렇다고 도시 생활이 사회적 갈등보다는 사회적 조화로 더욱 특징 지어진다고 주장하면서, 대다수 사람의 삶의 질이 수용될 만하다고 암시하는 것은 결코 아니다. 우리의 글로벌 부와 기술력과 오랜 도시 생활 경험을 고려할 때, 우리는 훨씬 더 잘했어야만 했다.

주

1 M. Davis, *Planet of Slums* (London: Verso, 2006), 186.

2 J. Powles, *Diseases of Civilisation: Thinking about the Health Costs and Benefits of Material Progress since the Enlightenment*. www.phpc.cam.ac.uk/powles/diseases_of_civilisation_1985.doc

3 S. Szreter and G. Mooney, "Urbanization, Mortality, and the Standard of Living Debate: New estimates of the Expectation of Life at Birth in Nineteenth-century British Cities", *Economic History Review*, NS 51 (1998), 84-112.

4 http://www.mercer.com/qualityoflivingpr#City_Ranking_Tables

5 P. Chuhan, "Global Economy: Poverty and Inequality", in V. Bhargava, ed., *Global Issues for Global Citizens: An Introduction to Key Development Challenges* (Washington, D.C.: World Bank, 2006), 31.

6 G. McLean, "Where We're Headed", *The Guardian*, 1 April 2006.

7 World Bank, *World Development Report 2006: Equity and Development* (New York: Oxford University Press, 2005), 65.

8 P. Bidwai, "From What Now to What Next: Reflections on Three Decades of International Politics and Development", *Development Dialogue*, 47 (2006), 29-64, 35.

9 H. Kundnani, "World Wealth Report: Rich Get Even Richer in Third World", *The Guardian*, 21 June 2006, 27.

10 United Nations, *The Inequality Predicament. Report on the World Social Situation* 2005, 2.

11 2010년 유엔-헤비타트는 남아프리카공화국의 3개 도시(버팔로시티Buffalo City [이전의 이스트런던East London], 요하네스버그, 에쿠훌레니[이전의 이스트랜드])는 지니계수가 0.71 혹은 그 이상으로 세계에서 가장 불평등한 도시라고 규정했다. 다음으로 브라질의 고이아나, 포르탈레자, 벨루오리존치, 브라질리아 순서인데, 지니계수가 모두 0.60이었다. *State of the World Cities 2010/2011: Bridging the Urban Divide* (Nairobi: UN-HABITAT, 2010).

12 D. Dorling, "Should Government Have a Plan B: Or, the Inclusion of People in Society?", *21st Society*, 5 (2010), 35.

13 D. Held and A. McGrew, *Globalization/Anti-globalization* (Cambridge: Polity Press, 2002), 1.

14 United Nations, *International Migration Facts and Figures*. http://www.un.org/esa/population/migration/hld/Text/Migration_factsheet.pdf

15 "Inequality in America: The Rich, the Poor and the Growing Gap between Them", *The Economist*, 15 June 2006.

16 A. O. Hirschmann, *The Strategy of Economic Development* (New Haven: Yale University Press, 1958); S. Kuznets, *Modern Economic Growth: Rate, Structure and Spread* (New Haven: Yale University Press, 1966).

17 J. D. Sachs, *The End of Poverty: How We Can Make It Happen in Our Lifetime* (Harmondsworth: Penguin, 2005), 66.

18 A. D. King, *Colonial Urban Development: Culture, Social Power and Environment* (Abingdon: Routledge, 1976), 263.

19 J. Abu-Lughod, *Cairo: 1001 Years of the "City Victorious"* (Princeton: Princeton University Press, 1971); J. Abu-Lughod, *Rabat: Urban Apartheid in Morocco* (Princeton: Princeton University Press, 1980).

20 A. J. Njoh, "Urban Planning as a Tool of Power and Social Control in Colonial Africa", *Planning Perspectives*, 24 (2009), 301-317.

21 T. H. Greenshields, "'Quarters' and Ethnicity", in G. H. Blake and R. I. Lawless, eds., *The Changing Middle Eastern City* (London: Croom Helm, 1980), 120-140.

22 P. Marcuse and R. van Kempen, eds., *Globalizing Cities: A New Spatial Order?* (Oxford: Blackwell, 2000), 256. B. R. Roberts and R. H. Wilson, eds., *Urban Segregation and Governance in the Americas* (Basingstoke: Palgrave, 2009).

23 C. Peach "Does Britain Have Ghettos?", *Transactions of the Institute of British Geographers*, NS 21 (1996), 234,

24 R. E. Sheriff, *Dreaming Inequality: Color, Race and Racism in Urban Brazil* (New Brunswick: Rutgers University Press, 2001); E. E. Telles, "Racial Ambiguity among the Brazilian Population", *Ethnic and Racial Studies*, 25 (2002), 415-441; J. E. Perlman, "Marginality: From Myth to Reality in the Favelas of Rio de Janeiro, 1969-2002", in A. Roy, and N. Al Sayyad, eds., *Urban Informality in an Era of Liberalization: A Transnational Perspective* (Lexington, Idaho: Lexington

Books, 2004), 105–146.

25 D.S. Massey, and M. J. Fischer, *The Geography of Inequality in the United States, 1950–2000* (Washington, D.C.: Brookings-Wharton Papers on Urban Affairs, 2003), 670.

26 S. Sassen, *The Global City: New York, London, Tokyo* (Princeton: Princeton University Press, 1991). 사센의 결론은 점점 비판을 받고 있다. 한 비평가는 사센의 "글로벌도시에서 증가하는 사회적 양극화에 대한 주장은 몇 가지 결함이 있다"라고 주장했다. C. Hamnett, "Social Polarisation in Global Cities: Theory and Evidence", *Urban Studies*, 31 (1994), 422.

27 A. J. Fielding "Class and Space: Social Segregation in Japanese Cities", *Transactions of the Institute of British Geographers*, 29 (2004), 64–84.

28 Cf. R. A. French and F. E. I. Hamilton, eds., *The Socialist City: Spatial Structure and Urban Policy* (Chichester: Wiley, 1979). I. Szelenyi, "Housing Inequalities and Occupational Segregation in State Socialist Cities", *International Journal of Urban and Regional Research*, 11 (2009), 1–8.

29 A. G. Gilbert, "Helping the Poor through Housing Subsidies: Lessons from Chile, Colombia and South Africa", *Habitat International*, 28 (2004), 13–40; M. Huchzermeyer, "A Legacy of Control? The Capital Subsidy and Informal Settlement Intervention in South Africa", *International Journal of Urban and Regional Research, 27* (2003), 591–612.

30 L. Sa, *Life in the Megalopolis: Mexico, São Paulo* (Abingdon: Routledge, 2007), 154.

31 Marcuse and van Kempen, *Globalizing Cities*, 250; R. Salcedo and A. Torres, "Gated Communities in Santiago: Wall or Frontier?", *International Journal of Urban and Regional Research*, 28 (2004), 27–44.

32 Marcuse and van Kempen, *Globalizing Cities*, 254.

33 Peach, "Does Britain Have Ghettos?", 233.

34 L. Wacquant, *Urban Outcasts: A Comparative Sociology of Advanced Marginality* (Cambridge: Polity Press, 2007).

35 http://www.channel4.com/history/microsites/H/history/guide19/part06.html

36 M. Geyer, ed., *International Handbook of Urban Policy, vol.1. Contentious Global*

Issues (Cheltenham: Edward Elgar, 2007), ch.1.

37 이 모든 도시에는 거주민 10만 명당 47건 이상의 살인사건이 발생한다. 데이터는 거주민 30만 명 이상 도시에서 기록된다. http://editor.pbsiar.com/upload/PDF/50_ciud_mas_violentas.pdf

38 United Nations, *Report on the World Social Situation 2005* (New York: United Nations, 2005). http://www.un.org/News/Press/docs/2005/soc4681.doc.htm

39 M. T. Garcés, "Avances en seguridad y convivencia", in A. G. Gilbert and M. T. Garcés, *Bogotá: progreso, gobernabilidad y pobreza* (Bogotá: Editorial Universidad del Rosario, 2007), 154-94.

40 http://whqlibdoc.who.int/publications/2009/9780199589531_eng.pdf. p.14.

41 F. Robinson, ed., *Cambridge Encyclopedia of India* (Cambridge: Cambridge University Press, 1989), 56.

42 S. Smith, "The Industrial Training of Destitute Children", *Contemporary Review*, 47 (1885), 108.

43 M. Castells, *The Urban Question* (Harlow: Edward Arnold, 1977).

44 A. Portes, "Latin American Urbanization during the Years of the Crisis", *Latin American Research Review*, 25 (1977), 36.

45 D. Seddon and J. Walton, *Free Markets and Food Riots: The Politics of Global Adjustment* (Oxford: Blackwell, 1993), 39.

46 A. L. Mabogunje "Urban Planning and the Post-colonial State in Africa: A Research Overview", *African Studies Review*, 33 (1990), 121-203, 특히 169.

47 카스텔이 이후 저서에서 인정한 것에 대해서는 M. Castells, *The City and the Grassroots* (Harlow: Edward Arnold, 1983).

48 J. K. Galbraith, "In the New Century, the Unfinished Business of the Old", *LSE Magazine* (Winter 1999), 4-5, 5.

참고문헌

Dollar, D., "Globalization, Poverty, and Inequality since 1980", *The World Bank Research Observer*, 20 (2005), 145-175.

Firebaugh, G., *The New Geography of Global Income Inequality* (Cambridge, Mass.: Harvard University Press, 2003).

Gilbert, A., "Inequality and Why It Matters", *Geography Compass*, 1.3 (2007), 422-447.

Hutton, W., *The World We're In* (London: Little Brown, 2002).

Lewis, O., "The Culture of Poverty", *Scientific American*, 215 (1966), 19-25.

Marcuse, P., and van Kempen, R., eds., *Globalizing Cities: A New Spatial Order?* (Oxford: Blackwell, 2000).

Massey, D. S., and Fischer, M. J., *The Geography of Inequality in the United States, 1950-2000* (Washington, D.C.: Brookings Institution Press, 2003).

Maylam, P., *South Africa's Racial Past: The History and Historiography of Racism, Segregation and Apartheid* (Aldershot: Ashgate, 2001).

Milanovic, B., "The Two Faces of Globalization: Against Globalization as We Know It", *World Development*, 31 (2003), 667-683.

Mitchell, R., Dorling, D., and Shaw, M., *Inequalities in Life and Death: What If Britain Were More Equal?* (Bristol: The Policy Press, 2000).

Wade, R. H., "Is Globalization Reducing Poverty and Inequality?", *World Development*, 32 (2004), 567-589.

제37장

도시환경

The Urban Environment

마틴 V. 멜로시

Martin V. Melosi

환경 조건에 대한 도시화urbanization의 중요성은 많은 문명을 재편하는 도시의 역사적 역할을 기반으로 한다. 게다가 자연에 대한 경탄은 건조환경과의 대비에서 비롯한다. 그런데 도시city는 자연계와 연결되는 경계를 공유하며, 따라서 자연 및 시골countryside과 상호작용을 한다. 도시는 옥수수밭 같은 인간 경작지의 한 형태이며, 쉼터, 음식, 물, 열, 빛, 폐기물 처리 같은 필수적 생활 지원 서비스를 체계화하면서 인간의 최우선 순위를 드러내는 중요한 견본이다. 자원 집약의 결과로서 도시는 많은 형태의 오염에 노출된다.[1] 이번 장은 도시성장을 환경 주제와 관련된 다양한 주제와 연결한다. 건강과 위생, 고형폐기물, 도시 건설과 도시 기술, 도시생태학과 도시성장, 도시 배후지, 도시 오염,

도시 속 자연, 사회정의가 그것이다. 한 전문가에 따르면, "도시는 현재 인구의 대부분이 거주하며 자원 소비와 폐기물 대부분이 발생하는 곳이다." 1800년에는 세계 인구의 3퍼센트만이 도시에 살았으나 2008년에는 세계 인구의 50퍼센트 이상이 도시에 살고 있다. 도시권urban area은 농촌권rural area보다 3배 빠르게 성장하고 있는데 여기에 개발도상국들이 가장 큰 역할을 하고 있다.[2]

건강과 위생

도시에서 가장 힘겨운 업무의 하나는 건강한 환경의 제공이었다. 19세기 중반부터 유럽과 북아메리카의 도시들은 특히 전염병을 막으려고 위생 기반설비를 구축하기 시작했다. 위생 관련 노력은 세계 전역의 일부 가장 큰 규모의 도시들에서 나타났지만, 체계적인 전체 도시 프로그램은 서양에서 처음 개발되었다. 변화는 천천히 이루어졌으나 질병의 원인을 잘 이해하면서 그 체계는 몇 가지 승리를 거두었다. 위생 서비스는 가정용·상업용 용수, 오수·폐수 처리 하수구, 불필요한 자재를 제거하는 쓰레기 수거 및 폐기를 제공한다. 이것들은 '환경위생environmental sanitation'의 범주 아래 집합적으로 기능했다. 일반화된 공중보건과 환경 이론은 이용가능한 기술 중에서 선택을 결정하는 데 필요한 정보를 제공했다. 서유럽 국가들에서 위생의 초기 기술이 구현된 19세기 후반부터 질병의 접촉 감염설에 반대하는 이론이 선택에 영향을 끼쳤다. 세균 원인 이론은 20세기 초반에 널리 퍼졌다. 제2차 세계대전 이후 얼마 지나지 않은 시점에서는 생태학적 견해가 위생 서비스의 시각을 넓혔다.

산업혁명Industrial Revolution과 함께, 도시위생urban sanitation은 과밀overcrowding과 무수한 건강문제〔보건문제〕로 인해 잉글랜드와 유럽 대륙에서 악화되었다. 잉글랜드의 도시들이 이러한 문제에 대응해 서비스를 가장 먼저 구축했다. 제공된 서비스의 범위와 질은 쉽게 과장되기도 하지만, 잉글랜드 및 유럽 여러 지역의 가장 큰 규모의 산업도시industrial city들과 일부 식민지에서 빠르게 설립된 것은 초보적인 공공사업 및 공중보건 기관들이었다. 공중보건 과학의 성장이 결정적이었다. 콜레라cholera는 19세기 초반에 잉글랜드를 황폐화했는데, 1820년대 후반에는 많은 사람이 콜레라를 통상적 만성 이질이나 기타 풍토병처럼 받아들였다. 1842년 구빈법위원회Poor Law Commission의 〈영국 노동인구의 위생상태에 관한 보고서Report on the Sanitary Condition of the Labouring Population of Great Britain〉는 전염성 질병이 비위생적 환경 조건과 관련이 있다고 결론지었다. 오물이론filth theory—또는 미아스마이론miasmatic theory〔장기瘴氣이론/나쁜 공기 전염설/ 포말〔전염설〕泡沫傳染說〕—은 부패물질과 냄새를 건강 악화의 주요 원인으로 확인함으로써 환경위생을 촉진하는 데서 가장 중요한 돌파구를 제공했다. 20세기 시작 시기에 세균설germ theory은 박테리아를 전염성 질병 확산의 원인으로 정확하게 식별해 건강 실천에 혁명을 일으켰다〔'세균설'은 질병의 원인을 세균 감염으로 보는 이론으로 '매균설媒菌說' '미생물원인설'이라고도 한다〕.

잉글랜드의 '위생구상sanitary idea'이 끼친 전 세계적 영향력은 체계적 공중보건 계획에 대한 수요를 확산시켰다. 잉글랜드의 이론은 유럽·북아메리카·아시아·아프리카 식민지의 새로운 상하수도 체계에 힘을 실어주었다. 이스탄불 같은 일부 도시들은 잉글랜드 위생혁명 이전에 정교한 상수 체계를 갖추고 있었으나, 이것이 지구적으로 전형적인 것은 아니었다. 전 세계적으로 이러한 체계는 도시 자체에 의해 또는 일부의 경우 민간기업에 의해 개발·관리되었다. 유럽이 산업혁명의 진통을 겪는 동안 미국은 이제 막 하나의 국가로 등장했다. 위생에 관한 구세계Old World의 많은 교훈이 미국에서 즉시 적용되지는 않았다. 초기 북아메리카는 고도로 분권화되었고, 소규모 타운town과 도시는 런던이나 파리의 엄청난 쓰레기 문제에 직면하지 않았기 때문이다. 그러나 방치 습관은 도시 공동체들에 영향을 끼쳤다. 쓰레기와 폐기물을 길거리에 버리는 것은 일상적이고 정기적으로 행해졌다. 그럼에도 17세기 후반에 보스턴과 같은 주요 공동체에는 정교함이 떨어지는 위생 규정이 일반적이었다.

가장 이른 초기의 위생 기술은 급속한 도시성장의 시대였던 1830년경 미국의 몇몇 도시(와 여타 지역)에 전파되었다. 도시들은 우선으로는 상수 공급에, 이후로는 하수도에 관심을 기울였다. 미국은 1801년 필라델피아의 페어마운트 급수장Fairmount Waterworks과 함께 현대식 급수 체계를 개척했다. 당시 위생 서비스는 식수용 및 화재진압용 물을 공급하고 중심도시central city에 오폐수가 축적되지 않도록 설계되었다. 그 자체가 질병을 예방한 것은 아니나 질병을 억제하는 역할을 했다. 초기의 상수 공급 및 오폐수 체계는 세균설을 통해 인식된 건강 위협을 고려한 여과 처리 장치가 추가되면서 곧 유용해졌다. 건강에 관한 새로운 견해는 도시 지도자들에게 세균학 실험실, 예방 접종 및 면역 등 전염병 퇴치의 혁신적 도구를 제공했다. 그런데 건강문제에 대한 해결책을 찾고자 하는 욕망은 궁극적으로 위생 조치보다 개인 건강 및 민간 의료 프로그램에 더 많은 신뢰를 보내고 있다.

20세기에 산업화industrialization를 이룬 국가의 자치체 공무원, 엔지니어, 도시계획가, 위생활동가들에게 가장 큰 도전은 거대도시화metropolitanization 및 교외화suburbanization, 그리고 소규모 타운과 농촌 공동체의 서비스 수요 증가로 점점 더 특징지어지는 도시성장에 위생서비스를 적용하는 것이었다. 개발도상국들에서는 환경위생 분야에서 최소한 초보적 프로그램을 제공하는 것이 목표였다—이것이 항상 가능하지는 않았다. 1940년대에는 화학폐기물, 특히 산업공해 물질, 스모그, 비점非點(유출)오염non-point (run-off) pollution에 대한 더욱 명확한 이해를 하지 못한 채로 생물학적 오염에 계속 몰두했다〔'비점오염'이란 광범위한 불특정의 배출 경로를 통해 쓰레기, 동물의 배설물, 자동차 기름, 흙탕물, 비료 성분 따위가 빗물에 씻겨 강 또는 바다로 흘러들어 발생하는 오염을 말한다. 오염물질의 배출 지점이 불특정하다는 특징이 있다〕. 특히 북아메리카와 유럽에서는 부식이 일어나는 기반설비에 대한 우려가 더 이른 시기에 설치된 상수도 체계, 하수 및 폐수 시설의 영속성에 중요한 의문을 제기했다. 다른 도시문제들 사이에서 우선순위 경쟁은 환경서비스에 대한 충분한 자금 지원을 둘러싸고 벌어졌다.[3]

지구적으로 물 공급 문제는 최근 들어 더욱 심각해졌다. 지난 100년 동안 세계 인구는 3배 증가했고 취수取水는 6배 증가했다. 일부 관찰자들은 1970년대 '에너지 위기energy crisis'와 거의 같은 방식으로 '담수 위기fresh-water crisis'에 불안을 제기했다. 인구 급증은 담수 수요와 관련해 많은 것을 설명하지만, 이것이 전부가 아니다. 1700년에 약 90퍼센트의 취수가 관개용으로 사용되었고 그 사용은 대부분 아시아에서 이루어졌다. 1990년까지 담수 사용은 40배나 늘어났는데 도시와 산업 부분 사용이 32퍼센트를 차지했다. 아시아는 20세기 후반에 다른 모든 대륙을 합한 것을 능가하는 취수의 가장 큰 소비자였다. 최근 몇 년 동안 세계의 부유한 지역에서는 담수 사용이 안정화된 반면, 그 외 지역에서의 담수 수요 확대는 불균등한 분배의 문제로 바뀌었다. 2004년에 31개 국가—주로 아프리카와 근동 지역—가 수분 스트레스water stress〔토양의 수분이 부족하거나 흡수의 조건이 적당하지 못해 식물체 내 수분이 부족하게 되면서 생물의 생리적 작용에 장해를 받는 상태〕나 물 부족water scarcity에 직면했다. 이에 더해 17개 국가(21억 명)에 물이 부족했다. 중동에서는 14개국 중 9개국이 물 부족을 경험했다. 가장 놀라운 점은 약 10억 명이 담수에 대한 접근이 충분하지도 균등하지도 않다는 점이다. 카이로에서는 나일강 물을 취수한 이후 급수가 풍부했으나, 수도관 자체가 낡고 수리가 필요해 수많은 고장과 단수가 초래되었다. 캘커타에서는 우기와 건기의 영향을 받아 물의 가용성可用性, availability과 수질 변화가 심했다. 물이 특히 오염된 건기에는 콜레라 발병이 급증한다. 카라카스Caracas는 하수가 강으로 심하게 배출되어 발생하는 물 부족과 산업체로 인한 대기오염 및 열악한 쓰레기 처리 같은 복합적 문제에 직면해 있다.[4]

접근을 통제하는 사람, 접근 방식, 가용한 공급의 질이 물 부족을 결정한다. 적절한 위생은 가용한 물의 질과 획득가능한 수원 보호와 직접적 관련이 있다. 세계보건기구WHO 기준에 따르면, 누군가의 병원체의 '대변-구강 경로大便口腔經路, fecal-oral route 감염을 막는' 위생시설은 적절한 체계로 간주된다. 도시에서는 공공하수도 또는 가정용 옥외 변소, 수세식 화장실 및 정화조가 적절한 위생상태를 결정한다. 농촌권에서는 이러한 방법이 충분한 것으로 보이나 도시에서는 그렇지 않다. 담수 부족이 더 일반화하면서 관심사는 물 공급이 보충되는 것보다 물이 더 빨리 고갈되는 지속불가능한 관행으로 바뀌었다. 안전한 식수와 위생시설이 필요한 수십억 명을 만족시키는 데서 흔히 부족한 것은 그렇게 하겠다는 정치적 의지다.[5]

고형폐기물 문제

고형폐기물固形廢棄物, solid waste은 19세기 후반에 복잡한 도시가 쓰레기 더미를 생성함에 따라 심각한 공공문제가 되었다. 석탄 광산은 많은 광재鑛滓, slag〔광석을 제련한 후에 남은 찌꺼기〕를 남겼다. 돼지나 칠면조는 음식물쓰레기를 찾아 거리와 골목을 돌아다녔다. 말은 배설물 수 톤을 도로 위에 남겼다. 강, 호수, 바다는 수 톤의 쓰레기 터가 되었다. 미국은 자치체의 고형폐기물 발생과 관련된 많은 범주에서 선두에 있지만, 고형폐기물 문제 자체는 지구적이다. 풍요는 도시 폐기물의 양과 이종異種을 만드는 강력한 요인이다. 이스라엘·사우디아라비아·아랍에미리트연합 도시들의 고소득 경제에서는 자동차, 가구, 포장재가 공공연히 버려진다. 아시아에서는, 종이와 플라스틱 폐기물은 일반적으로 도쿄와 싱가포르에서 가장 많고 베이징과 상하이에서는 매우 적은 편이다(부분적으로 회수와 재활용 덕이다). 인도 아대륙, 아프리카, 라틴아메리카에서는 유기 및 불활성 물질이 폐기 처리의 대부분을 차지한다.

19세기 북아메리카의 폐기물은 주로 음식물쓰레기, 나무와 석탄재, 생활쓰레기, 말 배설물이었지만, 현재의 폐기물 흐름은 재활용 가능 자재에다가 대체하기 어려운 복합 혼합물과 세계의 다른 어느 곳보다 훨씬 더 많은 여러 종류의 독성물질을 포함한다. 멕시코시티 같은 수천 명의 저소득층이 있는 도시에서는 폐기물 처리장에서 발견되는 제품을 수집, 분류, 재판매하는 것이 주요 수입원이다. 서유럽은 현재 '통합 고형폐기물 관리 체계integrated solid waste management systems' 즉 공공 및 민간 부문 사이 협력을 통해 여러 선택적 처분을 해나가는 데서 선도적 위치에 있다. 모든 서유럽 국가의 정부들은 폐기물 방지를 핵심으로 하는 통합 모델 관련 체계를 설계하도록 요구받고 있다. 많은 국가에서 고형폐기물 관리 및 개선 관련 법률이 불충분하며 민간 부문은 주도적으로 폐기물 처리 서비스를 수행하려 다양한 수준에서 정부와 갈수록 경쟁을 한다.

쓰레기 수거는 일종의 부과되는 일이다. 카트만두Kathmandu 같은 일부 도시에서는 공식적인 폐기물 수거 서비스가 없다. 멕시코시티에서는 중앙정부가 폐기물 수집 및 처분 계약을 통제하고 민간 계약자의 쓰레기 처리를 허용하지 않는다. 라틴아메리카 전역에서 쓰레기 수거의 범위는 부에노스아이레스·상파울로·리우데자네이루·카라카스·산티아고·아바나와 같은 대규모 도시에서는 합리적으로 타당하지만, 무단점유 정주지squatter settlement는 적절한 쓰레기 수거 서비스를 거의 받지 못한다. 1960년대 미국에서 인기가 많았던 민간 쓰레기 수거 작업은 라틴아메리카의 몇몇 대규모 도시에서도 인기를 끌었다.

서유럽과 스칸디나비아 도시에서 쓰레기 수거는 빈번하며 고도로 기계화되었다. 다세대 아파트가 많은 동유럽에서는 쓰레기 수거 서비스 질이 고르지 않다. 유럽처럼 산업화한 아시아—오스트레일리아, 뉴질랜드, 홍콩, 일본, 싱가포르—는 폐기물 수거를 자본집약적으로 기계화했다. 개발도상국들에서는 일부 대규모 도시를 제외하고는 대부분의 쓰레기 수거가 수작업으로 이루어진다. 세계에서 가장 가난한 지역에서는 쓰레기 수거율이 50퍼센트를 넘지 않을 수 있으며 쓰레기 수거 서비스가 소외계층까지 확대되지 않기도 한다. 동아시아와 태평양에서는 흔히 여성들이 가정에서 쓰레기를 관리하고, 수거서비스에 비용을 지출하며, 재활용품을 분리해 민간 폐기물 수집업체에 폐품을 판매한다. 남아시아와 서아시아에서는 노동불안labour unrest과 시민소요civil disturbance가 주기적으로 자치체의 해당 서비스에 영향을 끼친다. 아프리카의 많은 지역에서는 인력과 축력 그리고 동력 차량이 결합해 쓰레기 수거를 진행한다.

현대의 위생적 매립은 1920년대 영국과 1930년대 미국에서 시작되었다. 쓰레기 매립에서 유럽 북부 도시와 남부/동부 도시 사이에는 분명한 차이가 있다. 북유럽에서는 쓰레기 매립 관행이 미국과 유사하며 폐기물의 약 절반이 매립된다. 그리스·스페인〔에스파냐〕·헝가리·폴란드 도시에서는 사실상 수거된 쓰레기가 모두 매립된다. 매립은 동아시아와 태평양에서 가장 저렴하고 전형적인 처분 형태의 하나다. 개발도상국에서는 위생적 매립보다는 야적 투기가 지배적이다. 쓰레기 수거업체들—때로는 자치체 당국의 〔관리〕 아래에 있다—은 야적장에서 활용하거나 판매할 자재를 찾는 작업을 한다. 해양 투기는 일반적으로 금지되거나 제한되지만 일부 지역에서는 여전히 일반적이다. 매립 또는 통제된 야적 투기는 라틴아메리카와 카리브해 지역 대규모 도시에서 증가하고 있다. 멕시코에는 거의 100개의 통제된 처리 장소가 있으나 약 10퍼센트만이 위생적 매립지로 간주될 수 있다. 쓰레기 수거업체는 라틴아메리카에서 흔하며, 업체들이 쓰레기 야적장에 들어가는 것을 막으려는 시도가 있지만 통상 실패한다.

위생적 매립의 이용가능한 대안으로는 소각이 가장 강력한 지지를 받고 있다. 폐기물의 양을 대폭 줄이지만, 대기오염 비용과 지속성 문제는 소각 경쟁력을 약화시킨다. 아프리카와 라틴아메리카에서는 소각과 폐기물의 에너지화waste-to-energy 비용이 너무 비싸다. 아시아에서는 가장 산업화한 국가의 도시들만이 현대적 소각로燒却爐, incinerator 기술을 사용한다. 도쿄에 13개 소각로가 있는 일본이 이 분야의 선두에 있다. 개발도상국에서는 수입 소각로가 불충분해 문제가 발생하고 있다. 잉글랜드에서의 초기 성공 이후 소각과 관련한 유럽의 약속은 평가가 엇갈렸다. 그러나 산성가스, 중금속, 다이옥신, 수은의 방출은 심각한 우려를 야기했고 유럽연합European Union, EU은 그것들과 관련해 엄격한 배출 기준을 시행했다.

몇 년 전에서야 재활용recycling이 매립 및 소각의 대안적 처리 전략으로 부상했다. 한때 쓰레기 감소의 근본적인 방법이나 과소비에 대한 항의로 간주된 재활용이 1980년대 미국에서 그 자체로 고유한 쓰레기 처리 방법으로 떠올랐다. 1988년에 미국에서는 약 1000개 자치체가 가두수집街頭收集, curbside collection 방법을 실행했고, 2000년에 그 수는 7000개를 넘었다.* 캐나다 온타리오주는 1983년에 처음으로 가두 수집을 시작했으며 1987년까지 캐나다의 적어도 41개 자치체가 가두 수집 프로그램을 갖추었다. 독일과 덴마크는 적극적인 재활용 정책을 실행한다. 덴마크는 약 65퍼센트의 쓰레기를 재활용한다. 세계의 다른 지역에서는 쓰레기 회수와 재활용이 더 불균등하다. 라틴아메리카와 카리브해 지역의 자재회수materials recovery는 모든 대규모 도시와 대부분의 중소규모 자치체에서 재활용 프로그램으로 광범위하게 이루어진다.** 동아시아 도시와 태평양 도시들은 공식적, 비공식적 자원 분리를 실행한다. 가장 높은 수준의 폐기물 감소는 오스트레일리아·뉴질랜드·일본·한국·홍콩의 번성하는 도시권에서 발생한다. 또한 중국과 베트남의 도시와 중앙정부 부처가 후원하는 폐기물 회수 프로그램과 재활용 노력도 있다. 남아시아와 서아시아, 아프리카에는 폐기물 수집업체, 구매업체, 거래업체, 재활용업체의 비공식적 네트워크가 존재한다. 자재회수는 많은 개발도상국에서 각기 다른 형태를 취하며, 이는 흔히 저임금 또는 실업자가 많은 지역과 자원이 부족한 지역에서 필요하다. 산업화 지역에서는 자재회수가 성장하는 경제의 낭비를 줄이고 환경 비용을 줄이려는 시도다.[6]

* '가두수집'은 가두의 정해진 장소에 분리·배출된 재활용품을 회수차가 주기적으로 수거해 가는 방법이다. 미국에서 정착된 것으로, 'kerbside collection' 'curbside recycling'이라고도 한다.

** '자재회수'는 폐기물 중에서 재활용이 가능한 자재를 분리해 수거하는 것을 말한다.

도시 건설과 도시 기술

근대 도시들은 네트워크화한 도시들이다. 물리적 진화를 이해하는 최선의 지침은 상수도, 대중교통, 난방, 전기 같은 도시 서비스로 보완되는 네트워크 시스템과 기반설비—도로, 배수구·하수도, 전선, 전신, 전화 등—를 통해 드러나는 도시 기술urban technology을 고려하는 것이다. 19세기 중반에서 후반이 되어서야 네트워크화한 근대 도시들이 전 세계적으로 출현했으나 불규칙한 모습이었다. 유럽과 북아메리카의 도시들은 19세기 후반에 역동적 시스템이 구축되었다—십중팔구 파리만큼 극적이었던 곳은 없을 것이다. 1852년에서 1869년 사이 프랑스인들은 파리에 71마일〔115킬로미터〕의 새 도로, 400마일 이상의 포장도로, 260마일의 하수도를 건설했다.[7] 전차, 자동차, 전력 및 전화의 많은 기술 혁신은 중핵도시core city를 거대도시metropolis로 변화시키는 데 도움을 주었다. 모든 기술 체계의 경우 필수적 구성 요소는 물질만이 아니라 공공시설utilities, 전력회사, 철도회사, 자치체 정부 같은 행정 당국들, 기술전문가들과 금융 제도들, 서비스를 이용하는 소비자들이었다.

도시 기술의 구현은 자동적이고 우연적이거나 무심코 발생한 것이 아니라 도시가 성장하면서 직면하는 기존 문제에 대응하려는 의도적인 노력에서 비롯했다. 주요 산업도시를 시작으로, 신기술 활용의 결정은 "대도시big-city 성장의 결과로 명백해진 오래된 도시 배치의 한계 및 실패를 극복하려는 투쟁"에서 비롯했다.[8] 정책입안자들은 개별적 민간 저장 수조와 구덩이가 아니라 도시 전체의 폐기물 운송 체계를 통해 가정과 사업체로부터 하수를 전환하는 것과 마찬가지로 도시의 기능을 바꾸려는 기술적 선택에 따라 행동했다. 기반설비, 다양한 기술 체계 및 위생서비스는 공공지출 증대에 대한 자치체—와 그다음으로 지역 및 국가—의 약속이 필요한 **공공재**를 대표했다. 전통은 장소에 따라 다양했다. 프랑스에서는 두 회사가 파리에서 상수도서비스를 지배했다—1852년에 설립된 제네랄데조Générale des eaux와 1880년에 설립된 리요네데조Lyonnaise des Eaux다. 두 회사 모두 수년간 정부의 보호주의 혜택을 받아 프랑스에서 민간 식수 공급의 전통을 시작했다. 어떤 경우에는 도시 서비스 제공이 "기술과 시장의 변화에 따라 공공 부문과 민간 부문 사이를 왔다 갔다 했다."[9]

도시 의사결정은 복잡했다. 정치권력은 생각보다 더 확대되었고 어느 한 집단—도시 공무원, 도시계획가, 도시공학자—도 권력의 진공상태에서 작동하지 않았다. 토목기술자들은 기술 및 과학의 전문적 지식이 시청으로 흘러 들어가는 핵심 통로였다. 자신들은 이를 부인하지만, 공학자들은 흔히 건설될 기반설비에 관한 선택을 결정했다. 공학자들은 체계 형성에 도움이 되는 당대의 지배적 환경 견해를 수용·보급하는 사람들이었으며, 또한 당시 인기 있는 기술이나 손쉽게 이용할 수 있는 해결책을 장려했다. 단기적으로, 기술의 구현은 종종 도시 지도자들이 자치체의 명성을 개선하리라는, 특히 사업체들의 유익한 경제적 건강성에 대한 열망을 개선하리라는 기대와 결합했다. 장기적으로, 세세한 계획보다는 프로젝트 설계에 중점을 두면서 체계의 복원력이나 성장에 적응할 수 있는 능력보다는 즉각적 목표에 주의를 기울였다. 영속성에 대한 다짐은 특정 기술들을 고착시켰다. 체계가 너무 잘 구축되었거나 너무 잘못 구축되었을 때는 문제가 발생할 수 있다. 전자의 경우는 기존 체계가 변화에 방해되는 것으로 판명 날 수 있으며, 후자의 경우는 초기에 교체나 수리가 필요할 수 있다. 결과적으로, 19세기에 내려진 기술 체계에 관한 많은 결정은 100년 넘게 지난 뒤에도 도시에 깊은 영향을 끼쳤다.

또 다른 핵심 질문은 서비스의 범위였다. 19세기 후반까지 유럽의 기반설비 체계는 도시들의 제한된 영역에 건설되었다. 1880년 전후에는 도시권 전체에 기반설비가 적용되었다. 새로운 도시 구조물과 공간은 "상응하는 사회적, 경제적, 기술적 조건이 영속적이거나 영속적 형태로 고정될 수 있는 것처럼 다루어졌다."[10] 일부 지역에서는 기반설비가 전혀 구축되지 못해 하류층과 사업 중심지 외부에 있는 사람들이 불균형적으로 피해를 받았다.

네트워크화한 근대 도시들은 종종 경제적 역할에서의 주요한 변화와 함께 식별되었다. 산업도시—피츠버그나 클리블랜드—는 19세기 아메리카 경제혁명의 물리적 표현이었다. 거의 틀림없이, 잉글랜드의 맨체스터는 최초의 진정한 산업도시였다—18세기 후반에 섬유 중심지로 성장했으나 19세기 늦게까지는 상수 체계나 전력 같은 새 기술 네트워크의 변화와 일치하지 않았다. 미국에서 산업도시들은 맨체스터보다 늦게 발전했는데, 시골에서 온 이주민에 더해 해외에서 온 이주민을 공장과 안식처로 끌어들이는 자석과도 같았다. 다양한 상품과 원자재가 필요했던 소비자들을 위한 유통 중심지들은 "크고, 스프롤sprawl〔무분별한 도시팽창〕을 하고 있었고, 새 이주민들로 붐비고, 기회와 위험으로 가득 차 있었다."[11]

초기의 맨체스터와 달리, 다른 새 산업도시들은 흔히 경제혁명의 실체적 표현이거니와 물리적 공간을 변화시키는 보완적인 기술혁명의 공간적 표현이기도 했다. 유럽과 북아메리카 이외 지역에서는 경제 변화와 네트워크화한 기술의 결합이 나중에 등장했지만 비슷한 결과를 낳았다. 중국에서는 1950년대 마오주의자들의 혁명적 조처 이후에야 농촌에서 도시 기반 산업화로 전환되었다. 일본의 산업적 도시화는 도쿄 같은 도시에서 주로 20세기 초반의 현상이었다. 같은 시기에 러시아(와 그 후 소련)는 일본만큼 도시화하지 않았고, 도시화 및 산업화의 규모 면에서 선진국들에 뒤처진 개발도상국의 모든 모습을 보여주었다. 제3세계—아프리카와 라틴아메리카 포함—에서 '과잉 도시화 over-urbanization'는 일부 장소들에서 가능했으며, 이는 일자리와 주택 및 현대적 기술 네트워크에서는 낙후된 채로 규모 면에서 도시가 급속하게 성장했음을 말한다.[12]

아이러니하게도, 산업화는 수년 동안 현지 또는 지역 차원에서 계속되었으나 기술 혁신은 빠르게 확산되었다. 이는 도시가 산업주의 industrialism의 직접적인 경제적 영향으로부터 일률적으로 이익을 얻지는 못했지만, 해당 시대에 출현한 신기술의 결과 물리적으로 현대화되었음을 시사한다. 건축 기술 및 관련 기반설비 개발은 놀라운 변화를 보인바, 고층 빌딩이 스카이라인을 형성하고 새 포장 거리가 대규모 도시 중심지 사업지구에서 바깥쪽으로 방사형으로 뻗어감에 따른 것이었다. 전력 투자 및 구현은 교통·통신·난방·조명에 주요한 변화를 가져왔다. 전기 전차는 말을 대체했다. 전신과 전화선이 스카이라인을 가로질렀고, 아크전등과 백열전등이 가스 조명에 도전했다. 중앙 전력소는 가정용 및 산업용 목재와 석탄 사용을 줄어들게 했다. 점점 더 나은 주택에 대한 수요는 기존의 건물을 변경하거나 현재의 토지 사용을 변경하는 결과를 낳았다. 수도관 설치와 하수관 확장은 동네의 건강을 향상하거나 새 동네가 생겨나게 했다. 미국 모델에서는 전산업pre-industrial 시기의 압축적 '걸어 다니는 도시〔도보도시〕walking city'가 확장된 교외와 함께 성장하며 기계화한 중핵도시로 대체되었다. 그러나 산업도시는 진보의 역설이었다—"일할 곳과 거주할 곳의 역할이 양립할 수 없는 것으로 보였기 때문이다." 이것은 오염 문제가 심화되면서 특히 사실로 판명되었다.[13]

도시생태학, 도시성장, 도시 배후지

공간적 변형은 거대도시화metropolitization와 외향적 성장 등 여러 형태로 나타나는 활력 혹은 악화를 의미한다. 성장의 역학은 도시를 정의하는 데 도움을 준다. 도시와 농촌의 대응 지역, 배후지hinterland 및 여타 도시와의 상호작용은 가장 넓은 의미에서 도시환경urban environment을 이해하는 데 필수적이다. 최근 몇 년 동안 연구자들은 도시의 '생태발자국ecological footprint'을 결정하고, 인간이 그것에 부과한 '부하load'를 추정하려고 노력해왔다.* 이것은 특정 생태계의 '환경수용력carrying

* '생태발자국'은 인간이 의식주를 해결하는 데서 필요한 각종 자원을 생산/생성·유통·소비하는 과정이 자연 생태계에 남기는 흔적을 말한다. 흔히 알려진 '생태발자국 지수'는 생태발자국이란 흔적을 면적으로 환산해 글로벌헥타르gha란 단위로 나타낸 것으로, 지수가 높을수록 생태환경의 훼손이 심각함을 나타낸다.

capacity' 또는 거주지가 생산성을 해치지 않고 감내할 수 있는 최대 인구를 결정한다.* 이는 지속가능한 개발의 초석이다.[14]

인체로서의 도시라는 개념은 설득력 있는 비유는 아니지만, 학자들은 도시성장urban growth을 이해하고 도시생태학urban ecology을 형성하는 도구로 '생명체로서의 도시city as animate'라는 개념을 활용해왔다. 도시는 인간행동의 정적인 배경이나 유기적인 은유라기보다는 끊임없이 변화하는 체제다. 도시는 또한 물리적 환경의 주요 변경 요인이다. 도시화는 토양의 여과 용량 대부분을 제거하고 강수량을 수로로 빠르게 보내 유출과 홍수를 일으킨다. 광범위한 불투과성 표면 효과를 통해 도시 건물은 대기오염 물질을 증가시키고 주변 지역보다 온도가 높은 '열섬heat island'을 만들어 대기에 영향을 끼친다. 다양한 도시 활동은 복잡한 처리 기제가 필요한 엄청난 양의 폐기물을 만들어낸다. 다른 한편으로, 도시는 고도로 분산된 인구보다 자원을 더욱 효율적으로 사용할 수 있는 능력이 있다. 집중은 서비스를 제공하고, 사회적·문화적 기회를 제공하며, 상품을 생산·유통하는 데 이점이 될 수 있다. 그러나 역사적으로 인구 집중은 종종 심각한 과밀overcrowding을 의미했는데, 적어도 도시 저소득 지역에서는 그러했다. 홍콩은 인구밀도가 높고 산업화가 강렬한 극단적 경우다. 한때 '향기 나는 항구香港'〔향항, 샹강, 홍콩〕로 불린 항구는 일종의 슬럼가slum로서, 도시 빈민 수십만 명의 주택이 쓰레기와 오염이 만연한 곳에 있다. 홍콩은 1990년대 말까지 하수도 시설을 건설하지 못했다. 멕시코시티조차 많은 초거대도시

* '환경수용력'은 어떤 환경 내에서 생존·존속할 수 있는 개체군의 개체 수를 말한다

mega-city처럼 스프롤을 하지 않았다. 멕시코시티는 인구밀도는 높고 녹지 전용부지는 적으며 물 공급은 상당히 나빠졌다. 설상가상으로 멕시코 운송수단의 71퍼센트를 차지하는 자동차의 약 45퍼센트가 멕시코시티에 등록되어 있다.[15]

많은 측면에서 도시는 '자연재해natural disaster'—갑작스럽고 예상치 못한 날씨 또는 지구물리학적 사건—라 불리는 것에 비교적 쉬운 표적이 된다. 홍수, 허리케인, 토네이도, 지진, 산불, 가뭄은 자연적 힘으로 촉발되었으나 도시를 위험에 빠뜨리는 '비非자연적〔곧 인위적〕unnatural' 행위로 흔히 더 심각해졌다. 이에 어떤 사람들은 '환경재해environmental disaster'라는 용어를 선호한다. 테드 스타인버그Ted Steinberg는 다양한 재난이나 재앙을 '신의 행위'로 전가할 때 우리는 그것들〔재난이나 재앙〕에 대한 책임을 무시하고 취약성을 악화시키는 인간의 힘—도시 건물의 유형 및 위치를 포함해—을 과소평가하는 경향이 있다고 말했다.[16] 호수에 멕시코시티를 건설하고, 삼각주에 뉴올리언스, 바다에 베네치아, 또는 노출된 반도에 마이애미를 건설한 것은 위험성을 가중시킨다. 도쿄는 지진과 관련된 심각한 문제 때문에 특히 이 분야에서 잘 알려져 있다. 도쿄는 담수 접근에서부터 질식할 듯한 대기오염에 이르기까지 이러저러한 환경문제를 극복하려 노력해왔다. 최근에는 에너지 부족에 취약하다는 것이 입증되었다. 2011년 3월 일본 북부 후쿠시마福島 제1원자력발전소가 지진과 쓰나미로 운영이 중단되었을 때 도쿄의 전력 공급이 심각하게 끊겼던 것이 그 적절한 사례다. 지진은 또한 일본 제3의 도시인 오사카와 같은 도시권에서 가장 일관된 '자연적natural' 문제였다. 2005년에 430건의 환경재해로 약 9만 명이 사망한 것으로 알려졌는데, 그 대다수는 저소득 국가에서 발생했다. 많은 경우 재난은 개발도상국 도시에서 가장 가난한 도시민에게 영향을 끼치고 빈곤을 지속하게 하며 서비스 및 일자리에 대한 균등한 접근을 감소시키는 상당한 요소가 된다.[17]

성장의 역동성 그 자체는 도시환경의 근본적 변화의 토대가 된다. 존 맥닐John McNeill은 이처럼 언급했다. "20세기의 도시화는 인간문제 거의 모든 것에 영향을 끼쳤고 지난 세기들과 큰 단절을 형성했다. 인류가 도시만큼 환경을 변화시킨 곳은 없었는데 그 영향은 도시들의 경계를 훨씬 넘어섰다."[18] 근대 거대도시가 지구적 차원에서 도시화를 특징짓기 시작한 시기가 언제였는지 규정하는 간단한 방법은 없다. 그런데 현대의 도시성장에 가장 두드러진 것은 도시의 지역화regionalization다. 극단적 경우는 초거대도시가 초거대지역mega-region으로 통합되는 것이다.[19]

41장과 42장에서 보겠지만, 거대도시의 성장과 교외화는 세계 각지의 상업도시commercial city 및 산업도시로부터 또는 상업도시 및 산업도시와 함께 성장한 도시개발urban development의 한 형태다. 넓은 영역과 여러 중심지를 가진 현대 거대도시들은 19세기 후반의 산업도시들과 닮지 않을 수 있지만, 도시들은 자동차, 통합, 도시 제국주의urban imperialism, 스프롤 등 몇몇 주요 기술 체계가 가져온 변화의 추진력에 강하게 의존하고 있다. 교외화는 단순히 아메리카적 현상이 아니었다. 도쿄, 서울, 모스크바, 시드니, 그 밖의 여러 곳에서는 환경적 영향을 끼치는 아메리카의 거대도시들과는 약간 다른 방식으로 외부적 확장을 경험했다. 일례로 코스타리카에서 가장 중요한 산업체, 사업체, 주거용 부동산이 있는 산호세San José는 주위의 14개 군canton을 포함하는 바 이들 군은 베드타운bedroom community〔거대도시 통근자들이 사는 교외 주택지〕으로 기능을 하지만 직장, 쇼핑, 의료, 교육 시설과는 멀리 떨어져 있다.[20]

상하수도 체계, 전차, 중앙 전력국, 전신/전화가 도시의 응집력과 도시성장에 공헌한 것만큼, 새로운 혹은 변화하는 기술 체계—특히 상/하수도 체계 및 여타 환경 서비스의 확장, 자동차와 비행기, 장거리 전력 배분, 현대적 통신 등—가 도시지역urban region들의 탈집중과 영역 확장을 장려했다. 스프롤은 미국 서부와 더불어 세계 다른 곳에서도 외곽으로의 도시 펼치기를 특징으로 했다. 서울은 1988년 하계올림픽 개최를 준비하면서 도시 재개발, 신도시 건설, 도심 고속도로 및 지하철 건설을 빠른 속도로 이행했다. 서울은 인구가 1100만 명으로 증가했고, 자동차 소유가 늘었으며(1990년에 도로에 100만 대 이상이 운행될 정도로), 지정된 그린벨트 지역 너머로 새 위성도시satellite city가 생겨나며 스프롤은 말 그대로 통제할 수 없었다. 한 관찰자가 지적했듯, "이 거대한 수도는 도시 질병의 모든 증후를 보여준다. 과밀, 교통 체증, 대기오염, 도시 붕괴 및 환경 악화가 그것이다."[21] 미국의 경우에서처럼 외부로의 〔도시〕 확장은 흔히 내부도시inner city의 악화를 수반했다. 그러나 세계의 많은 다른 지역에서는 내부도시가 여전히 활기찼고, 도시 변두리는 쇠락과 악화를 경험했다. 멕시코시티는 후자의 좋은 사례지만 특히 대기오염 문제—스모그 한계치를 주기적으로 초과했다—가 원도심을 집어삼키고 토지 침하가 홍수에 심각한 영향을 끼쳤다.[22]

자동차만큼 도시 성장과 변화에 깊은 영향을 끼친 기술은 거의 없다. 평원을 가는 쟁기처럼 자동차는 도시들을 변화시켰다. "자동차는 국가의 경관을 다시 형성해 사실상 이전 세기의 비포장 형태를 거의 알아볼 수 없게 했다."[23] 자동차에 의한 도시의 변화는 20세기 현상으로, 그 이전 운송기술의 영향을 바탕으로 구축되었고 고유한 물리적 각인을 남긴다. 어떤 사람들은 이 현상을 긍정적으로 간주한다. 민간 운송교통 기술의 출현, 넓은 지역에 대한 정주의 허용, 거의 모든 곳에서 그리고 언제든지 '일, 쇼핑, 오락'에 대한 유연성 제공이라는 측면이 긍정적이라는 것이다. 다른 사람들에게는 자동차가 부정적이었다. 자동차에 의해 도시를 가로지르는 도로 띠는 도시의 물리적 무결성을 훼손하고 끝없는 스프롤을 발생시켰고 많은 사람을 희생시키고 개인적 선택을 강조하면서 공동체 의식을 파괴했다.[24] 자동차 의존은 전 세계적으로 실질적인 문제가 되었다. 1970년대에 제조업이 쇠퇴하고 교외성장suburban growth이 둔화하기 시작한 멜버른과 시드니 같은 오스트레일리아 도시들에서도 자동차가 도로를 계속 지배했다. 유연有鉛(가연加鉛) 가솔린leaded gasoline 사용이 단계적으로 폐지되었음에도 교통량이 끔찍한 베이징에서는 로스앤젤레스와 도쿄를 합친 것보다 대기오염이 심각하다(41장 참조). 자전거가 대중교통을 개선하는 선도적 교통수단과 노력으로 남아 있음에도 자동차는 만연해 있다. 부에노스아이레스에서는 버스, 전차trolley, 철도, 지하철이 도시교통의 주요 형태였으나 정부 정책의 지원으로 1990년대 후반까지 민간 자동차 사용이 급증했다. 카라카스에서 석유 호황은 고속도로와 자동차산업에 대한 상당한 투자를 자극했고, 이것은 다시 자동차 사용을 촉발했다. 요하네스버그에서는 자동차 소유가 인종 기준에 따라 분명히 구별되었다. 그럼에도 미국과 서유럽은 자동차의 생산 및 사용을 주도했고 동아시아가 그다음이었다. 2008년의 한 연구는 2010년까지 10억 대의 자동차가 도로에 있을 것으로 예상했다. 1995년에는 7억 7700만 대가 있었다.[25]

낙관론자들과 비관론자들은 자동차가 도시의 물리적 개발에서 거의 중립적인 힘이 아니라는 데 동의한다. 중심도시들의 혼잡은 자동차보다 앞서 발생했으나, 자동차가 도시를 만들거나 개조하는 데 끼친 독특하고 심오한 영향을 부정하지는 않는다. 서울과 같은 도시는 전형적인 혼잡 조건이 커졌다—자동차 소유가 급증하자 이동 시간도 그에 따라 늘어난 것이다. 보고타와 같은 일부 도시는 대중교통이 주요 수단으로 실행되고 있지만—주민의 90퍼센트가 이용하고 있다— 이것이 반드시 혼잡을 완화하는 것은 아니다. 통합적 대중교통 체계의 개발에도 불구하고 타이베이에서도 마찬가지였다. 라고스에서는 유가 호황의 상승과 하락으로 혼잡 문제가 복잡하다—경기가 좋을 때는 기름값이 하락하고 경기가 나쁠 때는 도로 건설이 중단된다. 혼잡과 그에 따른 대기오염은 카이로에서 리마까지의 삶의 일부일 뿐이다.[26] 주거와 직장의 위치에 중심적 역할을 하고, 경관을 부동산으로 바꾸는 데 일조하는 자동차가 없는 전 세계 많은 대규모 도시를 시각화하기는 어렵다. 거리와 도로로 연결되어 있고 자동차로 접근할 수 있는 빈 땅은 종종 가치 있는 것으로 여겨져 국가, 지주, 은행가, 부동산 중개인, 계약자, 일련의 소비자에게 혜택을 주었다.[27]

공해

산업화, 도시들의 인구 밀집, 경제 건설, 구조물 집중, 자원 활용은 도시성장과 함께 더욱 심각해진 물, 공기, 토양, 소음 공해를 초래했다. 기반설비 및 관련 서비스의 변화는 대부분 의도적이었으나 일반적으로는 의도하지 않은 결과를 낳았다—어떤 경우에는 공해pollution와 건강 위협을 유발하거나 악화시켰다. 예컨대 도시 전역의 하수도 체계는 내부도시의 많은 위생문제를 완화했으나 흔히 폐기물을 인근 강, 호수, 만으로 흘려보냈다. 시카고, 피츠버그, 함부르크, 포젠, 스톡홀름, 상트페테르부르크, 몬트리올 같은 도시는 19세기에 수인성水因性전염병으로 고통을 받았는데, 이를 근절했다기보다는 단지 시 중심지city centre에서 제거했을 뿐이다. 강과 개울이 최초의 하수구가 되었다. 이러한 문제는 톈진, 자카르타, 캘커타, 봄베이 같은 도시에서 20세기 늦게까지 계속되었다.[28] 요아힘 라드카우Joachim Radkau는 인구밀도가 높은 구도시에서 위생은 "하수 처리에 대한 문제점 없는 해결책은 없다는 점에서 영속적 위기로밖에는 달리 설명할 수 없으며" 더불어 수질오염은 특히 근대 초기와 산업도시의 경우 항상 환경문제에서 '첫 번째'처럼 보인다고 주장했다. 한 가지 예외는 카이로의 사례로, 카이로는 1923년 이후 도시 외곽에 하수도 처리장을 운영했음에도 장기적으로는 물과 폐수 문제를 따라잡기가 어려웠다.[29]

도시의 환경오염은 단순한 과거의 문제가 아니었다. 꾸준한 인구성장population growth, 집약적 산업 활동, 분별없는 토지 이용 관행은 도시환경을 퇴화시키는 요인이다. 1970년대 후반 이후 중국에서 가장 빠르게 성장하는 지역의 하나인 주장강 삼각주 하류에서는 환경적 퇴화가 광저우 등 크고 작은 규모의 도시에서 발생한다. 방콕에서는 많은 공장과 자동차로 가득 찬 혼잡한 거리로 인해 공기와 수질 문제가 여전히 심각하다. 자카르타는 산업화로 많은 같은 문제에 직면해 있다. 자카르타는 강우량은 충분하지만 폐수 처리가 부족해 우물이 오염된다. 그러나 더 잘 계획된 싱가포르는 작고 관리가능한 규모라는 이점을 통해 어느 정도 건전한 물리적 환경을 유지하는 데서 어려움을 극복한 것으로 보인다. 하지만 제한된 집수 지역으로 인해 적절한 물 공급을 확보하는 게 계속해서 도전 과제로 남아 있다.[30]

산업화는 에너지 사용이 환경에 끼치는 영향을 심화시켰다. 전력은 나무 및 석탄에 대한 개인의 의존도는 줄였으나 중앙집중식 발전소에서 오염 연료의 사용이 증가했다. 땔감 기반 경제에서 화석연료에 의존하는 경제로의 전환은 석탄 및 석유의 추출과 연소를 통한 심각한 공기·물·토지 오염을 초래했다. 새롭게 부상하는 경제질서 역시 도시권에 공장과 노동자를 집중하게 했고 이로써 화석연료로 인한 문제가 악화했다. 대부분의 환경 위험은 초기에는 현지적으로 발생하고 영향을 끼쳤으나 이후 산업화와 직간접적으로 관련된 모든 분야에서 영속적인 것으로 변했다. 산성비, 지구 온난화, 유해물질 및 독성물질의 위협이 이 시기에 시작되었다. 동시에 산업적으로 유발된 오염물질에 대한 해결책을 찾으려는 최초의 주요 노력은 19세기와 20세기 초반까지로 거슬러 올라갈 수 있다.[31] 지상과 노면전차의 전기선은 인간과 동물에게 위험을 초래했다. 프랭크 우에코에터Frank Uekoetter는 "연기smoke는 19세기 후반과 20세기 초반의 가장 심각한 대기오염 문제였다"라고 말했다.[32] 그러나 대기오염은 도시들의 발전에서 그 역사가 오래다—대기오염은 고대에는 산불과 화산에 의해 처음 발생했고 최근에는 화석연료와 독성물질에 의해 생성되었다. 일례로, 심각한 결과는 1950년 멕시코 포자리카Poza Rica의 황화가스, 1984년 인도 보팔Bhopal의 아이소사이안화메틸, 1986년 우크라이나 체르노빌Chernobyl의 방사능 노출로 발생했다. 로스앤젤레스, 멕시코시티, 산티아고 같은 일부 도시는 대규모 인구, 화석연료의 과도한 연소, 기온역전temperature inversion〔고도가 높아짐에 따라 낮아져야 하는 기온이 반대로 증가하는 현상〕, 인근 산악 지형에 갇힌 공기 같은 대기오염과 관련한 '자연적 불이익natural disadvantage'의 고통을 겪었다.[33] 초거대도시들이 심각한 오염문제로 우선적 관심을 받는 것 같지만 문제는 더 흔한 곳들에서 발견된다. 가장 오염된 곳 중에는 도미니카공화국의 아이나Haina, 페루의 라오로야La Oroya, 인도의 라니펫Ranipet, 중국의 린펀臨汾, 잠비아의 카브웨Kabwe 같은 더 작은 규모의 도시들이 있다. 러시아는 〔세계에서〕 오염이 가장 심한 10개 도시 가운데 노릴스크Norlisk, 체르노빌, 제르진스크Dzerzhinsk 등 세 곳을 포함해 첫 번째 가는 나라다.[34]

자동차 중심의 교통 체계가 환경에 끼치는 영향은 세계의 거의 모든 도시에서 골칫거리다. 모든 자동차는 제조 공정에서 폐차장에 이르기까지 자원을 소비한다. 게다가 공기, 토양, 물을 오염시키고 공간을 변형시킨다. 비교적 새로운 대기오염 원인인 자동차 배기가스는 제조 공정에서의 오염 배출과는 다른 문제를 야기했다. 특히 제2차 세계대전 이후 도로에 자동차가 수천 대로 늘어나면서 대기오염의 확산이 가속화되었고, 새 오염원이 추가되었으며 많은 주요 도시를 위협했다.

로스앤젤레스, 휴스턴, 카이로 같은 도시에서 풍부한 햇빛은 광화학 스모그photochemical smog를 발생시키는 핵심 요소이며 탄소 기반 연료의 광범위한 사용은 오존 발생을 확산했다. 런던에서는 습한 공기가 안개 속에 오염 성분을 포함했다. 세계의 몇몇 지역에서는 수많은 구형 자동차가 오염 방지 장치를 갖추고 있지 않아 저급 휘발유 혹은 유연 휘발유를 연소하면서 거의 정비를 하지 않는다.[35]

도시문제를 해결하려는 목적의 기술 사용은 심각한 모순에 빠졌다. 한편으로, 전기 전차 또는 전신은 원原도심urban core으로의 인구 및 경제활동 집중과 건물 밀집을 촉진했다. 다른 한편으로, 이들 동일 기술은 교외에서의 주거 및 상업 성장을 촉진했다. 따라서 이와 같은 기술은 응집력과 확산의 힘으로 과밀문제를 악화시키거나 토지 이용을 저하하는 무분별한 팽창을 유발할 수 있다. 기술의 변화는 또한 도시민들이 새로운 오염원에 대처하는 능력을 시험하고 있다. 말을 대체한 자동차는 거리에서 말의 분뇨와 사체를 줄였으나 대기 중에 스모그와 오존을 발생시켰다. 기계 엔진, 나무 바퀴, 사이렌의 소음은 윙윙거리는 전기 모터, 새로운 사이렌, 대형 휴대용 카세트 플레이어boom box로 대체되었다. 조엘 타르Joel Tarr는 우리가 새로운 기술을 개발하면서 폐기물을 처리할 새 배출구를 찾아야 한다는 것을 설득력 있게 지적하고 있다.[36]

도시 속의 자연

건조환경built environment과 자연세계의 대조는 보이는 것만큼 극명하지는 않다. 도시의 신진대사는 변하지 않기보다는 활력 있고 활동적인 도시환경을 암시한다. 자연은 도시에서 영속하면서 때로는 도시와 공존하고 때로는 도시와 경쟁한다. 도시에서 살아가는 동식물의 복잡성은 놀랍다. 또한 공원, 그린벨트, 공원 형태의 묘지를 건설함으로써 "도시에 자연을 가져다주려는 노력"도 중요해졌다. 그 원래의 형태에서 도시생태학은 도시에서의 비인간적 자연에 대한 구상이나 도시환경에서 식물, 동물, 인간 사이 상호작용을 직접 이야기했다. 이와 같은 맥락에서 도시계획학 교수 윌리엄 리스William Rees는 도시가 "비인간 유기체에 다소 부자연스러운 서식지"라고 말했다. 그는 다음과 같이 추가한다. "많은 생태학자에게 '도시 생태계urban ecosystem'는 **도시에서의** 비非인간 종들의 집합체로 구성되어 있으며, 조사 활동의 목적은 이 종들이 '건조환경'의 구조적·화학적 변화의 특성에 어떻게 적응해 왔는지를 결정하는 것이다."[37] 이는 도시생태학에 대한 제한적 관점이지만, 사람들이 도시공간을 다른 생물체들과 공유한다는 생각을 도입하게 해준다.

도시들은 생물 공동체biotic community다. 지리학자 리사 벤턴-쇼트Lisa Benton-Short와 존 레니 쇼트John Rennie Short는 다음과 같이 주장한다. "우리는 도시 생태계를 자연 그대로의 장소와 비교해 〔도시 생태계를〕 불리하게 여겨지는 그저 혼란스러운 장소라기보다 독특한 생태학적 범주로 생각하기 시작할 수 있다."[38] 도시개발은 처음에는 토착적 종들의 현지적 멸종과 손실을 유발했으나 많은 비非토착적 종이 토착적 종을 대체했다. 전반적으로 대부분의 도시는 다양한 서식지를 포함하고 있기에 동식물상相의 범주가 넓다. 유럽의 도시들의 여우와 미국의 코요테 같은 일부 종은 적응력이 뛰어나다. 쥐와 바퀴벌레는 어디서나 생존에 성공한 것으로 보인다. 어떤 경우에는 외래종/침입종exotic/invasive species이 도시로 의도적으로 도입되었거나 부주의하게 유입되었다. 유럽에서 온 비둘기, 집참새, 찌르레기는 다른 지역의 번성하는 도시에서 현저하게 성공적으로 야생 개체군을 형성했다. 도시 식물은 자생적이거나, 재배되거나, 침입적일 수 있으며 도시환경을 바꿀 수도 있다. 도시 식생은 도시의 녹지공간(공원·잔디·공터 같은)처럼 거대한 규모가 될 수도 있고 도시 내 숲 지역으로 존재할 수도 있다. 숲이 우거진 지역에서는 나무들이 도시의 30퍼센트 이상을 차지하기도 하지만 다른 지역에서는 그 비율이 이보다 훨씬 작다. 불행하게도 세계의 일부 지역에서의 도시 삼림 벌채 과정은 지구 온난화의 요인이 된다.[39]

생물학자, 조경가, 도시계획가는 다양한 목적에서 도시의 동식물상을 보존하는 —심지어는 조작하는— 역할을 해왔다. 한 연구는 중국 하얼빈에서 먼지 발생을 제어하고자 나무 28종의 다양한 용량을 비교했다. 연구원들은 해당 문제를 해결하려면 어떤 나무를 도시에 심어야 하는지 결정하는 데서 연구 결과를 사용했다.[40] 서양에서 뚜렷하게 구분되는 학문으로서의 조경造景(학)〔조원造園(학)〕landscape architecture은 유럽에서 시작되었고, 조경(학)이 더욱 전문화한 직업이 되기 전에 원예가·측량가·정원가·공학자들을 포함했다. '조경가〔조원가〕landscape architect'라는 칭호는 1850년대 뉴욕에 센트럴파크Central Park를 건설하도록 위임받은 캘버트 복스Calvert Vaux와 프레더릭 로 옴스테드Frederick Law Olmsted에게 수여되었다. 센트럴파크 자체는 19세기 중반 미국의 공원 운동에 추진력을 주는 중요한 역할을 했다. 도시공원urban park은 적어도 고대 로마, 바빌론의 공중정원, 전 세계의 수많은 장소로 거슬러 올라간다. 다양한 형태의 녹지공간—도시 공원, 묘지, 수목원, 식물원, 개인 정원, 골프장, 놀이터, 잔디밭—은 자연과 도시의 연결에 필요한 요소들이었다.[41]

최근 몇 년 동안에 '녹색 도시주의green urbanism'를 옹호하는 사람들은 도시가 "환경적으로 유익하고 회복적일 수 있다"라고 주장했다. 그들은 도시건축에 녹지와 생태적 특성을 중심적 디자인 요소로 추가함으로써 "자연과 조화를 이루는" 도시건축을 장려한다. 녹색 도시주의는 다양한 이름—생태도시ecological city, 녹색도시green city, 지속가능도시sustaiable city, 지속가능공동체sustainable community 등—으로 진행되지만, 모두가 세계 도시들의 장소와 기능을 재검토하는 목표를 공유한다.[42] 이 운동의 열망은 아직 광범위한 결과와 일치하지는 않으나, 대화는 계속되고 있다. 또 다른 차원에서 도시는 스스로 홍보하는 방법으로 '녹색greenness'과 지속가능성을 촉진한다.

사회정의의 맥락

도시환경을 이해하는 한 가지 방법은 도시개발과 함께 성장한 사회정의social justice를 위한 투쟁을 고려하는 것이다. 환경 개혁에 대한 초기의 노력(매연 완화, 폐기물 개혁)은 인종·계급·성별에 기초한 어느 집단도 오염과 여타의 환경 위협으로 불균형적 위험을 겪지 않도록 '환경정의environmental justice'를 요구하는 것으로 진화했다. 이 이야기는 19세기와 20세기 동안 도시에서 일어난 물리적 변화에 필요한 추론이다.[43] 이와 관련한 적절한 사례는 미국 역사에서 찾을 수 있다. 미국의 환경보호 운동가들과 달리, 도시환경개혁가들은 도시 생활에 대한 의심을 공유하지 않고 대신 도시가 보존할 가치가 있다고 믿었다. 두 개의 다소 구별되면서도 완전히 독립적이지는 않은 집단이 초기에 도시 환경주의urban environmentalism를 장려했다—첫 번째 집단은 흔히 자치체 관료집단 내에서 일하는 기술 및 보건 전문가로 구성되었고, 두 번째 집단은 조직된 시위, 청원 및 공교육 프로그램을 통해 도시환경에 대중의 관심을 집중시킨 시민들로 구성되었다. 여성들은 두 번째 집단에서 중심적 지도 역량을 발휘했다.

초기의 보존 운동을 주로 살펴보면, 많은 관찰자가 제2차 세계대전 이전과 직후의 환경주의environmentalism가 도시에 거의 관심을 보이지 않았다고 가정했음을 알 수 있다. 더욱 깊은 탐구는 대중의 인식이 허용하는 것보다 더 많은 다양성을 보여준다. 도시환경주의자urban environmentalist에게 전염병, 납중독, 영양실조, 공기·수질·소음 공해의 문제는 관심이 요구되는 가장 즉각적이고 심각한 문제였다. 1960년대부터 1980년대 초반까지 환경문제를 둘러싼 국가적 투쟁은 자연을 보호하고 공해를 종식하는 경향이 있었다. 개인 건강과 웰빙wellbeing(참살이)과 관련한 현안—불평등이 심한 문제다—은 현지적으로 남아 있었고 필연적으로 사회복지사와 공중보건 공무원 같은 문제의 해결자로

그 방향이 바뀌었다.[44]

1980년대에 환경주의는 기존의 환경운동에서 결여한 요소를 강하게 강조하는 다른 방향을 취했다. 그 요소는 주로 인종과 계급이었다. 환경 인종주의environmental racism는 환경정의 운동가들에게 중심 관심사가 되었다('환경 인종주의'는 환경 정책과 실천에서 인종에 따른 편견이나 불평등이 작용하는 것을 말한다). 이 운동에서 일부는 계급과 인종을 연결했지만, 다른 많은 사람은 인종주의racism를 문제의 주요 원인으로 보았다. 초기 지도부는 민권 행동주의civil rights activism와 학계에서 나왔지만, 이 운동은 일반 대중 특히 독성물질과 유해 폐기물로 인해 심각한 환경 위협에 직면한 유색인종의 저소득층 사이에서 힘을 얻었다.[45] 환경정의 지도자들은, 지역 집단의 납중독 또는 살충제 노출 독성 물질과 유해 폐기물에 대한 반응이 내 뒷마당은 안 된다는 님비Not In My Backyard, NIMBY로 시작했을 수 있으나 유색인종에 불균형적 위험의 문제로 진화했다는 것을 인정한다.

환경정의 옹호자들은 주류 환경주의를 소수자들의 우려에 제한적 관심을 가진 것으로 특징지었는데, 소수자들의 다수는 도시에 살았고 납중독과 여타의 오염물질 및 병원체 노출과 같은 즉각적 건강 위험에 직면했다. 도시 밖에서는 농약이 농장 노동자들을 위협했고, 아메리카 원주민들은 자신들의 땅에 핵과 여러 위험한 폐기물이 버려지는 것으로 인해 다양한 위험에 직면했다. 환경정의의 언어는 '공정equity'과 '환경 인종주의'에 대한 오래된 개념과 '사회정의'에 대한 새로운 열망을 구별하려 했다. 따라서 환경정의는 모든 사람의 안전하고 건강한 환경에 대한 **권리**right를 강조하고 '환경environment'을 생태학적·물리적·사회적·정치적·경제적 환경을 포함하는 것으로 정의한다. 이 운동은 강력한 정치적 의제를 가지고 있으며, 처음에는 매우 미국적인 현상이었다. 모든 인종과 계층을 위한 환경권리의 근본적 문제는 궁극적으로 미국을 넘어 퍼졌고, 사회정의social justice의 문제—환경 차원을 포함하는—는 분명히 새로운 국제적 대화의 일부가 되었다.[46]

결론

도시환경에 관한 연구는 자연환경에 관한 연구와 대치적이지 않은바, 건축과 자연환경 사이 이분법은 다소 인위적이기 때문이다. 건조환경으로서 도시는 기후climate, 지질학geology, 지형topography에 의해 형성되며, 이는 도시들에 자연 자체의 리듬을 중요하게 만든다. 하지만 도시도 인간의 창조물이다. 도시 건설을 포함한 인간의 행동은 물리적 세계를 확실히 변화시켰고, 흔히 많은 수준에서 파괴적인 힘을 행사하면서 종종 인간이 보유한 가치 있고 유용한 자원을 낭비한다. 그러나 인간을 다른 생명체 및 그들이 살아가는 물리적 세계와 별개 범주로 규정하는 것은, 인간이 안전, 생산, 끝없는 가능성의 장소로 도시를 건설하는 데서 그들이 해온 역할을 분명하게 제한한다.

도시환경은 건강과 질병, 폐기물 생산, 도시 건설, 도시성장, 도시 속 자연, 사회정의의 문제를 제기하는 하나의 복합 장소다. 그러나 인구성장, 정치적 변화, 경제발전, 사회적 제도들에 대한 강조는 도시의 가장 오랜 역사를 제공하고, 도시의 특성을 정의하고, 가장 광범위한 변화의 다양성에 영향을 끼치는 환경적 요소를 고려하지 못하는 경우가 너무 많다. 도시와 배후지의 친밀한 연결에 대한 이해는 이 둘 사이 환경적 상호연결성에 대한 기초적 이해에 달려 있다. 지구적 규모에서 도시화를 비교하는 것은 또한 도시들의 공통적이고 이질적인 환경적 특징과 역사에 대한 지식에 달려 있다. 도시환경사는 도시성장과 도시개발을 형성하는 근본적인 힘에 대한 시각을 확보하는 데서 중요한 '적극적 시각angle of attack'이며, 도시화를 연구하고 이해하는 다른 방법들의 보완물이다.

동시에 도시환경에 관한 연구는 도시를 바라보는 다른 방법들을 교차시킨다. 공공과 민간의 서비스 제공 수단 사이 긴장은 도시 거버넌스의 중심인 내재적 정치 문제를 진술해준다. '녹색greenness' 캠페인은 도시권을 혁신의 중심지로서 더욱 발전시킬 수 있는 능력을 갖춘 시민과 기업을 유치하려는 도시들 사이 경쟁을 강조한다. 오염을 통제하고 더 나아가 완화시키는 책임의 문제는 다양한 수준의 정부, 민간 부문의 책임성, 시민 개인의 역할을 제기한다. 따라서 도시환경 이슈는 광범위한 생태문제에 대한 통찰력을 제공하거니와 정치·경제·사회 영역에서 도시의 기본 운영 및 기능과도 관련이 있다.

주

1 Martin V. Melosi, "Humans, Cities, and Nature: How Do Cities Fit in the Material World?", *Journal of Urban History*, 36 (2010), 3-21.

2 Raquel Pinderhughes, *Alternative Urban Futures* (Lanham: Roman & Littlefield, 2004), 10.

3 Martin V. Melosi, *The Sanitary City* (Baltimore: The Johns Hopkins University Press, 2000).

4 Immanuel Ness, *Encyclopedia of World Cities*, vol.1 (Armonk, NY: Sharpe Reference, 1998), 142, 146, 160.

5 J. R. McNeill, *Something New Under the Sun* (New York: W.W. Norton, 2000), 120-122. Erik Swyngedouw, *Social Power and the Urbanization of Water* (Oxford: Oxford University Press, 2004), 8, 60; Meena Palaniappan et al., "Environmental Justice and Water", in Peter H. Gleick, ed., *The Worlds Water, 2006-2007* (Washington, D.C.: Island Press, 2006), 117.

6 Martin V. Melosi, "Waste Management", in Lei Shen et al., eds., *Natural Resources and Sustainability, vol.4, Berkshire Encyclopedia of Sustainability* (Gt Barrington, Mass.: Berkshire Publishing, 2011), 2777-2779, 2785.

7 Peter Hall, *Cities in Civilization* (New York: Pantheon Books, 1998), 706.

8 Jon Peterson, "Environment and Technology in the Great City Era of American History", *Journal of Urban History*, 8 (1982), 344.

9 Alan D. Anderson, *The Origin and Resolution of the Urban Crisis* (Baltimore: The Johns Hopkins University Press, 1977), 2. Martin V. Melosi, *Precious Commodity* (Pittsburgh: University of Pittsburgh Press, 2011), 192-193.

10 Josef Konvitz, *The Urban Millennium* (Carbondale, Ill.: Southern Illinois University Press, 1985), 156, 157-158, 164-166.

11 Raymond A. Mohl, *The New City* (Arlington Heights, Ill.: Harlan Davidson, 1985), 2. Joel A. Tarr and Gabriel Dupuy, eds., *Technology and the Rise of the Networked City in Europe and America* (Philadelphia: Temple University Press, 1988); Hall, *Cities in Civilization*, 310-347.

12 Anthony M. Orum and Xiangming Chen, *The World of Cities* (Malden, Mass.:

Blackwell Pub., 2001), 100–101; Ivan Light, *Cities in World Perspective* (New York: Macmillan Pub. Co., 1983), 127–147, 155–176.

13 Harold L. Platt, *Shock Cities* (Chicago: University of Chicago Press, 2005), 11.

14 William Rees, "Understanding Urban Ecosystems: An Ecological Economics Perspective", in Alan R. Berkowitz, et al., eds., *Understanding Urban Ecosystems* (New York: Springer, 1999), 124–125.

15 Thomas R. Detwyler and Melvin G. Marcus, eds., *Urbanization and Environment* (Belmont, Calif.: Duxbury Press, 1972); John J. Macionis and Vincent N. Parillo, *Cities and Urban Life* (Upper Saddle River, N. J.: Pearson, 2004, 3rd edn.), 395; Peter M. Ward, *Mexico City* (New York: Wiley, 1998; 2nd edn.), 141, 145–149, 227–230.

16 Ted Steinberg, *Acts of God* (New York: Oxford Press, 2000).

17 Lisa Benton-Short and John Rennie Short, *Cities and Nature* (London: Routledge, 2008), 125.

18 McNeill, *Something New Under the Sun*, 281–282.

19 John Vidal, "UN Report: World's Biggest Cities Merging into 'Mega-regions'", 22 March 2010, www.guardian.co.uk/world/2010/mar/22/un–cities–mega–regions; Benton-Short and Short, *Cities and Nature*, 71–75.

20 Light, Cities in World Perspective, 231–237, 233–234, 238–240; Stanley D. Brunn, et al., eds., *Cities of the World* (New York: Rowman & Littlefield, 2008), 128; Matthew J. Lindstrom and Hugh Bartling, eds., *Suburban Sprawl* (Lanham: Rowman & Littlefield Pub., 2003).

21 Joochul Kim and Sang-Chuel Choe, *Seoul: The Making of a Metropolis* (New York: Wiley, 1997), 12, 71, 87–94, 229.

22 Joachim Radkau, *Nature and Power* (Cambridge: Cambridge University Press, 2008), 255; Benton-Short and Short, *Cities and Nature*, 164–165.

23 Steve Nadis and James J. MacKenzie, *Car Trouble* (Boston: Beacon Press, 1993), 12.

24 Mark S. Foster, *From Streetcar to Superhighway* (Philadelphia: Temple University Press, 1981), 61; John C. Bollens and Henry J. Schmandt, *The Metropolis* (New York: Harper and Row, 1970), 167.

25 Patrick Troy, ed., *Australian Cities* (Cambridge: Cambridge University Press, 1995), 37-38, 235-236, 2n; Anthony N. Penna, *The Human Footprint* (Chichester: Wiley-Blackwell, 2010), 239-240, 265, 268-269; Ness, *Encyclopedia of World Cities*, vol.1, 74, 135-136, 160; McNeil!, *Something New Under the Sun*, 60; Bob Holland, "1 Billion Cars Worldwide Predicted by 2010", 17 January 2008, http://blogs.insideline.com/straightline/2008/01/1-billion-carsworldwide-predicted-by-2010.html.

26 John Rose, ed., *Wheels of Progress?* (London: Gordon and Breach Science Publishers, 1973), 4-6; Mark S. Foster, "The Role of the Automobile in Shaping a Unique City: Another Look", in Martin Wachs and Margaret Crawford, eds., *The Car and the City* (Ann Arbor, Mich.: University of Michigan Press, 1992), 186; Fu-Chen Lo and Peter J. Marcotullio, eds., *Globalization and the Sustainability of Cities in the Asia Pacific Region* (Tokyo: United Nations University Press, 2001), 158; Ness, *Encyclopedia of World Cities*, vol.1, 107, 141, 335, 356; v.2, 622.

27 Peter J. Ling, *America and the Automobile* (Manchester: Manchester University Press, 1990), 170; Marcel Pouliot, "Transport and Economic Development", www.geog.umontreal.ca/geotrans/eng/ch8en/ch8c1en.html.

28 Joel Tarr, "Water Pollution", in Shepard Krech III, et al., eds., *Encyclopedia of World Environmental History*, vol.3 (New York: Routledge, 2004), 1305-1310; Pinderhughes, Alternative Urban Futures, 19-20, 24-26, 33-34.

29 Radkau, *Nature and Power*, 143-144, 242.

30 Lo and Yeung, *Emerging World Cities in Pacific Asia*, 259-260, 321-322, 400-401, 406-408, 439; Lo and Marcotullio, *Globalization and the Sustainability of Cities in the Asia Pacific Region*, 244, 349-350.

31 Martin V. Melosi, "The Neglected Challenge: Energy, Economic Growth and Environmental Protection in the Industrial History of the U.S.", in John Byrne and Daniel Rich, eds., *Energy and Environment* (New Brunswick, N.J.: Transaction Press, 1992), 49-51.

32 Frank Uekoetter, *The Age of Smoke* (Pittsburgh: University of Pittsburgh Press, 2009), 1.

33 David Stradling, "Air Pollution", in Krech III, et al., *Encyclopedia of World Environmental History*, vol.1, 37–39.

34 Benton-Short and Short, *Cities and Nature*, 76–77.

35 Stradling, "Air Pollution", 38–40. Martin V. Melosi, "The Automobile and the Environment in American History", *Automobile in American Life and Culture* (2005), www.autolife.umd.umich.edu.

36 Joel A. Tarr, *Searching for the Ultimate Sink* (Akron: University of Akron Press, 1996).

37 Rees, "Understanding Urban Ecosystems", 115–116.

38 Benton-Short and Short, *Cities and Nature*, 148.

39 Ibid. 149; Lowell W. Adams, *Urban Wildlife Habitats* (Minneapolis: University of Minnesota Press, 1994); David J. Nowak, et al., "Measuring and Analyzing Urban Tree Cover", *Landscape and Urban Planning*, 36 (1996), 49–57; Ellen Hagerman, "Urban Forestry", in Robert Paehlke, ed., *Conservation and Environmentalism* (New York: Garland Pub., 1995), 661.

40 Benton-Short and Short, *Cities and Nature*, 150.

41 Galen Cranz, *The Politics of Park Design* (Cambridge, Mass.: MIT Press, 1982). Peter Clark, ed., *The European City and Green Space 1850–2000* (Aldershot: Ashgate, 2006). Peter Clark, Marjanna Niemi, and Jari Niemela, eds., *Sport, Recreation and Green Space in the European City* (Helsinki: Finnish Literature Society, 2009).

42 Timothy Beatley, *Green Urbanism* (Washington, D.C.: Island Press, 2000).

43 Martin V. Melosi, "Environmental Justice, Political Agenda Setting, and the Myths of History", *Journal of Policy History*, 12 (2000), 43–71.

44 Robert Gottlieb, *Forcing the Spring* (Washington, D.C.: Island Press, 1993), 6.

45 Andrew Szasz, *Ecopopulism* (Minneapolis: University of Minnesota Press, 1994), 5.

46 Melosi, "Environmental Justice, Political Agenda Setting, and the Myths of History", 43–71.

참고문헌

Benton-Short, Lisa, and Short, John Rennie, *Cities and Nature* (London: Routledge, 2008).

Gottlieb, Robert, *Forcing the Spring* (Washington, D.C.: Island Press, 1993).

Hall, Peter, *Cities in Civilization* (New York: Pantheon Books, 1998).

Konvitz, Josef, *The Urban Millennium* (Carbondale, Ill.: Southern Illinois University Press, 1985).

Light, Ivan, *Cities in World Perspective* (New York: Macmillan Pub. Co., 1983).

McNeill, J. R., *Something New Under the Sun* (New York: W.W. Norton, 2000).

Melosi, Martin V., *The Sanitary City* (Baltimore: The Johns Hopkins University Press, 2000).

Platt, Harold L., *Shock Cities* (Chicago: University of Chicago Press, 2005).

Radkau, Joachim, *Nature and Power* (Cambridge: Cambridge University Press, 2008).

Swyngedouw, Erik, *Social Power and the Urbanization of Water* (Oxford: Oxford University Press, 2004).

Szasz, Andrew, *Ecopopulism* (Minneapolis: University of Minnesota Press, 1994).

Tarr, Joel A., *Searching for the Ultimate Sink* (Akron: University of Akron Press, 1996).

Tarr, Joel A., and Dupuy, Gabriel, eds., *Technology and the Rise of the Networked City in Europe and America* (Philadelphia: Temple University Press, 1988).

제38장

창의도시

Creative Cities

마르야타 히에탈라
Marjatta Hietala

피터 클라크
Peter Clark[1]

창의도시〔창조도시〕creative city는 최근 많은 이론화, 홍보, 도시정책 수립의 초점이 되었다.* 1980년대 이래 창의도시 개념은 찰스 랜드리Charles Landry, 리처드 플로리다Richard Florida, 앨런 스콧Allen Scott 같은 영향력 있는 작가들에 의해 발전해왔으며, 창의적 도시 전략은 특히 유럽과 북아메리카의 수많은 주요 도시와 중간 규모 도시들에서, 그리고 개발도상국에서도 어느 정도 채택되었다.[2] 창의도시 위원회들도 설립되었다. 창의도시 네트워크는 유네스코UNESCO에 의해 형성되었고, 유럽

* '창의도시' 개념은 처음 한국에 소개될 당시 원어에 충실하게 "창조도시"로 옮겨졌으나, 새로운 것을 만든다는 "창조"보다 새로운 것은 물론이고 기존의 것에 새 의미를 만든다는 어감까지 포괄하는 "창의"라는 표현으로 점차 대체되고 있다.

연합EU과 영국문화원British Council 같은 또 다른 기구들에 의해 후원되었다. 상업적 컨설팅회사들은 도시에 조언을 제공하고 창의도시의 순위를 발표한다. 싱크탱크, 유튜브 비디오, 콘퍼런스, 순회선전roadshow, 도시 간 컨소시엄inter-city consortia은 이해관계를 조직해왔다.[3]

창의도시 운동의 기원이 되는 자극이 서양 도시들의 경제적 문제, 특히 1970년대 이후 전통적 제조업의 쇠퇴에서 비롯했다면(25, 27, 34장 참조), 그리고 서비스 및 새 기술 분야를 확대해 그 쇠퇴를 바로잡으려는 혁신적 정책을 고안해야 하는 것이 긴요하다면, 더 최근의 영향에는 황폐해진 내부도시inner city를 재생하고, 안정적이고 지속가능한 공동체를 만들고, 글로벌화하는 세계경제의 경쟁자들에 대응해 도시경쟁력city competitiveness을 증진하려는 관심사를 포함한다. 자주 언급되는 성공적인 현대 혁신도시innovative city들의 예로는 뉴욕, 바르셀로나, 런던, 실리콘밸리Silicon Valley(캘리포니아 북부 샌프란시스코만 지역San Francisco Bay area의 남부), 〔인도〕 방갈로르Bangalore〔지금의 벵갈루루Bengaluru〕, 일본 도쿄-가나가와東京-神奈川 지역이 있다.

창의성creativity은 유행하는 현대적 비유이긴 하지만, 이 책의 앞 장들에서 살펴본 것처럼 역동적이고 혁신적인 도시들은 역사적 현상임이 분명하다. 적어도 중세 도시들, 엘리트들, 국가들이 신新도시경제new urban economy 부문(흔히 쇠퇴하는 도시들을 보완하기 위해)을 개발하려 노력해온 이래로, 우리는 많은 도시가 혁신innovation과 창의성이 꽃을 피울 적절한 기회를 만드는 데 특히 성공했음을 볼 수 있다. 의미심장하게도, 현대의 성공적인 도시 일부는 이전 세대에도 역동적이고 혁신적인 중심지로 번성했었다.

이 장에서는 먼저 창의도시의 개념화와 정의 및 성공 조건을 살펴보고, 이로부터 도출된 분석 틀을 적용해 역동적 도시의 초기 단계와 사례를 고찰하고, 공유된 특성과 지역적 변수를 알아본다. 마지막으로 이러한 역사적 관점을 활용해 창의도시의 현대적 분석을 조명한다.

개념과 정의

창의도시는 1980년대 유럽에서 찰스 랜드리가 개발한 개념이다. 그는 "창의성은 도시의 혈액"이며, 혁신이 나타날 환경을 조성하려면 새로운 전략적인 도시계획urban planning 방법이 필요하다고 주장했다. 랜드리는 열린 마음open-mindedness과 상상력imagination을 장려할 필요성을 강조했는데, 그 기본 가정은 보통 사람들도 기회가 주어진다면 비범한 일을 해낼 수 있다는 것이다. 도시의 혁신성innovativeness은 도시 거주민들의 사고방식과 연결되었지만, 그에 못지않게 돋보이는 제도, 공공건축, 교통 및 통신 같은 지원 서비스와도 관련 있었다. 랜드리는 문화구역에서 생활연구소에 이르기까지 시민 행동주의civic activism와 창의적 자발성〔이니셔티브〕creative initiative에 대한 대중의 지지 사례를 주장하는 것과, 이에 더해 〔외국으로부터의〕 이주immigration를 통한 인구의 다양성 및 개방성의 중요성, 미디어와 엔터테인먼트, 예술, 문화유산 및 창의적 사업 서비스와 같은 창의산업의 결집, 그리고 (유럽의 관점에서 쓰자면) 네트워크화와 접근성을 허용하는 도시의 상대적 집약성compactness을 강조해왔다.[4]

2002년 미국의 리처드 플로리다는 창의경제〔창조경제〕creative economy의 부상에 자극을 주는 과학자, 기술공학자, 디자이너, 예술가라는 새로운 창의적 계급의 역할을 강조함으로써 새 차원의 논의를 낳았다. 플로리다에게 도시장소urban place는 성공에 결정적이다. "개방적이고 관용적인 장소는 서로 다른 유형의 사람들을 유인하고 새로운 아이디어를 창출하는 데 유리하다." 기술은 창의적 성장에 중요했으나, 재능과 교육 또한 마찬가지로 매우 중요했다.[5] 이 논의에서 또 다른 중요한 기여자는 앨런 스콧으로, 그는 주요 혁신 현장에서 창의경제의 원천이 소규모 전문 회사들의 네트워크를 통한 결집, 유연한 노동시장 및 성과물의 탈표준화de-standardization였다고 주장했다. 이와 같은 신경제 세계에는 높은 수준의 위험과 불안정성이 존재하지만, 이는 결국 실험 및 혁신으로 이어진다. 신경제 세계는 정책입안자들의 인정 및 지원과 아울러 국제적 인정 또한 받는다. 성공적인 창의도시에서 대다수의 가장 역동적인 회사는 글로벌 네트워크 구축에 관여하고 있다.[6]

지난 몇 년 동안 이 분야에서 문헌 및 이론화 작업이 폭발적으로 증가했다. 주목표는 도시 창의성urban creativity의 정의를 도시 생활 대부분의 측면으로 확장하는 것이었다.[7] 도시는, 성장과 쇠퇴에 직면해, 지속적인 사회적·정치적 창의성이 필요하다고 주장된다. 이 전투에는 주거와 교통에서 폐기물 처리에 이르기까지 도시 공동체의 모든 주요 부분이 동원될 필요가 있다. 문화활동은 의미심장하게 저하되어왔다. 그 결과, 도시화urbanization의 구조적 압력 및 긴장에 대처하는 공동체의 일반적인 정치적·사회적 능력과 (또는 다른 방법으로) 도시 창의성의 특수성을 구별하기 어렵다. 일반적으로 창의도시 논쟁은 그 이론, 옹호,

홍보, 정책 수립에서 모호함을 드러낸바, 많은 주요 분야에서는 오래된 도시 마케팅, 제3차 산업 부문의 촉진, 교육 및 기반설비 투자와 관련한 자치체 전략과 중복되어왔으며, 이 전략은 더 이전은 아닐지라도 19세기로 거슬러 올라간다. 결과적 측면에서는, 현대의 창의도시 전략이 그다지 효과적이지 않을 수 있다는 주장이 제기되었는데, 이 점에 대해서는 나중에 다시 언급할 것이다.[8]

그럼에도 랜드리, 플로리다, 스콧 같은 선도적 이론가들의 연구에서 현대의 도시 창의성을 증진시키는 잠재적 핵심 조건의 광범위한 분석 틀을 구성할 수 있다. 여기에는 소규모 전문 기업의 네트워크와 변동성 있는 노동시장의 유연한 네트워크가 포함된다. 또한 이것과 연결된 인구의 다양성 및 이동(성)mobility, 교육 자원, 기술 및 문화 혁신의 상호작용, 도시의 규모(크지만 너무 크지는 않은), 네트워크, 투자 및 인정에서의 국제성, 대중의 지원을 포함한다.

과거 역동적인 혁신도시를 살펴볼 때 이런 변수들의 분석 틀은 얼마나 의미 있고 유효한가? 그러한 역사적 분석이 현대의 발전에 대해서 말해주는 바는 무엇인가?

근대 이전의 창의도시

피터 홀Peter Hall은 선구적인 저서 《문명과 도시: 문화, 혁신, 도시질서 Cities in Civilization: Culture, Innovation and Urban Order》(1998)에서 중세 피렌체에서 20세기 후반 도쿄까지 혁신적이고 역동적인 도시들의 발전에 대해 논의했다. 그는 분석에서 이러한 도시들을 문화적 또는 예술적 창의성이라는 관점에서 곧 기술적·경제적 혁신, 기술과 예술의 결합, 기반설비[인프라]infrastructure 혁신(런던·베를린·파리에서는 둘 이상의 범주가 나타난다)으로 분류한다.[9] 이번 장에서는 접근법을 달리해, 창의도시를 이끄는 것은 종종 많은 유형의 혁신을 결합했으며, 과거 그러한 도시들은 종종 상당히 뚜렷한 발전 단계를 경험했음을 암시한다. 여기서 우리는 시간이 지남에 따라 가장 역동적이고 창의적인 도시로 널리 간주되는 도시들의 사례를 살펴볼 것이다.

거의 틀림없이, 14세기와 15세기 초반의 피렌체 또는 15세기 후반과 16세기 초반의 안트베르펜 같은 중세 및 근대 초기 도시들은 **창의성의 태고적archaic 시기**에 속하는 것으로 분류될 수 있다. 문화적으로 두 도시 다 매우 혁신적이었다(피렌체의 고급 직물, 신고전주의 건축·미술·조각, 안트베르펜의 태피스트리 및 다이아몬드 세공 같은 사치품 수공업, 미술·출판, 요새화한 건축 등). 피렌체와 안트베르펜 두 도시는 다른 관련 분야, 특히 고도금융high finance과 은행업에서 모두 혁신을 경험했다. 산업 구조 측면에서 두 도시의 경제는 소규모 작업장 중심이었으며 부분적으로 유동적 노동력에 의해 유지되었다(두 도시로의 이주가 중요했다). 피렌체는 1364년부터 (간헐적으로) 대학이 있었고 근대 초기 안트베르펜은 그렇지 않았으나, 두 중심지 모두 상대적으로 식자율識字率이 높았다.[10] 황금기에 피렌체와 안트베르펜은 유럽 내에서 국제적 명성과 지위를 누렸으며, 새 분야에 대한 많은 투자는 피렌체에서 메디치Medici 가문의 후원, 안트베르펜에서는 상인들의 후원이라는 현지적 기반에서 이루어졌다. 규모 면에서는 두 도시 모두 유럽에서 가장 커다란 도시의 하나에 속하지 않았고, 신기술에서 중요한 성취를 이루지 못했다. 아마도 가장 놀라운 점은 강렬한 창의성의 시기가 일회적이었다는 것이다. 안트베르펜에서 17세기에 약간의 부흥이 일어났을지라도, 1585년 스페인〔에스파냐〕의 포위 공격〔안트베르펜공성전〕 이후 주요한 창의 중심지creative centre로서 도시의 경력은 넓은 의미에서 끝났었다. 피렌체는 15세기 후반에 문화적 혁신성의 물결이 지속했다가 사라지고는 다시 돌아오지 않았다.

이와는 대조적으로 18세기에 등장한 '**원原근대 창의도시proto-modern creative city**'들은 더 오래 유지되었고 도시혁신의 진화에 전환점이 되었다. 이전에는 혁신(새로움novelty)이 위험하고 파괴적인 것으로 널리 간주되었으나, 이때부터 진보적이고 혁신적인 도시들이 이러한 변화에서 주요한 역할을 했다는 찬사를 받았다. 런던, 파리, 그리고 거의 틀림없이 도쿄(에도)가 여기에 포함될 후보들이다. 이 도시들은 모두 매우 규모가 컸다—18세기 초반에 에도는 십중팔구 세계에서 가장 큰 규모의 도시였을 것이고 약 100만 명이 거주하고 있었다. 같은 시기 런던의 인구는 약 70만 명이었고 세기가 끝날 무렵에는 약 100만 명으로 증가했으며, 파리의 인구는 약 50만 명에 도달했다. 이들 도시 모두 중요한 혁신적 문화 중심지였다. 에도의 중요성은 18장에서 제임스 맥클레인이 논의했다. 파리는 고급 패션, 음악, 계몽사상the Enlightenment의 선도적 도시가 되었다. 런던은 잡지와 소설, 자유 출판, 새로운 형태의 여가와 유흥, 공공학문, 클럽이나 사교모임, 여타 형태의 시민사회 확산을 개척했다.[11] 런던은 수많은 작업장 기반의 혁신(시계 및 악기 제작)과 신기술(1780년대에 증기기관으로 구동되는 양조장)의 확산이 많았던 영국의 선도적인 제조업타운manufacturing town이었다. 또한 런던은 상거래 활동, 특히 동인도회사East India Company 같은 거대한 상인회사에 대한 유럽의 광범위한 투자를 유치했다. 파리는 런던처럼 유럽의 대표적 은행도시banking city였으며 두 도시 모두 유럽을 넘어 중동, 아시아·아메리카 대륙으로 확장된 문화 분야의 높아진 국제적 명성을 누렸다. 에도—1630년대부터 외국무역〔대외무역〕을 엄격히 통제해 고립되었으나 국제적 영향으로부터 완전히 고립적이지는 않았다—는 훨씬 더 제한적인 글로벌 지위를 가지고 있었지만, 런던·파리·에도 세 도시 모두 18세기에 광범위한 공공 및 민간 기반설비 투자로 이익을 얻었다. 파리와 런던은 포장도로, 배수, 가로등에 상당한 지출을 하면서 유럽에서 가장 유행에 민감하고 가장 개선된 도시가 되고자 공개적으로 경쟁했다(13장 참조). 놀랍게도 세 도시 모두 이후에 도시 창의성의 재생을 즐겼다. 19세기 후반 파리는 예술, 음악, 건축, 고도금융의 중심지였다. 같은 시기에 런던은 국제금융, 공중보건, 도시계획의 중심지였다. 20세기 후반에 도쿄는 금융, 신기술, 뉴미디어new media의 중심지가 되었다.

근대의 창의도시

19세기에 우리는 런던과 파리 같은 초기 창의도시들의 귀환이나 재창조와 함께 새로운 중심지의 도래를 목격한다. 가장 주목할 도시는 베를린과 뉴욕이다.

베를린. 거주민 80만 명의 베를린은 1871년 독일 제국의 수도로 부상했고, 빠르게 도시화하는 나라의 지배적 정치·산업·금융 중심지인 거대도시metropolis가 되었다(25장 참조). 18세기 이래 프로이센 통치자들은 외국인에 대한 관용을 공식적으로 지지해왔다. 인구성장population growth은 주로 독일 제국 내에서의 많은 이주에 의한 것이었으나 상당한 수의 유대인·폴란드인·러시아인의 [외국으로부터의] 이주도 있었다. 1920년에 베를린은 인구가 380만여 명에 이르렀다.

제1차 세계대전 이전의 베를린은, 피터 홀의 표현에 따르면, '개척자적 테크노폴리스Pioneer Technopolis'였다. 베를린은 기반설비 서비스를 구축하고 시영화municipalization 정책들을 구현하는 데서 선구적이었다. 국제 경쟁은 변화의 결정적 동인이었다. 다른 많은 분야에서와 마찬가지로, 베를린은 가스등을 전기 조명으로 대체하면서 '빛의 도시City of Light'인 세계의 전기수도electrical capital 파리와 경쟁했다. 베를린의 첫 전기 조명 광고는 1910년에 등장했다. 베를린은 일찍이 1870년대 초반에 증기철도를 보유한 도시 대중교통 분야에서 선구자였다. 이곳에서 세계 최초의 전차가 1881년에 등장했고 1900년까지 대부분의 전차electric trolley 노선이 설치되었다. 자치체가 관리하는 베를린의 공익사업public utility은 다른 유럽 도시들의 모델이 되었고, 많은 나라의 대표단이 방문할 만큼 높이 평가받았다. 1870년대 이후 베를린대학은 독일을 기술·자연과학·의학 분야의 세계적 선두로 만드는 데서 핵심 역할을 했다. 베를린대학의 물리학과는 의학 교수진과 마찬가지로 선구적 연구의 온실이었고 노벨상의 진정한 생산공장이었다.[12] 이러한 많은 발전과 관련해 베를린은 지멘스Siemens와 아에게AEG의 대규모 공장들과 함께 산업적 혁신의 주요 중심지로 성장하는 한편으로, 중요한 작업장 기반 산업도 성장했다.

베를린은 또한 문화적으로 혁신적이었다. 제1차 세계대전이 시작될 무렵 베를린에는 오페라하우스 3개, 극장 50개, 이보다 많은 음악 연주장이 있었다. 1889년은 독일 극장에서 일종의 혁명이 일어났고 국제적으로 인정을 받은 자유무대Free Stage 운동이 탄생했다. 1880년대 한스 폰 뷜로Hans von Bülow를 첫 번째 지휘자로 베를린필하모니관현악단〔지금의 베를리너필하모니커Berliner Philharmoniker〕이 결성되었고, 이후 지휘자 아르투어 니키슈Arthur Nikisch는 베를린을 세계 최고의 음악수도musical capital의 하나로 만드는 데 도움을 주었다. 한스 리히터Hans Richter, 펠릭스 폰 바인가르트너Felix von Weingartner, 리하르트 슈트라우스Richard Strauss, 구스타프 말러Gustav Mahler, 요하네스 브람스Johannes Brahms, 에드바르 그리그Edvard Grieg는 모두 몇 년간 베를린필하모니관현악단을 지휘했다. 근대성modernity의 최전선에서 거대도시 베를린의 명성은 성장하는 사회학 연구, 특히 게오르크 지멜Georg Simmel의 저술에 영감을 주었다.

이 시대에 베를린은 높은 수준의 제국 및 자치체의 투자와 아울러 민간자금을 유치했다. 베를린은 제1차 세계대전 이전에 독일, 유럽 및 북아메리카 도시들과 밀접한 관계를 맺었으며 1896년 대규모 무역박람회 이후에는 창의도시의 모델로 널리 받아들여졌다. 더욱이 놀라운 것은 독일의 군사적 패배에 이은 정치적·경제적 격변에도 베를린은 1920년대에 창의도시로 재창조되어, 건축과 디자인(바우하우스Bauhaus가 1932년에 베를린으로 옮겨왔다), 미술(조지 그로스George Grosz),

문학(알프레트 되블린Alfred Döblin의 1929년 소설 《베를린 알렉산더광장Berlin Alexanderplatz》), 영화(독일 표현주의German Expressionism), 민중극popular theatre(베르톨트 브레히트Bertolt Brecht와 쿠르트 바일Kurt Weil의 《서푼짜리 오페라The Threepenny Opera〔Die Dreigroschenoper〕》), 문화 제도들에서 선도적 혁신 중심지로서 국제적으로 알려지게 되었다는 점이다. 그 모든 규모, 놀라운 활기, 혼란스러운 탐욕적 복잡성에 의해, 거대도시는 많은 문화 담론에서 중심 주제가 되었다. 네트워킹은 결정적이었다. 베를린은 유럽에서 미술가와 갤러리(80개 이상)의 대표적 클러스터cluster의 하나였으며, 게다가 1920년대에는 모든 독일 작가의 20퍼센트가 이 도시에 살았다. 베를린대학은 글로벌 무대에서 과학을 선도하는 위상을 공고히 했다. 알베르트 아인슈타인Albert Einstein은 1914년부터 1933년까지 베를린의 카이저빌헬름물리학연구소Kaiser Wilhelm Institute for Physics 소장으로 활동했다. 베를린의 국제적 매력과 다양성은 눈부셨다. 오스트리아-헝가리 제국이 무너진 이후 많은 유대인을 포함한 빈의 지식인들이 베를린으로 이주했다. 스티븐 스펜더Stephen Spender와 크리스토퍼 이셔우드Christopher Isherwood 같은 잉글랜드 작가들도 베를린으로 와서 이 도시에 대한 글을 썼다. 바이마르Weimar 공화국 시기〔1919~1933〕 베를린은 거대도시 정부와 교통의 발전을 통해 창의성의 기반설비를 장려했다. 1920년 광역베를린시Groß-Berlin가 출범해 도시의 행정구역이 두 배 이상 증가했고 활력 있는 자치체 정부 활동을 장려했다. 베를린은 1개의 베를린운송회사Berliner Verkehrsbetriebe로 대중교통 노선을 통합했으며, 템펠호프Tempelhof에 민간공항 건설을 통해 항공여행의 교차로가 되었다.

이 모두는 나치즘Nazism의 부상과 제2차 세계대전 이후 도시의 분할로 잔인하게 끝났다. 1990년 독일 〔재〕통일 이후 베를린은 국제적 문화수도cultural capital의 지위를 되찾으려 노력하고 있다. 상징적 건축물이 존재하는 상업 중심의 새로운 세계도시world city로 재건하려는 시도가 있었다(예컨대 포츠담광장, 도판 25.2 참조). 또한 도시의 많은 버려진 건물, 예전 공장이나 창고 등이 클럽, 레스토랑, 미술관 또는 디자이너숍으로 변모하고 있다. 자치체 정부와 사업 부문은 현재 베를린을 디자인, 패션, 대중음악, 연극, 예술의 도시로 홍보하고 있다.[13]

뉴욕. 19세기까지 국제적으로 알려진 가장 중요한 창의도시가 대부분 유럽에 있었다면, 1870년대부터는 뉴욕을 중심으로 한 북아메리카 경쟁자들의 등장과 함께 창의도시의 지리학에 상당한 변화가 있었다. 1870년에서 1900년 사이에 뉴욕의 인구는 세계의 어떤 도시의 인구보다 빠른 속도로 성장했다. 뉴욕에는 근대적 사무실 블록과 초고층 빌딩 마천루가 건설되었고(스카이라인skyline이라는 용어가 맨해튼 고층 건물의 풍부함을 설명하며 1897년에 만들어졌다) 중심업무지구들에 집중되었다. 전화, 전차, 전기 엘리베이터 같은 1870년대와 1880년대 뉴욕의 기반설비 혁신은 접근성과 소통을 촉진했다. 1900년에서 1940년까지 뉴욕의 인구는 340만 명에서 745만 명으로 두 배 이상 증가했으며, 이는 부분적으로는 아일랜드인, 이탈리아인, 유럽계 유대인의 초기 유입과 증가하던 남부 출신 흑인이 결합한 때문이다.[14] 글로벌 네트워크는 이주를 통해서만이 아니라 상업을 통해서도 강화되었다. 뉴욕 항구는 20세기로 전환되는 무렵 세계에서 가장 분주한 항구였다. 뉴욕은 또한 전문직 및 금융 서비스 집중도가 가장 높았다. 은행가 및 주식 중개인의 비율이 가장 높았으며 전국에서 건축가, 변호사, 컨설팅엔지니어, 디자이너 같은 전문직 인구가 가장 많았다. 뉴욕은 전 세계에 지사를 설립하고 있던 회사들의 광고와 마케팅이 펼쳐진 북아메리카 중심지였다. 1892년의 한 조사에 따르면, 미국의 백만장자의 30퍼센트가 뉴욕에 거주했다. 그들의 특별한 부는 박물관, 카네기홀Carnegie Hall, 메트로폴리탄오페라Metropolitan Opera와 함께 주요 문화센터를 만드는 데 도움이 되었다. 공공투자public investment도 결정적이었다. 뉴욕은 거대한 건축 프로젝트와 함께 '자본주의의 수도capital of capitalism'가 되었다. 1890년에서 1940년 사이에 강 횡단 수단의 90퍼센트, 지하철 체계 전체, 주택의 절반 이상이 맨해튼, 브루클린Brooklyn, 브롱크스Bronx에서 건설되었다. 1890년에 뉴욕은 세계에서 가장 포괄적인 교통 체계를 갖추고 있었다. 1920년대와 1930년대부터 새 고속도로가 만들어졌으며 주민들은 도시를 자동차에 적응시키려 노력했다.[15] 혁신의 중요한 자극은 경쟁이었는바, 뉴욕의 경우 베를린·런던·파리 같은 유럽의 수도와 아울러 시카고·필라델피아·보스턴, 1900년 이후 로스앤젤레스 같은 여타의 주도적이고 성공적인 미국 도시와의 경쟁이었다.

토머스 벤더Thomas Bender가 주장했듯, 뉴욕의 특수성은 비판적 분위기와 사상의 실용성 모두를 장려하는 지적 전통에 뿌리를 두고 있었다. 바로 이것이 1870년대부터 토머스 에디슨Thomas Edison의 작업에 대한 맥락 제공에 도움을 주는바, 에디슨의 발명품들은 당대의 대중문화를 크게 정의하는 것이었다—전기 조명, 녹음기 및 영화 등이다. 그런데 에디슨은 또한 뉴욕에서 소규모 작업장 유형 산업(1900년에 평균 13명의 노동자를 고용)과 고도로 숙련된 다양한 노동력의 혜택을 받았다. 다른 혁신가들에 대한 근접성의 혜택도 있었다(1866년에서 1886년 사이에 특허를 5개 이상 가진 모든 미국의 발명가의 80퍼센트가 맨해튼에 거주하거나 맨해튼 통근 거리 이내에 거주했다). 광범위한 광고산업도 있었고, 대규모 부유층 시장에 대한 접근을 보장하는 대형 백화점도 있었다.[16]

베를린과 마찬가지로, 20세기 시작 시기의 뉴욕도 예술가들에게 물리적으로, 시각적으로, 문화적으로 흥미로운 도시였다. 1920년대에 많은 아프리카계 미국인 예술가와 공연가가 뉴욕으로 이주해 할렘Harlem의 역동적인 재즈와 블루스 음악 현장에 참여했다. 이주민 중에는 가장 성공적인 아프리카계 미국인 재즈밴드 구성원 듀크 엘링턴Duke Ellington, 제리 롤 모턴Jelly Roll Morton, 루이 암스트롱Louis Armstrong, 베시 스미스Bessie Smith를 이끈 플레처 핸더슨Fletcher Henderson이 있었다. 재즈는 뉴욕 문화생활의 강력한 표현수단이 되었고, 녹음, 라디오 방송, 해외 라이브 공연을 통해 전 세계로 수출되었다. 어빙 벌린Irving Berlin 같은 이주민은 다른 형태의 대중음악 발전에 관여했다. 그의 1911년 노래 〈알렉산더스 래그타임 밴드Alexander's Ragtime Band〉는 국제적 댄스 열풍이 된 래그타임ragtime을 창조했다('래그타임'은 1880년대부터 미국의 미주리주를 중심으로 유행한 피아노 음악이다. 재즈의 한 요소가 되는 피아노 연주 스타일인데 즉흥 연주는 하지 않는다). 조지 거슈윈George Gershwin은 전 세계 투어를 진행한 12개 이상의 브로드웨이Broadway 쇼를 쓰고 작곡한 전간기戰間期의 또 한 명의 매우 성공적인 음악가였다. 뉴욕의 틴팬앨리Tin Pan Alley는 중요한 국제적 영향력을 가진 미국 음악출판을 지배했다. 유럽인—이주민, 난민, 기획자promoter—들이 북아메리카로 모더니즘Modernism을 가져왔다면, 뉴욕은 첨단 기술, 철강·전기, 혼돈의 경계까지 이른 활력 및 개방성과 함께 그것을 독특한 창의적 환경으로 변화시켰고, 이는 새로운 형태의 회화·건축·음악·춤·디자인을 탄생시켰으며, 전후〔제2차 세계대전 이후〕 시대에 뉴욕의 추상표현주의자, 안무가, 여타 지적·문화적 전사들이 국제무대를 폭풍처럼 점령했다.[17] 20세기 후반 뉴욕은 경제적 후퇴를 경험했어도, 아래에서 보겠지만, 여전히 세계를 선도하는 혁신 중심지의 하나로 남아 있다.

도쿄와 도쿄 지역. 유럽과 북아메리카 이외의 지역에서 도쿄는 오랫동안 혁신과 창의성의 선도적 중심지의 하나로 인정받아왔다. 이미 언급했듯, 18세기에 도쿄는 새로운 문화활동의 붐비는 장소였다. 1880년대와 1890년대에 도쿄는 인구학적·경제적 탄력을 되찾았고 곧 모든 방향으로 확장되기 시작했다. 1920년 도쿄와 서부 교외에는 370만 명의 주민이 거주했다.

도쿄는 일본의 선도적 문화 중심지로 유지되었고 20세기에는 영화·라디오·대중음악·출판 등 뉴미디어 활동의 초점이었다. 주요 영화스튜디오는 도쿄 남부에 본사를 두고 있었다(지금도 그러하다). 즉 일본에서 가장 큰 영화사인 도호주식회사東宝株式會社는 1930년대에 설립되었으며 도쿄에 본사를 두고 있다. 마찬가지로 미야자키 하야오宮崎駿의 애니메이션 영화제작사 스튜디오지브리Studio Ghibli도 도쿄에 본사를 두고 있다. 도쿄는 비디오 콘솔게임console game〔마이크로칩과 컴퓨터 기술을 결합해 스크린에서 하는 게임〕, 컴퓨터게임, 만화 및 그 유사 산출물 관련 거대한 엔터테인먼트산업의 도시다.

20세기 중반 이후 도쿄는 일본 산업 생산의 주요 중심지 오사카를 추월했다. 그런데 1980년대부터 중앙정부와 거대도시 정부는 도쿄를 글로벌도시global city로 변화시키려 노력했다. 세기 후반 내내 중앙정부는 산업 성장을 주도하는 역할을 하며 새 첨단 기술 및 지식 기반 산업의 발전을 촉진했다. 이것은 21세기의 첫 10년 동안 중앙정부와 거대도시 정부의 정책에서 결정되었으며, 수도의 첨단 기술 및 문화산업을 지원하려 고안된 여러 구상에 초점이 맞추어졌다. 일례로, 크리에티브 도쿄CREATIVE TOKYO 구상은 2020년까지 전 세계의 문화시장에서 8조~11조 엔을 획득할 목적으로 쿨재팬Cool Japan 홍보 전략 프로그램과 공동으로 정부에 의해 추진되었다. 이 기획은 일본 콘텐츠산업, 패션, 식품, 현지 제품 및 전통문화 분야의 중소 사업체를 도울 외국의 소매업 통로 개발에 큰 중요성을 부여한다. 도쿄의 성공은 국가의 지원만이 아니라 거대도시 경제에 대한 대규모 민간투자(도쿄는 《포천Fortune》지 선정 글로벌 500개 기업 중 세계 어느 도시보다도 많은 47개를 보유했다[18]), 교육받은 노동력, 풍요로운 수요에 의존한다. 도쿄는 3500만 명 이상이 살아가는 세계에서 가장 인구가 많은 거대도시권metropolitan area의 중심지이자, 국내총생산GDP에서 제2위의 뉴욕을 앞서는 것으로 추정되는, 세계 최대의 거대도시 경제다.[19] 경쟁 또한 중대한데, 서양과의 그리고 점점 더 동아시아(서울, 홍콩)의 선도적인 창의 중심지와의 경쟁뿐만 아니라 일본 내의 경쟁 또한 그러하다. 도쿄와 경쟁하는 것은 간사이 지역에서 진화한 오사카, 효고兵庫, 교토, 나라, 와카야마和歌山, 시가滋賀 6개 현으로 구성된 매우 창의적인 네트워크다. 이와는 대조적으로 다른 주요 창의 중심지에서 확인된 요인들은 어쩌면 조금 덜 중요할 수도 있다. 예컨대 노동력의 다양성 및 개방성, 소규모 작업장 사업체의 중요성 등이다.

헬싱키. 20세기 후반의 모든 창의적 중심지가 초거대도시mega-city

는 아니었다. 그중 일부는 주요 지역 중심지regional centre(바르셀로나와 맨체스터)거나 헬싱키 같은 더 작은 규모의 국가수도national capital였다. 2012년 헬싱키는 세계 디자인수도World Design Capital라는 지위를 획득했는바, 역동적인 혁신 중심지로서 도시의 발전은 상당히 이전부터 시작되었다. 이 도시의 인구는 제1차 세계대전 이전 수십 년 동안 빠르게 증가해 1910년에 13만 3000명에 이르렀다. 이때는 아르누보Art Nouveau 건축과 시각예술이 번성한 창의적 시기이기도 했다. 파리와 뒤셀도르프에서 공부했던 예술가들과 국제 전시회에 참가했던 건축가들은 핀란드 민속과 신화에서 영감을 얻었다.[20] 중앙정부와 헬싱키 시 행정부는 외국의 최신 혁신을 도입하고, 연구 견학에 자금을 지원하며, 이후 전기와 전차 같은 가장 중요한 기반설비 서비스의 시영화에 중요한 역할을 했다. 이미 20세기 전반기에 헬싱키는 엘리엘 사리넨Eliel Saarinen과 에로 사리넨Eero Saarinen, 알바 알토Alvar Aalto 같은 국제적인 유명 건축가들을 키웠고, 제2차 세계대전 이후 헬싱키는 현저한 디자인 중심지가 되었다.

그러나 1980년대부터 혁신경제innovative economy가 가속화되었는데 다음과 같은 5가지 경향 곧 기술개발 특히 디지털화, 경쟁을 유도한 규제 완화, 유럽연합(핀란드는 1995년 가입)의 자유무역, 기술정책, 교육 등에 힘입은 바였다. 1990년대에 헬싱키는 기술혁신의 핵심이 되는 국제적 노드〔결절점〕node로 여겨졌으며 이는 노키아Nokia로 가장 잘 알려졌다. 노키아 기업은 연결성connectivity에 필요한 기반설비를 제공한 최초의 IT 대기업 가운데 하나였다. 1980년대부터 헬싱키는 무선기술, 연구개발R&D 인력 증가 및 투자에서 상당한 이익을 얻었으며 개방적 경쟁과 지적 재산의 강력한 보호를 지원하는 정책을 강조했다. 핀란드 국가기술원National Technology Agency은 노키아와 같은 대기업뿐만 아니라 많은 소규모 작업장 기반 그래픽디자인, 미디어, IT 컨설팅 및 여타 기업 등에 모든 수준의 연구개발 자금을 체계적으로 조달했다. 교육정책 또한 고도로 훈련된 노동력을 창출하는 데 결정적이었다. 1960년대 이래 핀란드 교육정책의 중심 목표는 모든 시민에게 양질의 교육을 받을 평등한 기회(9년제 종합 중등학교)를 제공하는 데 있었다. 핀란드 중등학생들은 2009년 경제협력개발기구OECD 국제학생평가프로그램PISA 순위에서 글로벌 3위를 차지했다(핀란드는 상위 5위 국가 중 유일한 서양 국가였다). 헬싱키 거주민들은 평균적으로 핀란드 인구와 비교해 더 나은 교육수준을 보인다. 2010년에는 15세 이상 현지 인구의 37퍼센트가 대학 학위를 소지하고 있었다.

다른 많은 주요 창의 중심지와 마찬가지로, 기술발전은 문화산업의 발전과 함께 진행되었다. 헬싱키는 유럽에서 세 번째로 큰 클래식 음악 대학인 시벨리우스아카데미Sibelius Academy와 선도적 국제 지휘자와 가수 사이에서 두각을 나타내는 동문을 자랑스럽게 여긴다. 1980년대와 1990년대에 헬싱키시는 이전의 학교 건물과 산업 공장을 문화센터들로 전환함으로써 도시 중심부의 창의적 환경에 체계적으로 투자하기 시작했다. 헬싱키의 두 대형 라이브음악 공연장인 카펠리테흐다스Kaapelitehdas(케이블공장Cable Factory)와 노스투리Nosturi(크레인)는 문화실험의 중요한 장소다. 현재 케이블공장에서 약 100명의 예술가와 70개의 밴드가 작업과 연습을 하고 있으며, 댄서, 각종 제도·학교·클럽 시설도 제공한다. 노스투리는 주로 콘서트장으로 사용되며, 밴드 연습

공간도 제공한다. 2000년 이후 10년 동안 도시의 음악산업이 상당히 성장했다.[21] 전반적으로 공공과 민간 투자의 결합, 기술과 문화의 연계, 국제적 네트워킹, 도시권역urban agglomeration(2011년 헬싱키 거대도시 인구 120만 명), 교육받은 노동력이 도시 창의성의 중요한 조건임을 알 수 있다. 비교해보면 인구의 다양성과 개방성은 최근 이주민의 증가에도 불구하고 헬싱키에서 덜 중요하게 보인다.

현대 세계의 창의도시와 창의산업

지금까지의 우리의 사례연구는 현대 창의도시의 개념화에서 핵심 속성 가운데 많은 것이 과거의 혁신적이고 역동적인 선도적 도시들에도 흔히 적용될 수 있음을 보여주었다. 동시에 이러한 모든 변수가 같은 장소에서 식별될 수 있는 것이 아니라는 점도 확실하다. 인구의 집중aggregation은 중요하나 도시의 집약성compactness은 각양이다. 다양한 개방형 인력은 뉴욕 및 베를린에서 발견되었으나 도쿄나 헬싱키에서는 반드시 그렇지만은 않았다. 소규모 작업장은 그림의 한 부분에 불과하다. 공적 투자는 정부 지원의 형태(도쿄)를 혹은 자치체 개입municipal intervention의 형태(헬싱키·뉴욕)를 취할 수 있다. 이에 못지않게 놀라운 것은 과거의 많은 선도적 중심지가 다른 시기 및 방향에서 자신을 창의 중심지로 재발명할 수 있는 창의성의 유산을 지녔다는 사실이다.

현대 세계에서 창의도시와 창의산업creative industry을 살펴보는 것은 많은 문제를 제기하는바, 특히 후보 도시의 복수성(많은 자기홍보), 개념

정의의 문제(창의산업은 통계적 의미에서 잘 정의된 영역, 분야 혹은 직업이 아니라는 점에서 분류의 문제로 이어진다), 성과 평가의 어려움 등이다. 확실히 많은 나라에서 주로 도시들에 본사를 두고 있는 창의산업은 가장 성공적인 분야의 하나인 컴퓨터게임과 전자출판과 함께 가장 빠르게 성장하는 경제 분야의 하나다. 경제협력개발기구OECD 국가에서는 창의산업이 GDP의 5~6퍼센트를 차지하며 미국에서는 GDP의 11퍼센트 이상이 창의산업에서 나온다.[22] 디지털 환경과 인터넷은 문화상품의 무역 체계 확장에서 핵심이었다. 정보통신기술은 새로운 창의성 도구, 새로운 유통수단, 전자책과 다운로드 가능한 음악 등 새 포멧format의 출현을 가능하게 했다. 이와 같은 산업의 역동성 및 창의성은 소규모 기업들의 높은 집중에 크게 의존한다. 소규모 회사와 프리랜서들은 창의산업의 복잡한 사회적 생산 체계에서 중요한 역할을 담당한다. 그러나 다국적 대기업들은 현지의 생산 네트워크를 조정하고 그 지역 제품이 더 넓은 시장에 도달하도록 하는 데서 결정적 역할을 한다. 애플Apple, 비비시BBC, 피피알그룹PPR Group, 루이비통Louis Vuitton, 알레시Alessi, 유니버설스튜디오Universal Studios, 타임워너Time Warner, 캐피털레코드Capital Records 같은 회사들은 창의산업에서 성공한 회사의 좋은 사례다. 전 세계에서 공공기관은 자신들의 도시에 창의산업을 유치하고 지원하는 전략을 개발했다. 2003년 타이완은 토착문화 표현에서 게임에 이르기까지 문화적 산출물을 강화하는 전략을 시작했다.[23] 홍콩에서는 높이 평가된 영화와 TV 산업을 유지하려는 노력이 있었다(39장 참조).

최근 몇 년 동안 유럽연합집행위원회European Commission는 창의산업과 혁신을 촉진하는 요소에 특별한 관심을 기울였다. 2009년 창의적 문화산업 분야의 유럽 기업은 30개 유럽 국가에서 총 640만 명의 직원을 고용했다. 대규모의 도시권urban area과 수도권지역capital city region은 창의적 문화산업을 지배하고 있으며, 일부 지역은 다른 지역보다 더욱 성공적이다. 런던과 파리의 슈퍼클러스터super-cluster가 눈에 띄고 밀라노, 마드리드, 바르셀로나, 로마가 그 뒤를 잇는다.[24] 다른 글로벌 데이터들은 뉴욕과 런던 같은 주요 중심지의 창의산업에 국가 고용의 집중이 현저하게 이루어지고 있으며, 종종 주요 기관들과 가까운 중심업무지구 또는 도시 외곽 지역에 집적되어 있음을 확인해준다. 그렇다 할지라도 이 부문의 총고용은 크지 않고 경기가 침체하는 시기의 위축에는 취약하다.[25]

문화 창의산업의 실질적 성장은 문화상품 및 문화서비스 분야의 국제적 무역의 팽창과 일치한다. 〈유네스코 선정 문화상품 및 문화서비스 보고서, 1994~2003UNESCO Report on Selected Cultural Goods and Services, 1994~2003〉는 책, CD, 비디오게임, 조각품과 같은 선정 제품에 대한 약 120개국의 국경 간 전자상거래cross-border trade, CBT 데이터를 분석했다. 2002년 세계의 문화 무역 상품 40퍼센트를 영국·미국·중국 3개국이 생산했고, 라틴아메리카와 아프리카는 합쳐서 4퍼센트 미만을 차지했다.[26] 물론, 수출 통계는 외국시장에서 판매되는 문화상품, 특히 하찮은 비용으로 끝없는 이용이나 복제가능한 핵심 상품의 가치를 정확하게 반영하지 못한다.

유엔무역개발회의UNCTAD의 〈창의경제 보고서Creative Economy Report〉에 따르면, 특히 아시아 개발도상국 중 일부는 창의적 분야에서 강한 성장을 누리고 있다. 개발도상국들에는 다음과 같은 몇 가지 문제가 있다. 창의경제를 이해하고 분석하는 명확한 틀이 부족하고, 건전한 개발 전략을 구축할 수 있는 창의경제의 성과에 대한 자료가 부족하며, 특히 지적재산권 보호와 집행에서 창의산업의 발전을 지원할 제도적 역량이 부족하다. 이들 나라에는 다자 간 차원에서 경쟁할 수 있는 견고하고 자급자족할 수 있는 창의경제를 육성하는 강력한 공공정책이 필요하다.[27]

이 새로운 창의적 세계에서 서로 다른 도시 중심지urban centre와 장소를 식별하고 분류하려 할 때, 4개 또는 5개의 주요 범주를 구별할 수 있다. 역사적 방식의 글로벌 창의도시들로 주로 대규모 수도거나 주요한 지역 중심지, 다양한 크기의 틈새문화 중심지, 전문기술도시, 종종 중간 규모의 중심지건 더 작은 규모의 중심지건 밴드왜건도시가 그 범주들이다.

다양한 목록에서 높은 순위를 차지한 **글로벌 창의도시**global creative city에는 런던, 파리, 뉴욕, 바르셀로나, 시카고, 헬싱키가 포함될 것이다. 뉴욕을 살펴보자. 초기의 혁신적 자원을 기반으로, 21세기 시작 시기에 뉴욕은 고도금융과 은행업(위험이 없지는 않았다), 미술(1000개 이상의 미술관과 수천 명의 예술품 중개인이 있는 뉴욕시티는 거의 틀림없는 세계의 미술수도art capital다)과 미디어로 국제적으로 유명했다. 뉴욕은 북아메리카에서 가장 큰 미디어시장이다. 주요 음반회사 3개는 로스앤젤레스와 뉴욕에 기반을 두고 있으며 미국 독립영화의 3분의 1이 뉴욕에서 제작된다. 미국의 4대 텔레비전 네트워크는 모두 뉴욕에 본사를 두고 있으며, 많은 케이블방송국도 마찬가지로 뉴욕에 기반을 두고 있다. 뉴욕의 창의적인 원도심에는 수천 개 기업과 비영리단체가 있다. 이들은 출판, 영화·비디오, 음반 제작, 방송, 건축, 응용 디자인, 광고, 공연예술·시각예술 분야에서 활동한다. 이에 더해 많은 독립예술가, 작가, 공연가가 있다. 뉴욕의 창의 부문의 성공 비결은 재능, 관객과 공급자의 근접성, 수용적인 대중, 영리 및 비영리 창의적 조직이 서로를 지원하는 독특한 환경 덕분일 수 있다. 뉴욕의 창의산업은 훌륭한 기반설비를 통해 지속된다. 여기에는 줄리아드예술학교Juilliard School of the Arts부터 프랫연구소Pratt Institute, 아메리칸발레학교School of American Ballet까지 국제적으로 알려진 교육기관과 예술친화적인 후원자 재단, 저명한 무역기구 등의 대규모 공동체가 포함된다. 창의적 노동자를 지원하는 15개 이상의 노동조합과 50개 이상의 현지 기관도 있다. 문화 부문의 성공 역시 시 정부에 달려 있다. 최근 몇 년 동안 뉴욕은 창의 부문의 중요성에 대한 인정을 증진하며 시 문화국 같은 기관을 통해 창의기업에 대한 서비스 공급을 개선했다. 런던이나 토론토 같은 경쟁 도시들은 창의산업을 유지하고 성장시키려는 공공 및 민간 부문 전략을 개발하는 데서 빅애플Big Apple〔뉴욕의 별칭〕보다 앞서 있다. 일례로, 광고 부문에서의 경쟁이 치열하다. 1980년대 뉴욕은 전 세계 대형 광고대행사 본사의 절반이 있는 곳이었지만 2000년대 초반에는 3분의 1도 되지 않았다.[28]

틈새문화도시niche cultural city. 대중음악 산업은 중요한 글로벌 산업이 되었고 항상 특정 도시와 관련을 맺어왔다. 뉴올리언스와 전통 재즈traditional jazz, 시카고와 어번블루스urban blues, 내슈빌Nashville과 컨트리뮤직country music, 디트로이트와 모타운사운드Motown sound, 부에노스아이레스와 탱고tango가 그러하다. 대부분의 경우에 음악은 현지의 창의적 환경을 끌어들이고 도시권에 집적하는 경향이 있는 고도로 지역화한 문화상품이다. 제작, 유통, 배포는 녹음스튜디오, 콘서트홀, 소매 유통, 레코드상점, 음악계, 바bar, 금융 자원과 같은 물질적 요소에 의존한다. 그러나 음악의 생산, 판매, 소비는 점점 더 집중되는 제조 및 유통 체계에 의해 지구적으로 지배되고 있다. 스웨덴의 스톡홀름과 자메이카의 킹스턴은 고도로 집중된 음악 제작 체계의 중심지다. 스웨덴은 미국과 영국에 이어 세계 최대의 대중음악 생산물 순수출국이다. 킹스턴의 제품은 스톡홀름의 제품보다 글로벌 상업 가치가 훨씬 높지만, 스톡홀름의 현지 생산 체계와 도시경제는 실제로 더 큰 이익을 창출한다.

킹스턴은 중간 규모의 도시(2010년에 약 70만 명이 거주했다)지만 매우 창의적인 도시다. 음악가, 에이전트, 작곡가, 녹음스튜디오의 밀집된 네트워크가 치열한 경쟁과 생산적으로 협력적인 상호작용 모두를 창출하기 때문이다. 오렌지스트리트Orange Street 주변으로 많은 스튜디오가 빽빽하게 밀집해 있어 음악가와 프로듀서 간의 훌륭한 분업화와 효과적인 연결을 촉진했다. 가장 중요한 것은 이러한 결집이 연주자와 녹음스튜디오 사이에서 음악적 혁신을 빠르게 확산할 수 있었다는 점이다. 레게reggae를 탄생시킨 혁신은 자메이카 음악의 글로벌 시장을 만들어냈다.[29]

스웨덴에서 대중음악 제작의 성공에 가장 중요한 요소는 지적재산권과 전문 음악가의 중요한 역할이다. 스웨덴에서는 음악 제작이 옹호되는 반면 킹스턴에서는 상황이 다르다. 자메이카에 저작권을 보호하고 저작권료를 징수하는 제도적 구조가 없다는 것은 음악상품이 보호되지 않음을 의미한다. 이것이 많은 자메이카 예술가들이 북아메리카와 유럽에서 대부분 음악을 녹음·제작하는 주된 이유다. 자메이카 정부는 음악산업 발전을 촉진하고자 악기 및 장비의 면세 수입, 9년간 해외 영화 및 비디오 개봉으로 얻은 면세 수익, 영화관과 지원시설을 짓기 위한 장비, 기계, 자재에 대한 관세 면제 및 무료 양도세 등 투자자들에게 우대 조치를 확대해왔다.[30]

스웨덴에서는 수출시장과 국내시장 성공으로 국내 음악산업과 스톡홀름(2009년 인구 81만 명)에 상당한 이익이 발생했다. 스웨덴 사람들은 녹음된 음악의 1인당 소비에서 세계 6위를 차지했다. 2000년대 시작 시기에는 스웨덴에 약 3000명의 전문 음악가, 작곡가, 프로듀서가 있었고 주로 프리랜서로 활동했다. 또한 약 200개 음반회사와 70개 음악 출판 회사가 있었으며, 그 대부분이 스톡홀름에 위치했다. 스톡홀름에는 글로벌 음반 산업체(메트로놈Metronome, 엘렉타Elekta, 소넷Sonet, 폴라Polar)의 본사가 있으며 스웨덴의 최대 음반회사는 외국기업이 소유하고 있다.[31]

전문기술 중심지specialist technology centre. 전문기술 중심지는 유럽과 북아메리카에서 그 역사가 오래고 18세기 후반부터 도시 산업화의 부상과 밀접하게 연관되어 있으며, 유럽의 버밍엄Birmingham이나 루르Ruhr 타운들과 뉴잉글랜드 섬유타운textile town들이 해당 유형의 창의도시라고 주장한다. 그러나 두 번째 대분기Second Great Divergence와 동양에서의 제조업 부상은 아시아에서 종종 새 세대의 전문기술 중심지들을 형성했다. 남부 인도의 방갈로르(2001년 거주민 430만 명)의 성공은 교육의 힘—앞부분 창의적 특성의 틀에서 확인이 된—을 보여주는 좋은 사례다. 인도 정부는 과학교육을 육성하는 데서 핵심 역할을 해왔다. 방갈로르의 성공과 현재의 풍부한 기술공학자들은 오래전 남부 인도의 〔지방 왕국〕 마이소르Mysore의 통치자 마하라자Maharaja들과 장관들이 내린 결정에 뿌리를 두고 있다. 마이소르는 신기술을 수용하는 오랜 전통이 있었다. 인도과학연구소Indian Institute of Science는 1909년 영국의 식민 정부와 마이소르 정부의 지원을 받아 설립되었다. 인도 중앙정부가 1961년에 통과시킨 법은 정보기술 기업의 설립을 허용했다. 1970년대에 방갈로르는 개선된 도로, 전기, 국제적 기업을 유인할 다른 공공시설utilities에 대한 투자 프로그램을 시작했다. 1985년 텍사스인스트루먼트Texas Instruments는 방갈로르에 기지를 세운 최초의 다국적기업이 되었다. 스마트 기업과 스마트 노동자들이 방갈로르로 속속 모여들어 서로 근접해졌다. 인도 회사 인포시스Infosys는 1981년에 설립되었고 1983년에 방갈로르로 이전했다. 2008년에는 직원이 10만 명에 가까웠다. 인포시스는 소프트웨어에서 은행서비스 및 컨설팅으로 활동을 확장했다.

방갈로르는 2006~2007년 인도 IT 수출의 3분의 1을 차지한 이 도시에 기반을 둔 많은 IT회사로 '인도의 실리콘밸리Silicon Valley of India'로 불렸다. 방갈로르의 IT산업은 3개 주요 클러스터로 구분된다—인도소프트웨어기술단지Software Technology Parks of India, 방갈로르국제기술단지International Tech Park, Bangalore, 전자도시Electronics City가 그것이다. 유나이티드브루어리스그룹United Breweries Group의 본사인 유비시티UB City는 고급 상업 구역이다. 방갈로르에는 인도의 몇몇 최대 소프트웨어회사의 본사들과 소프트웨어엔지니어링연구소의 글로벌 능력성숙도모델Software Engineering Institute-Capability Maturity Model, SEI-CMM 레벨 5로 평가를 받는 회사들도 자리하고 있다〔'CMM'은 1991년 미국 국방부의 의뢰로 카네기멜론대학 소프트웨어엔지니어링연구소SEI가 만든, 소프트웨어 개발업체들의 업무능력 평가기준이 되는 평가 모형이다. 레벨 5가 가장 높은 단계다〕. 이에 더해 방갈로르는 인도의 생명공학 관련 산업의 중심지이기도 하다. 2005년에 인도 최대의 생명공학회사 바이오콘Biocon 등 265개 생명공학회사의 거의 절반이 방갈로르에 있었다.[32]

급속히 팽창하고 있지만 방갈로르의 경제는 더 전통적인 중공업에 의해 보완된 선진 기술에 크게 맞춰져 있다. 새로운 문화산업이나 다른 형태의 도시 창의성의 주요 성장에 대한 증거는 거의 없다. 그 성공에서 중요한 것은 밀집된 집중, 특히 기반설비에 대한 국가의 투자, 교육받은 노동력, 주목할 수준의 국제적 투자였다. 다문화 혹은 다원화한 인력 또는 소규모 기업 구조와 같은 다른 잠재적 변수는 덜 분명해 보인다. 실제로 대기업들이 부채질하는 높은 땅값으로 중소기업들은 점점 밀려나고 있다.

밴드왜건 도시bandwagon city. 밴드왜건 도시는 대부분 과거에 도시 창의성에 대한 큰 명성이나 중요성을 가져본 적이 없는 중간 규모나 소규모 타운들이다. 오스트레일리아의 뉴캐슬Newcastle과 프리맨틀Fremantle 또는 미국의 매사추세츠주 우스터Worcester, 잉글랜드 북부의 헐Hull, 허더즈필드Huddersfield, 게이츠헤드Gateshead, 올덤Oldham 등이 그 사례다. 1980년대 이후 경제문제, 특히 제조업과 고용 쇠퇴에 직면해 이들 도시는 컨설턴트를 고용하고, 창의도시 수단들의 기본 요소를 채택하고, 새 극장이나 박물관을 설립했으며, 타운의 문화구역을 역사지구로 명명함으로써 일자리와 사업활동을 창출하려 노력해왔다. 문화유산/문화 기반 방문자 경제visitor economy가 가장 널리 퍼져 있는데, 투자 비용과 기술 요구사항이 낮기 때문이다. 그러나 도시환경은 위에서 강조한 창의적 성공의 많은 주요 조건이 종종 부족하다. 결과적으로 성공률은 낮은 경우가 많으며, 새 활동은 음식 거래와 관광 같은 낮은 수준의 서비스로 한정된다. 너무 자주 문화구역은 공공보조금에 의해서만 유지된다. 장기적인 창의적 발전에 대한 전망은 제한적으로 보인다.[33]

결론

이 장에서 우리는 도시 창의성의 본질에 대한 현재의 선도적 이론들이 과거(확실하게는 18세기부터) 창의도시의 선도적 사례들을 분석함으로써 상당히 검증된다고 주장했다. 여기서 집중, 소규모 기업, 노동이동(성)labour mobility과 다양성, 교육, 기술과 문화산업의 중첩, 국제성, 대중적 지원의 중요한 역할을 확인했다—모든 선도적 도시가 이 모든 속성을 공유한 것은 아니었지만 말이다. 또한 우리는 선도적 도시에 중요한 두 가지 조건을 확인했다. 하나는 창의적 발전을 촉진하고 형성하는 도시 간 경쟁의 역할이고, 다른 하나는 과거의 성공들로부터 새 세대의 창의적 활동을 촉진하는 창의적 자원(명성, 노동력, 기반설비 등)의 보고寶庫를 이어받을 수 있는 선도적 창의도시들의 역량이다.

현대에 도시 창의성은 갈수록 많은 의미와 많은 성과물을 낳는다. 도시 창의성 논쟁의 모델로 작용하는 고차원적 창의도시의 지속적 중요성뿐만 아니라 독특한 유형의 창의활동을 하는 보다 전문적인 도시들(전문기술 중심지 또는 틈새문화타운)도 증가하고 있지만, 이들이 완전히 성장한 창의도시로 발전할지는 확실하지 않다. 게다가, 창의도시가 되고 싶어도 성공의 주요 조건이 많이 부족한 다른 많은 도시 중심지가 존재한다. 도시화는 항상 많은 경주자와 짧은 우승자 목록을 가진 어려운 장애물경주다.

주

1 초고에 대해 의견을 준 Lynn Lees, Andy Lees, Paul Waley, Jim McClain, Prashant Kidambi, Carl Abbott에게 감사를 표하고 싶다.

2 G. Evans, "Creative Cities, Creative Spaces and Urban Policy", *Urban Studies*, 46 (2009), 1010.

3 Evans, "Creative Cities", 1006–1007 ; 유네스코에 대해서는 http://www.unesco.org/new/en/culture/themes/creativity/creative-industries/creative-cities-network 유럽연합 네트워크에 대해서는 http://www.creativecitiesproject.eu/en/index.shtml. 예를 들어 창의도시 국제 활력 보고서와 순위Creative Cities International Vitality Report & Ranking에 대해서는 http://www.creativecities.org/vi.htrnl

4 C. Landry, *The Creative City: A Toolkit for Urban Innovators* (2008 edn. London: Earthscan, 2008), preface, xi–xlviii. 다양성의 중요성에 대해서는 Phil Wood and Charles Landry, *The Intercultural City: Planning for Diversity Advantage* (London: Earthscan, 2008). Charles Landry, "A Roadmap for the Creative City", in David Emanuel Andersson, Ake E. Andersson, and Charlotta Mellander, eds., *Handbook of Creative Cities* (Cheltenham: Edward Elgar, 2011), 517–518.

5 R. Florida, *The Rise of the Creative Class* (Basic Books: New York, 2002, pbk. edn. 2004), preface to 2004 edn., xiii–xxi.

6 A. J. Scott, "The Cultural Economy of Cities", *International Journal of Urban and Regional Research*, 21 (1997), 323–336 ; *OECD Territorial Reviews: Competitive Cities in the Global Economy* (Paris: OECD, 2006), 290–301.

7 Cf. Nicholas Garnham, "From Cultural to Creative Industries. An Analysis of the Implications of the 'Creative Industries' Approach to Arts and Media Policy Making in the United Kingdom", *International Journal of Cultural Policy*, 11 (2005), 15–29 ; Jorgen Rosted, et al., "New Cluster Concepts Activities in Creative Industries". Produced for the European Commission Enterprise Industry Directorate-General, *Fora Monitor* (January 2010), 4.

8 Evans, "Creative Cities", 1029ff.

9 Peter Hall, *Cities in Civilization: Culture, Innovation and Urban Order* (London: Weidenfeld, 1998), 9–10.

10 피렌체에 대해서는 G. Brucker, *Renaissance Florence* (London: Wiley, 1969); G. Holmes, *The Florentine Enlightenment 1400-1450* (Oxford: Clarendon Press, 1992). 안트베르펜에 대해서는 P. O'Brien et al., eds., *Urban Achievement in Early Modern Europe* (Cambridge: Cambridge University Press, 2001), ch.2와 여기저기; Michael Umberger(ibid. 52-3)는 안트베르펜의 창의성이 다른 곳에서 수입된 혁신을 변환한 것이라고 주장한다. 반대로 Herman van der Wee는 은행 부문과 같이 16세기 안트베르펜에서 많은 발전의 진정한 혁신성을 강조한다. Herman van der Wee, *The Low Countries in the Early Modern World* (Aldershot: Ashgate, 1993), 163-165.

11 에도에 대해서는 이 책의 18장을 참고하라. O'Brien et al., eds., *Urban Achievement*, ch. 16; M. Hessler and Clemens Zimmerman, eds., *Creative Urban Milieus* (Frankfurt: Campus Verlag, 2008), 66, 79; P. Clark, *European Cities and Towns 400-2000* (Oxford: Oxford University Press, 2009), 128-132, 155; P. Clark and R. A. Houston, "Culture and Leisure 1700-1840", in P. Clark, ed., *Cambridge Urban History of Britain: II* (Cambridge: Cambridge University Press, 2000), ch.17.

12 G. Masur, *Imperial Berlin* (London: Routledge, 1974), chs.3-7; David Clay Large, *Berlin. A Modern History* (Bath: Allen Lane; The Penguin Press, 2001), 76-79, 82-85. B. Grésillon, *Berlin Métropole Culturelle* (Paris: Belin, 2002), 83-103.

13 Giacomo Botta, "Urban Creativity and Popular Music in Europe since the 1970s: Representation, Materiality, and Branding" in Hessler and Zimmermann, *Creative Urban Milieus*, 295-300.

14 R. A. Mohls, ed., *The Making of Urban America* (Wilmingtonel. D: Scholarly Resourres, 1997), 94와 그 이하; Grésillon, *Berlin Métropole Culturelle*, chs.4-5.

15 Kenneth T. Jackson, "The Capital of Capitalism: The New York Metropolitan Region 1890-1940", in Anthony Sutcliffe, ed., *Metropolis 1890-1940* (London: Mansell, 1984), 319-353; Hall, *Cities in Civilization*, 747-749; Kenneth T. Jackson, *Crabgrass Frontier: Ihe Suburbanization of the United States* (New York: Oxford University Press, 1985).

16 Thomas Bender, *The Unfinished City: New York and the Metropolitan Idea* (New

York: New Press, 2002), ch. 6. 뉴욕에 관한 이 자료를 활용하도록 해준 Tom Bender에게 감사한다.

17 T. Bender, *New York Intellect* (New York: Knopf, 1987), 특히 ch. 9.

18 http://money.cnn.com/magazines/fortune/global500/2011/countries/Japan.html

19 PricewaterhouseCoopers UK Economic Outlook November 2009, 22: http://www.ukmediacentre.pwc.com/Media-Library/Global-city-GDP-rankings-2008-2025-61a.aspx

20 Marjatta Bell and Marjatta Hietala, *Helsinki-The Innovative City. Historical Perspectives* (Helsinki: Finnish Historical Society, 2002), 144-157; Marjatta Hietala, "Key Factors behind the Innovativeness of Helsinki", ESP Exploratory Workshop Berlin 12-14.12.2002, http://de.scientificcommons.org/17690970.

21 Marjatta Hietala, "Helsinki-Examples of Urban Creativity and Innovativeness", in Hessler and Zimmermann, eds., *Creative Urban Milieus*, 335-352; Bottà, "Urban Creativity and Popular Music in Europe since the 1970s", in Hessler and Zimmermann, eds., *Creative Urban Milieus*, 295-300.

22 Jörgen Rosted, Markus Bjerre, Thomas Ebdrup, and Anne Dorthe Josiassen, *New Cluster Concepts Activities in Creative Industries*. Produced for the European Commission Enterprise Industry Directorate-General, *Fora Monitor* (January 2010), 8; The Work Foundation (2007), Staying Ahead: The Economic Performance of the UK's Creative Industries around the World, www.culture.gov.uk/reference-library/publications/3672.aspx.

23 John Hartley, ed., *Creative Industries* (Oxford: Blackwell Publishing, 2005), 22.

24 Dominik Power, "The European Cluster Observatory. Priority Sector Report: Creative and Cultural Industries", *Europa Innova Paper*, no.16 (April 2011).

25 Evans, "Creative Cities", 1014, 1016, 1019.

26 세계 문화상품 무역 흐름에 대한 정의와 현황에 대해서는 UNESCO Report, International Flows of Selected Cultural Goods and Services, 1994-2003. UNESCO Institute for Statistics, UNESCO Sector for Culture, 12, www.uis.unesco.org/ev.php?ID=6383_201&ID2=DO_TOPIC

27 Creative Economy Report 2008, UNCTAD: United Nations, 201, ch. 8, www.unctad.org/en/docs/ditc20082cer_en.pdf.

28 Robin Keegan and Neil Kleiman with Beth Siegel and Michel Kane, "Creative New York. From Arts Organizations to Ad Agencies, New York's Vast Creative Sector Is One of the City's Most Important but Least Understood, Economic Assets", Report: Center for an Urban Future, New York, December 2005.

29 John McMillan, *Trench Town Rock: The Creation of Jamaica's Music Industry*, 6 June 2005, http://faculty-gsb.stanford.edu/mcmillan/personal_page/documents/Jamaica% 20music%2opaper.pdf.

30 http://www.jamaicatradeandinvest.org/index.php?action=investment&id=4&oppage=1&optyp= mm.

31 Dominik Power and Daniel Hallencreutz, "Profiting from Creativity? The Music Industry in Stockholm and Kingston Jamaica", in Dominic Power and Allen J. Scott, eds., *Cultural Industries and the Production of Culture* (New York: Routledge, 2004), 221-39.

32 Richard Florida, *Cities and the Creative Class* (London: Routledge, 2005): 49-86; Edward Glaeser, *Triumph of the City. How Our Greatest Invention Makes Us Richer, Smarter, Greener, Healthier, and Happier* (New York: The Penguin Press, 2011), 24-40, 229.

33 Evans, "Creative Cities", 1006, 1030. J. Montgomery "Cultural Quarters as Mechanisms for Urban Regeneration. Part 1: Conceptualising Cultural Quarters", *Planning, Practice & Research*, 18 (2003), 293-306. (Montgomery는 가능한 성과에 대해 더 낙관적이다.)

참고문헌

Andersson, David Emanuel, Andersson, Ake E., and Mellander, Charlotta, eds., *Handbook of Creative Cities* (Cheltenham: Edward Elgar, 2011).

Evans, G., "Creative Cities, Creative Spaces and Urban Policy", *Urban Studies*, 46 (2009), 1003-1040.

Florida, R., *The Rise of the Creative Class* (Basic Books: New York, 2002, paperback edn. 2004).

Hall, Peter, *Cities in Civilization: Culture, Innovation and Urban Order* (London: Weidenfeld, 1998).

Hessler, M., and Zimmerman, C., eds., *Creative Urban Milieus* (Frankfurt: Campus Verlag, 2008).

Landry, Charles, *The Creative City: A Toolkit for Urban Innovators* (2008 edn. London: Earthscan, 2008).

O'Brien, Patrick, et al., eds., *Urban Achievement in Early Modern Europe* (Cambridge: Cambridge University Press, 2001).

Scott, A. J., "The Cultural Economy of Cities", *International Journal of Urban and Regional Research*, 21 (1997), 323–336.

제39장

영화와 도시

Cinema and the City

한누 살미
Hannu Salmi

19세기와 20세기 동안 도시, 도시경관, 도시 외형, 도시 생활양식은 문학과 시청각 문화 모두에서 눈에 띄게 해석·재해석되었다. 도시화urbanization의 점진적 가속화와 함께 도시 이미지의 유통이 증가한 것으로 보인다. 도시의 문화(적) 표상cultural representation은 사회적 변화의 반영이거니와 도시적 상상력urban imagination을 변화시키고 도시경험urban experience의 필수적인 부분이 된 문화적 대화의 표현이기도 하다.

이 장의 목적은 도시를 상상하는 데서 영화의 역할을 고려하는 동시에 영화가 도시 생활양식, 도시공간, 도시 미래 비전의 형성에 이바지하고 참여해온 다양한 방법을 추적하는 것이다. 이 장은 도시화 과정과 영화 기술의 확산 과정에서 발견할 수 있는 지역적 차이와 시간적 불일치를 고려한다. 이 장은 영화에 초점을 맞추고 있으나, 다른 형태의 예술과 오락으로 영화적 사례를 맥락화해 더 넓은 표상과 장르를 다루는 것을 목표로 한다.

영화 기술의 서양 기원을 언급하는 것은 필수적이다. 19세기 말에 북아메리카와 유럽에는 세기의 풍부한 시청각 문화를 그려가며 영화 촬영 장비를 개발하려 한 많은 기술공학자가 있었다. 어두운 전시실에서 광학적으로 보존되고 움직이는 이미지를 투영하려는 구상은 성공적이었다. 일찍이 1890년대 중반에 모든 대륙에 영화가 알려지게 되었고, 곧 영화 기술은 도시 생활을 묘사하고 도시 생활양식을 강조하는 데 효과적으로 사용되었다. '서양성Westerness'에도 영화는 바로 처음부터 글로벌 표상 방식이 되었다. 이미 19세기 말에 파리와 상트페테르부르크, 테헤란과 상하이의 움직이는 이미지들이 여행사들에 의해 상영되었다.

코크타운에서 헬싱키까지

18세기 후반과 19세기 초반에 산업도시industrial city의 부상은 소설의 성장에 병행해 일어났다. 당시 영문학에서는 도시에 대한 수많은 묘사를 찾을 수 있다. 가장 잘 알려진 가상의 산업 중심지는 아마도 찰스 디킨스Charles Dickens의 《어려운 시절Hard Times》(1854)에 등장하는 끝도 없이 늘어선 집, 자갈돌 거리, 운하가 있는 도시 코크타운Coketown일 것이다.[1] 이 산업도시의 이미지는 19세기 내내 유지되었고 디킨스 영화 전통에서 계속되었다. 코크타운을 각색한 첫 번째 영화는 1915년에 개봉되었다〔토머스 벤틀리가 감독한 무성영화 〈어려운 시절Hard Times〉을 말한다〕.

영화 기술의 돌파구는 19세기에서 20세기로의 전환기에 근대화modernization의 두 번째 물결과 함께 발생했다. 1890년대부터 신흥의 영화문화는 도시경험과 상상력의 중심 지점이 되었다. 영화관과 도시 사이에서는 많은 연관성을 발견할 수 있다. 최초의 영화관은 도시에서 태동했고, 프로그램은 도시환경을 강조했으며, 영화무역은 곧 세계의 서로 다른 구석에서 현대 도시 생활을 볼 수 있게 했다.

19세기 말에 영화산업에서 일하는 독자적 혁신가는 많았으나, 프랑스의 뤼미에르Lumière 형제〔오귀스트 뤼미에르, 루이 뤼미에르〕는 최초의 성공적인 영화사를 설립하고 유럽과 다른 대륙의 서로 다른 지역으로 움직이는 사진을 옮기는 기적을 일으켰다. 이러한 이동에서 형제가 고용한 카메라맨들은 새 영화를 촬영해 전 세계적 영화 여행의 매력을 더했다. 헬싱키Helsinki에서는 최초의 영화가 파리에서 선보인 반년 만인 1896년 6월에 상영되었다. 핀란드에서 영화가 처음 상영되기 전날에 신문 《우시 수오메타르Uusi Suometar》는 다음과 같이 썼다.

> 뤼미에르 영화의 소개자는 어제 저녁 기자들을 세우라후오네Seurahuone 홀에 초대해 기적과도 같은 기계를 보여주었다. 그가 이 장치를 발표에서 19세기의 기적이라고 부르는 데에 이유가 없는 것이 아니다. 그것은 정말이지 놀랍다. 그것은 아주 자연스럽게 행동하는 움직이는 사진들을 팽팽하게 펼쳐진 하얀 캔버스에 마술처럼 떠오르게 한다. 우리가 어젯밤 처음 본 사진은 대규모 도시 기차역 철로에 열차가 도착하는 것이

> 었다. 그것의 생동감과 부산함은 왜일까! 멀리서 도착하는 열차를 인지할 수 있었고, 〔열차는〕 너무 자연스럽게 접근해 우리는 거의 넘어지지나 않을까 두려웠다. […] 또한 사람들, 말, 승합차, 마차, 자전거, 개, 개구쟁이들이 떼를 지어 몰려드는 몇몇 대규모 도시의 거리 장면도 있었다.[2]

《우시 수오메타르》 기자는 영화 〈열차의 도착The Train Arrives at the Station〉을 언급하며 언론인들이 "거의 넘어지지나 않을까" 두려워했다고 말했다. 비슷한 이야기가 실제로 파리에서 열린 뤼미에르 형제의 영화 초연과 관련해 얘기된다.* 관중은 스크린에서 관객석으로 달려드는 듯한 열차를 두려워하며 의자에 올라탔다고 전한다. 이 이야기는 다른 초기 영화의 경험과 관련해 반복되었으나 진실성에 대한 확신은 없다. 로버트 W. 폴Robert W. Paul조차도 그의 영화〔무성영화〕 〈촌사람과 시네마토그래프The Countryman and the Cinematograph〉(1901)에서 순진한 촌부가 '현실reality'과 '가상fiction'을 구별할 수 없는 가정된 사건을 표현한다.[3] 공포의 신화는 단순히 19세기 말에 영화의 관객, 특히 비非도시 관객의 천진함을 묘사하려고 생긴 것 같다.[4] 다른 한편, 천진함의 표상은 곧 영화 검열을 확립하고자 하는 주장으로 채택되었다.

핀란드 기자의 보고는 다른 많은 측면에서도 흥미롭다. 기자는 움직이는 사진들로 생생하게 그려진 '몇몇 대규모 도시의 거리 장면'에 많은 관심을 분명하게 표명했다. 1896년에 핀란드는 여전히 농촌국가

* 영화의 탄생을 알린, 뤼미에르 형제가 만든 무성영화 〈시오타 역에 도착하는 열차〔열차의 도착〕 L'Arrivée d'un train en gare de La Ciota〉(1895)를 말한다.

rural country였다. 인구 대부분이 시골countryside에 살았고 도시 거주민 수는 1950년대까지도 적게 유지되었다. 중부유럽에서는 상황이 달랐다. 곧 도시화가 19세기의 마지막 수십 년 동안 빠르게 진행되었다. 움직이는 사진들이 중부유럽의 대중에게 "눈 덮인 땅과 그들의 스포츠 행사"를 관람할 기회를 제공했다면, 1907년 조르주 멜리에스Georges Méliès〔프랑스 영화제작자〕가 기술한 대로[5] 핀란드 같은 나라에서는 영화가 새롭고 근대적인 도시문화의 산물로 여겨졌다. 그것은 더욱 멀리 있는 지역의 도시 중심지urban centre에서 접근할 수 없었던 거대도시metropolis의 번잡함을 경험할 가능성을 제공했다. 은막 앞에서 핀란드 관객들은 아케이드와 시장의 분주함 속에서 시선을 어디에 둘지 모르는 도시 산책자flâneur가 될 수 있었다.

영화와 토착적 모더니즘

유럽에서 움직이는 이미지의 성공은 분명 근대성modernity과 연관되었다. 화면의 떨리는 이미지는 반드시 지배적인 문화에서 실현된 무엇인가가 아니라 조만간 다가오리라 예상되는 무엇인가를 표현했다. 뤼미에르의 〔필림〕 릴reel은 핀란드 관객들의 시선을 도시화한 삶의 방식으로, 농촌국가에서 대부분 존재하지 않는 세계로 향할 기회를 제공했다. 더군다나 모든 영화제작자가 움직임을 포착하고 보여주는 '19세기의 경이'였던 기술 역량을 입증하기를 원했던 만큼 도시의 이미지는 초기 영화에서 명백하게 실현가능한 소재였다. 따라서 생동감 있는 도시 이미지들은 움직임이 적은 자연환경보다 영화 제작에 훨씬 적합했다. 이와 같은 '도시주의urbanism'는 예를 들어 테헤란의 도시 풍경 이미지를 묘사한 최초의 이란 영화가 설명해준다. 다른 한편, 영화 기술은 국민국가[민족국가]nation-state와 나란히 탄생했으며 곧 영화는 민족성을 상상하고 국가적 경관을 구성하는 데 사용되었다. 여전히 제1차 세계대전 이전의 많은 영화는 대부분 관객이 도시 중심지 밖에서 살았던 핀란드와 같은 국가에서도 도시환경을 그 배경으로 했다.

1920년대와 1930년대에 영화제작자들은 종종 도시의 근대적 삶을 묘사했다. 발터 루트만Walter Ruttmann의 〈베를린: 대도시의 교향곡Berlin: Die Sinfonie der Grosstadt〉(1927, [도판 39.1])과 프리츠 랑Fritz Lang의 〈메트로폴리스Metropolis〉(1927) 같은 영화가 이 시대의 전형이 되었으며, 1930년대 도시 상상력은 할리우드와 헬싱키, 카이로와 상하이의 영화 스튜디오에서 강렬하게 다루어졌다. 국제적 관객들은 작업 중인 미국의 고층건물 건설 노동자들과 뉴욕의 쇼핑몰에서의 행인들의 움직임을 볼 수 있었고 동시에 그들만의 문화적 환경에서 도시 생활양식을 경험했다. 도시 이미지는 이 시기에 아마 그 어느 때보다도 많이 유포되었을 것이다. 동시에 베를린과 파리 같은 특정 도시들은 은막에 의해 거의 신화화되었다. 르네 클레르René Clair의 〈파리의 지붕 밑Sous les toits de Paris〉(1930)은 스튜디오 제작물이 도시공간을 구성하는 방식을 보여준다. 그 결과물은, 종종 매우 시적인 스튜디오 세트가 함께하는, 실외 화면과 실내 촬영의 조합이다. 사실, 상상의 영화도시cinematic city 파리는 스튜디오와 영화관 밖의 실체적 세계에 존재했을 어떤 것보다 스튜디오 판타지에 가까웠다.

[도판 39.1] 〈베를린: 대도시의 교향곡〉(발터 루트만, 1927)의 한 장면. 영화는 도시 생활, 특히 차와 전차 교통을 묘사했다. (출처: Deutsche Vereins-Film)

〈파리의 지붕 밑〉에서의 도시의 강한 이상적 이미지와는 대조적으로 당대의 도시 생활에 비판적인 표상도 있었다. 1930년대 중국영화에는 그러한 예가 많았지만, 상하이의 영화산업은 대부분 할리우드의 영향을 기반으로 광범위하게 구축되었다. 상하이의 가장 활기찬 묘사 중 하나는 쑨위孙瑜의 초기 좌파주의 특성이 드러나는 〈천명天明〉(1932)에서 찾을 수 있다. 영화는 농촌 마을에서 상하이로 이사하는 소녀로 리리리黎莉莉가 연기한 링링菱菱을 더 나은 삶에 대한 환상으로 가득 찬 모습으로 묘사한다. 현실은 표상보다 더 어려운 것으로 판명되었다. 링링은 공장에서 일자리를 찾았으나 이내 고용주의 아들에게 겁탈당한다. 링링은 결국 몸을 파는 처지가 되었지만, 사회의 더 높은 계층에 진입하는 데 성공하고 자신의 노동자 친구들을 돕기 시작한다.[6] 그 시대의 많은 중국영화는 시골과 도시 사이의 충돌에 더해 전통과 근대적 생활양식 사이의 긴장을 묘사했다.[7] 미리엄 브라투 한센Miriam Bratu Hansen은 1920년대와 1930년대 미국영화의 세계적 패권이 미국영화가 영화의 질보다는 전 세계 관객들에게 근대화와 근대성에 대한 기대의 지평선을 제공했다는 사실에서 비롯한다고 지적했다.[8] 이와 같은 '토착적 모더니즘vernacular modernism'은 중국영화에도 영향을 끼쳤으나, 이는 문화의 일방향적 영향으로 일어난 것이 아니다. 따라서 영화관은 이와 같은 '토착적 모더니즘'이 제공하는 이미지를 통해 국내적 또는 지역적 문제를 상상하는 플랫폼을 제공했다. 흔히 영화는 여성들을 이야기의 핵심에 두고 빠르게 변화하는 사회생활에서의 젠더문제를 다루었다. 여기서 정정추鄭正秋의 〈자매화姊妹花〉(1934)는 특히 흥미롭다. 영화 속 쌍둥이 자매는 태어나면서 헤어진 후로 한 명은 가난하게 자랐지만 다른 한 명은 사치스럽게 자랐다.

흥미롭게도 상하이와 할리우드 사이에는 직접적 연관성도 있었다. 예를 들어 쑨위는 1920년대 뉴욕에서 영화 대본 작성, 연출, 촬영을 공부했다.[9] 당시 중국에서 제작한 영화는 미국영화의 리메이크 작품, 혹은 적어도 할리우드에서 명백하게 자극을 받은 영화를 포함했다. 위안무즈袁牧之의 〈거리의 천사馬路天使〉(1937)는 상하이에서 가장 비참한 구역의 한 곳에서 부패로부터 벗어나려 시도하는 젊은이들을 보여주었는데, 아마도 프랭크 보제이즈Frank Borzage의 무성영화 〈제7의 천국Seventh Heaven〉(1927)과 〈거리의 천사Street Angel〉(1928)에서 영감을 받았을 것이다. 그러나 위안무즈의 해석에는 할리우드의 영향이 소련의 영화 제작 기법과 혼합되었다고 평가받는다.[10]

'토착적 모더니즘'의 메아리는 동시대 다른 곳에서도 뚜렷하게 나타났고, 1920년대 후반과 1930년대 초반 유성영화의 등장은 영화 제작의 지역적 중심지들을 분명하게 강화했다. 1930년대에 이집트는 아랍어 영화의 선도적 제작국으로 부상했다. 1936년에 카이로에 본사를 세운 스튜디오미스르Studio Misr는 할리우드 모델에 따라 제작했으며 1940년대와 1950년대 내내 이집트영화에서 중심 역할을 했다.[11] 뮌헨과 베를린의 우파UFA스튜디오들에서 훈련받은 니아지 무스타파Niazi Mustafa〔또는 니아지 모스타파Niazi Mostafa〕는 첫 장편 극영화 〈모든 게 좋아Salama fi khair〉(1937)로 스튜디오미스르의 주요 감독 가운데 한 명이 되었다. 당시 최고의 희극배우 나구이브 엘리하니Naguib el-Rihani가 출연한 〈모든 게 좋아〉는 영화로 도시 엘리트를 조롱하는 작품이다.

고전적 할리우드와 도시

이미 무성영화 시대에 할리우드Hollywood는 세계를 선도하는 영화공장의 하나가 되었다. 할리우드는 근대적 생활양식을 지지했으나 논의되어야만 하는 다른 특징 또한 있었다. 1930년대 초반 미국의 마피아 영화는 도시 중심지의 폭력적 성격을 묘사하기 시작했다. 특히 워너브라더스Warner Bros.는 대규모 산업도시의 조직범죄를 그린 〈리틀 시저Little Caesar〉(〔머빈 르로이〕, 1931), 〈공공의 적Public Enemy〉(〔윌리엄 A. 웰먼〕, 1931), 〈스카페이스Scarface〉(〔하워드 호크스〕, 1932) 등 하드보일드hard-boiled 갱스터영화의 제작자로 유명해졌다. 곧 헤이스규약Hays Code

으로 알려진 영화 제작 코드가 제정되어 할리우드 영화를 검열했고, 도시의 폭력적 이미지가 순화되었다. 할리우드에서의 영화 검열은 다른 많은 나라에서처럼 국가공무원들이 아니라 영화 산업계와 배급자들에 의해 행사되었지만, 영화제작자들에게 도시의 악덕과 폭력 묘사를 허용하는 제한적이고 규정적인 힘이었다. 〔'헤이스규약'은 1930년 미국 할리우드 메이저 영화사들이 결성한 영화제작배급협회Motion Picture Producers and Distributors of America, MPPDA 초대 회장 윌 H. 헤이스Will H. Hays에 의해 만들어진 영화 검열 규약이다〕.

뉴욕시티New York City는 스튜디오 시대의 할리우드 영화에서 특별한 위상을 차지했다(38장 참조). 뉴욕시티는 범죄와 로맨스, 모험영화와 뮤지컬 모두에 장면을 제공했다. 1931년에 완공된 엠파이어스테이트빌딩은 스카이라인의 특징적 요소가 되었고 거의 뉴욕시티의 상징이 되었으며 건립된 순간부터 영화의 배경으로 사용되었다. 〈킹콩King Kong〉(메리언 C. 쿠퍼, 어니스트 B. 쇼드색, 1933)은 도시의 근대 기술에 이국적이고 이상한 것을 충돌하게 만든다. 콩〔영화 주인공 고릴라의 이름〕은 탈출을 시도하다가 비행기 조종사들에 의해 고층빌딩 꼭대기에서 격추되었다. 뉴욕시티는 또한 댄스의 공개장이었다. 버스비 버클리Busby Berkeley는 로이드 베이컨Lloyd Bacon 감독의 〈42번가42nd Street〉(1933)에서 자신의 안무 가운데 가장 기억에 남는 안무를 짰다.[12] 이 영화에서 대도시big city는 합창단 소녀가 스타가 될 수 있는 기회의 장소로 제시된다. 1930년대 초반의 갱스터영화가 아메리칸드림American Dream의 왜곡된 반전 이미지를 탐구했다면, 뮤지컬은 흔히 그 반대의 모습을 그렸고 대공황Great Depression 시기 대중이 잘 받아들인 긍정적 자기계발

이미지를 제공했다.[13]

대도시 외에도 소규모 타운들은 항상 할리우드영화에서 중심 위치를 차지했다. 1920년대와 1930년대에는 그러한 타운들이 종종 과거에 대한 향수의 감정을 지닌 '고향home'의 상징으로 묘사되었다.[14] 이탈리아 이민자 프랭크 캐프라Frank Capra는 대중적 코미디영화들에서 소규모 타운의 삶을 부각했다. 〈디즈 씨 타운에 가다Mr. Deeds Goes to Town〉(1936)는 소규모 타운에 가서 갑자기 엄청난 유산을 받는 농촌 소년 롱펠로 디즈Longfellow Deeds(게리 쿠퍼Gary Cooper 분)가 주인공이다〔한국에서는 〈천금을 마다한 사나이〉란 제목으로 소개되었다〕. 변호사 사무실에서 그를 도시로 초대하자 마침내 디즈는 자기만 아는 이기적인 사람들의 정글로 가게 된다. 기자 '베이브' 베넷'Babe' Bennett(진 아서Jean Arthur 분)은 디즈와 사귀고 그의 사업에 관한 과장된 신문기사를 연이어 싣는다. 영화는 디즈가 전문 변호사들에 맞서 자신을 변호해야 하는 법정에서 절정에 이른다. 디즈에 대한 모든 고발이 기각되면서 마지막 장면에서는 상식이 승리한다. 분명히 캐프라는 허레이쇼 앨저Horatio Alger의 계승자이지만, 그에게 아메리칸드림은 경제적 복지가 아니라 주인공을 '누더기 상태에서 부유층으로' 상승시키는 것이었고 근대화 특히 근대 도시 생활이 배경으로 밀어 넣어버렸던 가치들을 재확립하는 의식적 목표를 달성하는 것이었다. 〔허레이쇼 앨저는 미국의 아동문학가·소설가로 가난한 소년이 근면·절약·정직 등의 미덕을 통해 미국적인 성공의 꿈〔아메리칸드림〕을 실현한다는 소년 취향의 성공담 소설을 주로 썼다〕.

캐프라의 영화들은 소규모 타운과 도시를 병렬적으로 보여주며 지방정부를 흔히 사리사욕을 쫓고 공동의 이익에 무관심하게 묘사했다는 점에서 정치적 함의를 주목하게 한다. 이것은 1939년 영화 〈스미스 씨 워싱턴에 가다Mr. Smith Goes to Washington〉([도판 39.2])에서 분명해진다. 스미스(제임스 스튜어트James Stewart 분)는 상원의원이 되어 짐 테일러Jim Taylor(에드워드 아널드Edward Arnold 분)로 체화된 이기적 목표가 지배하는 냉소적인 정치 세계에 직면한다. 캐프라의 전망 속에서 결국 국민을 조종하는 것은 불가능하며 워싱턴은 거의 부패의 상징이 될 지경이더라도 마침내는 링컨의 유산을 지닌 장소로 평가받을 것이다.

1930년대와 1940년대에 소규모 타운과 대규모 도시 사이 긴장이

[도판 39.2] 〈스미스 씨 워싱턴에 가다〉(프랭크 캐프라, 1939)의 한 장면. 스미스 씨(제임스 스튜어트 분)는 미국적 가치를 환기한다. (출처: *Mr Smith Goes to Washington* © 1939, renewed 1967 Columbia Pictures Industries, Inc. All Rights Reserved. Courtesy of Columbia Pictures)

할리우드 영화를 특징짓는 것처럼 보인다면, 교외화suburbanization는 제2차 세계대전 이후 강하게 나타났고 교외suburb는 흔히 아메리칸드림의 실현과 관련되었다. 그러나 낙원에 그림자가 없는 것은 아니다. 이미 전쟁 시기 영화에서 위협에 관한 생각은 소규모 타운의 사고방식과 연관되었다. 소규모 공동체들은 종종 민족성의 은유로 다루어졌고, 결국 예상치 못한 외부 위협이 그들의 관습적 삶의 방식을 뒤흔드는 요소로 등장한다. 1940년대 그 위협은 나치즘이었고 1950년대에는 공산주의였다.[15] 미국의 소규모 타운에 대한 편집증적 두려움은 특히 공상과학영화에 소재를 제공했다. 돈 시겔Don Siegel의 〈신체 강탈자의 침입Invasion of the Body Snatchers〉(1956)에서 캘리포니아주의 가상 타운 산타미라Santa Mira는 일반인을 감정 없는 비인간으로 만드는 포드인Pod People〔영화 속 식물형 외계인〕에 의해 내부에서 정복된다.

도시공간에서 사회문제

유럽은 제2차 세계대전의 중심 무대였다. 전쟁의 혼란과 파괴의 몇 년이 지난 후 많은 역사적 도시가 폐허가 되었고 특히 독일에서 그러했다. 종전 후 베를린은 영화 촬영 장소로 자주 사용되었다. 도시 자체는 엄청난 물리적 변화를 경험했다. 최초의 동독 극영화 볼프강 슈타우터Wolfgang Staudte의 〈우리 중에 살인자가 있다Die Mörder sind unter uns〉(1945)는 도시의 육체적·정신적 황폐함을 포착한다. 베를린의 폐허는 패배한 전쟁과 극적인 물질적 손실을 환기했거니와 독일인의 분열적 정신

증상을 묘사했다.

폐허는 항상 예술가들을 유혹해왔고, 베를린을 파괴의 배경으로 사용하는 여러 나라의 영화집단이 빠르게 나타난 것은 놀라운 일이 아니다. 로베르토 로셀리니Roberto Rossellini는 1948년에 〈독일 0년Germania anno zero〉을 만들었다. 같은 해 빌리 와일더Billy Wilder는 할리우드에서 베를린으로 건너와 마를레네 디트리히Marlene Dietrich, 진 아서, 존 런드John Lund, 자크 투르뇌르Jacques Tourneur 등과 함께 〈외교문제A Foreign Affair〉를, 로버트 라이언Robert Ryan, 메를 오베론Merle Oberon과 함께 〈베를린 특급Berlin Express〉을 감독했다.[16] 점령 구역과 (종종) 보이지 않는 경계선은 1940년대 후반과 1950년대에 여러 영화 제작사의 배경으로 사용되었다. 일례로, 캐럴 리드Carol Reed는 베를린을 〈위기의 남자The Man Between〉(1953)의 무대로 사용했다. 영화제작자들이 베를린을 냉전의 상징으로 확립하는 데 근원적으로 한몫했다고 주장할 수 있다.

제2차 세계대전 이후 도시공간은 사회문제를 통해 특징지어졌다. 이탈리아 네오리얼리즘neorealism은 도시환경에 초점을 맞추었는데, 로셀리니가 〔로마를 배경으로 한〕 〈무방비 도시Roma, città aperta〉(1945)에서 표현한 것처럼 처음에는 전쟁 시기의 투쟁을 다루었고 나중에는 이탈리아 교외의 사회문제를 묘사했다. 비토리오 데 시카Vittorio de Sica의 〈밀라노의 기적Miracolo a Milano〉(1951)은 보육원에서 어린 시절을 보내고 밀라노 외곽의 판자촌에서 성인 생활을 시작한 토토Totò(프란체스코 골리사노Francesco Golisano 분)의 이야기를 들려준다. 그러나 대기업이 개입해 빈곤층의 땅을 요구했고, 마지막 판타지 장면에서 가난한 사람은 천국으로 도망치는 것 외에는 다른 선택의 여지가 없었다. 1950년대와

1960년대에는 이탈리아 대도시를 둘러싼 지역이 흔하게 스크린에 등장했으며, 특히 떠오르던 아파트 단지가 그 시대 많은 이탈리아 영화의 정신적 배경을 형성한 것으로 보인다. 미켈란젤로 안토니오니Michaelangelo Antonioni는 소외에 관한 이야기를 다룬 영화, 특히 〈외침Il grido〉(1953) 〈밤La notte〉(1961) 〈붉은 사막Il deserto rosso〉(1964)에서 그와 같은 환경을 사용했다. 새 주택 정책은 현대화modernization의 신호였다. 이것이 이탈리아영화에서만 유일한 것은 아니었다. 예를 들어, 그루지야〔지금의 조지아〕 영화에서도 비슷한 강조점을 찾을 수 있다. 오타르 이오셀리아니Otar Ioseliani의 첫 극영화 〈4월Aprili〉(1961)은 현대식 아파트 단지로 이사하는 젊은 커플을 보여준다. 영화는 거의 침묵의 드라마로 처음에는 올드타운old town 공동체의 응집성에서 시작하며, 빠르게 모든 사람이 자신의 아파트에 고립된 현대적 삶의 방식으로 대체가 된다.

도시화의 가속화는 흔히 세대문제와 관련 있다. 도시에 거주하는 사람이 점점 더 많아지면서 외로움이 하나의 문제로 변했다. 오즈 야스지로小津安二郎의 〈동경 이야기東京物語〉(1953)는 자녀와의 연결을 잃은 부모들에 대한 감동적인 이야기다. 어머니와 아버지는 자식들을 보려 도쿄로 여행을 가지만, 새 사회질서와 새 도시적 생활양식urban way of life에는 노인들을 위한 장소가 없음을 깨닫는다.

전후戰後의 도덕적 불안은 흔히 은막에 반영되었다. 1940년대 후반의 핀란드영화에는 도덕적 퇴화와 성병의 확산에 대한 두려움이 존재한다. 테우보 툴리오Teuvo Tulio는 알코올의존, 성매매, 여타 도덕적 문제를 묘사한 멜로드라마로 유명해졌다. 이와 같은 괴로움의 기간은 짧았고, 평화의 시기에 자신의 길을 찾으려 했던 사회에서 대체로 이해할 수 있는 것이었다. 곧이어 1950년대에는 새 도덕적 우려가 청소년문제로 제기되었다. 베이비붐은 미국에서는 이미 전쟁 중에, 유럽에서는 이보다 조금 후에 일어났다. 라슬로 베네데크László Benedek는 마약 남용을 다룬 〈뉴욕 항구Port of New York〉(1949)에서 이런 우려를 논의한 선구자였다. 소외된 젊은이들, 특히 남성들에 관한 묘사가 반복되었고 수십 년 동안 계속되었다. 카렐 라이스Karel Reisz의 영화 〈토요일 밤과 일요일 아침Saturday Night and Sunday Morning〉(1960)은 이 전통에 비추어 해석할 수 있다. 앨런 실리토Alan Sillitoe의 소설을 바탕으로 한 영화는 어떤 것으로든 자신을 식별하기를 꺼리는 성난 청년 아서Arthur(앨버트 피니Albert Finney 분)를 묘사한다. 그는 노팅엄Nottingham 공장에서 일하는 기계공으로 어떤 사회 활동에도 참여하기를 거부하며 거의 모든 것을 날려 버리려는 무정부주의자 같았다.

도시의 이미지는 흔히 어두운 색조가 특징이었다. 1940년대 후반과 1950년대 할리우드의 누아르noir영화 전통에서는 범죄와 열정의 현장으로 밤의 도시를 보여주는 것이 일반적이었다. 줄스 다신Jules Dassin은 〈민낯의 도시The Naked City〉(1948)에서 조직적인 범죄를 묘사했는데, 역시 잠들지 않는 대도시의 삶의 리듬을 포착하려고 시도했다〔한국에는 〈뉴욕의 뒷골목〉이란 제목으로 소개되었다〕. 전후의 세미다큐멘터리semi-documentary 양식으로 촬영한 영화로 뉴욕시티의 가장 기억에 남는 묘사 가운데 하나다〔'세미다큐멘터리 양식'은 제2차 세계대전 이후 미국에서 생긴 영화 제작 기법으로 기록영화(다큐멘터리)에 극적 구성을 가미한 기록영화식 극영화다〕.

모든 대륙에 범죄도시criminal city에 관한 영화들이 있다. 인도의 구루 두트Guru Dutt는 1950년대에 봄베이〔지금의 뭄바이〕를 배경으로 한 매우 성공적인 일련의 영화를 제작했다. 라즈 코슬라Raj Khosla 감독의 〈C.I.D.〉(1956)는 누아르영화와 힌디영화의 흥미로운 혼합 영화다. 영화는 신문기자 셰르 싱Sher Singh(메흐무드Mehmood)의 살인범을 추적하는 셰카르Shekhar(데브 아난드Dev Anand 분) 경감을 따라가는 살인 미스터리물이다. 〈C.I.D.〉의 우울한 분위기는 할리우드의 직접적 반영이 아니라 제2차 세계대전 이후 대중적 힌디영화에서 개발된 스타일의 상상력 가득한 결합이었다. 영화에는 토착적 모더니즘의 요소가 있다. 영화는 봄베이를 전통적인 인도 문화에 대한 언급이 거의 없는 근대도시modern city로 보여준다. 그러나 도시의 밤을 다룬 신비스러운 장면은 O. P. 나야르O. P. Nayyar 작곡의 밝은 음악 수록곡들로 인해 방해를 받는다.[17]

물론 1950년대와 1960년대 영화에서 도시의 묘사가 고립되어 전개된 것은 아니었다. 동시에 다른 오락거리의 물결이 생겨났다. 텔레비전 방송은 이미 1930년대에 미국과 유럽에서 시작되었지만, 텔레비전 기술의 실제적 확산은 1950년대와 1960년대에 일어났다. 텔레비전 회사와 그들의 주요 스튜디오는 뉴욕·런던·시드니 같은 주요 도시에 기반을 두고 있었다. 인기 있는 영화 장르는 시간이 흐른 뒤에도 TV에서 계속 반영되었다. 누아르영화에서 영감을 받은 범죄 시리즈는 1960년대 내내 제작되었으며, 또한 카우보이 서부극의 형태로 꽃을 피운 소규모 타운과 개척지 미국의 이미지도 생산되었다. 영국의 〈코로네이션 스트리트Coronation Street〉나 오스트레일리아의 〈이웃Neighbours〉과 같은 연속극은 종종 도시와 교외 생활의 사회문제에 대한 절반 정도의 건전한 전망을 묘사했다. 텔레비전 네트워크의 확장은 불가피하게 삶의 방식을 변화시켜 도시 중심지와 농촌 주변 지역의 구분에 의문을 제기하는 연결들을 만들어내는 것으로 인식되었다. 캐나다의 언론학자 마셜 매클루언Marshall McLuhan은 1962년에 지구촌에 대한 유명한 생각을 공식화했다. 매클루언에 따르면, 세계는 사람들이 다른 이들의 사업에 대해서 알고 있고 정보information가 전통적인 국경을 넘는 마을village이 되고 있었다. 분명히 텔레비전은 글로벌 영향을 끼쳤다. 텔레비전 기술은, 내부 네트워킹에서, 런던 및 뉴욕 같은 주요 도시들에 뚜렷한 영향을 끼쳤다. 동시에 성장하는 글로벌 미디어 네트워크는 대도시를 서로 연결했다.

정보뿐만 아니라 사람들도 국경을 넘나들었다. 도시는 숨을 수 있는 장소였다. 자크 리베트Jacques Rivette는 〈파리는 우리의 것Paris nous appartient〉(1961)에서 프랑스의 수도를 난민들이 모여드는 장소로 설정한다. 주인공 앤 구필Anne Goupil(베티 슈나이더Betty Schneider 분)은 독일인 연극감독과 매카시즘McCarthyism을 피해온 미국인 국외추방자를 만나며, 파리는 스페인[에스파냐]의 정치 활동가들의 피난처로 그려진다. 프랑스의 누벨바그Nouvelle Vague영화 사조는 대로와 카페에서 이야기를 펼치면서 흔히 파리의 삶을 묘사했다.*

그 후 수십 년 동안 특히 도시에 집중하는 영화들이 등장해 개별

* '누벨바그'는 프랑스어로 '새로운 물결'이란 뜻으로 1958년부터 등장해 1960년대 프랑스와 이후 세계적으로 영향을 끼친 영화계의 새 풍조다. 프랑수아 트뤼포François Truffaut, 장-뤽 고다르Jean-Luc Godard 등을 중심으로, 고전 할리우드 스튜디오의 사전준비형 영화 제작 기법과 달리 촬영현장에서 즉각적으로 생성되는 이미지를 중시하고 감독의 개성을 강조하는 작가주의를 등장시켰다.

도시들의 고유한 특성을 거의 비슷하게 그려냈다. 로버트 올트먼Robert Altman의 〈내슈빌Nashville〉(1975)은 테네시주 내슈빌의 음악사업에 대한 생생한 묘사지만 동시에 미국인의 생활방식에 대한 캐리커처이기도 하다. 1970년대와 1980년대의 많은 도시영화는 도시 중심지를 당대의 살아 있는 삶만이 아니라 과거의 추억을 포용하는 기억의 장場les lieu de mémoire으로 묘사했다. 페데리코 펠리니Federico Fellini의 〈로마Roma〉(1972), 유세프 샤힌Youssef Chahine의 〈알렉산드리아 … 왜?Iskanderija … lih?〉(1979), 블라디미르 멘쇼프Vladimir Menshov의 〈모스크바는 눈물을 믿지 않는다Moskva Moskva slezam ne verit〉(1980), 빔 벤더스Wim Wenders의 〈베를린 천사의 시Der Himmel über Berlin〉(1987) 등을 들 수 있다.

다민족도시multi-ethnic city는 10년 주기로 영화에서 점점 뚜렷하게 나타났다. 1970년대의 도시 사회문제는 〈택시 드라이버Taxi Driver〉([도판 39.3])와 같은 영화에서 더 큰 관심을 받은 것으로 보인다. 20세기 후반의 가장 논란이 된 영화 중 하나는 로스앤젤레스에서 폭력적 갈등이 터지기 3년 전에 인종폭동을 묘사한 스파이크 리Spike Lee의 〈똑바로 살아라Do the Right Thing〉(1989)다. 영화는 주인공 무키Mookie(스파이크 리 분)를 통해 브루클린Brooklyn의 베드퍼드-스타이베선트Bedford-Stuyvesant의 흑인과 푸에르토리코인 구역에 사는 젊은이들을 그리고 있다. 영화는 또한 흑인들에 대한 인종적 경멸감을 가지고 있는 이탈리아계 미국인 살바토레 '살' 프란지오네Salvatore 'Sal' Frangione(대니 아이엘로Danny Aiello 분)를 보여준다. 영화는 '살'의 피자가게 창문으로 쓰레기통을 던짐으로써 무키가 선동한 폭동으로 끝난다. 스파이크 리는 〈똑바로 살아라〉만이 아니라 〈말콤 XMalcolm X〉(1992)를 통해 다시금 도시 인종폭동의

[도판 39.3] 〈택시 드라이버〉(마틴 스코세이지Martin Scorsese, 1976) 속 뉴욕 장면. 이 도시는 외로운 장소이자 아스팔트 정글이다. (출처: *Taxi Driver* ⓒ 1976, renewed 2004, Columbia Pictures Industries, Inc. All Rights Reserved. Courtesy of Columbia Pictures)

역사에 참여했다는 비난을 받았으나, 또한 흑인 도시 정체성을 다시 쓰고 빈민가의 삶을 이해하려는 시도로 찬사를 받기도 했다.[18]

도시의 과거와 미래

영화에서, 그리고 다른 형태의 예술과 오락에서도 도시의 표상은 너무 압도적이어서 간단히 특징짓기가 어렵다. 특히 전후 유럽과 북아메리카 영화에서는 도시가 사회문제의 초점으로 여겨졌고 도시환경이 거의 모든 영화에서 배경으로 채택되어 있었다. 최근 수십 년 동안 '영화적 도시화cinematic urbanization'가 아프리카, 라틴아메리카, 아시아 영화 제작에서도 점점 더 강하게 발생했음이 분명하다. 그러나 현대의 불안 측면에서만 도시의 표상을 해석하거나, 영화를 단순히 현재의 우려에 대한 지속적 협상 과정으로 볼 수 있다고 주장하는 일은 오해의 소지가 있다. 일반적으로 허구는 공동체가 그들의 과거와 미래를 상상하는 문화적 관행임이 분명하다. 따라서 영화가 도시 생활의 역사와 미래를 어떻게 표상하는지 기억하는 것이 중요하다. 영화적 서사는 고대 로마, 중세 런던, 18세기 파리를 재현하는 데 사용되었다. 앤서니 만Anthony Mann이 화려한 승리 장면으로 〈로마 제국의 멸망The Fall of the Roman Empire〉(1964)을 연출했을 때, 포룸로마눔Porum Romanum 주변을 묘사한 거대한 세트가 스페인의 고지대에 공들여 세워졌다. 이와 같은 노력은 역사적 경험의 즐거움이 과거 세계를 항해하는 관객의 능력에서 발생한다는 확신에 근거했다. 롱숏long shot〔피사체로부터 카메라를 멀리해 전경全景을 모두 찍을 수 있게 하는 촬영 방법. 원사遠寫〕 카메라는 포룸로마눔을 따라 이동할 수 있었고, 따라서 관객에게 고대 로마에서 움직이는 느낌을 주었다. 1990년대 영화 제작에 디지털 기술이 도입된 이후 잃어버린 도시에 대한 환상을 만드는 새로운 종류의 방법이 생겨났다.

때로는 잃어버린 도시가 먼 과거가 아니라 사람들의 기억 속에 남아 있었고, 영화적 장치는 과거를 부활시키는 데 사용되었다. 1948년 막스 오퓔스Max Ophüls는 슈테판 츠바이크Stefan Zweig의 단편을 세기말 오스트리아의 멜로드라마로 각색한 〈미지의 여인에게서 온 편지Letter from an Unknown Woman〉(1948)를 제작했는데, 영화 전체가 옛 빈의 재현과 거의 유사했다. 오퓔스는 할리우드 스튜디오의 자원을 마음껏 활용할 수 있었고, 프라터Prater〔빈의 제2구역 레오폴트슈타트Leopoldstadt에 있는 대규모 공원〕와 여타 기억에 남는 장소들이 영화를 위해 신중하게 재현되었다. 이들 이미지는, 영화 대부분이 베를린에서 촬영되었으나 관객에게는 빈에 있는 것과 같은 느낌을 준 오퓔스의 초기 영화 〈리벨라이Liebelei〉(1933)를 상기시켰다. 사실 〈미지의 여인에게서 온 편지〉는 '현실의' 빈이 아니라 수십 년 동안 표상되어온 빈의 이미지를 환기했다.

도시 기억의 흥미로운 예는 우이공吳貽弓의 〈성남구사城南舊事〉〔영어 제목 〈My Memories of Old Beijing(베이징의 추억)〉〕(1983)다. 린하이인林海音의 동명 소설을 원작으로 하는 영화로, 문자 그대로 '베이징 남부의 〔옛〕 이야기'다. 베이징은 오랫동안 귀족과 황실의 일원이 거주한 북서부, 상인과 지주가 거주한 북동부, 중산층과 하류층이 거주한 남부의 세 부분으로 구분되었다. 소설과 영화는 1920년대 베이징 남부의 추억을 부모님과 함께 타이완에서 베이징으로 이주한 어린 소녀 잉쯔英子의 관점에서 포착하려 한다.[19] 영화는 공산주의 이전 시대를 묘사하고 있으나, 그것은 오직 기억 속에만 남아 있는 잃어버린 도시에 대한 우울한 감정을 표현한다. 연약하고 향수를 불러일으키는 분위기를 담고 있는 〈성남구사〉는 1년 뒤 홍콩에서 상영된 추이하크徐克의 〈상해지야上海之夜〉〔영어 제목 〈Shanghai Blues(상하이 블루스)〉〕(1984)의 이미지들과 거의 반대된다. 이 재미있는 역사적 환상에서 옛 상하이는 로맨스와 모험의 장소다. 이곳에는 아마도 일정한 향수가 존재하긴 할 것이지만 우울함melancholy은 없다.

도시에 대한 영화적 해석들이 과거에 관한 생각과 감정을 분명히 표현했다면, 그것들은 또한 미래에 대한 상상, 도시의 유토피아적·디스토피아적 전망을 만드는 데도 깊이 관여했다. 랑의 〈메트로폴리스〉(1927)와 리들리 스콧Ridley Scott의 〈블레이드 러너Blade Runner〉(1982)에서 미래는 초고층 빌딩들이 지배하고 있다. 엘리트들은 푸른 하늘 아래에서 살아가고, 하류층들은 높은 건물들에 의해 빛이 가려진 좁은 거리 골목에 만족해야 한다. 〈메트로폴리스〉는 의심할 여지 없이 도시 상상력의 관점에서 가장 영향력 있는 단일 영화single film였다. 첫 상영 당시 세트디자이너 오토 헌트Otto Hunte는 당대의 건축과 다른 것을 만들고 싶었다고 주장했다. 그런데 랑이 건축가 에리히 멘델손Erich Mendelsohn과 함께 1924년 미국을 방문했고 신세계New World의 스카이라인에서 아이디어를 얻은 것으로 알려져 있다.[20] 그럼에도 〈메트로폴리스〉는 이전에는 하지 않았던 방식으로 미래의 도시에 대한 전망을 구체화했다. 이후 이 영화의 이미지는 〈블레이드 러너〉를 포함한 수많은 공상과학영화를 통해서 퍼져나갔다. 〈메트로폴리스〉가 영향력에서 강력했다면, 갱스터영화와 누아르영화의 기억들을 혼합한 〈블레이드 러너〉 속 2019년의 비전도 마찬가지로 강력했다(〈블레이드 러너〉는 2019년 미래를 배경으로 하는 1982년의 영화다).[21] 또한 그래픽노블graphic novel도 언급해야 하는바, 프랑스 만화잡지 《메탈 위를랑Métal hurlant》과 특히 작가 뫼비위스Moebius(본명 장 지로Jean Giraud)를 예로 들 수 있다. 새 밀레니엄은 도시에 대한 점점 더 많은 디지털 표상digital representation을 제공했으며(〈킹콩〉, 2005) 또한 〈스파이더 맨Spider Man〉(2002), 〈월드 오브 투모로우Sky Captain and the World of Tomorrow〉(2004), 〈씬 시티Sin City〉(2005)처럼 만화책의 흥미로운 각색도 제공했다.

발리우드, 날리우드, 그리고 영화의 도시적 소비

100년이 넘는 영화 제작 기간 내내 영화 자체는 도시의 산물이었다. 영화산업은 항상 로스앤젤레스의 할리우드, 파리 근처 주앵빌Joinville, 베를린 외곽 바벨스베르크Babelsberg, 로마 치네치타Cinecittà 같은 고유한 타운을 보유했다. 특히 풍성한 영화의 흐름이 봄베이/뭄바이, 카이로, 상하이, 라호르Lahore, 라고스에서 비롯되었다.

도시화가 가속화하면서(30장 참조), 인도는 매년 1000편에 가까운 영화를 제작하는 세계의 선도적 영화 제작국이 되었다. 이 산업은 안드라프라데시Andhra Pradesh주의 텔루구Telugu어 스튜디오들인 탈리우드Tollywood와 뭄바이의 힌디어 프로덕션의 중심지인 발리우드Bollywood가 지배해오고 있다. 도시 소비자들은 인도영화 제작의 중심을 차지했다. 인도에는 세계 어느 곳보다 영화 관람객이 많다. 밀레니엄 전환 이후, 신흥 도시 중산층, 케이블 텔레비전의 광범위한 이용, 외국영화의 힌디어 더빙 증가는 새로운 기대를 불러일으켰다.[22] 최근 몇 년 동안 할리우드의 영향은 발리우드영화의 도시 이미지에서 점점 더 눈에 띄게 나타나고 있으며 특히 젊은 관객은 오래된 발리우드의 공식보다는 할리우드 영화의 가치를 옹호한다. 밀레니엄 시작 시기에 발리우드는 부분적으로 마피아와의 연결 때문에 곤경에 처한 듯했으나, 〈랍 네 바나 디 조디〔그 남자의 사랑법〕Rab Ne Bana Di Jodi〉(2008) 같은 블록버스터blockbuster영화들이 산업에 활력을 불어넣었다.

글로벌 규모로 볼 때 아프리카 시청각물 생산의 증가가 놀라운 특성을 보이는바, 이는 1990년대와 2000년대 나이지리아영화가 부상한 덕분이었다. 나이지리아영화는, 할리우드와 발리우드 제작의 이상과는 달리, 처음에는 베타 캠코더Betacam에, 오늘날에는 디지털 비디오의 비디오 기술에 거의 독점적으로 의존했기에 전적으로 다른 배경에서 등장했다. 2009년 유네스코는 날리우드Nollywood〔'나이지리아Nigeria'와 '할리우드Hollyhood'의 합성어〕를 매년 제작되는 영화 편수에서 세계에서 두 번째로 큰 영화산업으로 추정했다. 이곳은 미국 영화산업보다 앞서 있었고 인도 영화산업의 뒤에 있었다.

날리우드의 역사는 1987년에 저예산 가나영화 〈지나부Zinabu〉가 나이지리아에서 성공을 거둔 1980년대로 거슬러 올라간다. 비디오 기술을 손에 익힌 케네스 네부에Kenneth Nnebue는 1990년대 초반에 요루바Yoruba어로 대중적 영화 제작을 시작했다.[23] 그는 치카 오누크우포르Chika Onukwufor와 함께 언어 장벽을 넘어 영어로 도덕 이야기 또는 성 착취에 관한 영화 〈글래머 걸스Glamour Girls〉〔1994〕를 제작했다. 나이지리아에서는 많은 언어가 사용되었고 날리우드가 아프리카 전역에 시장을 확장할 수 있게 해준 능숙한 영어 영화 제작이 항상 이루어졌다.[24]

나이지리아는 아프리카의 모든 국가 중에서 인구가 가장 많고, 가장 큰 규모의 연담連擔도시〔집합도시〕conurbation 라고스는 대륙에서 두 번째로 인구가 많은 도시다(33장 참조). 라고스는 영화산업의 중심지이기도 하며 1990년대 이후 도시화의 확산이 명백해졌다. 날리우드영화는 스튜디오 대신 보통 나이지리아 전역의 호텔, 집, 사무실에서 촬영되며 대부분 라고스, 에누구Enugu, 아부자Abuja 같은 도시에서 촬영된다. 또한 필름 릴 대신 비디오 CD 형식으로 배포된다. 영화들은 스튜디오 밖에서 촬영되고 인구밀도가 높은 도시에서 소비된다는 점에서 아프리카의 도시 생활에 대한 특히 흥미로운 그림을 그린다. 게다가 나이지리아 비디오는 매우 인기가 있다. 수백만 명이 시청하며, 마법을 다룬 멜로드라마에서 기독교적 도덕 이야기, 공포 영화, 도시 액션물에 이르기까지 다양한 장르를 포함하고 있다.[25] 따라서 이 영화들은 아마도 현대 아프리카의 다른 어떤 문화상품보다 농촌과 도시 공동체의 상상력에 더욱 큰 영향을 끼쳤을 것이다.

결론

19세기 말 이후 영화는 도시의 표상에 강한 영향력을 행사했다. 그러나 영화문화를 도시 주변에 의미 있는 연결망을 만들어놓은 것으로 보는 것만이 중요한 게 아니다—영화문화는 거의 측정할 수 없는 방식으로 수행되었다. 영화는 그 자체로 19세기 말과 20세기 시작 시기에 런던, 파리, 뉴욕, 베를린 같은 도시에서 주요한 매력이자 도시 활동이었다. 영화 제작은 유통망에서 전 세계가 연결된 최초의 산업들 중 하나였으며, 도시 이미지의 확산을 다시 심화시킨 세계화globalization의 부상 과정에 분명하게 한몫했다. 이 글로벌 네트워크는 영화 개봉 첫날부터 거의 전 세계에 배급되게 했으나, 상품의 흐름은 지역적으로 달랐다는 점에서 항상 편향적이었다. 일부 영화들은 세계적으로 유통되는 반면, 다른 영화들의 영향은 지역의 배후지로 제한된다. 작은 나라들에서는 영화가 흔히 국내시장을 겨냥해 의식적으로 만들어져왔다. 1920년대 후반과 1930년대 초반 유성영화의 도래는 구어spoken language

의 역할을 중요하게 만들어 영화 상거래의 구조에 영향을 끼쳤다. 영화 제작은 주앵빌에서 치네치타, 상하이에서 뭄바이에 이르기까지 재능 있는 새로운 이들을 채용하려는 창의도시creative city의 모델 역할을 하는 고유한 전용 중심지나 '영화타운film town'을 발전시켰다.

1920년대와 1930년대에 영화는 특히 서양에서 도시 대중문화의 지지자였다. 영화는 증가하는 소비자 문화와 밀접하게 연관되어 있었고, 광고 수단으로 이용되었다. 동시에 영화는 도시 생활에 대한 패권적 시각을 표현했으며 도시 생활과 농촌 생활 사이 이분법을 날카롭게 만들었을 수도 있다.

제2차 세계대전 이후 영화의 역할은 유럽과 북아메리카 외부 지역에서도 중요했으며 그 영향은 점차 더 넓은 범위의 미디어로, 처음에는 텔레비전과 비디오로, 이후에는 디지털 미디어 및 인터넷으로 통합되었다. 영화는 도시경험의 구축자이자 동시에 그 자체로 풍부한 문화유산을 만들어냈으며, 사회문제를 논의하고 향후 도시개발의 방향성을 상상하는 플랫폼 역할을 했다.

주

1 Hannu Salmi, *Nineteenth-Century Europe: A Cultural History* (Cambridge: Polity, 2008), 21.

2 *Uusi Suometar*, 28 June 1896.

3 예를 들어 Erkki Huhtamo, "From Kaleidoscomaniac to Cybernerd: Notes toward an Archaeology of the Media", *Leonardo*, 30:3 (1997), 224.

4 다음도 참고하라. Tom Gunning, "An Aesthetic of Astonishment: Early Film and the (In)credulous Spectator", in P. Simpson, A. Utterson, and K. J. Shepherdson, eds., *Film Theory: Critical Concepts in Media and Cultural Studies*, vol.3 (London: Routledge, 2004), 79.

5 Georges Mélièes, "Cinematographic Views" (1907), in Richard Abel, *French Film Theory and Criticism: A History/Anthology, 1907-1939* (Princeton: Princeton University Press, 1988), 36-37.

6 Yingjin Zhang and Zhiwei Xiao, eds., *Encyclopedia of Chinese Cinema* (London: Routledge, 1998), 139.

7 Miriam Bratu Hansen, "Fallen Women, Rising Stars, New Horizons: Shanghai Silent Film as Vernacular Modernism", *Film Quarterly*, 54:1 (Autumn 2000), 15. 다음도 참고하라. Yingjin Zhang, *The City in Modern Chinese Literature and Film: Configurations of Space, Time, and Gender* (Stanford, Calif.: Stanford University Press, 1996).

8 Hansen, "Fallen Women, Rising Stars, New Horizons: Shanghai Silent Film as Vernacular Modernism", 10.

9 Zhang and Xiao, *Encyclopedia of Chinese Cinema*, 325.

10 Ibid. 321-322.

11 Farid El-Mazzaoui, "Film in Egypt", *Hollywood Quarterly*, 4:3 (Spring 1950), 246.

12 Joseph Dorinson and George Lankevich, "New York City", in P. C. Rollins, ed., *The Columbia Companion to American History on Film: How the Movies Have Portrayed the American Past* (New York: Columbia University Press, 2003), 439.

13 Hannu Salmi, "Success and the Self-Made Man", in Rollins, ed., *The Columbia Companion to American History on Film*, 598.

14 John C. Tibbets, "The Small Town", in Rollins, *The Columbia Companion to American History on Film*, 457-458.

15 Kimmo Ahonen, "Treason in the Family: Leo MacCarey's Film *My Son John* (1952) as an Anticommunist Melodrama", in H. Jensen, ed., *Rebellion and Resistance* (Pisa: Plus-Pisa University Press, 2009), 121-136.

16 〈베를린 특급〉에 대해서는 Stephen Barber, *Projected Cities* (London: Reaktion Books, 2003), 64-69.

17 ClD에 대해서는 Jyotika Virdi, *The Cinematic ImagiNation: Indian Popular Films as Social History* (New Brunswick: Rutgers University Press, 2003), 100-103.

18 Philip Hanson, "The Politics of Inner City Identity in 'Do the Right Thing'", *South Central Review*, 20:2/4 (Summer-Winter, 2003), 47-66.

19 Zhang and Xiao, *Encyclopedia of Chinese Cinema*, 246.

20 Silja Laine, "Pilvenpiirtäjäkysymys". *Urbaani mielikuvitus ja 1920-luvun Helsingin ääriviivat* (Turku: K&H, 2011), 221-222.

21 예를 들어 Norman K. Klein, "Building Blade Runner", *Social Text*, 28 (1991), 147-152.

22 Iain Ball, "The Fall of Bollywood", *Movie Maker*, 23 March 2003. Cf. T imothy J. Scrase, "Television, the Middle Classes and the Transformation of Cultural Identities in West Bengal, India", *Gazette: The International Journal for Communication Studies*, 64:4 (2002), 323-324.

23 John C. McCall, "Nollywood Confidential: Toe Unlikely Rise of Nigerian Video Film", *Transition*, 95 (2004), 99.

24 Pierre Barret, ed., *Nollywood: The Video Phenomenon in Nigeria* (Bloomington: Indiana University Press, 2009), 9.

25 McCall, "Nollywood Confidential", 100-101.

참고문헌

Barber, Stephen, *Projected Cities* (London: Reaktion Books, 2003).

Barret, Pierre, ed., *Nollywood: The Video Phenomenon in Nigeria* (Bloomington: Indiana University Press, 2009).

Charney, Leo, and Schwartz, Vanessa R., eds., *Cinema and the Invention of Modern Life* (Berkeley: University of California Press, 1995).

Clarke, David B., ed., *The Cinematic City* (London: Routledge, 1997).

Mennel, Barbara, *Cities and Cinema. Routledge Critical Introductions to Urbanism and the City* (New York: Routledge, 2008).

Rajadhyaksha, Ashish, *Indian Cinema in the Time of Celluloid: From Bollywood to the Emergency* (Bloomington: Indiana University Press, 2009).

Rollins, Peter C., ed., *The Columbia Companion to American History on Film* (New York: Columbia University Press, 2006).

Salmi, Hannu, *Nineteenth-Century Europe: A Cultural History* (Cambridge: Polity, 2008).

Shiel, Mark, and Fitzmaurice, Tony, eds., *Cinema and the City: Film and Urban Societies in a Global Context* (Oxford: Blackwell, 2001).

Virdi, Jyotika, *The Cinematic ImagiNation: Indian Popular Films as Social History* (New Brunswick: Rutgers University Press, 2003).

Zhang, Y ingjin, *The City in Modern Chinese Literature and Film: Configurations of Space, Time, and Gender* (Stanford, Calif.: Stanford University Press, 1996).

Zhang, Y ingjin, and Xiao, Zhiwei, eds., *Encyclopedia of Chinese Cinema* (London: Routledge, 1998).

제40장

식민도시
Colonial Cities

토머스 R. 멧캐프
Thomas R. Metcalf

식민도시colonial city는 국가가 국경 밖의 해외영토overseas territory에 권한을 이식한 정복과 정주 과정의 결과였다. 근대에 식민도시들은 유럽 제국주의의 산물이었고 국제적 자본주의 확산의 산물이었다. 그 가장 이른 초기의 도시들은 16세기 스페인〔에스파냐〕과 포르투갈의 아메리카와 아시아 정복에서 비롯했다. 이어 네덜란드, 프랑스, 잉글랜드, 후에 일본과 미국의 제국주의가 부상하면서 식민도시들이 전 세계 곳곳으로 퍼져나갔다. 온대기후 지역의 식민도시에서는 주로 백인 정주민들이 거주했다. 열대지방에서는 보통 토착민들에 대한 유럽 엘리트들의 통치가 이루어졌다. 식민주의colonialism의 종식과 함께 식민도시 대부분이 각자 위치한 새로운 자유국가free nation의 도시 중심지urban centre가 되었다. 최근 수십 년 동안 이러한 많은 도시는 인구밀도가 높은 거대도시 복합체〔복합단지〕metropolitan complex로 성장했다.

식민도시는 학자들의 연구 대상으로서 지난 반세기 동안 상당한 사학사적 성과를 거두었다. 그중 뛰어난 것은 앤서니 킹Anthony King의 연구로, 그의 《식민지 도시개발Colonial Urban Development》(1976)은 처음으로 이 분야의 매개변수를 제시했다. 그 후 탈식민이론가들은 도시 형태를 제국 연구를 위한 '텍스트text'로 독해했다. 그 결과 식민도시는 '제국적imperial'이라고 부를 수 있는 유럽의 거대도시와 중심적 결절 장소에 대한 지역민의 요구사항을 수용하기 위해 시간이 지남에 따라 자연스럽게 생겨난 도시 둘 모두와 근본적으로 다르다는 것으로 널리 이해되었다. 이 장에서는 시간이 지남에 따라 발전한 식민도시의 성장과 특성을 평가할 것이다. 먼저 근대 초기와 19세기 제국의 전성기를 살펴본 후 설계 및 계획, 거버넌스, 독특한 정주민도시, 탈식민화decolonization의 영향을 중점적으로 고찰할 것이다. 이를 통해 식민지 도시주의colonial urbanism가 신흥 자본주의 세계질서의 성장에 밀접하게 연결되어 있었다고 —그리고 도움을 주었다고— 주장할 것이다. 그러나 동시에, 식민지 도시주의 과정은 서로 다른 유럽 열강이 추구했던 다양한 정책들과 마찬가지로, 스스로 발견한 새로운 도시세계를 받아들이려 노력하고 이를 형성하는 데 도움을 준 지역민의 활동에 의해서도 영향을 받았다.

근대 초기 도시

스페인인들과 포르투갈인들이 아메리카의 아바나와 베라크루스에서 동인도제도의 고아Goa와 말라카〔지금의 믈라카〕에 이르기까지 설립했던 도시들은 식민지배의 시작과 그들이 지배했던 지역의 세계 자본주의 경제로의 통합을 알렸다(19, 20장 참조). 무엇보다도, 이 도시들은 해적 및 경쟁적 유럽 열강에 대항해 식민지의 권위를 안전하게 해준 함대를 보호할 수 있는 항구를 제공했다. 또한 일반적으로 중심지에 도시민들을 보호하는 요새를 가지고 있었다. 이 도시들은 자신이 제공한 기회와 안전을 이용하려 이곳으로 몰려든 상인, 무역인, 그 외 여러 부류 사람들의 범세계적 인구를 창출했다. 패러다임과 같은 사례는 1571년에 형성된 스페인령 마닐라였다. 스페인령 마닐라는 아카풀코Acapulco에서 태평양을 가로질러 보내진 멕시코의 은이 중국의 비단, 자기, 여타 사치품과 교환되는 장소로 번성했다. 산티아고Santiago 요새는 파시그Pasig강이 마닐라Manila만으로 흘러드는 곳으로서 스페인 총독과 수도사들이 거주하는 인트라무로스Intramuros를 경계하고 있었다〔'인트라무로스'는 스페인어로 '성곽[성벽] 안'이라는 뜻이다〕. 그곳의 광범위한 중국인 무역 공동체는 성곽 바로 바깥에 있었다. 다른 히스패닉 식민도시들과 마찬가지로 마닐라는 멕시코의 정복과 함께 처음 확립된 도시 디자인의 요소들로, 무엇보다도 직사각형 구획과 중앙광장, 통치자들의 기독교적 열정을 표현하며 거대하게 세워진 바로크 교회들로 형성되었다.[1]

17세기부터 국제적 경쟁이 치열해지면서 영국과 네덜란드의 팽창적 무역회사들과 이보다는 조금 덜했던 덴마크와 프랑스 기업들의 진출로 식민지 항구도시port city는 그 수가 증가했고 규모가 커졌다. 그 중 가장 두드러진 도시는 자바의 네덜란드령 바타비아(〔지금의 자카르타〕 1619)와 영국령 인도 3개 주의 눈에 띄는 주도 마드라스(〔지금의 첸나이〕 1639), 봄베이(〔지금의 뭄바이〕 1661), 캘커타(〔지금의 콜카타〕 1690)였다. 조금 더 작았으나 인도 남동부 해안가 퐁디셰리Pondicherry(1674)는 프랑스인들에게 덴마크인들의 소규모 정주지 트랑케바르Tranquebar〔지금의 타랑감바디Tharangambadi〕와 거의 같은 기능을 했다. 도시성장urban growth의 속도와 형태는 대對유럽 수출무역의 요구사항에 의해 결정되었다. 수출품은 처음에는 주로 설탕·담배·향신료를 포함한 고급 제품이었으나 무엇보다도 손으로 만든 인도 직물로 구성되었다. 남아시아 식민도시들은 '공장factory'을 중심으로 이루어졌으며, 공장들은 유럽 기업의 대리인들[중개인]이 유럽으로 선적할 직물 및 여타 물품을 구매·보관하는 곳이었다. 유럽인들이 내륙으로 들어오는 경우란 거의 없어서, 무역의 성공 여부는 전적으로 '두바시'dubash(2개의 언어 구사)로 알려진 인도 중개인들에게 의존했다. 이들은 유럽 회사들에 상품을 조달했고, 퐁디셰리의 아난다 랑가 필라이Ananda Ranga Pillai처럼 흔히 이들 신생 식민타운colonial town의 가장 부유한 거주민 가운데 한 명이었다.[2]

이 초기 식민도시들은 번창했을지라도 처음이고 낯선 질병의 재앙에 무력했다. 열대지방에서 모험적인 유럽인은 항상 조기 사망의 위험에 처해 있었다. 특히 습지로 둘러싸인 저지대 항구도시가 모기의 번식지인 때문이었다. 18세기 캘커타에서는 "두 번의 몬순monsoon[즉 몇 년]이 사람의 생애"라고 말해졌다. 파크스트리트Park Street의 묘지에 우뚝 서 있던 오벨리스크들은 죽음의 근접성을 증언하는 것이었다. 바타비아에서 네덜란드인들은 자국의 운하를 재생산하려 노력함으로써 자신들을 죽음에 이르게 했는데, 물이 고이면서 모기가 번성한 때문이었다. 1850년까지 구도시의 상당 부분이 철거되었고 운하가 채워졌다. 말라리아의 서아프리카는 당연히 '백인의 무덤white man's grave'으로 언제나 악명이 높았다. 경쟁자들의 도시들을 포위 공격 하려고 파견된 유럽의 군인들은 극심한 위험에 처해 있었다. 1742년 잉글랜드는 콜롬비아 해안에서 스페인령 카르타헤나Cartagena를 장악하려던 성공하지 못한 시도로 약 2만 명을 질병으로 잃었다. 20년 후인 1763년 영국은 아바나를 점령했으나, 황열병黃熱病, yellow fever으로 군대가 떼죽음을 당하자 곧 원정을 포기하고 이 도시를 스페인에 반환했다.[3]

제국의 확대

시간이 흐르면서 무역의 구성과 규모가 바뀌었다. 19세기 초반에 산업혁명Industrial Revolution은 손으로 만든 인도 직물이 세계시장에서 더는 경쟁력을 갖추지 못하게 했고, 영국의 인도 내륙과 네덜란드의 인도네시아 내륙으로의 팽창은 무역과 아울러 세금으로도 식민국가들이 부를 창출할 새로운 기회를 열었다. 일단 영국인들이 델리를 점령하자, 갠지스 강어귀에 있는 캘커타의 입지는 이 도시가 내륙으로 1000마일이나 뻗어 있는 광대한 배후지hinterland의 모든 무역을 도시로 집중할 수 있게 했다. 수출무역은 점점 더 증가하는 유럽 소비자의 수요를 충족시키는 상품과 함께 제조품이 아닌 원자재를 포함했다. 캘커타 항구를 통해 청색 염료 인디고, 중국으로 향할 아편, 동東벵골산産 황마, 1850년대 이후 아삼Assam산 차茶가 수출되었다. 19세기 내내 캘커타는 인도의 수도이자 최고의 상업 중심지였다. 영국령 인도 군대가 남부와 서부 지역을 통해 식민지의 권한을 확장하면서 보조적 수도인 마드라스와 봄베이 또한 번창했다. 아시아 전역에서 도시성장은 1800년 이후 유럽의 상업과 기업가정신을 제한했던 오래된 상업 독점이 폐지되면서 더욱 자극받았다.

모든 항구도시에 광범위한 배후지가 있었던 것은 아니었다. 단지 전략적 해안 부지에 대한 통제를 확보하거나 확장된 해상여행에 대한 연료 보급 및 휴식을 목적으로 많은 수의 항구도시가 설립되었다. 부유했던 필리핀에서 마닐라의 위치에도 불구하고, 스페인 사람들은 도시를 키우는 것 외에 도시의 배후지 개발을 시도하지 않았다. 케이프타운(1654년 설립)에서 네덜란드동인도회사Dutch East India Company는 네덜란드와 독일에서 온 정주민들에게 채소를 재배하고 선원들에게 고기를 공급했지만, 내륙에는 거의 관심을 두지 않았다. 비슷한 방식으로 카르타헤나와 함께 아바나는 인근의 설탕농장에도 불구하고 1820년대까지 스페인 보물선들의 카리브해 기지로 주로 사용되었다. 1819년에 스탬퍼드 래플스Stamford Raffles 경이 설립한 싱가포르는 말레이반도의 전략적 끝에 위치해 호황을 누리고 있는 자유무역 중심지로서, 동남아시아 전체의 판매 및 환적용 상품을 도시 안으로 모았다. 내륙의 말라야는 50년 이후에야 영국의 지배를 받게 되었다. 인도양 입구의 아덴Aden(1839년 설립)은 동쪽으로 향하는 항로에 대한 영국의 통제를 강화했던 반면, 1898년 미국에 합병된 유명한 진주만Pearl Harbour을 보유한 호놀룰루Honolulu는 태평양 전역에서 미국의 우위를 확보했다. 프랑스인들은, 같은 방식으로, 아프리카의 황량한 서부 해안의 다카르Dakar(1857)를 대서양의 해군기지로 개발했는데 20세기 이전에는 내륙과의 연결이 거의 없었다. 사이공 및 하노이와 같이 번영하는 프랑스 식민도시들은 주요 강을 따라 위치했으나 광범위한 배후지를 개발하지는 못했다. 인근 메콩 삼각주의 풍부한 논은 사이공의 쌀 수출 무역을 보장했지만, 강의 상당한 상류에 위치한 도시의 입지는 역동적인 싱가포르와 바타비아와 효과적으로 경쟁하는 것을 방해했다.

새 도시가 번창함에 따라 더 오래된 식민타운colonial town들은 쇠퇴하거나 고립되었다. 새 도시 중 일부는 더욱 강력해진 영국인들이 경쟁자들을 밀어내고, 이와 동시에 무역의 흐름을 바꾸면서 다른 타운들을 무의미하게 만들며 등장했다. 페낭(1786)과 그 이후 싱가포르가 설립됨에 따라 말라카는 주요 흐름의 뒤로 물러나게 되었다. 영국의 홍콩 통제(1842)와 그 이후에 번화한 상하이 개항장[조약항]treaty port은 마찬가지로 포르투갈의 마카오를 좌초시켰다. 퐁디셰리와 고아는 외국인 거주지로 살아남았으나 마드라스와 봄베이에 의해 그늘로 밀려났다. 18세기 중반 인도에서 가장 번창했던 영국인 중심지 마드라스까지도 캘커타처럼 광범위한 배후지를 갖지 못해 19세기 내내 정체되었다. 북아메리카에서 프랑스인들의 퀘벡Québec은 주州의 수도로 유지되었으나, 주도의 역할은 영어 사용자가 지배적이고 번창하는 상업도시commercial city 몬트리올Montreal과 나중에 새로 정주지settlement로 만들어진 온타리오주의 호숫가 토론토Toronto가 대체했다. 같은 방식으로 이리Erie운하와 번화한 중서부와의 철도 연결로 뉴욕은 식민시대의 최고 도시 보스턴과 필라델피아를 밀어냈다(27장 참조). 서아프리카에서는 노예무역 폐지(1807)가 세네갈의 생루이St. Louis 같은 옛 노예무역 항구의 몰락을 가져왔다. 이후 수십 년 동안 새로운 팜유palm oil무역의 중심지 라고스가 1861년부터 영국의 식민지로, 나중에는 나이지리아의 수도〔1960~1991, 현재는 아부자〕로 성장했다. 동아프리카에서는 잔지바르Zanzibar섬의 오만 술탄국이 노예·정향·상아의 판매에 기반을 두고 번성했으나 1890년대부터 영국 제국에 편입되면서 정체되었다. 도시의 경제를 지탱하고 독특한 스톤타운Stone Town을 〔탄자니아의 인도양 섬 잔지바르에〕 건설한 인도 기업가와 장인들은 우간다철도Uganda Railway〔1895~1929년 운영된 영국의 국영 철도회사로 우간다 내륙에서 케냐의 인도양 항구도시 몸바사까지 철도를 건설했다〕의 종착역으로 번성한 영국령 몸바사Mombasa로 이주했다. 잔지바르는 20세기 내내 조용한 뒷물로 남아 있었다.[4]

철도railway의 출현은 무역 네트워크를 크게 확장함으로써 거의 모든 빅토리아 시대〔1837~1901〕 후기 식민도시의 성장을 촉진했다. 인도에서는 캘커타에서 펀자브까지 이른바 그랜드트렁크철도Grand Trunk line가 콘포르Cawnpore(칸푸르Kanpur) 같은 새 산업 중심지를 만들면서 옛 갠지스강 타운을 약화시켰다. 이 철도와 수에즈운하(1869)가 유럽으로의 여행 시간을 단축함으로써, 인도의 수출무역의 많은 부분이 캘커타에서 자칭 '우릅스 프리마 인 인디스Urbs prima in Indis'〔'인도 최고 도시'〕 봄베이로 재배치되었다(30장 참조). 봄베이의 엄청나게 화려한 빅토리아 테르미누스Victoria Terminus〔'빅토리아〔여왕〕 종착역', 현재 뭄바이 자트라파티 시바지 마하라 터미널Chhatrapati Shivaji Maharaj Terminus〕는 봄베이의 가장 상징적인 구조물로 남아 있다. 이와는 대조적으로 프랑스령 인도차이나에서는 철도 체계가 식민지를 정치적으로 통합하는 것 외에는 별다른 목적을 달성하지 못했다. 주요 철도 노선은 남중국해 연안을 따라 1000마일〔약 1600킬로미터〕에 걸쳐 부설되었으나, 기존의 물길과 유사해서 무역이나 수입을 거의 창출하지 못했다. 1900년에 정점이었던 제국주의적 지배와 유럽의 번영으로 글로벌 무역의 양은 한 세기 동안 다시 볼 수 없는 수준에 도달했다. 식민도시들은 이러한 번영을 가능하게 했다.

아프리카에서는 식민도시 개발이 대개 팽창적 정복과 정주를 수반했다(33장 참조). 19세기의 마지막 20년 동안 아프리카 대륙의 유명한 분할로 주요 유럽 열강은 아프리카의 광대하고 흔히 인구가 적은 영토를 장악하게 되었다. 효과적 통제를 위해서는 내부 통신선 및 행정 중심지들이 필요했다. 새 도시 가운데 가장 두드러진 곳은 아마도 케냐의 수도 나이로비로, 이 도시는 철도 건설이 내륙으로 진행되면서 철도 캠프railway camp로 등장했었다. 이와 같은 방식으로 독일인들은 다루기 어려운 지역에 대한 행정적 통제를 확실히 하고자 식민지 수도인 빈트후크Windhoek를 남서부 아프리카의 중심부에 설립했다. 두 개의 식민지 수도—벨기에령 콩고의 레오폴드빌Léopoldville〔지금의 콩고민주공화국의 킨샤사Kinshasa〕과 프랑스령 적도아프리카French Equatorial Africa〔지금의 콩고공화국〕의 브라자빌Brazzaville—는 항해가 가능한 하류의 급류와 폭포들로 흘러가는 콩고강의 양쪽을 차지하고 있었다. 따라서 두 도시는 내륙에서 광대한 지역을 지배했고, 정글이 고무 대농장plantation으로 바뀌면서 번창했다. 몇몇 도시, 특히 나이로비와 남로디지아의 수도 솔즈베리Salisbury는 행정가들과 더불어 주변 지역에서 농경을 시작한 백인 정주민들의 요구를 수용하면서 성장했다.

전문화한 유형의 식민도시들도 19세기 후반에 성장했으며, 가장 두드러진 것은 광산 정주지mining settlement와 '고원高原 휴양지hill station'[식민지 관료계층의 여름 주재지]로 알려진 휴양지resort였다. 금과 은의 발견은 예외가 없이 지속이 불가능한 도시성장으로 이어졌다. 캘리포니아의 골드러시 이후 오스트레일리아의 '채굴'도시'digger' city 밸러랫Ballarat과 벤디고Bendigo가 그 뒤를 이었으며, 남아프리카의 다이아몬드 도시diamond city 킴벌리Kimberley와 인근 요하네스버그는 비트바테르스란트Witwatersrand 금광지대가 발견된 지 10년 만에 거주민 10만 명의 도시로 급성장했다. 이들 도시는 모두 귀금속의 힘을 증명한다. 벨기에령 콩고의 엘리자베트빌Élisabethville[지금의 루부바시Lubumbashi]과 북로디지아의 리빙스턴Livingstone은 비슷한 방식으로 광산 중심지로 남아 있게 되었는데, 이곳들은 무엇보다도 구리가 많았다.

'고원 휴양지'는 식민지 정주민과 행정가가 해발 5000~7000피트[1500~2100미터] 고도에 형성한 타운에서 열대의 더위와 질병으로부터 구제를 추구했던 19세기 후반의 산물이었다. 그러한 도시들은 인도에서 가장 많았으며, 심라Simla는 여름 내내 제국 정부를 수용했다(30장 참조).[5] 부분적으로 인도의 이전 경험을 모델로 한 고원 휴양지들은 동남아시아 식민지 전역에서, 말라야의 카메론하일랜즈Cameron Highlands와 프랑스령 베트남의 달랏Dalat에서부터 저명한 미국인 건축가 대니얼 H. 버넘Daniel H. Burnham이 설계한 필리핀의 미국식 도시 바기오Baguio에 이르기까지 번창했다. 한 여행자가 바기오를 모델로 한

달랏에 대해 "이 고원보다 더 쾌적한 온도를 찾는 게 불가능하다"라고 쓴 것처럼 공기는 매우 건조했고 낮과 밤으로 산들바람이 불었다.[6] 주민이 압도적으로 젊고 남성이었던 광산타운mining town과 달리 고원 휴양지의 인구는 여성과 어린이로 불균형하게 구성되었고, 고위 관리 및 요양 군인과 함께 어린이들은 고원에 자리한 많은 학교에 다녔다.

식민지의 도시 설계

식민도시가 아시아와 아프리카 전역에 설립됨에 따라 식민 당국은 도시 거주민을 인종적·민족적으로 서로 다른 이웃으로 구분해 분리하고자 시도했다. 이는 여러 형태를 취했다. 스탬퍼드 래플스가 도시 전체를 배치한 싱가포르에서 그의 원래 계획은 수변 지역을 따라 나란히 유럽인, 말레이인, 중국인 구역들을 창조해냈다. 이어 인도인 구역이 나타났다. 아주 이른 시점부터 마드라스는 '백인타운white town'과 '흑인타운black town'으로 나뉘었다. 인도에서 유럽인 구역은 보통 '시빌라인스Civil Lines'로 알려져 있으며, 흔히 근처에 군 병영이 있는 인접한 토착도시indigenous city와 뚜렷이 대비되었다. 실제로 1857년 세포이항쟁 이후 19세기 후반에 알라하바드Allahabad의 사례와 같이 철도 노선은 자주 도시권urban area의 두 구간 사이에 가시적 장벽을 제공하려고 설정되었다. 라호르에서처럼 철도역들은 때로는 봉기가 발생할 때 피난처를 제공하는 거의 난공불락의 요새로 건설되었다.[7] 알제Alger에서도 프랑스인들은 처음에는 큰 광장들과 넓은 대로들로 오래된 〔구도심〕 카스바casbah〔qaṣba. 아랍어로 '성새城塞'〕와 분리한 해안지대Marine Quarter에 자신들의 시민 구역을 설립했다. 해안지대가 노동자 계급의 유럽인 구역으로 발전함에 따라, 이후의 도시계획은 유럽인 주거 정주지를 원주민 지역 너머의 남쪽으로 옮겼다.[8]

이처럼 도시 디자인이 부과한 분리는 유럽인의 신체를 질병으로부터 멀리 있게 해야 한다는 주장에 의해 대부분 정당화되었다. 식민지 세계 전역에서 유럽인들은 전염병학의 이해가 거의 없는 원주민들을 질병의 매개로 보았고, 무엇보다도 〔원주민들의〕 배변과 같은 문제에서 비위생적 관행과 불결한 습관이 있다고 간주했기에 유럽인 스스로가 이들에게서 멀리 떨어져 있기를 결정했다. 그런데 분리separation는 항상 실제보다 더욱 불분명했다. 유럽인들은 원주민 하인들을 고용했고, 사업가들과 관리들은 매일 〔원주민 구역과 유럽인 구역을〕 왔다 갔다 했다. 열대지방의 열기와 곤충들은 불가피하게 도시 전체에 스며들었다. 시간이 흐르면서 식민 정권, 특히 말라야와 미국령 필리핀의 공중보건 당국은 가정과 개인 신체를 중심으로 한 새로운 위생학sanitary science을 엄격히 시행함으로써 식민지인들의 위생 관행을 개혁하기 시작했다.[9] 그러나 지출은 공언된 의도와 보조를 맞추지 못했다. 1900년대 초반에 하노이 예산의 2퍼센트만이 위생에 사용되었는바, 이는 공공건물과 공무원 급여에 지출된 훨씬 더 큰 금액에 비교되었다.

유럽인들이 원주민 주거 관행에 보인 혐오감은 이러한 원주민들의 구舊도시들로 침투해 들어갈 수 없을 것으로 보였기에 더욱 굳어졌다. 집들이 빽빽이 들어차고 흔히 막다른 골목에서 갑자기 끝나는 좁은 꼬불꼬불한 차선에 유럽인들은 쉽게 불편함과 취약함을 느꼈다.

때로는, 특히 프랑스인들 사이에는 신비롭고 숨겨진 의미도 있었다. 알제의 카스바는 가장 눈에 띄게 동양의 마법을 환기했다. 카스바는 식민주의자colonialist들의 고유한 남성성masculinity에 관한 주장을 촉발했으며 감각적 유혹자인 '북아프리카의 요부vamp of North Africa'로 여겨졌다. 유명한 프랑스 건축가 르코르뷔지에Le Corbusier의 알제 목측도目測圖, sketch drawing는 사무실 건물과 부두〔선착장〕dock가 있는 일상적 도시세계 한가운데서, 베일에 싸인 머리 같은 카스바를 보여준다.

식민도시의 디자인은 결코 식민지 통치자들에 의해 위로부터 전적으로 부과된 것만은 아니었다. 실제로 최근의 한 저자가 주장했듯이, 식민도시를 건설하는 것은 흔히 통치자와 지역 엘리트들의 '합작사업joint enterprise'이었다. 봄베이에서는 파르시Parsi(〔인도 거주 페르시아인의〕 조로아스터교도) 기업가들과 자선가들이 도시 형성에 영국인들과 협력했다. 그들은 현지 건축가를 고용하고 부두, 병원, 교육기관 등 여러 주요 시민 구조물을 건설하는 데 앞장섰으며 유럽의 고딕 건축 양식을 자체적으로 만들었다.[10] 또한 인도 번왕국들의 군주인 하이데라바드Hyderabad의 니잠Nizam들과 보팔Bhopal의 베굼Begum들도 수도를 근대적 시민 구조물들과 계획된 동네들로 장식했다〔'니잠'은 하이라바드 번왕국藩王國, princely state의 군주를, '베굼'은 보팔 번왕국의 여성 군주를 가리키는 칭호다. 번왕국藩王國, princely state은 인도에서 영국령에는 속하지 않으면서 영국의 지도와 감독 아래 현지인 전제 군주가 통치하던 나라다〕. 샤 자한 베굼Shah Jahan Begum〔재위 1868~1901〕은 거대한 모스크mosque를 중심으로 샤하나바드Shahjahanabad로 지칭된 완전히 새로운 도시 중심지를 만들었다. 카이로에서 '유럽 스타일' 도시의 초기 개발과 미화는 1882년 〔영국의 이집트〕 정복 이전 몇 년간의 식민주의적 영국인이 아니라 헤디브 이스마일Khedive Ismail〔이집트의 번왕 이스마일 파샤Isma'il Pasha, 재위 1863~1879. '헤디브'는 통치자를 가리키는 칭호다〕의 작품이었다. 이후 식민시대에 도시의 추가 확장은 흔히 유럽 자본을 사용하면서도 당국의 직접적 통제가 없이 현지 토지개발회사의 주도로 이루어졌다.[11]

유럽인들은 열대지방의 도시 생활에 스스로 적응하려 노력하면서 현지인뿐 아니라 유럽 본토인과도 현저하게 다른 주택 양식을 개발했다. 18세기 후반부터 '궁전의 도시city of palaces'로 알려진 캘커타에서는 현지 벵골인 상거래 엘리트들이 유럽의 장식과 가구까지 갖춘 저택을 세웠지만, 남성 숙소와 여성 숙소가 분리된 전통적인 안뜰courtyard을 중심으로 내부에 초점을 맞추었다. 그러한 혼용hybrid 양식은 유럽인들에 의해 폄하되었으나, 캘커타의 유행에 민감한 초링히Chowringhee 구역에 걸쳐 있는 넓은 타운하우스town house의 신고전주의적 파사드façade〔정면正面〕 역시 마찬가지로 오해를 일으킬 소지가 있었다. 이 집들은 중앙에 큰 홀들이 있었고, 주변 방들은 사방으로 개방되어 있었으며, 방 각각은 외부 베란다에 자체 입구가 있었다. 이 개방적 배치는 모든 방에 쉽게 접근할 수 있는 것과 함께 집 안 전체의 환기가 방해받지 않게 해주었다. 문이 열리면서 하인들이 사방으로 미끄러지듯 쏟아져 나오는 식민지 저택은 유럽인의 타운하우스나 농촌 저택의 폐쇄적 내부 감각 혹은 사생활의 공간을 전혀 제공하지 않았다.[12]

더 작은 규모의 타운과 도시에서 표준적 식민지 주택은 방갈로bangalow였다〔원래 '방갈로'는 인도 벵골Belgal 지방의 독특한 양식을 지칭했다〕. 평범했을지라도, 방갈로는 더 큰 규모의 도시 거주지의 많은 특성을 보유했다. 캘커타 '궁전palace'은 유럽의 대저택으로 오인할 수 있었던 하나의 방갈로였다〔캘커타 '궁전'은 19세기 중반에 캘커타의 거상 자선활동가이자 예술품수집가 라젠드라 머릭Rajendra Mullick이 세운 궁전 같은 대저택으로 '대리석 궁전Marble Palace'으로도 불린다〕. 1층으로 되어 있고, 회반죽을 발랐으며, 개방적 접근과 넓은 베란다가 있는 방갈로는 보통 큰 대지의 중앙에 세워졌고 입구에는 문과 경비대가 있었다. 방갈로는 식민지 통치자가 피식민지인들과 분리되어야 하고 그들보다 우월하다는 확신을 과시하는 것이었다. 또한 이 주거 형태는 인도에 국한되지 않았다. 방갈로는 아프리카 전역과 함께 인도산 석고 마감재가 연철鍊鐵, wrought iron 장식으로 대체된 열대의 오스트레일리아 북부 백인 정주민 공동체에서도 뿌리를 내렸다.[13]

도시 방갈로는 식민지 유럽인들이 자신들의 젠더gender 관계에 대한 개념을 형성하는 무대였다. 백인 여성이 거의 없었던 18세기 캘커타와 바타비아 같은 도시의 유럽인 남성 거주민들은 정기적으로 지역 여성들과 밀통密通 관계를 발전시켰다. 비비스bibis(동반자companion)로 알려진 그 여성들은 〔존재가〕 노출되지 않게 신중하게 숨겨졌으며 그 둘 사이 결합으로 태어난 아이들은 매우 드물게 아버지들에 의해 인정을 받았다. 그 결과, 인도와 인도네시아에서는 독특한 혼혈 공동체가 생겨났다. 주요 도시들에 집결한 이들 유라시아인은 유럽인과 원주민 모두에게 경멸을 받았다. 제국이 군건해지고 더욱 효율적인 교통이 가능해지면서 유럽 여성들이 결혼을 이유로 식민도시로 모이게 되었다. 방갈로에 자리 잡은 이들 여성은 인종적 경계를 유지하고 빅토리아 시대의 도덕적 가치를 유지할 것으로 기대되었다. 백인 여성의 '순결

purity'에 대한 위협은 종종 실제라기보다는 상상이었으나, 1857년 인도인들의 봉기 이후 원주민에게 가혹한 보복이 가해졌다.

프랑스의 식민적 도시 디자인은 영국의 사례와 많은 특징을, 특히 주거 분리를 공유했다. 그러나 프랑스 계획자들은 문명화 사명mission civilisatrice의 보편주의universalist 원칙과 보존주의preservationist의 열정 사이에 발생하는 끊임없는 긴장으로 분열되었다.[14] 1860년대부터 인도차이나에서 프랑스 통치의 초기 수십 년 동안 흔히 '동화주의assimilationist' 전략이라고 일컬어지는 것이 우세했다. 프랑스인들은 동양에서 오스만식 파리의 전망을 재현하려 특히 시민용 건물과 넓은 대로를 창조하면서 장엄함을 과시하는 것을 추구했다. 이 모방의 대부분은 정주한 식민지 인구인 농장 주인들과 사업가들의 욕망에 따른, 그들에게 친숙한 것에 대한 반응이었다. 사이공이 아마 그 전형적인 사례일 것이다. 시 원도심에는 아르데코art déco 양식의 화려한 우체국 건물, 호화로운 오페라하우스, 마르세유에서 조각으로 수입된 건축 자재로 세워진 우뚝 솟은 성당, 인접한 카티네Catinet 거리를 따라 들어선 카페, 파리 시청을 모델로 한 호화스러운 바로크 양식의 시청이 밀집해 있었다. 이는 영국인의 사례와 현저하게 대조적이었다. 식민지 영국인들은 자신들의 클럽들로 몰려든 반면에 식민지 프랑스인들은 서로 어울려 사교할 수 있는 장소를 찾았다. 이 도시적 결집에서 주목할 것은 우체국 건물의 명확한 위치다. 거대한 빅토리아 테르미누스역과 인도의 관문으로 알려진 아치형 착륙장이 있는 봄베이는 유럽과 봄베이 너머에 있는 〔인도〕 아대륙을 향해 바깥으로 동시에 눈을 돌렸다. 그런데 사이공 거주민들은 편지를 부치면서 눈길을 유럽에만 주었다.

20세기 초반에 회의론자들은 이 '겉치레뿐인 풍자화pretentious caricature' 같은 건축에 의문을 제기하기 시작했다. 그 결과, 동화assimilation는 프랑스인들이 '결합association'이라고 부르는 것에 서서히 자리를 내주었다. 도시계획은 군사 기술공학자들 손에서부터 보자르beaux-arts〔건축〕 교육을 받은 건축가에게 위임되었는데, 이들은 식민지 민족의 문화적 형태가 존중받을 만하다고 주장했다〔'보자르 건축Beaux-Arts architecture'은 프랑스 국립 미술학교인 에콜데보자르École des Beaux-Arts에서 1830년대부터 19세기 후반 사이에 가르친 건축 양식으로, 프랑스 신고전주의의 원칙을 기반으로 하면서도 고딕적 요소 및 르네상스적 요소를 통합하고 철과 유리 같은 현대적 재료를 사용한 것이 특징이다〕. 베트남에서는 에르네스트 에브라르Ernest Hébrard가, 모로코에서는 앙리 프로스트Henri Prost가 식민도시를 개조하기 시작했다. 에브라르에게 결합이란 무엇보다도 토착적 요소들을 시민용 건물에 통합하는 것을 의미했다. 다양한 지역과 시대에서 도출된 디자인 특성을 혼합하는 이러한 관행은 인도에서 유사하게 나타났던 영국의 관행을 따른 것으로, 1860년대부터 흔히 볼 수 있는 이른바 인도 사라센 건축Indo-Saracenic architecture은 무굴 제국 및 이와는 다른 역사적 형태를 사용해 평범한 식민지 우체국과 철도역을 '인도답게' 보이게끔 하는 것과 관련이 있었다.

더욱 광범위한 것은 모로코에서 총독 루이 위베르 곤잘브 리요테Louis Hubert Gonzalve Lyautey의 방향성 지침 아래 이루어진 프로스트의 활동이었다([도판 40.1] 참조). 프로스트와 리요테는 함께 식민도시에서 '오래됨old'과 '새로움new'의 지속적 대립을 재규정했다. 인도의 시빌라인스 방갈로를 집단화한 것과는 달리, 리요테는 라바트Rabat와 카사블

[도판 40.1] 카사블랑카의 중앙우체국, 아드리앵 라포르그Adrien Laforgue, 1920년 (출처: Henri Descamps, *L'Architecture moderne au Maroc*, 1930. 다음에서 복제되었다. Gwendolyn Wright, *The Politics of Design in Colonial Urbanism*, University of Chicago Press: Chicago, 1991, 109)

랑카Casablanca 같은 도시들의 구舊도심인 메디나medina에 인접한 신도시nouvelle ville를 건설했다. 이후 더 오래된 지역은 그대로 보존되었다. 모로코에 대해 한 비평가는 1930년에 "서양적 생활의 실험실이자 오리엔트적 생활의 보존실"이라고 썼다.[15] 넓은 직선대로, 엄격한 건축적 통제, 이슬람식 아치를 근대주의적 대중화의 명확한 단순함으로 통합한 건물들이 있는 신도시들은 이상화한 '근대'도시'modern' city를 예시했다. 실제로 식민지 신도시들은 리요테 같은 사람들에 의해 바로 프랑스에서 〔적용가능한〕 자체적 도시 디자인 모델로까지 인식되었다.

기존의 메디나는 매우 온정주의적인 권위주의적 조례로 영원히

변하지 않고 유지되도록 포고되었다. 잠재적 인구성장population growth 이나 지역적 이익을 고려하지 않은 이 어리석은 보존주의 이념은 관광객들에게 '이국적exotic' 조망을 제공했으나, 시간이 흐르면서 메디나 내부의 심각한 인구 과밀을 불러왔고, 근처의 모든 공터에 비동빌bidonville(판자촌)의 증가를 가져왔다. 이와는 대조적으로 영국은 고대 기념물과 유적지의 유지에는 전념했지만, 기존 도시를 온전하게 보존하려는 어떠한 노력도 하지 않았다. 예를 들어 19세기 후반 델리는 철도가 도시를 통과했고 넓은 지역이 군사용으로 허가되어 도시경관urban landscape의 3분의 1에 거주가 사실상 불가능해졌다. 게다가 시간이 흐르면서 델리의 동네neighbourhood들이 변모했다. 예전 무굴 제국 엘리트들이 더욱 가난해지면서 한때 화려했던 델리의 저택들은 분할되어 팔렸고, 무단점유인squatter, 장인, 소규모 상점 주인들에 의해 장악되었다. 많은 부분이 소규모 제조업의 중심지가 되기도 했다. 인구가 급증하는 상황에서 1930년대 영국은 델리를 개선할 목적으로 신탁을 설립하며 도시의 성장을 규제하고 혼잡을 완화하려 했지만 헛수고였다. 그럼에도 무굴 제국의 성벽 안에는 현재까지도 마찬가지로 빈민가와 불결한 곳만 남게 되었다.[16]

프랑스인들은 행정 편의를 위해 때때로 식민지 수도를 변경했지만—인도차이나의 수도를 사이공에서 더 시원한 북부 하노이로, 모로코의 수도를 내륙의 페스Fès에서 해안의 라바트로, 영국인들은 인도의 수도가 될 완전한 신도시를 건설했다. 격동적인 캘커타의 정치활동을 피하고 개척지, 군주, 여름철 수도인 심라에 더욱 가까이 다가가려는 열망에 이끌려 영국인들은 1913년에서 1931년 사이에 자신들의 새로

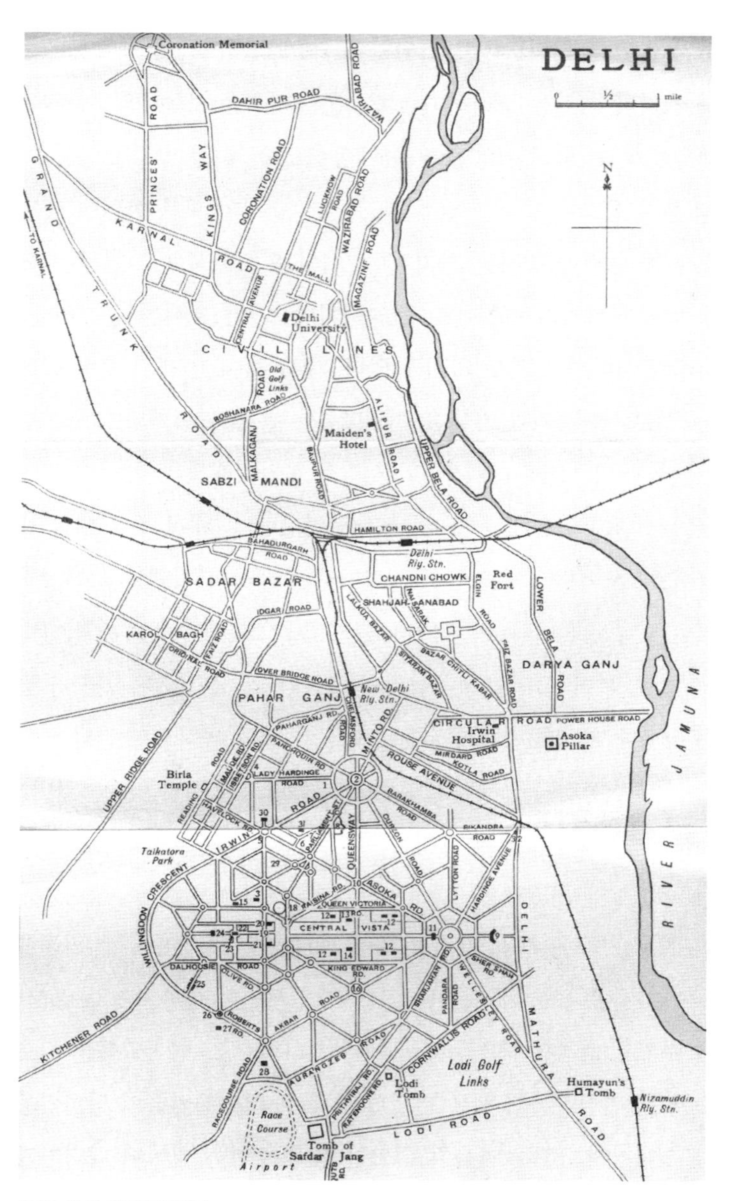

[도판 40.2] 델리의 배치도

운 '제국의 델리Imperial Delhi'를 이전 무굴 제국의 델리에 인접하게 건설했다. 새 수도를 설계하는 데 인도 정부는 두 저명한 영국 건축가를 고용했다—에드윈 루티언스Edwin Lutyens는 도시의 배치와 총독궁을 설계했고, 허버트 베이커Herbert Baker는 남아프리카공화국에서 20년 동안 일한 인물로 행정사무국과 관련 구조물을 설계했다.

루티언스와 베이커는 모두 보자르 건축의 고전주의적 형태가 영국이 만든 세계 제국을 가장 강력하게 표상한다는 점에 동의했다. 그럼에도 그들은 토착 디자인 요소들을 통합하려 했다. 혁신적이고 상상력이 풍부한 루티언스는 불교의 사리탑과 닮은 돔으로 놀라울 만큼 독창적인 총독 거주지를 창조했다. 좀 더 전통적인 베이커는 인도 기원의 차단막, 작은 탑, 처마장식cornice을 고전주의적 외관에 단순하게 추가했다. 배치에서 신도시는([도판 40.2] 참조) 육각형의 형태를 취했는바, 이는 총독궁과 중앙의 행렬용 도로에 초점을 맞추었다. 정원도시garden city 운동의 이상에 의해 형성된 이 도시에는 웅장한 경치와 나무가 늘어선 넓은 대로가 있었다. 이 도시의 여러 부문은 서로 다른 집단에 꼼꼼하게 할당되었다. 고위 관리들은 인도 군주들과 함께 중심부 근처에 광범위한 택지와 널찍한 방갈로를 확보했고, 다른 관리들은 먼 교외suburb와 소규모 거주지로 밀려났다.[17] 놀라울 것도 없이 신도시의 낮은 인구밀도는 인구가 과밀한 이웃 구도시와 현저하게 대비되었다.

도시 거버넌스

거의 필연적으로 식민도시들은 범세계적 인구를 생성했다(35장 참조). 노예 인구, 그리고 나중에는 흑인 인구와 혼혈 인구가 자메이카의 킹스턴 같은 도시에서 우세했으며 1800년 이후 백인 인구는 급격히 감소했다. 케이프타운은 한편으로는 네덜란드와 영국, 다른 한편으로는 마다가스카르와 인도네시아에 이르기까지 멀리 떨어진 땅에서 정주민들을 끌어들였다. 1833년까지는 많은 사람이 숙련된 장인과 공예인으로 고용된 노예였다. 시간이 지남에 따라 그들은 토착민 코이Khoi와 섞여 독특한 케이프타운의 유색인 공동체를 형성했다. 싱가포르와 사이공에서 마닐라와 랑군에 이르기까지 동남아시아 전역에서 중국인들은 중개인, 소매상, 금융가로서 무역과 상업을 지배했다. 사이공은 식민도시에서 강을 건너 자급자족하는 중국인 도시 중심지를 쩌런Cholon에 소유하고 있었고[쩌런은 사이공강 서안에 자리한 베트남 최대의 차이나타운이다], 싱가포르에서는 주민 대다수가 항상 중국인이었으며 경쟁 가문들이 아편과 여러 상품의 무역을 통제하는 문제를 놓고 싸웠다. 싱가포르는 또한 카스트caste와 지역에 의해 자체적으로 구분되는 규모가 큰 인도인 공동체를 수용했다. 서아프리카는 레바논 상인들을 대규모 도시 인구로 포함하고 있었고, 동아프리카에서는 인도 상인들이 애초부터 술탄 정부와 노예무역에 자금을 대며 잔지바르에 정주했다. 인도 상인들은 19세기 후반에 처음에는 해안을 따라 몸바사로 이주한 다음, 내륙의 멀리 떨어진 타운들로 이주해갔는데 이는 우간다에서 가장 두드러졌다. 때때로 외부인들은 19세기 중반의 캘커타처럼 지역 엘리트들을 밀어내기도 해서, 그곳에서는 북쪽에서 온 이주민 집단인 마르와리Marwari가 영국인들과 함께 벵골의 바드라로크bhadralok(존경받는 카스트, 〔문자적 의미는 '신사' '예절 바른 사람들'〕)를 상거래에서 몰아내 이들이 토지에 기반을 둔 활동을 하게 만들었다. 지역 주민이 대규모 무역이나 금융 분야에서 입지를 유지하는 경우는 거의 없었다. 한 가지 주목할 예외는 봄베이로, 오랫동안 정주해온 파르시 공동체가 먼저 조선업에서, 이후 중국으로의 수출무역에서, 궁극적으로는 제조업에서 인도 면직물산업의 창시자로 성장했다.

모든 식민도시에서 노동자labourer들은 시골로부터 몰려들어 부두〔선착장〕에서 노동자worker로, 거리에서 행상으로, 또는 부유층의 가정에서 하인으로 일자리를 찾았다. 그 결과, 도시 인구가 종종 폭발적으로 늘어났다. 사이공은 인구가 1860년에서 1923년 사이에 6000명에서 10만 명으로 증가했고, 20세기 중반에는 170만 명에 이르렀다. 처음에는 해군기지에 지나지 않았던 다카르까지도 1905년까지 2만 5000명의 인구를 보유했고 1938년에는 프랑스령 서아프리카의 행정수도로 인구가 10만 명에 이를 정도로 급성장했다. 전쟁 중과 전쟁 후 식민지에 대한 투자의 마지막 분출로 1950년에 다카르는 거의 인구 50만 명의 도시 중심지가 되었다.

이처럼 번창하는 식민도시에서 질서를 유지하려 통치자들은 여러 전략을 고안했다. 하나는 경찰, 군인, 이에 더해 식민지 밖에서 온 하급 공무원들의 고용이었다. 프랑스는 세네갈 병사들을 제국 전역에 배치했고, 영국은 인도에서 동남아시아 전역에 걸쳐 키가 크고 터번을 착용하는 시크교도를 고용했다. 일례로, 상하이에서는 1908년에 자치체가 경찰력으로 500명의 시크교도를 고용했으며, 세기가 바뀔 무렵 싱가포르는 2000명의 해협〔정주지 예비군〕병력에 약 300명의 시크교도를 고용했다. 인종과 외모로 구분된 이들은 지역 인구를 위협하는 데 쉽게 이용될 수 있었다. 교육받은 남아시아인들 역시 해외에서 복무했다. 약 8500명의 실론계 타밀Ceylon Tamils족은 사무원부터 역장까지 말레이 철도회사들에서 모든 숙련된 직업을 가졌다. 고아Goa 출신과 여러 지방 출신의 인도 이주민들도 마찬가지로 우간다철도의 중간 수준의 일자리를 독점했다.[18]

많은 치안 유지 활동은 '카피탄Kapitan'으로 지명된 공동체 지도자들에게 위임되었던바, 중국인 공동체, 말레이인 공동체, 싱카포르 페낭의 여러 공동체, 그리고 영국인들이 거의 존재하지 않았던 말라야 내륙의 소규모 타운들에서 그러했다. 19세기 초반에 이러한 공동체 지도자들은 법정을 열어 사소한 분쟁을 해결했다. 이후에 그들은 흔히 평화의 재판관이란 권한을 부여받았고, 임명을 받아 식민지 자치제 사무국에 통합되었다.[19] 카라치Karachi〔파키스탄〕에서는 1870년대에 17개 '원주민 공동체'가 자치체위원회에 대표자를 보냈다. 장엄한 시청이 존재한다는 것이 사이공 주민들이 시市의 거버넌스governance에 많은 발언권을 가지고 있었음을 의미하지는 않는다. 처음에 군인 총독 휘하에 놓인 사이공은 1877년부터 14명의 위원으로 구성된 시의회를 두었는데, 베트남인 위원은 2명에 불과했다. 선출직 의회로의 변화는 매우 느리게 이루어졌다. 인도에서는 캘커타만이 19세기 후반에 광범위한 선거권franchise에 의해 설립되고 식자층 인도 공동체에 의해 통제되는 활기찬 자치체가 있었다. 더 일반적인 것은 인도 서부의 수라트Surat의 상황으로, 시의회는 리펀Ripon 경[조지 프레더릭 사무엘 로빈슨]의 1883년 지방정부 개혁 이후에야 선출된 위원을 포함했다. 이마저도 재산이 있는 한정된 유권자가 선택한 이들이었고 위원 30명 가운데 15명에 지나지 않았다.[20]

그와 같은 유순한 대표들은 유럽인 시장이나 지역행정관의 감독 아래에서 식민지 통치자들에 의해 시작된 개혁에 대한 자신들과의 약속을 항상 주장했고 대개 당국과 우호적으로 협력했다. 대표들은 "서양인처럼 사려 깊은 정책을 펴고 결정을 따를 수 있다는 것을 증명해야 한다"는 관리들의 가르치려 드는 설교조의 말을 자주 들어야 했지만, 여전히 식민 정부와 눈에 보이는 결합은 이들 유명 인사들의 영향력 있는 시민 지도자의 지위를 강화했고, 종종 상당한 후원을 그들에게 제공했다. 그러나 이러한 명사들이 보통 식민 관리들에 의해 정해진 정책 방향에 상당한 권한을 갖는 경우는 드물었다. 그리고 세금 문제와 공동체 사이에 자원의 차등 배분에 대한 의견 불일치가 자주 발생했다.

잘못 구상된 개혁과 사소한 행정규정은 지역 주민들의 적대감을 불러일으켰다. 싱가포르에서는 상점 앞 도로를 따라 보행자용 그늘진 길을 제공하는 하늘을 가린 보도가 주요 분쟁이 되었다. 1850년대의 자치체 조례는 시 위원들이 이동을 방해하는 장애물을 철거할 수 있는 권리를 주장했다. 그러나 상점 주인들은 흔히 이 베란다에서 상품을 분류하거나 보관했고 행상들은 이 그늘에서 좌판을 열었다. 베란다를 강제로 제거하려는 1888년의 노력은 폭동을 촉발했다. 그 후 식민 정부는 대개 비효과적인 벌금과 기소로 방향을 바꾸어 이 공공장소에 대한 권한을 확실히 했다.[21] 캘커타에서는 정부와 선출된 도시 위원회 사이의 적대감이 너무 강렬해 1899년에 총독 커즌 경Lord Curzon〔조지 커즌 George Curzon〕은 선출 위원 수를 줄이도록 강요했다. 이에 인도인 위원 28명이 항의의 표시로 즉각 사임했다.

식민도시의 범세계적 인구의 존재가 도시 상인과 전문직 엘리트들 사이에 부르주아 공론장bourgeois public sphere이라고 부를 수 있는 공유된 시민문화의 성장을 막지는 못했다. 시간이 흐르면서 무엇보다도 교사와 변호사, 자발적 결사체, 출판사, 학교만이 아니라 크리켓팀으로 구성된 토착 식자층 공동체가 성장한 것처럼, 도시 생활과 새로운 서양의 사상을 받아들이려는 거주민들의 노력이 새로이 급성장하는 거대도시metropolis에서 확산했다. 이러한 개혁적 조직 가운데 가장 주목할〔라자 람 모한 로이Raja Ram Mohan Roy가 창설한 종교단체인〕 캘커타의 브라흐마 사마지Brahmo Samaj는 식민시대 이전의 사회를 규정한 많은 관습과 규범, 이에 더해 종교적 신념에도 의문을 제기했다.* 메카로 가는 순례 항로의 한복판인 동남아시아 중심부에 자리한 자유무역 싱가포르의 입지는 자유주의만 아니라 이슬람 개혁의 활발한 논의를 장려했다. 해외 중국인들〔화교〕 사이에서는 씨족 조직이 같은 언어, 씨족, 출신 지역의 이주민을 통합했으며, 자위自衛에 헌신하는 비밀결사체들은 고향을 떠난 젊은이들을 도우며 경쟁했다. 거의 유일하게, 프리메이슨 집회소masonic lodge는 토착민과 유럽인 회원들을 똑같이 거의 동등한 조건으로

* 브라흐마 사마지는 1828년 브라만교의 관습 개혁을 목적으로 창립된 힌두교 종교 공동체 운동이다. 종교, 사회, 교육 발전을 추구해 현대 인도 형성에 기여했다.

환영했다.

식민도시에서 여성의 지위는 종종 모호했다. 토착민 엘리트의 남성 구성원은 종종 프랑스어 또는 영어를 구사하고, 유럽식 복장을 하고. 유럽인의 감독 아래에서 일하는 직업을 가졌다. 그러나 가정은 캘커타와 같은 도시에서 '식민화되지 않은uncolonised' 공간을 의미했다. 가정은 여성이 교육을 받지만 영국화하지 않아야 하는, 남편의 동반자이지만 겸손해야 하며 무시당하는 곳이었고, 따라서 식민주의 아래에서 다른 방식으로 폄하된 문화의 덕성을 지탱하는 곳이었다. 인도네시아의 정체성 부활로 결국에는 밀려났으나, 바타비아는 다른 인도제도 도시들과는 대조적으로 활기차고 독특한 도시문화 '인디체indiche'를 받아들였는바, 이는 네덜란드와 인도네시아 요소를 모두 통합해 오랫동안 정착하고 번영한 혼혈 공동체의 산물이었다. 1920년대 상하이와 같은 범세계적 도시에서는 서양의 드레스와 화장법을 통해 전통의 지배에서 스스로 벗어나려 노력한 '모던걸modern girl' 개념이 등장했다.

정주민도시

백인 정주민들의 공동체가 주로 거주한 타운들—처음에는 식민지 아메리카에서, 이후에는 전 세계적으로—은 종종 '식민도시'의 개념적 범주에서 제외되었다. 아사 브리그스Asa Briggs는 영향력 있는 저서 《빅토리아 시대의 도시Victorian Cities》(1963)에서, 6개 영국 도시에 대한 설명과 함께, '빅토리아 시대의 해외 공동체a victorian community overseas'에 멜버른을 포함했다. 게리 매기Gary Magee와 앤드루 톰슨Andrew Thompson은 《제국과 세계화Empire and Globalization》(2010)에서 초국가적 '영국 세계British World'를 식별하려고 노력했다. 이 세계에서 해외 정주민들은 그들의 영국 사촌들과 함께 영국 서적, 피아노, 자본, 의류, 여타 물품의 보급에 기반을 둔 공통의 상업 및 문화에 관여했다.

그런데 이 도시들도 마찬가지로 식민도시였다. 확실히 식민도시의 위계적 구조는 그 성격이 달랐고 도시들 사이에서 넓은 스펙트럼을 넘나들었다. 그 한쪽 끝에는 백인 정주민들이 대규모 원주민 사이에서 특권층 소수민족으로 살아간 도시들이 있었다. 이와 같은 도시들은 알제에서 나이로비, 솔즈베리, 남아프리카공화국의 번화한 도시 중심지에 이르기까지 아프리카 온대 지역에서 가장 흔했다. 그 다른 한쪽 끝에는, 오스트레일리아에서 가장 가시적으로 그랬듯이, 원주민이 적고 쉽게 분산된 지역에 세워진 정주지가 있었다. 아일랜드인 사이에 〔개신교 친목단체〕 오렌지회Orange order와 〔가톨릭 친목단체〕 하이버니안회Hibernian 지부가 확산한 것과 마찬가지로, 모든 정주민 공동체는 그들의 다양한 기원을 축하했지만, 이들 도시의 주거 패턴은 주로 인종이나 민족성보다는 부와 지위의 차이에 의해 형성되었다. 그럼에도 시드니와 멜버른과 같은 도시에서 식민 정부는 여전히 영국에서 온 관리들의 임명식과 식민지 총독의 호화로운 관저 설립을 통해서 자신의 권력과 존재감을 선언했다. 1870년대에 거대한 탑이 있는 정교한 이탈리아 양식으로 지어진 멜버른의 정부 청사는 언덕 꼭대기에서, 지금도 여전히 그러하듯이, 타운을 지배했다.

유럽인 정주지의 식민도시들은 아시아·아프리카의 식민도시들과 마찬가지로 항구로 설립되었고, 그 일차적 기능은 내륙에서 유럽으로 향하는 선박으로 원자재를 제공하는 것이었다(43장 참조). 인도의 캘커타와는 유사하고 영국의 맨체스터와는 달랐던 이들 도시는 제조업이 아닌 금융, 도매업, 창고의 중심지였다. 식민지 제조업의 첫 징후는 19세기 후반에서야 나타났고, 이후 인도에서는 처음으로 봄베이에 섬유산업의 토대가 마련되었다. 정주민 식민지settler colony에서 소비재 제조는 오직 보호받는 현지 시장의 성장과 함께 나타났다. 1881년에 멜버른 남성 노동력의 약 25퍼센트가 제조업에 종사했지만, 그러한 활동은 결코 도시를 지배하지 않았고 양모 수출로 유지되던 경쟁 도시 시드니에서도 전혀 중요하지 않았다.

정주민타운settler town은 관습적으로 건물 구획에 의해 세분된 거리의 직사각형 격자망 위에 배치되었다. 애들레이드Adelaide(사우스오스트레일리아)는 누군가 거주할 수 있도록 허락되기 전인 1830년대에 윌리엄 라이트William Light 대령에 의해 상호 연결된 거대한 구역들 위에 배치되었다. 아메리카 도시들과 비슷한 방식으로 이들 식민타운들은 무분별하게 교외로 확장했고, 인구밀도가 낮았으며 호황과 파산을 거듭한 토지 투기 시기에 촉진되었다. 이러한 성장의 가장 놀라운 사례는 확실히 멜버른을 꼽을 수 있다.[22] 1850년대에 금이 발견되면서 '경탄할 만한 멜버른Marvellous Melbourne'으로 알려진 이 도시는 1880년대까지 거의 50만 명의 인구를 창출했고, 도시를 새로운 교외와 연결하는 철도와 전차 노선의 광범위한 네트워크를 형성했다. 그 10년 동안 도시에 대한 모든 민간자본 투자의 절반 이상이 주택 개발에 투입되었다. 그 정점은 1888년의 거대한 100주년 박람회〔멜버른 식민지 100주년 기념

국제박람회Centennial International Exhibition〕였다. 3년 이내의 파산, 은행 사기, 공황, 잉글랜드 자본의 철수로 인해 멜버른은 10년 동안 깊은 불황의 시대를 맞았고, 궁극적으로는 영국의 문화 대신에 미개간지와 '광부digger'를 기념하는 독특한 오스트레일리아 민족주의nationalism의 성장으로 이어졌다.

탈식민화

시간이 흐르면서 식민도시는 식민지 민족주의 운동이 전개되는 데 도움을 주었다. 인도국민회의Indian National Congress, INC의 첫 세 차례 회의는 봄베이(1885), 캘커타(1886), 마드라스(1887) 3개 주도에서 열렸다. 하지만 1920년 이후 모한다스 카람찬드 간디Mohandas Karamchand Gandhi의 등장으로 인도국민회의는 활동 대부분을 시골로 향하게 했다. 마찬가지로 식민도시의 거리는 민족주의 시위대와 식민지 경찰 및 군대가 대면하는 이상적 전장을 제공했다. 1919년의 암리차르Amritsar 대학살은 구르카Gurkha족 군사 파견대에 대항한 〔영국의 식민지배에 반대하는〕 비무장 시위대를 패퇴시켰으며, 간디를 인도국민회의의 지도부로 이끌었다.* 단연코 이러한 대면 중에서 가장 잔인하고 강렬한 영화의 주제는 이른바 '알제Alger 전투'(1954~1956)였다. 카스바의 구불구불한 좁

* '구르카'족은 네팔 중부 및 서부 산악지대의 용맹한 부족으로 19세기부터 영국의 용병으로 활약했다. 애초 인도 중부의 힌두교 부족으로 14세기경 이슬람교에 쫓겨 네팔 지역으로 이동했고, 18세기 중반 구르카 왕조 혹은 네팔 왕조로 알려진 네팔의 통일 왕조를 세웠다.

은 길과 골목길은, 이 도시의 베일을 둘러쓴 여성들조차 프랑스에 대항하는 맹렬한 투쟁에 참여케 한 반反식민주의 게릴라 저항 운동에 자양분을 공급했다. 프랑스는 궁극적으로 봉기를 진압했으나, 이 사건은 1962년 프랑스 식민 지배의 종식〔곧 알제리의 독립〕을 예고했다.

독립이 도래하면서 이전의 식민도시들은 민족생활의 구조에 통합되었다. 이러한 변화를 기념하고자 〔짐바브웨에서〕 솔즈베리의 명칭이 하라레Harare가 된 것처럼 일부 도시의 이름은 민족주의 정서를 반영하는 것으로 바뀌었다. 대부분의 도시들에서 동상들이 무너졌고 왕과 총독의 거리 이름이 민족 영웅들을 기념하는 이름에 자리를 내주었다. 알제에서 정부광장Place du Gouvernement은 순교자광장Place des Martyres으로, 프랑스 총독〔토마 로베르 뷔조Thomas Robert Bugeaud〕의 이름을 딴 뷔조광장Place Bugeaud은 1830년대 유명한 저항 운동의 지도자〔에미르 압델카데르Emir AbdelKader〕의 이름을 딴 압둘카디르광장Place Abdulkadir〔압델카데르광장〕으로 변했다. 때로는 이것이 어색한 결과를 낳을 수도 있었다. 큐폴라cupola〔돔 양식의 작은 지붕〕 아래에 보호되는 조지 5세George V의 거대한 동상은 뉴델리의 행렬용 도로의 맨 끝에 설치되었다〔조지 5세는 영국의 왕으로 인도의 황제(재위 1910~1936)를 지냈다〕. 동상이 철거되었을 때 그 자리에 무엇을 설치할 것인가에 대한 문제가 남았다. 명백한 경쟁자인 간디의 동상은 그와 같은 제국다운 환경에 부적절해 보였다. 그래서 붐비는 교통 순환 지점의 중심에 있는 큐폴라 아래는 오늘날까지 비어 있다.[23]

종종 식민지 구조물들은 단순히 폐허 상태에 놓이거나 싱가포르·홍콩에서 가장 두드러졌던 것처럼 새 건설공간을 확보하려는 목적에서 파괴되었다. 수백 개 식민지 방갈로와 클럽들이 그러한 운명을 맞았다. 뉴델리에서처럼 거처를 찾던 새 정부가 단순히 기존 건물로 이전한 경우도 드물지 않았다. 베이커가 설계한 사무국 건물에서의 생활은 전과 같이 계속되었다. 루티언스가 사용했던 궁전의 웅장함을 거부한 자와할랄 네루Jawaharla Nehru는 총사령관의 거처를 인수했고, 이곳은 이후 박물관과 도서관이 되었다. 하노이에서는 대조적으로 호찌민Hô Chi Minh, 胡志明이 예전 총독의 정원에 세워진 간소한 목조주택에서 베트남을 통치했다.

시간이 지나면서 많은 새로운 국가는 도시의 식민지적 과거가 자국 건축 유산의 일부임을 인식하게 되었고, 다른 이유에서가 아니라 관광을 장려하고자 그것에 대한 어느 정도의 보존을 정당화했다. 싱가포르는 1990년대 이후 가장 주목할 만한 자국의 식민시대 구조물들을 보존하고 회복하려 의식적으로 노력해왔다. 식민시대가 끝날 때까지 프랑스 및 바오다이Bao Dai, 保大 황제〔베트남 응우옌 왕조의 마지막 황제(재위 1926~1945)〕의 수도로 유지된 베트남의 식민지 고원도시hill city 달랏은 이제, 키치적kitschy이기는 하나 낭만적 신혼여행지로 〔도시의〕 새 삶을 시작했다. 민간기업은 델리의 임페리얼Imperial, 싱가포르의 래플스Raffles, 사이공의 마제스틱Majestic 같은 호텔에 이르는 많은 오래된 식민시대의 호화로운 호텔들을 개조했다. 영국과 미국의 예전 식민지와 프랑스령 서아프리카에서는 예전 식민 지배국의 언어가 여전히 거리에서 들린다. 그러나 바타비아에서 네덜란드어, 인도차이나에서 프랑스어의 존재는 역사책 외에는 거의 남아 있지 않다.

모든 곳에서 식민도시들은 인구가 수백만 명으로 급증하면서 그

나름대로 거대도시 중심지metropolitan centre가 되었다(30~33장 참조). 어디서나 자유시장을 중시하는 신자유주의neoliberalism의 도래를 기념하는 새로운 강철과 유리로 된 타워가 생겨났다. 식민지의 유산은 이제 눈에 보이는 현재의 작은 부분일 뿐이다. 그러나 그것은 수 세기 동안 서양의 패권 이후 얼마 전에야 종말을 고한 시대와 전 세계의 도시구조를 형성하는 데 도움을 주었던 시대를 상기시켜주는 것으로 남아 있다.

주

1 Robert R. Reed, *Colonial Manila* (Berkeley: University of California Press, 1977).

2 Susan Neild-Basu, "The Dubashes of Madras", *Modern Asian Studies*, 18 (1984), 1-31.

3 J. R. McNeill, *Mosquito Empires: Ecology and War in the Greater Caribbean, 1620-1914* (Cambridge: Cambridge University Press, 2010).

4 Abdul Sheriff, *Slaves, Spices and Ivory in Zanzibar* (Oxford: James Curry, 1987).

5 Dane Kennedy, *Magic Mountains* (Berkeley: University of California Press, 1996).

6 Eric Jennings, *Imperial Heights: Dalat and the Making and Undoing of French Indochina* (Berkeley: University of California Press, 2011).

7 J. B. Harrison, "Allahabad: A Sanitary History", in K. Ballhatchet and J. Harrison, eds., *The City in South Asia* (London: Curzon Press, 1980), 167-195.

8 Zeynap Celik, *Urban Forms and Colonial Confrontations: Algiers under French Rule* (Berkeley and Los Angeles: University of California Press, 1997).

9 Warwick Anderson, *Colonial Pathologies: American Tropical Medicine, Race, and Hygiene in the Philippines* (Durham, N. C.: Duke University Press, 2006).

10 Preeti Chopra, *A Joint Enterprise: Indian Elites and the Making of British Bombay* (Minneapolis: University of Minnesota Press, 2011).

11 Mercedes Volait, "Making Cairo Modern (1870-1950): Multiple Models for a 'Europeanstyle' Urbanism', in Joe Nasr and Mercedes Volait, eds., *Urbanism: Imported or Exported?* (Chichester: Wiley-Academy, 2003), 17-50.

12 Swati Chattopadhyay, *Representing Calcutta: Modernity, Nationalism and the Colonial Uncanny* (London: Routledge, 2005).

13 Anthony King, *The Bungalow: The Production of a Global Culture* (New York: Oxford University Press, 1995); W illiam J. Glover, *Making Lahore Modern: Constructing and Imagining a Colonial City* (Minneapolis: University of Minnesota Press, 2008), 특히 ch. 5.

14 Gwendolyn Wright, *The Politics of Design in French Colonial Urbanism* (Chicago: University of Chicago Press, 1991).

15 인용은 Wright, *Politics of Design*, 85.

16 Stephen Legg, *Spaces of Colonialism: Delhi's Urban Governmentalities* (Malden, Mass.: Blackwell Publishing, 2007).

17 Robert Grant Irving, *Indian Summer: Lutyens, Baker, and Imperial Delhi* (New Haven: Yale University Press, 1981).

18 Thomas R. Metcalf, *Imperial Connections: India in the Indian Ocean Arena, 1860–1920* (Berkeley: University of California Press, 2007).

19 Lynn Hollen Lees, "Discipline and Delegation: Colonial Governance in Malayan Towns", *Urban History*, 38 (May 2011).

20 Douglas Haynes, *Rhetoric and Ritual in Colonial India: The Shaping of a Public Culture in Surat City, 1852–1928* (Berkeley: University of California Press, 1991).

21 Brenda S. A. Yeoh, *Contesting Space: Power Relations and the Urban Built Environment in Colonial Singapore* (Kuala Lumpur: Oxford University Press, 1996).

22 Graeme Davison, *The Rise and Fall of Marvellous Melbourne* (Melbourne: Melbourne University Press, 1978).

23 Narayani Gupta, "The Democratization of Lutyens' Central Vista", in Catherine B. Asher and Thomas R. Metcalf, eds., *Perceptions of South Asias Visual Past* (New Delhi: Oxford University Press and IBH Publishing, 1994), 257–69.

참고문헌

Abu-Lughod, Janet, *Rabat: Urban Apartheid in Morocco* (Princeton: Princeton University Press, 1980).

Al-Sayyad, Nezar, ed., *Forms of Dominance: On the Architecture and Urbanism of the Colonial Experience* (Aldershot: Avebury, 1992).

Briggs, Asa, *Victorian Cities* (London: Odhams Books, 1963).

Butlin, Robin, *Geographies of Empire: European Empires and Colonies, 1880–1960* (Cambridge: Cambridge University Press, 2009).

Evenson, Norma, *The Indian Metropolis* (New Haven: Yale University Press, 1989).

Fuller, Mia, *Moderns Abroad: Architecture, Cities, and Italian Imperialism* (London:

Routledge, 2007).

Glover, William J., *Making Lahore Modern: Constructing and Imagining a Colonial City* (Minneapolis: University of Minnesota Press, 2008).

King, Anthony, *Colonial Urban Development: Culture, Social Power, and Environment* (London: Routledge, 1976).

Magee, Gary, and T hompson, Andrew, *Empire and Globalisation: Networks of People, Goods and Capital in the British World* (Cambridge: Cambridge University Press, 2010).

Nagy, Sharon, ed., "Urbanism: Imported/Exported", *City and Society*, 12: 1 (2000), 1-147.

Nasr, Joe, and Volait, Mercedes, eds., *Urbanism: Imported or Exported?* (Chichester: Wiley-Academy, 2003).

Oldenburg, Veena Talwar, *The Making of Colonial Lucknow, 1856-1877* (Princeton: Princeton University Press, 1984).

Ross, Robert J., and Telkamp, Gerard J., eds., *Colonial Cities: Essays on Urbanism in a Colonial Context* (Dordrecht: Martinus Nijhoff, 1985).

제41장

현대 거대도시

Contemporary Metropolitan Cities

천상밍
Xiangming Chen

헨리 피츠
Henry Fitts

이 장은 도시연구가 직면한 한 쌍의 근본적인 질문으로 시작한다. 첫째, 초기 도시는 어떻게 현대 거대도시metropolitan city가 되었고, 어떻게 21세기의 주요 도시 형태를 예고하는 거대도시의 변형이 되었는가? 둘째, 현재를 형성하고 미래를 재구성할 현대 거대도시의 가장 두드러지고 결과적인 차원은 무엇인가? 첫 번째 질문은 이 책의 1부 2부의 여러 장에서 제공된 장기적 관점을 요구한다. 이 장에서는 주로 이 과정의 최근 단계와 순열順列적 조합을 촉진하는 것이 무엇인지 밝히고자 도시의 현대 거대도시화metropolitanization에 초점을 맞추면서 이 질문을 다룬다. 두 번째 질문은 진화하는 거대도시의 다른 측면을 분류학적으로 살펴보도록 이끌지만, 우리는 그것의 본질과 복잡성을 포착하는 네 개의 주요 측면에 초점을 맞추고자 한다. 이 장에서는 이러한 이중적 초점들에 대한 조직과 광범위한 비교 렌즈를 통해 현대 거대도시에 대한 본질주의적이고 상대적으로 광범위한 논의를 제공할 것이다.

도시city들은 6000년 넘게 존재해왔으나 현대 거대도시는 발달 단계, 형태, 기능 면에서 그 역사가 짧다. 초기의 자료가 희소하지만 1800년 이전에 거대도시로 해석될 수 있는 도시는 손에 꼽힐 정도였을 것이다. 고대의 로마, 콘스탄티노폴리스, 알렉산드리아, 장안, 11세기에서 13세기까지의 바그다드, 항저우, 아마도 파리, 18세기 일본의 에도, 베이징, 런던 등이 그러하다. 이스탄불, 카이로, 파리와 같은 도시들은 초기에 일부 거대도시의 기능을 했으나 규모는 작았다.

저명한 경제사학자 폴 베로크Paul Bairoch가 지적했듯, "(50만 명 이상 거주하는) 많은 수의 매우 큰 규모의 도시의 출현은 (…) 사실상 산업혁명Industrial Revolution 이후의 발전 단계와 근본적으로 관련 있다."[1] 제1차 세계대전 당시 유럽(러시아 제외)만 해도 인구가 50만 명이 넘는 도시가 29개 있었다. 유럽에는 또한 인구 200만 명 이상의 중심지centre(베를린, 상트페테르부르크, 런던, 파리, 빈)로 5개가 있었으며 그 외 세계 전역에는 3개(뉴욕, 시카고, 도쿄)가 있었다. 18세기에서 21세기 초반까지의 긴 과정 동안 거대도시의 기본 문턱과 중요한 표식을 인구 100만 명으로 정하면, 대규모 중심지의 수가 급격히 증가했거니와 그곳들의 공간 분배도 변화하고 있었음을 알 수 있다([표 41.1] 참조). 유럽과 북아메리카의 인구 100만 명 이상 도시들의 세계적 점유율은 시간이 지나면서 감소했으나, 개발도상국 특히 아시아(중국과 인도)에서 가장 두드러지게 그러한 도시들의 수와 비율이 의미심장하게 증가했다. 2020년에 아시아의 인구 100만 명 이상 도시는 1950년과 비교해 10배 증가했고 전체 도시의 절반 이상을 차지할 것으로 여겨졌다. 이 긴 회고와 전망은 대규모 도시의 급증으로 세계적 차원의 도시화urbanization가 얼마나 멀리 그리고 빠르게 확립되었는지를 분명하게 제시한다.

초거대도시[메가시티]mega-city(인구 1000만 명 이상)의 고르지 않은 분포도 주목할 만하다. 초거대도시는 이미 2000년에 아시아에는 9개, 라틴아메리카에는 4개가 있었으나 중동에는 1개, 유럽에는 1개, 북아메리카에는 2개만이 있었다. 현대의 렌즈를 통해서 바라보면, 무엇이

[표 41.1] 거대도시(인구 100만 명 이상), 1800~2020년 (수치 및 비율)

연도	아프리카	아시아	유럽	라틴아메리카	북아메리카	중동	오세아니아	총수
1800		1						1
1850		1	2					3
1900		3 (21.4)	7 (50.0)		4 (28.6)			14
1950		30 (35.7)	31 (36.9)	7 (8.3)	13 (15.5)	3 (3.6)		84
1980	14 (6.0)	90 (38.8)	57 (24.6)	25 (10.8)	32 (13.8)	14 (6.0)		232
2000	33 (8.4)	174 (44.2)	63 (16.0)	49 (12.4)	41 (10.4)	28 (7.1)	6 (1.5)	394
2010	52 (11.1)	248 (52.9)	53 (11.3)	62 (13.2)	48 (10.2)	–	6 (1.3)	469
2020	62 (11.4)	306 (56.0)	52 (9.5)	67 (12.3)	53 (9.7)	–	6 (1.1)	546

출처: Paul Bairoch, *Cities and Economic Development: From the Dawn of History to the Present* (Chicago: Chicago University Press, 1991); "Globalisations: Countries, Cities and Multinationals", Jena Economic Research Paper, 42 (2009), 1–44; United Nations HABITAT, *Planning Sustainable Cities, Global Report on Human Settlement 2009* (Sterling, Va.: Earthscan, 2009)

주: 2010년과 2020년 자료는 유엔의 전망치이고 중동이 아프리카에 포함되어 있다.

도시인지에 관한 전통적인 정의와 개념을 거스르는 다양한 도시적 형태와 모양으로 도시를 외형적으로 확장하고 성장시키는 극적 과정을 발견하게 된다.

19세기에 200만 명의 인구를 가진 최초의 근대도시modern city 런던과 비교해 나고야-오사카-고베 초거대지역mega-region이 2015년에 약 6000만 명이 거주할 것이라고 상상하기는 개념적인 믿음의 비약일 것이다. 이 두 시점을 분리하게 하는 1세기 반의 세월에도, 그 거대한 규모의 차이는 근본적으로 본성이 변할 정도로 너무 확대되는 도시의 차원과 결과의 복잡성에 대해 넓고 깊게 생각하게 한다. 거대도시는 확대도시enlarged city를 설명하는 새로운 논리적 용어였음에도, 연결된 거대도시권metropolitan area의 인구학적·공간적 확산을 포착하기에는 점점 불충분하고 부정확한 용어가 되었다. 이 현상의 다양하고 점점 커지는 규모를 설명하고자 학자들은 종종 초거대도시〔메가시티〕mega-city, 메타도시meta-city, 하이퍼도시hyper-city, 슈퍼도시super-city, 네트워크도시networked-city, 클러스터도시clustered-city, 도시지역city-region, 지역(적) 도시regional city, 도시회랑urban corridor, 초거대지역mega-region, 초거대도시지역mega-city region, 새 도시국가new city-state 등을 포함해 많은 복합용어를 만들어냈다. 이 용어들을 아주 상세하게 다루지는 않겠지만, 현대 거대도시의 고정된 그리고 변화하는 특징 모두를 개괄적으로 살펴보는 것으로 이 장을 시작해보자.

거대도시 형태와 움직임 속의 도시

이번 장의 현대적 초점을 고려해, 우리는 거대도시를 단일 중심도시single central city라기보다 더욱 커다란 공간적 단위로 환기할 것이다. 거의 틀림없이 도시에는 거대도시로의 내재적 충동이 존재한다. 어떤 의미에서 이것은 디트로이트 같은 미국의 그리고 서유럽의 일부 오래된 산업화도시industrialized city의 최근 경험처럼 일부 도시가 발전의 특정 시점에서 축소될 수 있음에도, 모든 도시가 시간이 지나면서 그 규모가 커진다는 것을 의미한다. 또 다른 어떤 의미에서 이것은 도시 내부의 거대도시 씨앗이 성장하면서 도시가 취할 수 있는 다양한 형태를 가리킨다. 특히 20세기 내내, 21세기에 들어와서도 도시들이 확대되면서, 도시들은 더욱 눈에 띄는 거대도시의 규모와 구조를 향한 내부적 충동을 촉발했다. 이 과정은 도시의 공간적, 경제적, 정치적 차원의 점진적이며 때로는 가속적인 확장이 그 특징이다. 결단코 선형적이거나 균일하지 않은 도시의 거대도시화는 다양한 궤적, 논쟁적 과정, 격차와 지연, 국가적 맥락을 교차시키는 동시적 발산과 융합을 포함한다.

미국은 도시가 형태와 기능 면에서 가장 전형적으로 거대도시가 된 곳이며 거대도시에 관한 다른 국가·지역·현장의 변화를 논의하는 데 참고자료의 역할을 한다. 거대도시로 변모하면서 많은 미국의 중심도시들은 규모가 더욱 커졌으며 중심 도시에 인접하지만 조금 떨어진 곳에 별도의 정주지settlement를 형성하는 특징적 방식으로 외부로 확장했다. 시간이 지남에 따라, 이와 같은 독립적 장소들 가운데 일부가 더 많은 인구를 보유하면서 새로운 장소들이 거대도시의 더욱 먼 가장자리에 등장했다. 일반적으로 교외화suburbization로 알려진 이러한 지속적인 거대도시의 확장은 미국 도시를 끝없이 변화하고 분열된 파편화한 집적물로 규정하게 했다. 이 역동적 과정은 더 나아가 미국의 거대도시를 규모에 기반을 둔 장소를 넘어 지역 배후지regional hinterland 및 글로벌 유대를 맺는 여러 상호 연결된 핵nuclei 또는 중심지를 포함하는 네트워크 기반 체계로 이동시켰다.[2]

거대도시를 넘어서

끊임없는 움직임의 거대도시는 미국과 몇몇 국가에서 일종의 포스트 거대도시적post-metropolitan 개발 단계로 변모했다. 장 고트만Jean Gottman은 고전적 저서 《메갈로폴리스: 도시화한 미국의 북동 해안가Megalopolis: The Urbanized Northeastern Seaboard of the United States》(1961)에서 이러한 발전의 가장 눈에 띄는 초기 단계를 포착했다. 거대도시(메트로폴리스metropolis)와 마찬가지로 그리스어에서 유래한 메갈로폴리스라는 용어는 '극단적으로 큰 규모의 도시'를 의미한다. 고트만이 사용했던 메갈로폴리스는 거대도시보다 더 큰 규모의 도시에 대한 환기 외에도, 북쪽의 보스턴에서 남쪽의 워싱턴D.C.까지 500마일에 이르는 훨씬 큰 지역을 가리키는바, 이곳은 보스워시Bos Wash(보스턴과 워싱턴의 결합)로 알려지게 되었다. 두 곳 이상의 2차 중심지를 가진 하나의 거대도시권보다 커다란 보스워시 메갈로폴리스지역megalopolitan region은 농촌 지역 또는 건축물이 많지 않은 지역으로 분리된 여러 주요한 기능적 중심지를 포함한다.

고트만은 거대도시의 형태가 직전 수십 년 동안 로스앤젤레스 지역이 미국 거대도시 스프롤sprawl의 극단을 대표하면서 성장한 것 같은 형태로 나타날 것이라 예견했다. 《메갈로폴리스》가 나오고 40년 이후 출간된 《포스트 거대도시: 도시와 지역의 비판적 연구Postmetropolis: Critical Studies of Cities and Regions》(2000)에서 에드워드 소자Edward Soja는 이 포스트 거대도시 복합체post-metropolitan complex를 에지시티(경계도시)edge city 또는 외곽도시outer city, 출입통제 공동체(빗장 공동체)gated community, 새로운 민족적 교외 및 여러 독특하고 논쟁적인 공간에 점철된 파편화하고, 양극화하고, 글로벌화한 경관을 집합적으로 드러내는 6가지 주제로 묘사했다. 후기 산업화의 맥락에서 거대도시의 움직임이 계속 변화했기에, 1960년대부터 산업화한 아시아 일부 지역의 정주 양상은 도시와 농촌의 혼합적 특성과 과정을 드러내는 확장된 거대도시의 면모를 보여준다.[3] 비교증거comparative evidence는 우리가 설명해야 할 추가적 확장과 변화를 제시한다.

거대도시의 힘은 원심적 방식으로 서로 다르나 일부 유사한 진화의 길로 도시를 재형성한다는 점에서 아이러니하게도 다시금 규모효과scaling effect와 거대도시화의 규모 성과scaled outcome를 재검토하도록 요구한다. 그 과정에서 비어 있던 공간을 메우면서 더욱 멀리에서 성장한, 이에 더해 서로 인접해서 성장한 지배적이고 이차적인 거대도시들은 더욱 연결된 거대도시지역metropolitan region을 확장했다. 이것은 초거대도시(메가시티), 메타도시, 슈퍼도시, 도시클러스터city-cluster, 도시지역city-region, 지역 도시화regional urbanization, 초거대지역 및 글로벌도시

지역global city-region과 같은 일련의 새로운 서술용어의 사용을 촉발했다. 국제연합UN 등 광범위한 국제적 인정에 의하면, 초거대도시〔메가시티〕는 1000만 명 이상의 인구를 가진 도시를 말한다. 덜 합의되었고 정밀한 개념은 아닌 메타도시 또는 때로는 슈퍼도시는 최근 유엔과 주요 언론 매체에 의해 인구가 2000만 명이 넘는 도시를 지칭하고자 사용되었다.[4] 리처드 플로리다, 팀 굴든Tim Gulden, 샤를로타 멜랜더Charlotta Mellander에 따르면, 40곳의 초거대지역이 세계경제 성과물의 약 66퍼센트와 글로벌 혁신의 85퍼센트를 차지하고 있다.[5] 이들 초거대지역 몇 개는 산업화 국가들에 위치하고 일부는 유럽에서 국경을 넘나들기까지 하는 반면, 다른 곳들은 600만~8000만 명 인구의 장강〔창장강長江〕 삼각주 지역처럼 아시아와 중국 전역의 매우 확장된 경계에서 나타나고 있으며, 글로벌경제 동력이 되고 있다.*

이번 장의 나머지 부분에서 우리는 비교의 관점과 글로벌 관점에서 현대 거대도시의 4개 주요 주제적 차원인 부와 빈곤, 세계화, 거버넌스, 기반설비를 검토할 것이다.

거대도시 전역에서의 부와 빈곤

거대도시 내부에서 그리고 거대도시 전역에 걸쳐 분포하는 부와 빈곤

* '장강 삼각주'는 'Yangzi delta'의 번역어로, '양쯔강 삼각주' '장난江南 삼각주' 등으로도 쓰인다.

은 거대도시의 주요 특성 가운데 하나다. 도시의 거대도시화는 주변부periphery나 배후지hinterland와 비교해 원도심urban core에서의 부wealth와 빈곤poverty의 공존과 지속적 공간 변화를 반영한다. 빈곤, 불평등inequality, 사회적 분리social segregation에 관해 다룬 앨런 길버트의 36장과는 다르게, 여기에서는 거대도시 규모에서의 불평등과 관련한 사회적·공간적 측면에 더 정확하게 초점을 맞출 것이다. 미국과 유럽의 맥락에서 산업화industrialization와 탈산업화deindustrialization라는 보다 친숙한 경제적 결과에 대해 논의하겠지만, 우리는 가속화한 도시화와 산업화가 인구가 많은 개발도상국의 거대도시에서 부와 빈곤의 급격한 분할과 모호하게 함을 동시에 초래한 덜 알려진 과정을 면밀하게 조사할 것이다. 이러한 비교 초점을 통해 우리는 거대도시의 변화에 의한 더 넓은 범위의 재분배된 경제적 결과를 측정할 수 있을 것이다.

거대도시가 본질적으로 불평등한 것은 무엇보다도 거대도시가 되기 이전 원래의 도시가 불평등한 곳이었기 때문이다. 이러한 초기의 불평등을 자세히 추적하지는 않을 것이고, 그 대신 원도심의 영토 확장과 변화로부터 진화하는 거대도시의 부와 빈곤의 공간적 재분배를 살펴볼 것이다. 도시의 오랜 역사 대부분의 시기에 부는 부의 소유자와 창조자—자본가와 기업가—가 일하고 거주한 공간적 중심에 집중되어 있었다. 그들이 개인자산과 함께 교외suburb로 알려진 외곽 지역으로 이주한 이후에도 생산적 자산—은행과 공장—등은 산업도시의 중심부에 남아 있었다. 그곳에서 부의 집중은 빈곤의 지리적 근접성과, 낮은 임금을 받고 열악한 주택에서 사는 대규모 산업 노동력과 두드러지게 대비되었다. 미국과 서유럽 거대도시지역들의 중심도시로부터 제조업이 떠나면서 부와 빈곤의 균형에서 부는 새로운 부의 중심지인 교외로 기울어졌고, 원도심에서는 빈곤의 집중이 커졌다. 많은 수의 가난한 거주민은 흔히 실업자였고 주로 소수민족과 새로운 이민자였다.

거대도시지역의 중심지에서 주변부로의 부의 이동은 대항하는 복잡한 세력으로 인해 명백하고 완전하지 않았다. 많은 제조업이 중심도시를 떠났지만, 금융, 보험, 생산자 서비스로 구성된 고급 서비스 부문은 여전히 중심도시에 남아 있으며 아울러 이에 더해 그곳에서 더욱 집중되어 중심지를 비교적 부유하도록 유지시키고 있다. 이것은 주로 뉴욕 및 런던 같은 글로벌도시global city들에서 사실로 나타나며, 상하이 및 뭄바이와 같은 개발도상국의 많은 신흥 금융 중심지에서도 일종의 유사점을 찾을 수 있다. 금융, 부동산, 오락 산업의 성장이 일부 거대도시의 중심지에 재생과 새로운 부와 활력을 가져다주었는바, 이것은 부와 빈곤의 오래된 분할을 더욱 두드러지게 만들며 격화시켰다. [도판 41.1]이 보여주듯, 부유한 지역의 출입통제 (또는 벽으로 둘러싸인) 공동체는 브라질 상파울루에서 빈민가인 파벨라favela와 어깨를 맞대고 있다. 중심도시들 너머의 원형 교외 역시 부와 빈곤에 더욱 계층화되었고 분리되었다. 거대도시의 부와 빈곤 구조는 부유한 중심 지역과 가난한 주변 지역의 단순한 이분법을 크게 넘어 진화했고 더 발달한 도시들에서는 그 자체가 역전되었다.

더 새로운 대규모의 불평등. 선진국에서는 충분히 발달한 거대도시가 공간적으로 더 연계된 지역으로 진화했다면, 개발도상국의 조금 덜 발달한 거대도시는 더 빠른 성장과 더 넓은 공간의 확장을 겪고 있었다. 두 과정 모두 기존의 사회-공간적 불평등을 강화했거니와 새로

[도판 41.1] 브라질 상파울루에서 부유한 모룸비Morumbi 구역과 경계를 맞대고 있는 파라이소폴리스 Paraisópolis('천국의 도시') 파벨라(판자촌)

운 불평등을 만들어냈다. 발달한 거대도시 경우의 극단적 사례는 위기 이후의 디트로이트다. 2008년에 발생한 위기가 2009년에 악화되었을 때 디트로이트는 기초적 자치체 서비스를 제공하는 데 필요한 자금에 3억 달러가 부족했고 미국의 주요 도시 가운데 가장 높은 28.9퍼센트의 실업률을 기록했다. 오늘날 디트로이트는 미국에서 가장 가난한 주요 도시로 빈곤율이 전국 평균의 거의 3배인 34퍼센트이다. 이처럼 심각한 빈곤의 집중을 해결하고자 가장 기능적 장애가 있는 기관을 법정관리에 두고 정치적 영역을 넘어서는 문제는 인근 교외 자치체들과 협력할 것이 디트로이트에 요구되었다. 아울러 연방정부가 훨씬 더 작은 인구학적 기반, 더 밀집된 이웃 도시, 도시 정원, 예술시설, 오래된 공장 터에 지어진 놀이공원으로 경제적·사회적 활동을 개선하도록 하는

새 도시계획을 통해 디트로이트의 물리적 재생을 지원할 것을 요구하고 있다.[6]

유럽의 맥락에서는 4개 거대도시권역metropolitan agglomeration(베를린, 함부르크, 쾰른, 뮌헨)을 연결하는 초지역적 회랑 모양의 교통 기반설비에 고정된 다중심적이며 분권화한 도시체계urban system를 볼 수 있다. 이 지역화한 도시체계 내에서 독일 재통일 이후 20년 동안의 지역적 성장과 쇠퇴가 뚜렷이 차별화되었다. 예전 동독의 라이프치히Leipzig–할레Halle–비터펠트Bitterfeld 주변의 오래된 중공업 도시지역은 1995년부터 2004년 사이에 인구유출〔전출〕out-migration, 실직, 교외화로 8.1퍼센트의 인구 감소를 경험했다. 다른 한편으로, 슈투트가르트에서 남쪽과 남서쪽의 루르분지까지 뻗어 있는 회랑 내부와 회랑을 따라 자리하는 주요 거대도시 중심지들은 같은 기간에 다소간 안정적 인구를 유지할 수 있었다. 확대된 유럽연합EU이 서유럽의 더 오래된 도시지역 사이 격차를 재조정하는 난제에 대처하는 것처럼, 유럽연합은 동유럽과 중부유럽의 유럽연합 회원국들과 그 국가들의 이주 인구가 발생시킨 새로운 지역 불평등을 해결해야 하는 도전 과제에 직면해 있다.

국가 주도의 거대도시화 모델을 살펴보기 위해 상하이로 눈을 돌려보자. 경계가 광범위한 상하이 자치체는 18개 도시지구urban district 및 교외지구suburban district를 관리하는데, 그 일부는 농업 군county들이고 하나의 군은 2단계의 행정적 단위로 관리된다. 상하이 마스터플랜(1999~2020)은 자치체 정부가 교외로 115만 명을 이주하게 해 2000년 중심도시 인구 915만 명을 2020년까지 약 800만 명으로 줄이는 것을 목표로 했다. 이 계획의 핵심은 거대도시의 발전 속도를 높이고 중심

[도형 41.1] 여러 뉴타운, 위성도시, 교통 기반설비를 포함한 상하이 거대도시지역 (출처: Chen, Wang, and Kundu, "Localizing the Production")

도시의 밀도를 줄이려 상하이 주변에 9개 뉴타운과 1개 신도시를 건설하는 '상하이9개주성부중심上海九個主城副中心, One City-Nine Town'이었다([도형 41.1] 참조). 이 계획의 일환으로 상하이 교외권suburban area에서 총 140개 소규모 타운이 뉴타운의 일부분을 구성하도록 지방정부에 의해 제안되었다. 뉴타운이 되려는 경쟁은 실제로 대학 지구와 외국 제조공장과 같은 거대 프로젝트에 대한 타운십township들 사이의 다툼이었다['타운십'은 군구郡區 곧 country(군)의 하위 행정구역 단위다]. 뉴타운은 영국, 독일, 이탈리아, 스웨덴, 프랑스, 스페인, 오스트레일리아, 네덜란드를 포함한 서유럽 국가들의 특정 장소를 따라 설계되었다. 물리적 건물 유형과 경관은 이들 선진국의 생활조건과 생활양식을 모방하는 것이었다. 이에 따라 뉴타운과 세계화의 연계는 경제적 생산현장을 확립한 것만 아니라 지방정부와 거주민들이 글로벌 상징과 정체성을 포용하는 사회문화적 영역도 확립했다.[7]

이러한 계획된 교외개발suburban development로 일부 사람들이 인구가 밀집된 중심도시에서 빠져나왔을지라도, 뉴타운에서 비싼 주택을 매입한 사람들은 부유한 상하이 거주민, 서양에 거주하는 중국인, 투기성 해외 투자자들이었다. 상하이 안팅安亭의 게르만타운German Town〔중국명 안팅더궈전安亭德國鎮〕에 있는 바우하우스Bauhaus 양식의 아파트는 제곱미터당 평균 1000달러로 작은 2개 침실이 딸린 아파트의 경우 가격이 10만 달러 이상이며, 쑹장松江 템스타운Thames Town〔중국명 타이우스샤오전泰晤士小鎮〕 단독주택은 가격이 100만 달러에 이른다. 이들 타운은 대부분 농경지 한가운데에 있는 부유한 거주지가 되었다. 상업시설과 사회서비스의 부족은 이러한 부동산의 투기적 구매 및 주말 사용과 결부되어 뉴타운을 대부분 일상적 거주민이 없는 상태로 만들기에 유령타운ghost-town의 느낌을 준다. 상하이 거대도시 사례는 거대도시 인구의 균형을 재조정하려는 의도적 국가정책에서 비롯한 공간적으로 재분배된 부의 의도하지 않은 결과를 예시해준다.

세계화와 현대 거대도시

거대도시 개발 초기에 이미 그 국제적 영향력이 중요했지만, 세계화globalization는 지역 및 현지 규모에서의 초국가적인 경제적 상호의존성 구성 및 국경을 넘어 발전한 교통 및 통신 기술을 통해 최근의 거대도시에 훨씬 더 직접적이고 강력한 영향을 끼쳤다. 지난 30여 년 동안 경제와 문화 사이 상호작용이 커지면서 가속화한 세계화는 도시의 다양한 측면에 큰 영향을 끼쳤고, 어떤 경우에는 도시들을 완전히 재형성했다.

처음으로 1966년에 《세계도시The World Cities》를 출간한 피터 홀Peter Hall은 거대도시에 대한 글로벌 관점의 선구적 연구자 가운데 한 명이다.[8] 1980년대 중반, 지리학자 존 프리드먼John Friedmann은 세계도시world city들이 생산과 시장 확장에 대한 세계적 통제권을 행사하는 글로벌 도시위계urban hierarchy의 정점에 있는 소수의 거대한 도시지역urban region이라고 주장했다. 세계도시들은 또한 국제자본의 집중과 축적의 주요 장소가 될 것이었다. 사회학자 사스키아 사센Saskia Sassen은 1991년 《글로벌도시: 뉴욕, 런던, 도쿄The Global City: New York, London, and Tokyo》를 출간해 뉴욕·런던·도쿄에 대한 날카로운 개념화와 체계적 비교를 통해 글로벌도시의 연구에 결정적 영향을 끼쳤다.[9] 사센에 따르면, 글로벌도시는 (1) 세계경제 조직에서 고도로 집중된 지휘 지점, (2) 제조업을 대체한 금융 및 전문화한 서비스업 같은 선도적 산업의 핵심적 입지, (3) 이러한 선도적 산업에서 생산의 혁신적 장소, (4) 이들 산업의 제품 및 혁신을 위한 시장으로 기능한다.

세계화가 뉴욕과 런던에 끼친 영향은 명백하지만, 이와 같은 영향은 세계화가 지역적 성장에 큰 변화를 제공한 몇몇 지역을 포함해 많은 도시와 거대도시지역에 침입할 정도로 너무 잘 스며들고 심오했다.[10] 인도 캘커타 인근 라자라트뉴타운Rajarhat New Town은 글로벌 연결성이 강한 새로운 종류의 지역 장소로 떠올랐다. 인구 100만 명을 예상하

[도판 41.2] 인도 캘커타 인근 라자라트뉴타운의 고급 출입통제 아파트

며 통합적 타운십〔군구郡區〕로 계획된 라자라트는 1990년대 초반에 캘커타의 중핵도시core city 밀도를 줄이는 데 도움을 줄 자급자족의 성장 중심지로 구상이 되었다. 7598에이커(3075헥타르) 이상의 땅에 펼쳐진 이 뉴타운은 중심업무지구 내 사업, 무역, 산업, IT, 교육기관, 문화센터의 주요 허브hub로 개발되고 있다. 따라서 라자라트뉴타운은 부동산 벤처와 IT 산업이 캘커타 타운십 구상의 설계, 배치, 계획을 지배한다. 상하이 인근 뉴타운처럼 라자라트의 고소득 전문직 종사자들은 〔출입통제〕 문 너머의 고급 아파트에서 현지 빈민층과는 멀리 떨어져서 살아갈 것으로 예상된다([도판 41.2] 참조).

도시가 더 큰 거대도시의 규모가 되면, 글로벌 세력들의 지역적·

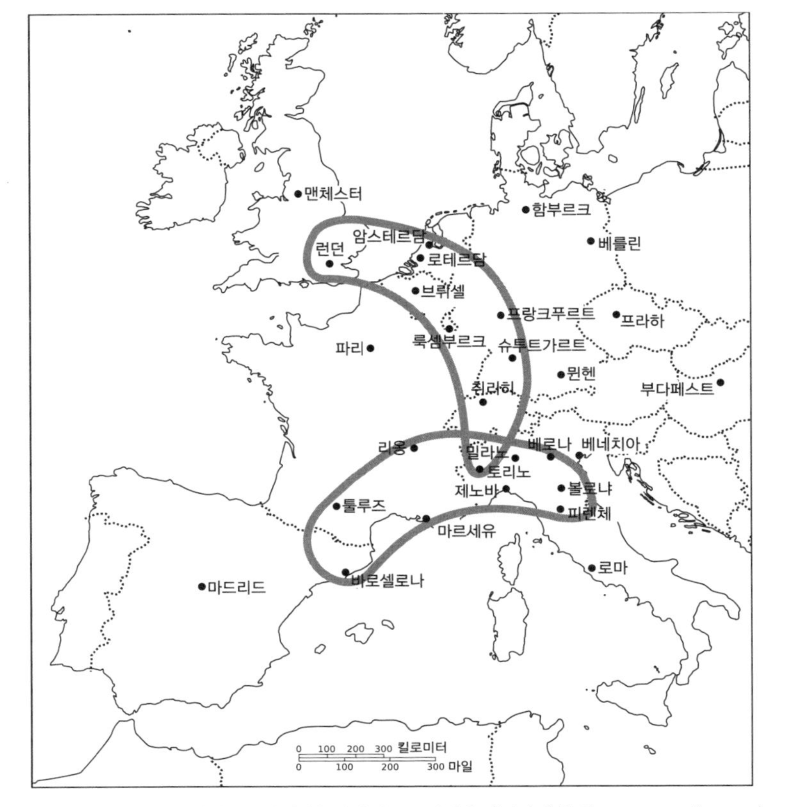

[도형 41.2] 국가들이 교차하는 도시지역을 나타내는 두 개의 유럽'바나나'(출처: Newhouse, "Europe's Rising Regionalism". Nick Bacon 재제작)

상호지역적 영향력이 확대되기 시작한다. 전통적으로 더 글로벌화한 유럽에서는 공간적으로 확장하고 국경을 넘는 두 개의 유럽 지역이 형성되었다([도형 41.2] 참조). '블루바나나Blue Banana' 또는 수직적 바나나vertical banana로 알려진 넓게 펼쳐진 하나의 지역은 영국 남동부의 런던에서 프랑스 북부, 베네룩스Benelux 국가들〔벨기에·네덜란드·룩셈부르크〕,

북부 이탈리아의 밀라노를 거쳐 스위스의 라인계곡까지 이어진다.* 이곳은 유럽연합의 통합을 통해 국경이 장벽효과barrier effect를 상실했다는 점에서 이웃하는 국가들 사이에 깊게 지역화한 역사적, 상업적, 문화적 유대를 그 특징으로 한다. 다른 '수평적' 바나나'horizontal' banana 또는 '그린바나나Green Banana'는 이탈리아의 베네토Veneto에서 서쪽으로 롬바르디와 피에몬테를 거쳐 론-알프스Rhône-Alps로, 프랑스의 지중해 연안과 배후지를 가로질러 카탈루냐까지 이어진다.** [11]

아프리카에서는 중국과 유럽의 도시들에 끼쳤던 일종의 긍정적인 글로벌-지역-현지의 효과가 거의 없다. 수출지향적 제조업의 공간적 결집 부족을 고려하더라도, 이웃 국가들을 가로지르는 원산지와 목적지도시〔도착지〕destination city 사이 무역의 흐름은 다른 유형의 장벽에 의해 심각하게 제한된다. 부르키나파소, 가나, 말리, 토고의 서아프리카 지역에서 말리의 수도 바마코Bamako에서 출발하는 수출품을 실은 트럭은 기니만의 가나 항구도시port city 테마Tema와 가나 수도 아크라Accra 근처의 대서양으로 가는 경로에서 100킬로마다 평균 검문소 4.8개를 지나며, 25달러를 지불해야만 하고, 38분씩을 낭비해야 한다.[12] 경찰에게 주는 뇌물, 정기적 임대료, 운송서비스 제공업체가 운송로 회랑을

* '블루바나나'로 불리게 된 것은 유럽에서 가장 산업화한 해당 지역의 블루칼라 노동자들을 환기하며 지칭했다는 설명이 있다. 1970년대 프랑스 지리학자 로제 브뤼네Roger Brunet가 유럽의 경제적·인구학적 주요 지역 회랑을 강조했고 이후 이를 확산한 연구자들이 당시 유럽연합의 국기 파란색을 염두에 두고 지칭했다는 다른 설명도 있으나, 스위스가 유럽연합 회원국이 아니어서 이 설명은 타당성이 다소 부족해 보인다.

** '그린바나나'는 산업체가 밀집된 '블루바나나'와 비교해 알프스와 지중해 지역의 자연환경을 강조하는 지칭이다.

따라 가져간 커다란 이익 등으로 고비용이 추가된다. 제조업 역량이 취약한 까닭에 불리한 이들 서아프리카 도시에, 지리적 근접성으로부터 개발 이익을 가져올 수 있고 가져와야 하는 지역의 경제, 공간, 운송 연결성 부족이 더욱 걸림돌이 되고 있다.

위의 사례에서 알 수 있듯, 세계화는 거대도시와 세계경제가 상호적으로 구성되고 서로를 형성하게 할 정도로 도시 주변의 특정 거대도시 및 지역적 역동성을 강화하거나 교착상태에 빠뜨렸다. 글로벌, 지역적, 국가적 도시체계의 제약과 이러한 제약에 대응하면서 성장할 개별 거대도시의 유연성 또는 자율성 사이에 긴장이 고조되고 있다. 이와 같은 긴장은 제약을 극복하거나 기회로 바꾸는 일부 도시들을 다른 도시들보다 경제적으로 더 좋아지게 할 수 있다. 그것은 몇몇 도시, 특히 저점과 한계점에서 출발하는 도시들이 그 체계 내에서 상승하고 그들이 예상했던 규모보다 더욱 많은 기능적 영향력을 달성할 수 있도록 해줄 수도 있다.

거대도시 관리하기

세계화가 거대도시에 더 큰 영향력을 행사하면서 거대도시를 관리하는governing 것이 점점 더 어려워지고 있다. 도시는 사회적·정치적·경제적 재생산에 필수적이지만 주변 지역, 국가행정, 글로벌 경쟁의 더 큰 맥락 속에서 존재한다. 현재 전 세계 70억 인구의 절반 이상이 도시권urban area에서 살아가고 있으며 일부 도시는 성장 가속화와 저소득층 인구의 대규모 집중적 출현과 관련된 거버넌스governance에 대한 도전에 직면해 있다. 동시에 다른 도시들은 자신의 영역border 밖에서의 성장과 거대도시지역에서의 갈등을 겪고 있다. 도시와 그 주변 거대도시지역의 경제적, 사회적 복지가 긴밀하게 연계되어 있다는 점은 절대적으로 명확하지는 않다. 도시들은 급변하는 시대에 성공하려면 전통적 정부 역할을 재평가해야만 한다. 여기에서는 서로 다른 층위의 정부가 거대도시를 관리하고, 도시가 제공하는 서비스에 재정을 지원하며, 도시의 성장 및 재개발을 계획하는 복합적인 역할을 평가해본다.

정부의 층위와 경계border. 자치체 정부는 거대도시의 중심부central portion를 직접 통치한다. 중심부는 흔히 교외 및 위성도시satellite city와 같은 요소를 포함하는 거대 지역보다 훨씬 작으며 종종 확장하기가 어려운 특정 경계로 영역을 이루고 있다. 시 정부는 이러한 경계 내에서 주민과 기업에 서비스를 제공한다. 서비스에는 치안 유지, 제설, 쓰레기 처리, 여타 도시 생활에 필요한 것이 포함될 수 있다. 시청은 또한 도시를 조직하고 경계 이내의 구역들을 개발하는 데 도움이 되는 계획과 정책을 집행한다. 도시권역이 공식적 도시 경계를 넘어 확장되면 시청의 일부 영향력도 그렇게 된다. 다운타운downtown과 중심업무지구central business districts, CBDs는 지방분권화〔분권화〕되고 교외의 영향이 커졌음에도 지역에서 자신이 차지한 중심적 위치 덕분에 흔히 거대도시의 중심점focal point으로 남아 있으며, 교통망의 허브 역할을 하고 있다.

현지의 자치체 정부 상위에는 일반적으로 미국에서 카운티county가 혹은 다른 나라들에서는 작은 지역 정부가 존재한다. 이 정부는 더 큰 물리적 규모가 지나치게 확대된 거대도시지역을 포괄할 수 있기에, 거대도시의 요구에 더욱 밀접하게 부응할 잠재력을 가지고 있다. 이 층위의 정부 역할은 많은 다른 형태를 취할 수 있다. 예컨대 뉴욕주에서는 카운티가 경계 내의 타운town과 도시city에서 세수를 재분배해 서비스를 제공하고 전략적 관심 분야에 투자하는 먼로Monroe와 같은 '힘 있는 카운티strong county'가 존재한다. 먼로카운티 및 주요한 거대도시지역 내 도시인 로체스터Rochester는 이런 투자를 많이 받는다. 뉴잉글랜드와 같은 미국의 다른 영역은 세금과 정치적 권한 대부분이 자치체 경계 내에 머무르는 '힘 있는 타운strong town' 체계를 가지고 있다. 이러한 거대도시지역의 비협조적인 정치적 성격은 공간적 불평등spatial inequality을 영속화할 가능성이 있다. 예컨대 코네티컷주의 하트퍼드Hartford카운티의 관리기관은 상당한 경제적 번영 시기이던 1960년에 공식적으로 폐지되었다. 새로운 지역 거버넌스 및 서비스 제공 구역은, [도형 41.3]에서 볼 수 있듯, 이후 중복되거나 '혼잡한messy' 경계로 형성되었다. 하트퍼드시 주위의 외곽 타운들은 미국에서 가장 부유한 타운들로 남아 있으나 하트퍼드 자체는 가장 가난한 미국 도시의 하나가 되었다. 인구 120만 명의 대규모 거대지역metro region과 46.6제곱킬로미터 규모의 하트퍼드라는 소규모 자치체권역municipal area 12만 명 거주민 사이의 엄청난 격차를 감안해보면, 지역의 대규모 부는 하트퍼드의 빈곤에 비례해 더욱 한쪽으로 편향되어 있음을 알 수 있다. 하트퍼드 주위 타운들과 유사한 타운들은 지역적 문제와 서비스 제공 측면에서 과세 기준과 역할의 통제력 상실을 우려해 현대의 지역화regionalization 시도에 계속 저항한다.[13] 미국에서는 주 정부가 거버넌스와 재분배에 대한 지역적 접근에 도전하는 타운의 이해관계를 무시할 수

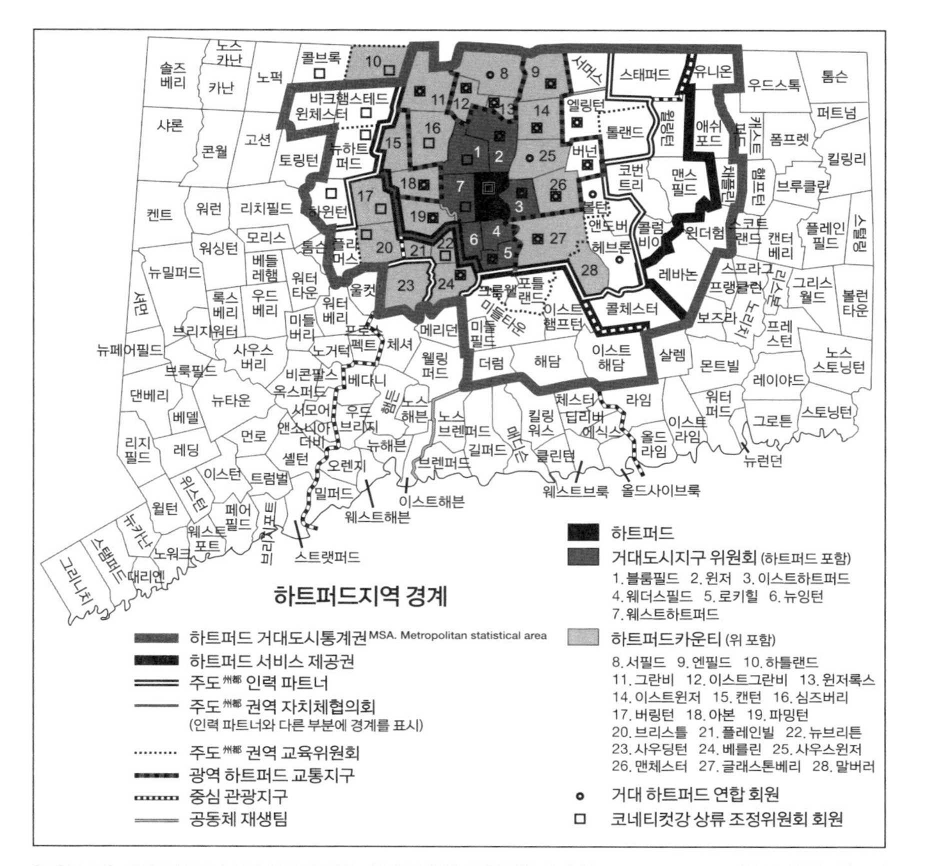

[도형 41.3] 미국에서 도시 서비스를 제공하는 복수의 영역과 '혼잡한 거버넌스messy governance'를 보여주는 하트퍼드지역 (출처: Nick Bacon 제작)

있는 권한을 가지고 있지만 〔실제로 그것들에〕 개입한 적은 거의 없었다.[14] 연방정부는 모든 하위 수준의 거버넌스를 감독하고, 비록 줄어들고는 있으나, 지방정부에 직접 재정과 지원을 제공한다. 2000년대 후반의 경제적 어려움을 겪는 동안, 미국 연방정부는 범죄가 많은 도시에서 경찰력을 운영하는 자금이 바닥났을 때 뉴저지주 캠던Camden과 같이 파산한 지방정부를 구하고자 개입했다.[15]

미국의 고도로 현지화한 거버넌스 방식과는 달리 다른 나라들은 도시지역 거버넌스city-regional governance의 결합 형태를 사용해왔다. 일례로, 충칭重慶은 1997년에 중국의 신생 '직할시direct controlled municipality'가 되었고 현재 전체 자치체 지역인 8만 2000제곱킬로미터와 3200만 명의 인구를 관리하고 있다. 2020년까지 원도심의 현재 인구 1000만 명을 두 배로 늘리겠다는 야심적 목표를 가지고, 과밀한overbounded 충칭 거대도시지역은 역사적으로 전례가 없는 조정된 농촌에서 도시로의 조직적 전환 계획을 실험하고 있다. 충칭과 같은 사례는 특별 자금과 계획 노력의 수혜를 입는 전략적으로 중요한 경제권이 될 수 있다.

언급한 사례들에서 입증된 바와 같이, 거버넌스의 경계는 흔히 변화하는 거대도시의 요구에 부응하지 않는다. 이것은 도시가 경계를 맞대고 있는 타운과 마을village로부터의 저항과 경제적 경쟁에 직면하고 있는 미국의 맥락에서 특히 그러하다. 지방분권화[분권화]decentralization는 많은 주민과 많은 부가 도시 경계 밖에 위치하는 하트퍼드 같은 거대도시지역의 '외부도시[엑소폴리스]exopolis'를 형성해왔다.[16] 개발 중인 도시, 특히 중국과 같은 좀 더 하향식의 거버넌스 환경에 있는 도시들은 자신의 경계를 확장하기가 더 손쉽다. 도시 경계의 확장 실패는 과세 기준의 증발과 도시 폭력 및 학교 체계의 실패 같은 심각한 사회문제와 씨름하는 디트로이트와 하트퍼드 같은 도시들의 병폐를 낳았다. 확장적 성향의 거대도시지역 내에서 자신의 경계를 확장할 수 있는 능력과 유연성을 갖춘 도시들은 현재의 도시 형태를 수용하는 데 가장

성공적이었다.[17]

지방분권화〔분권화〕 및 세계화와 함께 지난 20여 년 동안 도시 거버넌스urban governance의 추세는 신자유주의적 정책과 발전을 지향해왔다. 일반적으로 신자유주의neoliberalism 정책은 도시를 재정적으로 책임감 있고 시장의식적 경제기관이 되도록 추동했다.[18] 그들은 케인스주의 재분배 정책에 반대하고 이를 벗어나 정부의 민영화privatization와 '기업화entrepreneurialization' 확산을 옹호한다. 로체스터시의 동네및사업개발부가 진행한 제2차 정책입안자 여름 활동 기간에, 신자유주의 정책과 시장지향적 접근은 시가 지원한 프로젝트 및 수익 창출에 대한 강조 둘 다에서 명백했다. 그 부서의 책임자는 과세 기준 구축과 더욱 사회적으로 의식이 있는 동네 개발 주도성neighbourhood development initiative에 초점을 맞춘 프로젝트가 균형을 유지할 필요성을 강조했다. 결국에는 카운티 및 주의 개발 기금 배정에 따라 더 많은 돈이 사용되는 곳이 결정되었다.

오늘날 정보 및 교통 기술의 발전으로 전 세계의 기업이 점점 더 많은 정보를 얻고 이동한다. 그들은 입지 선정에서 세금, 서비스, 편의시설, 기반설비, 생활비 등 수많은 요소를 고려한다. 이것은 국가 내에서, 그리고 국경을 뛰어넘어서 도시들 사이에 치열한 경쟁으로 이어진다. 지방정부는 점점 더 사업체처럼 자신들의 비용, 수익, 그들이 제공하는 서비스의 품질을 평가한다. 대규모 개발 및 기반설비 프로젝트에 투자하는 도시가 잠재적 사업들에 더욱 매력적으로 보이는바, 이를 위해서는 현지 수준의 어떤 출처에서도 얻기가 점점 어려워지는 대규모 자금 및 계획이 필요하다.

거대도시의 기반설비

도시는 인간의 지식, 진화, 독창성에 관한 증거다. 도시는 인간이 개발한 선진적 기반설비 체계infrastructure system에 의존하는 복합적 장소들인 '건조환경built environment'의 절정이다. 이 꼭지에서는 물리적 기반설비의 두 가지 범주를 살펴봄으로써 각 범주가 거대도시의 활동과 재생산에서 담당하는 중요한 역할을 명확히 할 것이다. 공공시설Utilities 기반설비는 폐기물 관리와 전기 및 물 같은 필수적 공공시설의 공급을 통해 일상적 도시 생활을 촉진한다. 교통 기반설비는 사람과 상품의 효율적 이동과 다른 거대도시지역과의 연결을 통해 가시적으로 거대도시의 형성을 돕는다(정보 기반설비는 도시에서 중요해지고 있고 또 도시에 점점 더 중요해지고 있지만 주로 개인 소유이기에 논의에서 제외한다). 인구밀도가 높은 도시들을 관리하고 경제적으로 글로벌 규모에서 경쟁하려면 도시들은 꾸준하게 기반설비 체계를 유지하고 기능을 향상시켜야만 한다. 도시와 대도시지역의 성장은 오래된 체계에 부담을 줄 수 있으며, 지방정부가 인구성장을 수용할 수 있는 기반설비를 개발하게끔 자극한다. 그러나 경제적·사회적 자원은 흔히 기반설비 개발의 위치와 품질을 결정해 거대도시의 불평등을 낳는 요소로 작용한다. 거대도시 기반설비의 계획과 재원의 원천을 살펴보는 것은 경제적·사회적 함의와 더불어 그 특징적 형태도 조명하게 한다.

공익사업public utility 기반설비는 수돗물, 에너지, 폐기물 관리의 제공을 포함한다. 이 논의의 목적에 적합하도록 우리는 쓰레기 수거와 같은 서비스에 기초한 기반설비와는 반대되는 대규모 물리적 요소를 가진 공공시설 기반설비만을 언급할 것이다. 수도관과 같은 대규모 기반설비 요소는 공간 절약 및 안전 문제를 고려해 일반적으로 도시의 지하에 묻혀 있다. 그러나 이는 공익사업 시설의 유지 보수, 개발 및 재개발에 큰 비용을 지출하게끔 하고 땅을 파야 하는 수고를 낳는다. 대규모로 발달하고 있는 도시들에서는 공익사업 시설 기반설비가 흔히 지상에 위치하고 눈에 띄게 노출된다. 이는 이들 도시에서 도시경험urban experience과 삶의 질의 중요한 요소로서 안전과 물질적 웰빙wellbeing에 이바지할 수 있다. 이러한 방식으로 공공시설 기반설비의 범위와 품질은 거대도시의 규모와 보건에 밀접하게 연결되어 있다.

인구성장과 비교할 때 자치체 기반설비의 성장에 따른 지연은 환경오염과 공중보건 위협 등 부작용을 일으킬 수 있다(37장 참조). 이것은 많은 개발 중인 도시에서, 특히 농촌에서 도시로의 이주로 인구가 급격히 증가하고 있는 아시아와 아프리카의 도시들에서 볼 수 있다. 이주민들은 흔히 계획된 기반설비가 결핍된 빈민가 공동체를 형성한다. 이들 공동체는 깨끗한 물, 하수구 또는 폐기물 수거가 제한되거나 접근이 불가능하고 흔히 간과되거나 개발 프로젝트에서 의도적으로 제외된다. 뭄바이의 대규모 다라비Dharavi 빈민가는 노천 하수구, 전기에 대한 제한된 접근, 깨끗한 식수에 대한 부풀려진 가격이 특징인 기반설비 불평등의 전형적인 사례다. 이와 같은 요소들은 전 세계의 빈민가 거주민들이 일상적으로 살아가는 궁핍한 조건과 건강문제에 영향을 끼친다. 다라비 같은 많은 빈민가가 지속되고 정부에 의해 용인되는 것처럼 보이지만, 자치체 기반설비 투자는 나이지리아와 남아메리카의 빈민가 공동체들의 빈곤 감소에 직접 이바지하는 것으로 나타났다.[19] 이런 식으로 기반설비 투자는 소득 불평등을 줄이고, 빈민가를 변화시킬 수 있으며, 활기찬 비공식 경제 및 지하경제의 일부를 장기적으로 거대도시의 더 큰 시너지로 통합할 수 있다.[20]

기반설비의 지연은 계획된 주택 구역의 부동산 개발과 성장을 저해할 수도 있다. '뉴타운New Town' 개발은 이 현상의 대표적 사례다. 많은 나라의 도시계획가들은 인구 밀집 중심도시로부터 인구를 멀어지게 유도하면서 인구 밀집 도시권의 인구과잉에 대한 해결책으로 인공적으로 개발된 위성도시를 추진해왔다. 이러한 프로젝트 중 일부에서는 기반설비가 부동산을 따라잡는 데서 느리게 진행되어 상당한 지연을 발생시켰거나 완공된 건물들이 장기간 공석으로 남아 있었다.[21] 예전 농촌권rural area의 기반설비 부족에 대한 이와 같은 인식과 현실의 결합은 일부 사업체와 주민들이 뉴타운으로 이주하는 것을 포기하게 했다(앞의 상하이 사례 참조).

공공시설 기반설비가 거대도시 거주민의 건강 및 복지에 필수적 역할을 한다면, 교통 기술은 거대도시지역 내와 거대도시지역들 사이에서 상업과 여행에 필수적이다. 많은 도시는 다운타운권downtown area 내에 전차나 지하철 체계와 같은 대중교통 체계를 갖추고 있다. 거대도시지역으로 확장되면서 대중교통은 경전철, 버스 노선, 또는 기타 교통 기반설비의 형태를 취할 수 있다. 점점 더 많은 도시도로와 고속도로를 사용하는 자동차와 함께 민간 교통 또한 거대도시와 거대도시지역에서 중요한 역할을 한다. 고속도로와 유료도로는 미국 전역을 휘감으며 거대도시 경제의 광대한 네트워크를 연결한다. 유럽과 아시아 거대도시들도 광범위한 민간 고속도로 네트워크를 갖추고 있지만, 이들 도시는 대중교통 체계를 미국 도시들보다 훨씬 더 높은 수준으로 활용한다.

대중교통 체계는 많은 거대도시에서 중요한 역할을 한다. 초기 대중교통 체계는 다운타운권 내의 거주민과 노동자를 순환시키고 나중에는 지역의 주거영역을 시 중심지city centre의 일자리와 편의시설로 연결하는 데 도움이 되도록 설계되었다. 특히 미국에서 널리 퍼져 있는 현상으로 도시권이 점점 더 다원화함에 따라, 대중교통은 더욱 복잡한 거대도시지역에 서비스를 제공하기 위해 분투하고 있다. 개인 교통수단과 비교할 때, 대중교통은 환경적으로 더욱 지속이 가능하고, 비용이 효율적이며, 도시의 교통 혼잡과 오염을 제한하는 데 필수적 잠재력이 있다. 고밀도는 대중교통 선택에 대한 수요가 극대화하도록 보장하고 개별 요금이 최소화할 가능성을 만들어낸다. 대중교통 체계는 또한 개인 자동차를 살 여유가 없는 도시 빈곤층에 주요 자원이며 걷거나 자전거를 타는 것보다 더욱 먼 거리를 통근할 수 있게 한다. 레이철 류Rachel Liu와 창칭관Chang Qian Guan에 의하면, 이상적 흐름의 조건에서 대중교통은 중국의 도시에서 3~8킬로미터, 교통이 혼잡할 경우 4~9킬로미터의 통근에 가장 적합하다.[22] 뉴욕시티에서 대중교통은 전체 여행 목적의 약 3분의 1을 담당한다. 이와 같은 장점에도 대중교통 기반설비를 구축하고 운영하려면 높은 수준의 공공 계획과 자금이 필요하다. 높은 비용 때문에 대중교통 프로젝트는 흔히 민간부문이 초기 투자를 지원한 후 통행료 수입 또는 기타 독점권을 받는 민관 협력으로 달성이 된다.

미국의 고속도로와 도로 체계는 수십 년 동안 민간 교통 기반설비의 전형으로 유지되었으나 곧 중국의 전국 간선 고속도로 체계에 의해 총연장 면에서 추월당할 것이다. 미국의 포장 고속도로의 필요성은 1900년대 초반 헨리 포드Henry Ford의 모델T Model T 같은 저렴한 자동차의 도입으로 시작된 자동차의 광범위한 사용으로 증가했다. 자동차가 다른 여행 방식보다 저렴하고 신뢰할 수 있으며 더 빨라짐에 따라, 도시의 물리적 형태는 거리 확장 프로젝트와 다른 혁신을 통해 자동차에 적응해야 했다. 진출입 지점이 제한된 고속도로는 자동차로 빠르고 효율적으로 도시를 드나드는 지배적 방법이 될 것이었다. 드와이트 D. 아이젠하워Dwight D. Eisenhower 대통령의 1956년 연방지원고속도로법 Federal-Aid Highway Act of 1956은 애초에 전략적 군사 목적으로 미국의 도시를 연결하고자 고안된 고속도로를 건설하는 데 상당한 연방기금을 처음으로 제공했다. 고속도로 체계는 트럭산업의 성장에 힘입어 미국의 거대도시지역을 더 밀접한 교역망 및 상업망으로 연결하는 데 도움을 주었다. 18륜트럭이 운송하는 상품의 양과 비율은 1950년대 이후 상당히 증가했다. 고속도로는 또한 가정과 더 먼 거리의 일자리를 분리하는 의도하지 않은 효과를 낳았다. 새로운 주택 금융 선택과 함께 더 쉬운 통근은 교외 단독주택에 대한 강한 유인책을 창출하는 데 도움이 되었다(42장 참조).

자치체 기반설비와 마찬가지로 좋은 교통 기반설비는 투자와 개발을 유인할 힘을 가지고 있다. 그것은 기업과 산업체의 노동자에게, 잠재적 고객에게, 운송에 편리한 교통을 의미한다. 도시 주민들은 다른 장소로 갈 뿐만 아니라 직장을 오가는 데서 좋은 교통 체계가 필요하다. 서비스 사업과 소매업은 이들 두 활동에 가까운 위치를 찾는 경향이 있다. 개발은 특히 고속도로 출구, 인터체인지, 기차역과 같은 주요 지점과 근접한 곳에 교통 기반설비를 결집하는 것으로 나타났다. 현지적, 지역적 맥락에서 교외 쇼핑몰은 흔히 고속도로 인터체인지 근처에 지어지며 자동차로 다양한 상점에 쉽게 접근할 수 있었던 전통적인 소매점 회랑을 능가했다.

교통 기반설비는 개발과 투자를 촉진할 수 있더라도 도시의 물리적 형태에 부정적 영향을 끼칠 수 있다. 연방기금 조달의 특성으로, 미국 고속도로의 원래 계획과 개발 업무는 대부분 기술공학자와 고위 주州공무원과 연방공무원에게 할당되었다. 일부 투자가 제공되는 동안에, 도시계획가들과 정치인들은 역사적인 동네의 소실 및 혜택을 받지 못한 집단의 이주 등 바람직하지 않은 결과에 대해 거의 생각하지 않은 채 도시와 주간州間고속도로가 도시를 관통하면서 건설되는 것을 지켜보았다. 코네티컷주 하트퍼드 다운타운에서 I-91〔Interstate 91, 주간고속도로 제91호선〕은 코네티컷강을 따라 강변으로부터 도시를 차단해버린다. 고속도로나 철도 같은 기반설비는 도시공간을 분리하는 물리적·심리적 장벽 역할을 할 수 있으며, 흔히 가난한 거주민들을 고립시킨다. 1960년대에 고속도로 확장은 고속도로 건설권을 보장한 유명한 토지소유권 법domain law을 통해서 저소득 아프리카계 미국인 동네의 일부가 수용·철거됨에 따라 미국 도시들에서 인종적 긴장이 고조되는 원인으로 작용했다. 마찬가지로, 중국의 도시 고속도로는 그 길 위에 살고 있었던 가난하고 무력한 거주민들을 거의 고려하지 않고 건설되었다.

자치체 및 교통 기반설비는 거대도시의 지속가능성과 보건 측면에서 매우 중요하지만, 인구와 경제가 쇠락하는 도시들에서는 재원을 조달하기가 특히 어려울 수 있다. 반면에 성장하는 도시들은 건전한 과세 기준과 여타 수입원을 통해 기반설비 프로젝트의 재원을 마련하는 것이 더욱 쉽지만, 그런 일이 일어나기 전에 성장을 계획·예상해야만 한다. 도시의 유형과 도시의 더욱 커다란 맥락에 상관없이 근시안적 정치인과 투자자들이 유형적 이익이나 수익 없이 프로젝트에 전념하도록 설득하는 일이 어려울 수 있다. 기반설비 개발 및 재개발에는 장기적 큰 그림이 필요하다.

교통 기반설비의 재개발은, 2007년 미니애폴리스Minneapolis에서 〔미시시피강을 가로지르는〕 I-35 웨스트〔서쪽〕I-35W West의 교량 붕괴가 전국에 방송된 것처럼, 노후하고 부실하게 유지된 고속도로·지하철·교량 등을 고려할 때 오늘날 미국이 직면하고 있는 주요 과제다.[23] 미국에서 고속도로 기반설비를 확장·수리하려는 노력은 정치적 반대, 예산 제한, 연방 지원 감소에 부딪혔다. 고속도로 기반설비의 유지와 건설에 필요한 자본을 확보하려면 대체 재원 선택이 필요하다. 도로 통행료는 가장 오래된 방법의 하나로, 도로를 이용하는 여행자들에게 약간의 비용을 걷어 들인다. 고속도로의 공공-민간 개발은 또한 미국의 일부 지역과 다른 나라에서도 실험되었다. 전형적으로 이것은 초기 투자와 미래의 통행료 수익 분할을 합의하는 협력관계를 포함한다. 여러 고속도로 체계는 독점적 광고 또는 이름 사용 권리를 획득한 집단의 자금을 지원받았다.

중국 도시들은 인구과잉이고 최근 개인의 자동차 소유가 증가하며 심각한 혼잡 문제를 일으키고 있다. 중국은 현재 세계에서 가장 큰 자동차시장이며 고속도로 체계가 곧 미국보다 길어질 수는 있겠지만 급속히 증가하는 고속도로 수요를 충족시키기에는 여전히 불충분할 것이다. 10일 동안 지속되고 100킬로미터나 이어졌던 2010년 징짱고속공로北薩高速公路〔베이징北京과 시짱西藏자치구 구도區都 라싸拉薩를 잇는 고속공로北京-拉薩高速公路〕 교통 혼잡은 대규모 차량 흐름에 비교해 뒤처진 도로 체계를 너무나도 명백하게 보여주었다. 개발 중인 도시들의 교통사고 건수는 인구밀도가 높고, 자동차 교통량이 급증하고, 교통 규제가 미흡하기에 비례적으로 많은 편이다. 뭄바이에서만 매일 약 13명의 보행자가 위험한 교차로와 거리를 건너면서 죽는다.[24] 개발도상국들이 일부 대중교통 기반설비에 투자하면서도 개인 소유 자동차의 증가를 옹호하는 정책을 채택하는 것은 선진국에서 효율적인 거대도시 통합을 제한했던 것과 동일 선상에 있는 것이다.

결론적인 생각

현대에 점점 더 복잡해지는 거대도시의 맥락을 이해하지 않고는 도시와 도시의 난제를 완전히 이해할 수가 없다. 거대도시로 도시를 다시 생각해보는 가장 분명한 이유는 규모에 대한 광범위한 중요성 때문이며, 가장 큰 규모의 도시 또는 초거대도시가 가속적으로 거대도시의 확장을 경험하고 있는 개발도상국에서 특히 그러하다. 개발 중인 초거대도시들의 엄청난 규모에 관심을 집중해 바라보지 않는다면, 규모 자체는 이와 같은 도시들이 직면하고 있는 근본적인 난제를 거의 드러내지는 못할 것이다. 이것이 현대 거대도시의 네 가지 두드러진 차원을 탐구하는 데서 규모를 단순한 시발점으로 활용한 이유다.

거대도시 규모가 커지면서 부와 빈곤의 분배는 더욱 지역적으로 차별화되었고 단편화되었다. 선진국의 경우, 거대도시의 불평등은 제조업의 깊어지는 쇠퇴와 교외 주위 대 중심도시 간 불균등한 고급 서비스의 지속성이라는 국면이 일변하면서 보다 복잡한 공간적 재편을 거치게 되었다. 디트로이트와 뉴욕 거대도시지역은 더 넓고 더 커진 공간적 불평등의 두 극단을 나타내는 것으로 보인다. 개발도상국의 경우, 부가 매우 큰 규모의 도시의 원도심에 더욱 집중되어 있으나 농촌 이주민들의 대규모 유입으로 더욱 많은 빈곤층이 발견된다. 초기 거대도시의 확장은, 상하이가 예시했듯, 덜 발달한 배후지와 섞이고자 약간의 부를 끌어내면서 시작되었다.

세계화는, 현대 거대도시를 재편성할 수 있는 거시구조적macro-structural 경제력으로 바라볼 수도 있으나, 아래로부터 도시에, 옆으로부터 도시지역에 침투하는 것으로 파악하는 것이 더 합리적이다. 정부정책과 같은 지역적 요인과 함께 글로벌 세력의 상향식 압력은 한때 비非글로벌도시들에 새로운 개발 기회를 열어줄 수 있다. 세계화로부터의 수평적 영향은 국가 내에서나 국가들 사이에서 지역적 경향과 도시개발의 결과를 강조함으로써 스스로 표출된다. 중국, 인도, 유럽, 아프리카의 사례를 통해 제시된 두 가지 효과는 거대도시를 글로벌-로컬global-local 경제적 유대의 공간적 결합으로 더 깊게 포용하는 데 도움을 준다.

부의 더 첨예하고 더 복잡한 공간적 분할과 세계화로 더 강력해진 현지 및 지역 효과에 직면해, 자원을 재분배하는 자치체 정부의 전통적 역할은 더는 도전받거나 침식되지 않는다. 미국의 고도로 현지화한 자치체 정부는 자본을 지역의 정치 경계를 가로질러 집중적으로 흐르고, 서비스를 더 큰 지역적 규모에서 더 효율적으로 제공되어야 한다는 점에서 어떻게 더 지역에 최적화한 방식으로 통치할 것인가라는 큰 도전에 직면해 있다. 이것은 더는 카운티 정부가 없는 코네티컷주의 도시와 타운에 심각한 문제지만, 초국가적·초지역적 경제 흐름과 현지 행정의 경계 및 권한의 잘못된 정렬이 더 널리 퍼져 있는 상황이다. 이는 시장에서 경쟁자로서 자치체들 간 긴장을 고조시키고 있고 협력의 필요성도 증가시키고 있다.

마지막으로, 도시의 증가하는 거대도시화는 공공시설과 교통 모두에서 기반설비 제공과 통합에 더 큰 난제를 제기한다. 미국과 같은 많은 선진국의 경제는 물리적 기반설비를 건설·유지하는 데서 뒤처져 있는 반면에, 중국과 같은 개발도상국의 경제는 철도와 고속도로의 대규모 건설에서 앞서나가는 아이러니가 나타나고 있다. 그런데 현실은 더욱 복잡하다. 중국의 부유한 정부는 모든 기반설비 구축에 자금을 댈 수 있을지 모르나 기반설비의 품질을 보장하지 못했고(최근의 고속열차 관련 치명적인 사고가 예시해준다), 또한 심각한 교통 혼잡을 없애기 위해 자동차의 급증 같은 다른 부문의 급속한 성장과의 조정을 해결하지도 못했다.

네 가지 분석 렌즈를 통해 우리는, 이 책의 다른 여러 장에서 서술한 것과 마찬가지로, 거대도시에 대한 이해를 단순한 과거에서 더욱 복잡한 현재로 확장했다. 이러한 통합된 틀은 또한 21세기의 나머지

부분에서 펼쳐지는 거대도시 개발의 궤적을 따라가는 데 도움을 줄 것이다.

감사의 말

이 장은 헨리 피츠(2012년 트리니티대학 졸업생)가 트리니티대학Trinity College의 도시글로벌학연구소Center for Urban and Global Studies에서 학생 연구 조교로 일했던 2009~2012년 동안 발전된 진정한 협력 성과물이다. 천상밍은 트리니티대학의 학생들이 가치 있고 유익한 연구 기회에 참여할 수 있도록 재정을 지원한 멜론재단Mellon Foundation과 트리니티대학 도시글로벌학 멜론도전〔프로그램〕에 감사한다. 피터 클라크, 닉 베이컨Nick Bacon, 토머스 드메디치Tomas de'Medici, 마이클 마그데린스카스Michael Magdelinskas 및 2011년 4월 14~16일 펜실베이니아대학 '글로벌 관점의 도시Cities in Global Perspective' 학술대회 참가자 일부의 초안에 대한 의견과 제안에 감사한다.

주

1 Paul Bairoch, *Cities and Economic Development: From the Dawn of History to the Present* (Chicago: University of Chicago Press, 1991).

2 Zachary P. Neal, "From Central Places to Network Bases: A Transition in the U.S. Hierarchy, 1900–2000", *City & Community*, 10:1 (March 2011), 49–75.

3 Norton Ginsberg, Bruce Koppel, and T. G. McGee, eds., *The Extended Metropolis: Settlement Transition in Asia* (Honolulu: University of Hawaii Press, 1991).

4 Edwin Heathcote, "Mega to Meta", *The Future of Cities, special issue of Financial Times* (7 April 2010), 12–15.

5 Richard Florida, T im Gulden, and Charlotta Mellander, "The Rise of the Mega Region" (working paper), The Martin Prosperity Institute, Joseph L. Rotman School of Management, (University of Toronto, 2007).

6 Bruce Katz and Jennifer Bradley, "The Detroit Project: A Plan for Solving America's Greatest Urban Disaster", *The New Republic* (9 December 2009), www.tnr.com/article/metro-policy/the-detroit-project.

7 Xiangming Chen, Lan Wang, and Ratoola Kundu, "Localizing the Production of Global Cities: A Comparison of New Town Developments around Shanghai and Kolkata", *City & Community*, 8:4 (2009), 433–465.

8 Peter Hall, *The World Cities* (3rd edn., London: Weidenfeld and Nicolson, 1984).

9 Saskia Sassen, *The Global City: New York, London, Tokyo* (Princeton: Princeton University Press, 1991).

10 Xiangming Chen, Anthony M. Orum, and Krista Paulsen, *Introduction to Cities: How Place and Space Shape Human Experience* (London: Wiley-Blackwell, 2012).

11 John Newhouse, "Europe's Rising Regionalism", *Foreign Affairs*, 76:1 (1997), 67–84.

12 World Bank, *Reshaping Economic Geography, World Development Report 2009* (World Bank, 2009).

13 David Rusk, *Cities without Suburbs: A Census 2000 Update* (Washington, D.C.: Woodrow Wilson Centre Press, 2003).

14 Gerald E. Frug and David J. Barron, *City Bound: How States Stifle Urban Innovation* (Ithaca: Cornell University Press, 2008).

15 Matt Katz, "Camden Gets Grant to Keep Some Police", *Philadelphia Inquirer* (5 October 2010), B1.

16 Edward W Soja, *Postmetropolis: Critical Studies of Cities and Regions* (London: Wiley-Blackwell, 2000).

17 Rusk, *Cities without Suburbs*.

18 Jason R. Hackworth, *The Neoliberal City: Governance, Ideology, and Development in American Urbanism* (Ithaca, N.Y.: Cornell University Press, 2007).

19 César A. Calderón and Luis Servén, "The Effects oflnfrastructure Development on Growth and Income Distribution", *World Bank Policy Research Working Paper No.3400* (World Bank, 2004).

20 Marianne Fay and Mary Morrison, *Infrastructure in Latin America and the Caribbean: Recent Developments and Key Challenges* (World Bank, 2007).

21 Urban Age, *Integrated City Making: Governance, Planning and Transport* (London: London School of Economics, 2008), www.urban-age.net/publications/ reports/ india.

22 R. R. Liu and C. Q. Guan, "Mode Biases of Urban Transportation Policies in China and Their Implications", *Journal of Urban Planning and Development*, 131:2 (2005), 58-70.

23 K. Duchschere, "I-35W Bridge Collapse: The Aftermath", *Star Tribune* (4 August 2007), A.7. I-35의 붕괴는 중대한 설계 결함에 의한 것으로 확인되었지만 기반설비 유지 관리 및 감독에 대한 국가적 우려를 불러일으켰다.

24 Urban Age, *Integrated City Making*.

참고문헌

Chen, Xiangming, Orum, Anthony M., and Paulsen, Krista, *Introduction to Cities: How Place and Space Shape Human Experience* (London: Wiley-Blackwell, 2012).

Chen, Xiangming, Wang, Lan, and Kundu, Ratoola, "Localizing the Production of

Global Cities: A Comparison of New Town Developments around Shanghai and Kolkata", *City & Community*, 8: 4 (2009), 433–465.

Florida, Richard, Gulden, Tim, and Mellande, Charlotta, "The Rise of the Mega Region" (working paper), The Martin Prosperity Institute, Joseph L. Rotman School of Management (Toronto: University of Toronto, 2007).

Frug, Gerald E., and Barron, David J., *City Bound: How States Stifle Urban Innovation*, (Ithaca, N.Y.: Cornell University Press, 2008).

Gottman, Jean, *Megalopolis: The Urbanized Northeastern Seaboard of the United States* (Cambridge, Mass.: MIT Press, 1961).

Hackworth, Jason R., *The Neoliberal City: Governance, Ideology, and Development in American Urbanism* (Ithaca, N.Y.: Cornell University Press, 2007).

Hall, Peter, *The World Cities* (3rd edn., London: Weidenfeld and Nicolson, 1984).

Newhouse, John, "Europe's Rising Regionalism", *Foreign Affairs*, 76: 1 (1997), 67–84.

Ogun, T. P., "Infrastructure and Poverty Reduction: Implications for Urban Development in Nigeria", *Urban Forum*, 21 (2010), 249–266.

Rusk, David, *Cities without Suburbs: A Census 2000 Update* (Washington, D.C.: Woodrow Wilson Centre Press, 2003).

Sassen, Saskia, *The Global City: New York, London, Tokyo* (Princeton: Princeton University Press, 1991).

Soja, Edward W., *Postmetropolis: Critical Studies of Cities and Regions* (London: Wiley-Blackwell, 2000).

제42장

교외

Suburbs

유시 S. 야우히아이넨

Jussi S. Jauhiainen

세계 도시 인구의 폭발적 증가는 교외화와 불가분하게 관련 있다.[1] 대규모 교외화는 지구적 현상이었고 교외를 진정한 21세기의 도시로 만들었다. 아래에서 살펴보겠지만, 이 발달은 도시와 그 너머의 장기적인 사회적, 정치적, 경제적, 기술적 과정과 관련 있다.[2] 하지만 교외는 고대까지 거슬러 올라갈 수 있다. 이러한 이유로 교외의 진화를 역사적 관점에서 연구하는 것이 중요하다. 여기서 초점은 19세기 초반 산업도시를 시작으로 제2차 세계대전 이후의 대대적 확장을 통해 오늘날까지 이야기를 이어오는 현대에 맞춰진다. 먼저 계획되지 않은 교외에 대한 해석과 이론의 변화를 논의할 것이다. 이어 교외의 유형을 서로 다른 대륙의 사례들과 함께 소개하고, 교외의 거대하고 복잡한 발전을 이해하는 데 도움이 되는 설명의 틀을 살펴본다.[3] 비교접근comparative approach은 근대와 현대 교외의 특이성과 파급성을 이해하는 데 도움을 줄 것이다.

변화하는 해석들

'교외suburb'에 관한 권위 있는 혹은 정통적인 정의는 없다. 초기의 정의는 다소 기본적인 것으로 접두사 'sub(하위의)'의 의미를 강조했다. 오늘날에도 '교외'는 인구밀도가 낮고, 산업·상업·소매업이 제한적이고, 도시city와 인접한 분산된 지역이며, 그곳의 주민인 교외 사람들은 그다지 대단하지 않은 수입을 올리고 있다고 가장 흔히 여겨진다. 이 견해에 따르면, 교외는 도시의 고유한 편의시설이 부족해 적절한 정체성이나 자치정부가 없는 덜 중요한 지역이 된다. 교외나 교외 거주민에 대해 논의할 때는 경멸적 어조가 자주 사용되었다.

교외에 대한 오래된 분석 대부분은 특정 장소의 사례연구에 기초했다. 연구는 메소포타미아·이집트·로마의 고대 타운town과 도시로 거슬러 올라가는 교외의 출현과 궤적을 식별했다. 그것은 또한 중세의 성벽 바깥의 공동체와 근대 초기 타운, 특히 파리와 런던 같은 수도capital city 주변 주요 교외의 성장에 대해 조명했다.[4] 현대에 대해서는 다양한 학자가 분리된 저밀도 교외, 특히 미국 교외의 단조로운 동질성을 주장해왔다. 그들은 현대 교외를 사람들이 공동체의 유대를 잃는 장소로 제시했다.[5] 이 오래된 연구 문헌에서는 교외의 내부 다양성, 권력 및 거버넌스governance에 관심이 훨씬 적었고, 자신의 고유한 정체성을 가진 이전의 도시 공동체 및 농촌 공동체가 교외팽창suburban expansion으로 사라졌던 방법 및 효과에도 관심이 훨씬 적었다.

그러나 현재 참신한 접근법이 등장하면서 교외의 역사에 관한 새 연구의 흐름이 나타나고 있다. 특정 장소에 보인 관심은 다양한 관점에서 광범위한 사회적 과정을 분석하는 것으로 대체되고 있다.[6] 이 '신교외사new suburban history'는 전통적인 도시와 교외의 이분법에서 벗어나 초기 연구 문헌의 정통성에 도전하고자 한다. 동질적 비공동체의 고정관념 대신, 교외는 점점 더 차별화된 많은 공동체와 정체성의 장소로 탐구되고 있다.

새로운 연구의 관심사는 또한 현대사회에서 변화하는 교외 세계를 반영한다. 세계의 많은 거대도시〔메트로폴리스〕metropolis는 주민 100만 명 이상이 살아가는 교외권suburban area을 통합하고 있다.[7] 사람들은 더 나은 일자리, 쇼핑, 여가 기회를 얻고자 중심도시central city에서 교외로 통근하거나 이주한다. 교외의 인구밀도는 비어가는 비싼 다운타운downtown 업무지구보다 상당히 높을 수 있다. 교외권은 특히 미국의 광활하면서 파편화한 복합적인 거대도시에서 경제적 측면에서 매우 중요해졌다.[8] 자세히 살펴보면 현대의 교외는 많은 서로 다른 구역으로 분절되어 있다. 붐우르브boomurb〔북적이는 도시〕, 에지시티edge city〔경계도시〕, 에지리스시티edgeless city〔무경계도시〕, 엑스우르부exurb〔바깥도시〕, 메갈로폴리스megalopolis〔초거대도시〕, 메트로버비아metroburbia〔거대교외〕, 뉴폴리센트릭메트로폴리스new polycentric metropolis〔새 다중심 거대도시〕, 어반프린지urban fringe〔도시 변두리〕 등과 같은 다양한 새 용어가 선진국의

복잡한 상황과 더불어 개발도상국의 교외권의 다양성을 설명하는 데서 표면화했다.[9]

마지막으로, 특히 민감한 문제는 교외에 대한 인식이다. 교외는 도시와 관련해 전통적으로 도시와 시골countryside 사이에서 정신적이고 물리적으로 도시보다 열등하거나 종속적인 어딘가로 묘사되었으나, 최근의 연구는 교외가 내부에서 어떻게 보이는지를 연구하는 데 점점 더 많은 관심을 기울이고 있다. 교외는 위에서 또는 밖에서 보는 견해와 비교할 때 현장에서 다르게 보인다. 이 새로운 관점은 연구에 국한되지 않고 대중매체, TV 시리즈 및 영화, 아울러, 예컨대 교외거주민suburbanite 유튜브You Tube 자체 방송에서도 발견할 수 있다. 교외거주민이 되는 일은 더는 당황스러운 무엇인가가 아닌 분리되고 독특한 정체성을 구성하는 것이다. 교외는 이질적 장소이며 중심도시 이데올로기에 대한 대안적 담론과 관점을 제공한다. 교외는 역사적 의제로서만 아니라 대중에게도 떠오르고 있다.

근대의 교외: 유형학

교외화suburbanization는 많은 상호 관련된 총괄적인 경제적, 정치적, 여타 장기적 과정에 의해 주도되었으나 국가 및 현지 상황에 의해 형성되기도 한다. 따라서 지형, 천연자원, 여러 지역적인 우발적 요인은 건설된 교외가 어떻게 발전할지를 바꾸기도 한다.[10] 19세기 이래 교외화는 가속화한 도시성장urban growth의 필수적 부분이었다. 개인들이 광범위한 교외에 거주했을지라도, 〔교외〕 확장의 주요 동인은 국가, 자치체, 다른 공공당국과 함께 시장market의 힘이었다. 공공 및 민간 개발뿐만 아니라 도시계획은 지역개발 정책, 자치체의 토지 이용 계획, 관련 주택, 일자리 창출 등 교외화에 작용하는 모든 요인과 함께 인구 분산화population decentralization를 촉진했다.[11] 교외의 시간적 발전은 공간적으로 다양하게 표출된다. 한 교외에서 볼 수 있는 경향이 이후에 다른 맥락이나 나라에서 나타날 수도 있다.

교외개발suburban development에는 스펙트럼이 존재한다. 한쪽 끝에서는 계획되지 않고 규제되지 않은 교외를, 다른 한쪽 끝에서는 계획되고 규제된 교외를 확인할 수 있다. 그렇더라도 다음을 포함하는 근대 교외의 기본 유형을 식별할 수 있다. 연립주택 교외〔테라스식 교외. 비슷하게 생긴 주택들이 연이어 늘어서 있는 교외〕, 빌라 교외, 산업 교외 및 노동계급 교외, 정원 교외, 확장 교외, 출입통제 공동체, 무단점유〔무허가 점유〕 교외 및 판자촌 교외권, 교외 스프롤, 교외 에지시티 등이다. 이들 유형학typology은([도형 42.1]) 교외의 시공간적 발달을 다루지만, 시공간에 따른 교외화의 다양성과 역동성 때문에 완전할 수는 없다. 따라서 필요에 따라 범주들은 어느 정도 유연하며 중복된다. 게다가 교외의 한 범주는 세계의 다른 지역들에서는 특히 시간 흐름에서 볼 때 정확하게 유사하지는 않다. 계획되지 않은 채 생겨난 일부 교외는 나중에 계획된 교외권역으로 전환되기도 하고, 일부 계획된 교외권은 규제되지 않은 스프롤에 빠져들기도 한다.

연립주택 교외terraced suburb는 주로 17세기와 18세기에 영국과 프랑스의 수도에서 처음 나타났다. 즉 런던의 웨스트엔드West End에 엘리트 계급용으로 중요한 계획적 또는 반半계획적 벽돌 연립주택 구역이 증가했고 18세기 말 에든버러Edinburgh 뉴타운에서도 유사한 발전을 볼 수 있었다. 19세기에 교외 연립주택은 —일반적으로 구역square 형태는 아니었고— 중산층, 화이트칼라 계층, 장인artisan 계층의 주요한 주거 형태가 되었다. 예를 들어 런던 남부에서 빅토리아 시대〔1837~1901〕의 교외 캠버웰Camberwell은 개별적으로 장식된 주택 파사드façade〔정면〕와 정원을 위한 작은 구획지가 있는 연립주택이 늘어선 광범위한 구역이 되었다.[12] 벨기에 및 네덜란드 타운의 외곽과 뉴욕 및 필라델피아 같은 북아메리카의 주요 도시에서도 지위가 높은 시민들을 염두에 둔 연립주택이 급증했다. 이러한 서양 도시의 〔도시에 맞닿아 있는〕 인접 교외권은 도시적 품격이 점점 더 새로운 외부 교외와 그 너머로 옮겨감에 따라 20세기 중반에 흔히 퇴화와 쇠락을 겪었다. 20세기 후반의 재도시화reurbanization와 함께 그러한 지역은 젠트리피케이션되고 이에 더해 다시 한번 단장되었다.*

빌라 교외villa suburb는 흔히 큰 벽으로 둘러싸인 정원이 있는 넓은 단독주택들로 유행에 민감한 계급을 위해 18세기 말 이전에 서유럽 도시 주변부periphery에 이미 등장했다. 이는 사생활과 자연에 대한 새로운 태도와 늘어나던 노동계급에서부터 그리고 도시의 불결함과 소음에서부터 멀어지려는 상류층의 증가를 반영한다. 이와 같은 영역

* ‘젠트리피케이션gentrification’은 낙후된 지역이 도시 재개발이나 재생을 거쳐 고급화하는 과정에서 해당 지역의 지가와 임대료가 크게 상승해 애초 주민이 쫓겨나는 현상이다. 근대 잉글랜드 토지소유주 계층인 젠트리gentry의 상업적 토지 소유 확대에 빗댄 표현으로 영국의 사회학자 루스 글래스Ruth Glass가 1964년에 처음 사용한 개념이다.

은 상징적으로 루이스 멈퍼드Lewis Mumford가 지적한 것처럼, 엘리트에게 헌신하고 성별에 따라 사회생활을 하는 일종의 분리된 녹색 게토segregated green ghetto가 되었다. 1900년까지 넓은 빌라 교외는 크고 작은 많은 서양 도시의 가장자리〔경계〕edge에서 확산되었고, 그곳의 주택은 흔히 이국적 혼합 건축 양식을 보여준다.[13] 낭만주의 건축 경향은 자연적 도시주의natural urbanism를 선호했고, 미학적 연속체continuum를 만들어내는 거리 조성 계획에서 직선은 점점 더 회피되었다. 20세기에는 새로운 교외개발, 탈도시화de-urbanizaiton, 밀집화densification가 이들 빌라 구역의 많은 수를 감소하게 했으나, 빌라 교외는 초기 연립주택 교외와 마찬가지로 20세기 후반의 물리적·사회적·시각적 업그레이드를 경험하면서 다시 한번 부유한 사람들 사이에서 큰 인기를 끌었다. 빌

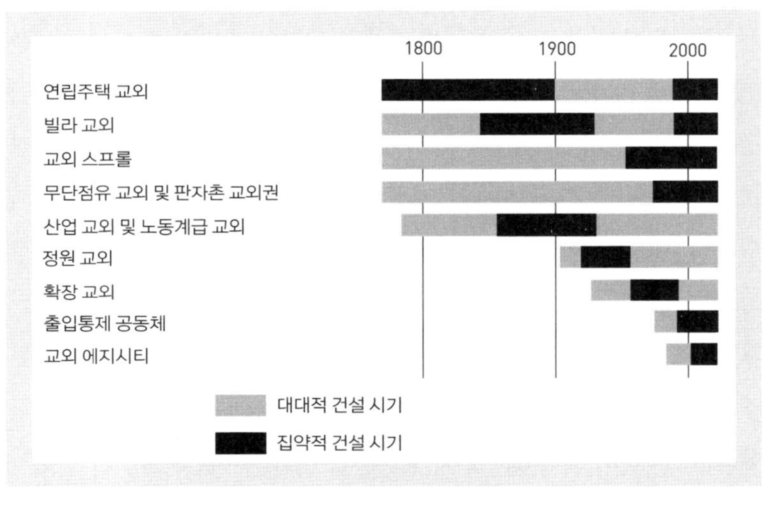

[도형 42.1] 18세기부터 오늘날까지의 교외 유형

라 교외는 역사 보존과 환경 보호의 새로운 경향과 전원적이고 눈길을 끄는 포스트모더니즘적 유행의 혜택을 누렸다.[14]

산업 교외 및 노동계급 교외industrial and working-class suburb는 19세기 유럽과 북아메리카에서 근대 도시의 변모에 뿌리를 두고 있다. 급속하고 무질서한 성장과 기반설비 투자의 부족은 위생, 주거, 여타 사회생활 측면에서 부정적으로 인식되는 문제를 불러왔다. 맨체스터는 프리드리히 엥겔스Friedrich Engels에 의해 19세기 중반에 널리 알려지게 된 난제들과 함께 초기 산업타운industrial town의 원형이었다.[15] 도시 중심지urban centre는 성장하는 산업사회의 인구를 수용할 수 없었다. 중심업무지구, 철도, 공공건물 개발 및 시 중심지city centre의 편의시설로 상황이 악화해 주택 공급이 크게 줄어들었다. 게다가 흔히 타운 주변부의 새로운 더 큰 장소에서 대규모 공장 생산이 증가하면서 일자리 근처에 노동자들이 거주할 주택 수요가 창출되었다. 많은 초기 노동계급 지구는 예컨대 파리 북부 외곽의 새로 생긴 공장의 주변과 같이 처음에는 판자촌으로 성장했으나, 이미 19세기에 산업 교외industrial suburb 계획이 증가하는 경향이 나타났다. 산업 교외에 대한 일부 구상들을 통합한 초기 사례는 19세기 중반 바르셀로나의 대규모 확장 계획을 수립한 카탈루냐 기술공학자 일데폰스 세르다Ildefons Cerdà였다. 핵심 쟁점은 성장하는 산업도시industrial city에 필요한 노동력을 수용할 확대된 교외권을 만들어 바르셀로나에 산업개발의 길을 열어주는 것이었다. 계획된 지역은 밀집된 중심도시와 철거된 지 얼마 안 된 도시 성벽에서 확장해 거의 10킬로미터 떨어진 곳까지 주변 마을village들을 흡수하는 것이었다. 이 도시계획은 육각형 블록이 반복되는 기하학적 공간 및 도시 디자인을 기반으로 했다. 또한 노동자집단 및 다른 사회집단을 통합하고 위생, 녹지, 식수 등에 대한 접근을 제공하려는 사회공학 및 환경적 지속가능성을 시도하는 것이기도 했다.[16] 어느 정도 계획된 산업 교외는 제1차 세계대전 전후에 여러 서유럽 도시에서 발견되며, 때때로 대규모 산업체와 연계된다. 즉 베를린 동부에서는 지멘스Siemens사社의 노동자를 위한 지멘스슈타트Siemensstadt를 포함해 산업 또는 노동계급 지구가 확대되었다.

20세기의 핵심적 도시계획가는 르코르뷔지에Le Corbusier라는 이름으로 더 잘 알려진 스위스 태생의 프랑스 건축가 샤를-에두아르 잔느레 Charles-Édouard Jeannerett[1887~1965]였다. 그의 근대주의적 전망은 기존의 빽빽하게 건설되고 오래된 역사도시 중심지historic city centre와 밀집된 인접 교외를 허물고 업무 및 공공 부문과 위세적 거주 계급을 위한 새 근대적 수직도시vertical city를 건설하는 것이었다.[17] 외곽 산업 지역인 산업도시에서 일하는 교외거주민들을 위해 코르뷔지에르는 대량 생산된 조립형 주택으로 반복적이며 표준화한 기하학적 배치를 따르는 계획된 산업교외를 제안했다.[18] 그가 '정원도시garden city'라고[19] 이름 붙인 이 지역에서는 근대적 삶의 빨라지는 속도에 대처하는 표준화, 기하학적 선형, 근대 기술의 공간적 질서가 강조되었다. 이와 같은 공간질서는 교외거주민의 도덕적 삶을 향상할 것이었다.

르코르뷔지에의 계획들 가운데 단지 몇 가지만이 설계대로 개발되었다. 그럼에도 〔르코르뷔지에가 강조한〕 근대주의Modernist 원칙은 20세기 내내 산업 교외 및 노동계급 교외의 확산에 영향을 끼쳤다. 소련에서는 다층주택, 공공서비스, 녹지, 교통수단이 제공되는 미크라라

이온microraion〔микрорайóн〕이라는 노동자를 위한 표준화한 거주지구가 건설되었다. 미크라라이온의 건설은 이미 1920년대에 시작되었지만, 1950년대부터 1980년대까지 탈린Tallinn(에스토니아)에 있는 라스나메에Lasnamäe에서 북한과 일본에 가까운 러시아의 블라디보스토크Владивосток까지 소련 전역에서 주요한 발전을 이루었다. 교외화는 제한되었고 농촌권과 도시권 경계는 분명하게 유지되었다. 외곽에는 오늘날 연중 사용되는 작은 여름별장이 있는 구역이 있었으며 이곳은 교외의 한 부분이 되었다. 제2차 세계대전 이후 서유럽에서는 극심한 주택 부족을 해결하려 국가와 도시 당국들이 대규모 대중교통이 지원하는 이동(성)mobility을 바탕으로 주택, 산업, 여가 용도의 공간을 근대주의적으로 분할한 것을 기반으로 삼아 하류층을 수용할 목적에서 계획된 교외의 대규모 건설에 착수했다. 이 대규모 교외 아파트와 주거 교외housing suburb 대부분은 사회적으로나 물리적으로 주요 도시 공동체와 분리되었고, 견고하게 지어지지 않았으며, 빠르게 열악해졌다.[20] 오늘날 그러한 많은 구역이 광범위한 사회적 박탈과 불만의 대상이며, 포괄적 재생이 필요한 실정이다.

정원 교외garden suburb는 산업도시의 문제에 대한 또 다른 대응이었다.[21] 이는 독학의 도시계획이론가 에버니저 하워드Ebenezer Howard의 《내일의 정원도시Garden Cities of To-morrow》〔1898〕에서 영감을 받았다.[22] 하워드에게 대도시big city 외곽에 새로 지어진 정원도시는 대도시의 문제점들을 피하면서 도시와 농촌 생활의 가장 좋은 측면을 융합해 주민들에게 좋은 삶을 만들어줄 것이었다.[23] 일자리, 더 높은 임금, 시민생활, 사회적 상호작용, 전통적인 집단적 공동체의 가치, 깨끗한 공기,

자연적 아름다움, 공지空地(개방공간)open space는 최대 3만 2000명이 누릴 혜택이었다. 기능적, 사회적, 미적 개발은 조화로운 소규모 공동체를 구축한다는 구상하에 신중하게 설계되었다.[24] 20세기 초반 런던 외곽에 레치워스Letchworth와 웰윈Welwyn 정원도시가 세워졌으며 맨체스터 근처에 윈센쇼Wythenshawe가 건설되었다. 그런데 하워드의 생각은 유럽·북아메리카 및 그 너머에서 정원교외(종종 혼란스럽게 정원도시라고도 한다)의 확산에 가장 큰 영향을 끼쳤다. 미국에서 최초의 적절한 정원교외 프로젝트는 1908년 뉴욕주 퀸스Queens의 포레스트힐가든스Forest Hill Gardens였다. 하워드의 구상뿐만 아니라 그것에 영향을 받은 클래런스 스테인Clarence Stein과 클래런스 페리Clarence Perry는 1929년 뉴저지주 페어론Fair Lawn의 일부인 래드번Radburn에 정원도시를 만드는 데 관여했다. 제2차 세계대전 이후 핀란드에서 건축가 오토-리바리 메우르만Otto-livari Meurman과 아르네 에르비Aarne Ervi가 정원교외 구상과 근대주의적 기능주의Modernist Functionalism 사이의 융합을 만들어냈다. 그 결과, 타피올라Tapiola 지구는 합리적인 가격의 주택, 효율적인 공공서비스, 아름다운 자연경관natural landscape, 인근 핀란드 수도 헬싱키와의 좋은 연결고리를 가지게 되었다. 정원교외는 오스트레일리아와 저개발 경제권의 도시들 주변에서도 생겨났다. 일례로, 아르헨티나 부에노스아이레스의 시우다드자르딘로마스델팔로마르Ciudad Jardin Lomas del Palomar, 레바논 베이루트의 카르티에드레투왈quartier de l'Etoile, 이집트 카이로의 가든시티Garden-City 동네가 등장했다.

확장 교외extended suburb 역시 20세기 초반 계획이론planning theory에 뿌리를 두고 있다. 북아메리카 건축가 프랭크 로이드 라이트Frank Lloyd

Wright는 1920년대와 1930년대에 저밀도 및 저층의 브로드에이커시티Broadacre City〔평원도시平原都市〕를 구상했다. 그는 《사라져가는 도시The Disappearing City》(1932)에서 이 구상을 제시했다. 라이트는 특정한 공간 질서가 개인의 자유 및 민주주의와 결합하는 새로운 도덕적, 사회적 질서를 만들어낼 것이라 믿었다. 이 계획은 타운과 시골을 병합해 공간적으로 분리되거나 용도 설정된 확장적 교외권을 만들려는 것이었다. 그 결과는 건강에 좋고, 시각적으로 쾌적하고, 문화적으로 고양되는 반半도시환경이 될 것이다. 원래의 소규모 계획은 16제곱마일〔약 40제곱킬로미터〕 이상을 각각 서로 다른 주택 유형과 편의시설을 포함하는 4개 영역으로 나누었다. 가족들은 1에이커〔0.004제곱킬로미터〕의 땅이 있는 단독주택에서 살 것이었다. 이것은 사람들에게 자신들의 환경에 대한 더 큰 개별적 통제권을 주고 공동체 의식을 키울 수 있을 것이었다. 열차 연결이 있을 것이지만 주민 대다수는 교차로에 대형 쇼핑몰이 있는 조망의 고속도로와 공원도로 연결망에서 자가용을 타고 다닐 것이었다.[25]

라이트의 애초 구상은 이후 많은 북아메리카 도시 주변에 대규모 확장 교외를 만드는 데서 수정·적용되었다. 1934년에 설립된 연방주택관리국의 지역 계획 규정과 정책은 미국 전역에서 교외주택 건설을 가능하게 한 저렴한 대출을 보장해 교외개발을 지원했다. 이에 더해, 1930년대부터 연방정부는 많은 가구가 내부도시inner city에서 막 등장한 저밀도 교외권으로 이주할 수 있도록 하는 주간州間고속도로 및 도시 내 고속도로에 상당한 재원을 사용했다.[26] 민간 부문도 이 과정에 적극적으로 관여했다. 이와 같은 표준화한 교외는 단독주택, 이른바

시트콤 교외sitcom suburb에 의해 장악되었다.

전후戰後의 가장 유명한 확장 교외의 사례는 민간 개발자 에이브러햄 래빗Abraham Levitt, 윌리엄 래빗William Levitt, 앨버트 래빗Albert Levitt이 건설한 뉴욕의 래빗타운Levittown이었다. 레빗타운은 1960년대까지 1만 7000가구, 8만 2000명 이상을 수용한 대량 생산된 교외의 주요 원형이 되었다. 상대적으로 저렴한 주택은 매우 크고 반복적이며 사회적, 민족적으로 분리된 교외권을 형성하는 개별 필지에 자리를 잡았다. 거주민의 대다수는 젊고 결혼한 중위소득의 백인 부부였다.[27] 그런데 응집력 있는 사회적 관계망이 비非공동체 지역이라는 표준화한 교외의 신화를 전복했다.[28] 이후의 교외주택 프로젝트는 사회적, 인종적 분리의 더욱 혼합된 양상을 보여주었다. 그럼에도 부유한 거주민의 신중한 선택이 출입통제 공동체 형태의 많은 소규모 민간 교외 프로젝트를 좌우한다.

출입통제 공동체(빗장 공동체)gated community는 부유하고, 소비지향적이고, 사회적으로 동질적이고, 사적으로 관리되고, 벽과 울타리의 폐쇄된 경계와 엄격한 출입통제로 주변과 분리된다. 확장 교외가 주로 북아메리카의 현상이라면, 출입통제 공동체는 점점 더 지구적 분포를 보이며 라틴아메리카, 남아프리카, 중동, 러시아, 중국의 도시 외곽에서도 발견할 수 있다. 출입통제 공동체 협회 및 거주민과 서비스 직원이 거주하는 주변 사이에는 근접성과 연결의 복잡한 양상이 존재한다. 저개발 국가에서는 도시를 둘러싸고 있는 빈민가 교외와 혜택 받지 못한 무단점유자로 인지되는 무질서에 반대되는 풍요로운 도시성을 보여주는 요새화한 방벽들이 자리하는 경우가 흔하다.

무단점유 교외 및 판자촌 교외 권역squatter and shanty town suburban area은 원도심 외곽에서 지구적으로 매우 많고 눈에 띄며, 현재 주로 저개발국가들에서 존재한다. 공간적 빈곤이라는 함정은 심각한 직업 제한, 젠더 격차, 생활 조건 악화, 사회적 배제와 주변화marginalization, 사회적 상호작용의 부족, 높은 범죄발생률을 초래한다.[29] 그러한 지역은 오랜 역사적 계보를 가지고 있으며 세계 대부분의 지역에서 초창기부터 발견할 수 있다. 19세기에 많은 유럽 및 북아메리카 도시 외곽에 판자촌이 있었다. 예컨대 파리, 베를린, 아테네 주변이다.[30] 그러나 도시화urbanization로 인해 그 수와 범위가 커졌다. 역사, 맥락, 규모, 개발 단계에 따라 이 지역은 슬럼slum, 바리오barrio, 파벨라favela, 판자촌shanty town 같은 다양한 이름을 갖는다.[31] 주로 도시로 들어가는 주요 도로의 대상帶狀개발ribbon development〔또는 띠상개발〕로 시작되는 이들 주변권peripheral area은 흔히 공식적인 민간 임대주택 및 공공주택, 무허가 자체 건립 주택, 민간에서 비공식적 사유지로 구획된 무단점유인 판잣집squatter shack, 호스텔hostel〔무주택자·노인·신체장애자 등의 수용시설〕, 난민 캠프, 노상 거주민들을 결합한다. 거대도시지역metropolitan region에서는 이와 같은 빈민가 지역 중 일부가 도시 관내에 있기도 하지만 그 대부분은 외부에 있으며 흔히 멀리 떨어져 있다.[32] 일례로, 인도의 주요 도시 델리·첸나이·뭄바이는 저마다 경제활동이 다르지만 각각 교외에 빈곤이 만연한 곳을 포함하고 있다.[33]

2010년에 세계에는 1000만 명 이상이 거주하는 빈민가slum가 20만 개 넘게 있었다(나이로비의 악명 높은 키베라Kibera 빈민가에 대해서는 [도판 33.2]를 보라). 저개발국가들에서는 도시 거주민의 3분의 1이 빈민가에 살고 있다. 2030년까지 지구적 빈민가 거주민은 그 수가 두 배 증가할 것으로 예측된다.[34] 구체적으로, 이들 지역은 부적절한 기반설비와 함께 폐품들을 이용해 자체적으로 건설된 임시 주거지가 지배적이다. 적어도 초창기부터 이들 지역에 적절한 위생, 전기, 물과 같은 공공서비스가 결핍된 경우가 흔하다. 거주민은 토지를 소유하지 않고 치안도 제한적이다. 그러나 그림이 모두 암울한 것은 아니다. 좀 더 안정적인 지구의 주민들은 자존심을 가지고 살 수 있고, 외부에서 그러한 지구를 경멸적으로 묘사하는 것과는 전혀 다른 공동체적 정체성 의식이 있다. 무단점유 교외는 개발 주기가 잦은 편이다. 더 안정화하고 발달함에 따라, 그러한 지역은 기초적 서비스를 획득하고, 주민들은 증명서를 얻으며, 예컨대 라틴아메리카 도시에서 볼 수 있듯이, 통상적인 노동계급 교외로 변모한다(26장, 36장 참조). 사람들의 끊임없는 유입으로 많은 지역은 대규모 거대도시의 도시 변두리에서 비공식 주택과 빈곤의 연속적 벨트를 형성하는 초거대빈민가[메가슬럼]megaslum로 통합된다.[35] 새 이주민은 종종 시 중심지에서 수십 킬로미터 떨어진 곳에서 산다. 그럼에도 지구적으로 도시 빈곤층은 대다수가 중간 규모나 작은 규모의 타운에, 심지어 아주 작은 규모의 타운에 살고 있다.[36]

중국은 사회주의적 규제의 도시체계에서 현대적 도시경제로 변모하고 있는 특별한 경우다. 공산당 아래에서 국가는 이주와 교외화를 매우 많이 규제했다. 1980년대의 경제개혁 이래, 이와 같은 통제는 덜 효과적이거나 더 선택적으로 변했다. 일반적으로 빈곤층의 삶을 개선하는 데 초점을 맞춘 친성장 정책들은 빈민가의 주택 수를 줄이는 결과로 이어졌다.[37] 그러나 수백만 명의 임시 미등록 및 자격 미달 이주 구직자(농민공農民工)는 도시 변두리에 머물 수밖에 없으며, 그중 다수는 특히 베이징과 상하이 같은 대규모 도시에서 임시적이고 매우 밀도가 높은 주택 구역에 있다. 이와는 대조적으로 북아메리카와 유럽에서는 제2차 세계대전 이후 교외 빈민가가 드물어졌다. 그러나 최근 북아프리카에서 유럽으로의 이주 흐름은 그리스의 파트라스Patras〔파트라Pátra, 파트레Patrai〕와 이탈리아의 나폴리 같은 특정 항구도시와 마드리드·리스본 같은 이주민을 유인하는 대규모 수도에서도 판자촌이 생겨났다. 또한 가난한 소수집단 예컨대 집시Roma의 경우에는 특히 많은 남동부 유럽의 도시에서 판자촌에 거주하도록 강제되는 일이 빈번했다.

교외 스프롤suburban sprawl은 그 기원이 더 일찍부터 시작되었음에도 현대에 매우 일반적이다. 특히 중요한 것은 20세기 후반 대규모 거대도시의 부상이었다(41장 참조). 대부분의 계획되지 않은 그리고 절반 정도만 계획된 성장 및 개발은 토지와 주택 가격 때문에 시 중심지에서 멀리 떨어져서 일어났다. 이는 더욱 선진적인 국가들에서 가장 흔한 유형의 교외화다. 예를 들어, 1970년에서 1990년 사이에 로스앤젤레스 거대도시권metropolitan area은 45퍼센트 성장했고 건축 면적은 300퍼센트 확장했다. 교외 스프롤은 저개발국가들에서도 실재한다. 모든 대륙에서, 특히 더 큰 규모의 도시들에서 건축 면적은 인구보다 훨씬 빠르게 증가한다. 일례로, 마다가스카르의 안타나리보Antanarivo, 중국의 베이징, 이집트의 카이로, 남아프리카공화국의 요하네스버그, 멕시코의 멕시코시티 등이 그러하다. 이들 도시의 교외 스프롤은 또한 중산층의 고급화 교외 팽창과 판자촌 및 무단점유 교외와 중첩되는 가난한 사람들의 저품질 주택과 편의시설로 이루어진다.[38] 시장 세력, 소비주의, 공공정책은 같은 종류의 스프롤 증가를 지지한다. 흔히 민간 개발자와 건설업자들은 저렴한 땅에 쉽게 접근할 수 있는 만큼 그러한 지역을 홍보한다. 가족들은 더 좋고 더 넓은 주택과 더 뛰어난 자연 접근성을 이유로 그곳으로 이사하기를 열망한다. 거대도시 변두리의 자치체들에 의한 납세자 경쟁도 있기에 도시계획 당국들은 규제 완화를 통해 소극적으로 팽창을 용인하고 도로 건설과 용도지역 규제를 통해 이를 지원하기까지 한다. 스프롤은 주택의 혼합으로 유명한 특정의 교외경관suburban landscape을 형성한다. 전통적인 주택, 기능적인 주거 단위, 포스트모던 빌라가 있으며 흔히 서로서로 가까이에 있다. 공동체 정체성이나 사회적 관계망에 대한 강력한 자각은 이런 스프롤 지역에서 줄어들지만, 이와 같은 팽창이 때로는 확장 교외 및 출입통제 공동체를 포함하는 계획된 개발을 통합하기도 한다. 교외 스프롤은 또한 저개발국가들에서도 실재하지만, 여기서 주택과 편의시설의 질이 떨어진다는 것은 팽창하는 교외가 판자촌 교외 및 무단점유 교외와 중첩된다는 것을 의미한다.

교외 에지시티〔경계도시〕suburban edge city는 도시 주변부에 위치하며 1980년대 이후 처음에는 미국에서, 나중에는 다른 선진국들에서 경제적으로 매우 중요해졌다. 유명한 에지시티는 워싱턴D.C. 서쪽 타이슨코너Tyson's Corner와 로스앤젤레스의 센추리시티Century City를 들 수 있다. 이러한 다기능 지역의 개발은 처음에는 시 중심지 및 내부도시권의 사람, 주택, 고용, 제조업, 서비스업의 지방분권화〔분권화〕decentralization에 기반을 두었다. 후기 산업도시에서는 많은 중심권central area이 교외의 거대 쇼핑몰, 물류센터, 기술단지로 인해 경제적 기능을 상실했다. 이후 에지시티는 다운타운권downtown area과 연결되지 않은 채 직접투자의 영역이 되었다. 일부 저자들은 이것을 후기 교외 시기post-suburban period라고 부른다.[39] 유럽에서는 소수의 에지시티만이 있으며 공공부문이 그곳의 개발에 더 많이 관여했다. 에지시티는 보통 네덜란드의 란트스타트Randstad, 파리의 발드센Val de Seine, 누아지-르-그랑Noisy-le-Grand 같은 더 큰 규모의 거대도시권에서 전문적 중심지로 등장했다.[40]

최근 거대도시의 지방분권화가 에지시티 안팎에서 계속되고 있다. 다양한 종류의 새로운 교외 형태와 기능이 등장했다. 에지리스시티edgeless city는 저밀도 상업과 주거 개발로 구성된다.〔'에지리스시티' 또는 '무경계 도시'는 교외에서 발견되는 사무실 군집 구역 형태로 특정한 도시 경계를 설정하지 않는다.〕 붐버브boom-burb는 사업 중심지 없이 빠르게 성장하는 자치체다〔'붐버브'는 미국의 거대도시 교외 영역에서 핵심 도시는 아니나 인구 10만 명 이상으로 빠르게 성장하는 도시를 말한다.〕[41] 두 지역 모두 파편화한 지방 관할권, 구분의 정치, 서비스 기반의 정보 경제, 불평등의 공간적 환경에서 이질적이고 분리된 공동체와 같은 정치적, 경제적, 사회적, 공간적 요소를 가지고 있다. 이들은 애틀랜타, 보스턴, 로스앤젤레스, 피닉스Phoenix, 댈러스Dallas 같은 많은 미국 거대도시권 주변에서 발견된다.[42] 때로 에지시티는 도시권의 나머지 지역과 기능적으로 독립을 한다 해도 정치적 자치권을 거의 갖지 않는다. 이 모든 영역은 새로운 교외의 사례이며, 정체성과 기능적·물리적 범위의 측면에서 더는 오래된 원도심urban core을 직접 참조해 개발되지 않는다.

최근의 경향: 변화하는 교외화와 현대의 교외

지금까지 살펴본 것처럼, 많은 유형의 교외가 시간이 흐르면서 등장했다. 교외의 발달은 교외화 과정에서 주요하고 서로 얽힌 양적, 질적, 상징적 변화와 관련 있다.

교외화와 관련된 첫 번째 주요 변화는 양적인 것 곧 도시 거주민의 폭발적 성장이다. 1950년 세계 도시 인구는 약 7억 2900만 명에 달했지만 2010년에는 거의 34억 8600만 명으로 거의 5배 증가했다. 급속히 확대되는 교외는 이러한 도시성장의 대부분을 흡수했다.[43] 점점 더 많은 인구가 교외에 살고 있다.[44]

1990년 이래 동남아시아, 남아메리카, 서아프리카에서 가장 커다란 절대적인 도시성장이 이루어졌으며—26장, 28장, 35장에서 보았듯, 이는 특히 아시아의 강력한 경제성장과 정부 및 사업 중심지로서 도시의 상승에 힘입었다. 아시아에서 거대도시는 일반적으로 매우 광범위하며, 판자촌, 출입통제 공동체, 에지시티 등 다양한 유형의 광대한 교외로 둘러싸인 원도심을 가지고 있다. 저개발국가들에서 수도는 적절한 기반설비가 없고 매일의 생존 문제와 함께 엄청나게 크고 빠르게 성장하는 빈민가와 판자촌을 가지고 있다.

더 선진적인 국가들에서는 1970년대 이래로 점차 느려진 도시화율에도 교외화가 계속해서 진행되었다. 미국에서 교외성장은 1920년대부터 이미 중요해졌고 1950년대부터 가속화했으며 개인 자동차 소유의 급증으로 촉진되었다. 확장 교외, 교외 스프롤, 출입통제 공동체, 에지시티 등 모든 유형의 교외가 확산했다. 대규모 교외화는 서유럽에서도 발생했으나 속도가 덜했고 국가마다 다양했다. 영국은 교외화의 최전선이었다. 영국에서 교외는 이미 제2차 세계대전 이전에 노동계급 주택과 빌라, 정원 교외를 포함했는데, 전후 전국적 교외화는 점차 도시 스프롤로 변모했다. 1970년대 이후 분명히 볼 수 있는 이러한 중심도시로부터의 탈출은 역逆도시화counter-urbanization로 명명되었다. 이는 도시 경계의 신흥 장소에 대응하며 전통적인 원도심의 중요성을 상대적으로 축소하는 것을 나타냈다. 유럽과 북아메리카 모두에서 도시 재활성화urban revitalization가 시작되고 부유한 백인들을 재개발된 시 중심지로 다시 끌어들였던 1980년대에는 상황이 더욱 복잡해졌다. 도시로 되돌아가기back-to-the-city 운동은 재도시화로 개념화했으며, 이것은 처음에는 더 큰 규모의 타운에서, 나중에는 더 작은 규모의 타운에서 명백해졌다. 미국에서는 2000년에서 2010년 사이에 거대도시지역의 중심부와 그 인접 밀집 교외 모두가 외곽 교외와 외딴 지역을 희생시키면서 성장했다[45] 그러나 모든 교외권이 성장하고 있는 것은 아닌데 그 이유는 대부분이 탈산업화 때문이다. 축소되는 교외는 후기 산업사회들과 그들의 도시, 그들 도시계획의 새로운 현상이다.[46] 현재의 도시화 과정은 많은 병렬적이고 구분되는 경향들로 구성되어 있다.

두 번째 주요 변화는 교외의 질적 변화다. 교외화가 지구적 과정이긴 해도, 현장의 교외는 다양하고 더 넓은 경제적, 사회적, 정치적 경향에 서로 다르게 반응한다. 게다가, 같은 교외권은 물질적으로나 사회적으로, 때로는 더 긴 기간에 걸쳐 여러 차례 변화할 수 있다. 예를 들어 정원도시 또는 정원 교외는 20세기 초반에 산업도시 및 상업도시의 문제를 피하려고 철저히 계획되었고 도시 변두리에 떨어져 지어졌다. 흔히 미학적으로나 사회적으로 매력적인 환경을 가진 이들 영역은 더 넓은 도시지역urban region의 원도심과 밀접한 관계였고 그것에 잘 통합되어 있었다. 그곳에는 대부분 부유한 사람들이 살고 있는데, 그들은 정원 교외 초기의 진보적 위상을 보수적인 것으로 바꾸었다. 또 다른 사례는 제2차 세계대전 이후 대규모로 건설된 계획된 노동계급 교외다. 한때 기능적이었던 일부 노동계급 지구는 도시 하층계급과 소수민족들의 쇠퇴하고 분리된 영역으로 바뀌었다. 유사한 다양성이 계획되지 않은 교외에 영향을 끼친다. 많은 초기 판자촌 빈민가가 괜찮은 주택구역으로 개선되었던 반면, 일부 오래된 도시 스프롤 영역은 사회적으로 결핍되고 물리적으로 저하되었다.

교외화에 관한 세 번째 주요한 변화는 상징적인 것이다. 많은 근대 교외권은 50년 또는 심지어 100년 이상의 개발로 완성되었다. 그 사이 새로운 교외는 자체의 고유한 특성으로 도시화함에 따라서 생겨나고 더는 오래된 원도심과 관련되지 않는다. 지역 정체성을 강화하고자 교외의 역사는 때때로 재창조되며, 교외경관은 상징으로 가득 차 있다—예컨대 신新전통적neo-traditional 건물 형태다. 신도시주의new urbanism와 유사한 계획 및 디자인 운동은 교외의 새로운 상징성을 키워왔다. 향수를 불러일으키는 이런 운동은 과거를 가치 있게 하고 새 교외권의 주택, 거리, 공공공간, 광범위한 토지 활용을 위해서 전통적 공동체의 설계 원칙을 모방한다.[47] 신도시주의는 미국과 일부 라틴아메리카 국가에서 가장 인기가 있다.

상징적 변화의 일부는 교외의 정치적 변화와 연결되었다. 수십 년 동안 교외는 중심도시가 지배했다. 오늘날 특히 더 발전한 국가들의 성장하는 거대도시지역에서는 많은 교외가 경제적으로나 정치적으로 강력한 영역으로 변모하면서 중심도시와 교외 사이 권력관계를 바꾸고 있다. 그러한 교외는 더 넓은 도시지역 내에 강력한 부유층 거주지를 형성한다. 이런 거주지는 때로는 고유한 행정 관할권을 부여받게 되거나 전통적인 원도심으로부터 부유한 납세자와 성공한 사업체가 유입되거나 도시지역 외부에서 그와 같은 활동을 하는 사람들의 이주를 선별적으로 받아들이면서 성장한다. 거대도시지역 내에서는 역사적인 중핵도시Core City와 그 거주지 사이의 정치적 긴장이 흔히 목격되는바, 이는 때때로 원도심에 대항하는 동맹을 형성해 전체 거대도시지역에 서비스를 제공하는 교통과 같은 공공 편의시설을 조직하는 일이 어려워진다. 원도심에 대항하는 동맹은 또한 교외를 병합함으로써 영역을 확장하려는 도시 관할권의 시도를 반대하는 데서 영향을 끼쳤다.

현대의 교외에 대한 설명의 관점들

서로 다른 저자들이 교외의 발전을 경제적, 사회적, 기술적 관점에서 폭넓게 해석했다. 경제적 해석은 현대 교외의 공간적 진화 뒤에 구조적 경제력이 있다고 주장한다. 지리학자 데이비드 하비David Harvey에 따르면, 자본은 성장을 위해 필연적으로 교외를 착취한다.[48] 따라서 교외화의 역사는 자본주의capitalism의 역사이자 자본주의의 지속적 변화의 역사이기도 하다. 19세기부터 많은 도시가 성장하는 산업의 집중장소가 되었다. 이 산업은 점점 더 노동집약적이 되어서 도시들은 공장과 여타 산업적 설비와 그것들과 관련된 노동력을 수용할 교외의 공간이 필요해졌다. 제2차 세계대전 이후 교외와 교외화는 산업만이 아니라 서비스 및 건설 부문에 자본을 투자하는 여러 중요한 기회를 제공했으며 흔히 국가의 지원을 받았다. 교외는 도시의 비싼 중심부에 비해 많은 이점이 있었다. 많은 경쟁적 경제활동과 오래된 건조환경built environment으로 시 중심지의 토지 가치는 높았으며 비용이 많이 드는 재생이 필요했다. 교외의 토지 가치는 상당히 낮아 투자에 매력적이었으나, 이를 이용하려면 현지적, 지역적, 국가적, 초국가적 수준에서 유리한 조건이 있어야 했다. 여기에는 토지와 건물에 대한 긍정적 도시계획 규정, 저렴한 토지와 건축자재에 대한 접근 용이성, 주택담보대출〔모기지〕mortgage의 가용성可用性 증가, 시 중심지로부터 고용과 인구의 장기적 이동, 노동과 상품의 이동을 촉진하는 교통 지원 정책이 포함되었다.[49] 최근 초국가적 자본은 교외 빈민가를 소비재 대량생산을 위한 값싼 노동력의 공급원으로 변화시켰다.

현대 교외개발에 대한 이러한 경제적 해석은 두 가지 더 광범위한 이론과 연결된다. 자연진화natural evolution 이론은 교외 주거의 성장이 도시의 내부에서 외부로 발생한다고 파악한다. 중심 도시권이 통근 비용을 최소화하기 위해 먼저 개발되고 그다음에 교외로 그 과정이 옮겨간다. 나중에 더 부유한 사람들이 외부 교외의 더 넓은 주택으로 이사하면서 고밀도의 다운타운을 떠나게 되면 이곳은 저소득 집단들로 채워진다. 자동차를 포함한 교통 혁신은 교외에 거주하는 중산층의 공간적 범위를 확장한다. 그에 못지않게 중요한 것은 교외로 옮겨온 일자리와 더욱 다양한 주택 재고가 교외의 확장을 촉진한다는 것이다. 이와는 대조적으로, 재정-사회적fiscal-social 설명 모델은 대부분 부유층과 경제활동을 시 중심지에서 교외로 밀어내는 원도심의 재정적-사회적 문제의 결과—높은 세금, 공공서비스 질 저하, 인종 갈등, 범죄, 혼잡, 환경 악화 등—로 교외화를 설명한다.[50] 이 두 이론이 북아메리카 이외 지역 특히 저개발국가들의 도시들에서 얼마나 적용가능한지는 관심을 받을 만하다.

그러나 자본 축적의 논리는 교외화에 대한 부분적 설명만을 제공한다. 교외 장소들은 그곳에서 살아가는 현지 교외 거주민들과 더 광범위한 경제세력에 의해 상호작용적으로 형성된다. 도린 매시Doreen Massey에 따르면 지역적으로 구별되는 장소들의 사회적 구성에 주의할 필요가 있다. 교외는 사회적 과정과 사회적 관계의 구체적이고 특별한 공간적 형태의 결과물이다. 인적 작용의 역할은 교외를 다양성의 장소로 이해하고 사회적 관계의 흡수적 네트워크로 이해하는 데 중요하다.[51]

그러므로 현대 교외의 사회적 해석은 젠더gender, 계급class, 인종race에 초점을 맞추고 있다. 젠더 관점에서 현대 교외 지역은 증가하는 노동력을 수용할 경제적으로 효율적인 장소로 묘사되었다. 많은 남성이 도시 변두리에서 확대하는 산업체의 일자리나 다운타운 사무소의 사무직으로 향하는 동안, 교외의 여성들은 가사를 맡았다. 여성들은 아이들을 돌보고, 집안일을 하면서 교외에서 생활하는 전업주부가 되었다.[52] 이 과정에서 교외의 가정은 여성화되었고 교외에는 뚜렷하게 젠더화한 분업이 나타났다. 그러나 모든 학자가 여성이 그와 같은 수동적, 종속적 위치가 되었다고 받아들이는 것은 아니다. 사실 더 발전한 국가들의 많은 교외에서 여성들은 거의 남성들과 마찬가지로 노동력에 기여하고 있으며, 저개발국가들에서 확산하는 빈민가에서 여성들은 남성들보다 훨씬 더 활동적인 노동력을 제공하는 경우가 많다. 그러나 육아, 가사, 취업, 여가 선호 등의 문제로 교외의 이동(성)과 공간 양상에 젠더에 따른 중요한 차이가 있는 것은 사실이다.

계급적 설명은 토지와 자동차 소유에 초점을 맞춘다. 이에 따르면, 교외의 밀도가 높은 영역은 대중교통 수단이 제공되며 주로 노동계급을 대상으로 한 임대아파트 또는 저가의 아파트가 포함되어 있다. 반대로 자가용으로만 접근할 수 있는 교외권은 성장하는 중상류층을 대상으로 하는 주로 자가 단독주택으로 구성된다. 그러한 영역은 개별화한 가족 부동산으로 구성되어 점점 더 확장·확산했다.[53] 미국 그리고 그 정도는 조금 덜한 서유럽에서, 계급 구분은 민족적 차원을 띤다. 밀도가 높고 가난한 교외에 거주하는 비非백인의 비율은 백인 가정이 이주한 부유한 저밀도 지역보다 높다. 이 '화이트 플라이트white-flight'〔(타민족, 타인종과 살기를 꺼리는) 백인 중산층의 교외 이주〕 개념은 교외연구, 특히 미국에서 논란이 많은 연구 주제의 하나다.

교외의 내부 민족적 차이에 관한 연구는 그 전통이 오래다. 20세기 초반 시카고는 빠르게 성장하는 산업도시 및 상업도시로 유럽 및 여타 지역에서 많은 이주민을 유인했다. 식물생태학plant ecology과 사회적 다윈주의〔또는 사회진화론〕Social Darwinism에 대한 사유를 바탕으로 시카고학파Chicago School의 도시연구는 20세기 초반 교외에서 서로 다른 민족집단이 어떻게 좋은 위치를 놓고 경쟁했는지 설명했다. 더 강한 민족집단은 사회적 사다리social ladder〔곧 사회계층의 서열〕를 타고 올라가 산업오염으로부터 떨어진 교외의 더 나은 지역으로 이주했다. 구舊교외에 남은 팽창하는 민족〔인종〕집단들은 약한 민족집단들을 밀어냈고, 열등한 집단들은 쇠퇴하는 구역에 모여들게 되었다[54] 따라서 교외 내의 사회-공간적 분리는 자연스럽고 도덕적인 과정으로 여겨졌다. 그러나 이 분석은 지나치게 기계적이고 시카고에만 특수한 것이라는 비판을 받아왔다. 오늘날 미국의 모든 교외 주민의 약 3분의 2가 백인으로 주요 도시의 5분의 2와 비교된다. 그러나 최근 몇 년 동안 민족적〔인종적〕 교외화ethnic suburbanization의 흥미로운 양상이 나타났다. 2010년대에는 미국에서 처음으로 대규모 거대도시권의 모든 민족〔인종〕집단의 대다수가 교외에서 살아가고 있다.[55] 영국에서도 예를 들어 아시아 인구 및 젊은 무슬림 인구의 상당수가 교외로 이주했고, 가족 및 공동체 지원과 더 큰 개인적 자유를 균형적으로 유지했다.[56]

현대 교외에 대한 기술technology적 해석은 주로 교통 및 관련 기반 설비의 개발과 관련 있다. 근대 초기 교외는 많은 교외거주민이 일하는 시 중심지에서 걸어서 갈 수 있는 거리에 있었다. 19세기 초반부터 교외의 지속적 확장은 몇몇 형태의 대중교통을 필요하게 했다. 유럽의 주요 도시에는 1820년대부터는 말이 끄는 옴니버스omnibus가 있었고 1860년대부터는 말이 끄는 전차가 있었는데, 이것들은 점점 더 어엿한 교외로 확장했다. 19세기 중반부터 20세기 초반까지 철도는 교외 통근자의 이동(성)을 증가시키는 교외의 핵심적 촉진제였다. 그만큼 역시 중요한 것이 1900년경 전기전차electric tram 또는 지하철underground railway 체계의 확산이었다. 동시에 대중교통 제공은 적어도 처음에는 가난한 지역에 비해 더 나은 교외권을 선호하는 자체적인 우선순위에 따랐다.

20세기 내내 대중교통 체계의 확장과 자가용 자동차의 성장은 일상적 통근 지역을 더욱 확장했다. 이에 따라 교외는 더 커지고 더 많은 사람을 수용할 수 있게 되었다. 누군가는 교외 경계에서 원도심부까지 매일 수십 킬로미터, 심지어 200킬로미터 이상을 통근할 수 있게 되었다. 개선된 교통 체계는 또한 도시 중심부에서 교외 및 도시 변두리로 산업 이전을 촉진해 통근 양상을 수정했다.[57] 개인 자동차 사용은 도시 스프롤의 큰 요인이었으며, 이는 특히 노동인구의 76퍼센트가 혼자 차를 몰고 출근하는 미국에서 그러하다.[58] 이미 언급했듯, 그것은 또한 대중교통에 의존하는 사람들과 자동차로만 접근할 수 있는 사람들 간에 교외 공동체의 더 큰 분리로 이어졌다.

결론

교외는 수백만 명의 사람들에게 일상적 환경이다. 최근 수십 년 동안 교외성장suburban growth은 특히 빨라졌으며 교외는 모든 대륙에서 공간적으로 계속해서 확장되고 있다. 19세기 초반부터 현재까지의 교외의 발달을 살펴보면, 예컨대 산업화, 계획 정책, 교통 변화와 연계된 전 세계적인 광범위한 유사성이 발견된다. 이와 같은 경향이 동시에 모든 곳에서 나타나지는 않는다. 더 발달한 사회와 덜 발달한 사회 사이에는 시간의 차이가 존재하는데, 글로벌화하는 경제의 연결성connectivity이 높아지면서 그 차이가 좁혀져 교외의 진화에 시공간적 압축이 발생했다. 광범위한 구조적 힘이 교외의 성장에 영향을 끼쳤으나 인적 작용도 그러했다. 교외개발은 교외 주민이 동원될 때, 때로는 계획 당국이나 장래를 내다보는 도시계획가들의 도움을 받을 때 뚜렷한 지역적 궤적을 보여준다. 교외는 항상 복수형으로 간주해야 하며, 내부적으로 그 세부 배치가 이질적인데 이 장에서 설명한 바와 같이 교외 유형 간에도 큰 차이가 있다.

교외는 십중팔구 도시만큼 오래 존재해왔을 것이지만, 여전히 지난 2세기 동안에 가장 큰 변화를 경험했다. 전 세계적으로 교외의 양적 성장은 물론 질적·상징적 변화 역시 중요하다. 교외는 더는 필수적으로 중심도시에 의존하지 않고 더 넓은 거대도시권 내에 교외만의 고유한 정치적 의제를 수립하는 교외만의 고유한 권리로 구분되는 영토가 되고 있다. 교외 거주민이 되는 것은 덜 도시적으로 되는 것을 더는 의미하지 않는다.

교외는 계속 변하고 있다. 교외에서는 과거와 마찬가지로 지금도 판자촌 빈민가의 일상적 투쟁에서부터 단조로운 주택단지의 특징 없는 반복성, 빌라 교외와 출입통제 공동체의 배타성에 이르기까지 도시생활의 극단들이 발견된다. 이러한 복합적 현상을 이해하기 위해, 연구자들은 교외의 다양성과 시공간적 진화와 씨름할 새로운 접근법과 혼용 개념을 찾아야만 할 것이다.[59]

주

1 편집자는 친절하게 이 글의 수정을 도와주었다.

2 Ruth McManus and Philip J. Ethington, "Suburbs in Transition: New Approaches to Suburban History". *Urban History*, 34 (2006), 317–337. 그들의 관점에 따르면, 교외사는 교외생활이 시간이 지남에 따라 변화하는 사회문화적 역학에 어떻게 적응하는지에 초점을 맞출 필요가 있다.

3 Laura Vaughan, et al., "Do the Suburbs Exist? Discovering the Complexity and Specificity in Suburban Built Form", *Transactions of the Institute of British Geographers*, 34 (2009), 475–488.

4 Francis M. L. Thompson, *The Rise of Suburbia* (London: Palgrave Macmillan, 1982); Roy Porter, *London: A Social History* (Cambridge, Mass.: Harvard University Press, 1994); J. W. R. Whitehand and Christine M. H. Carr, *Twentieth-Century Suburbs: A Morphological Approach* (London: Routledge, 2001).

5 Kevin M. Kruse and Thomas J. Sugrue, "Introduction", in Kevin M. Kruse and Thomas J. Sugrue, eds., *The New Suburban History* (Chicago: University of Chicago Press, 2006), 1–10.

6 Richard Harris and Peter Larkham, eds., *Changing Suburbs: Foundation, Form and Function* (New York: Routledge, 1999); Matthew D. Lassiter, *The Silent Majority. Suburban Politics in the Sunbelt South* (Princeton: Princeton University Press, 2007).

7 2010년에 인구 100만이 넘는 도시가 450개 이상 있었다. 예를 들어, 다음 교외도시에는 100만 명이 넘는 주민이 있으며 동시에 이들 교외도시는 더 큰 규모의 거대도시권에 위치한다. 가와사키川崎, 사이타마埼玉, 요코하마(도쿄, 일본), 브카시Bekasi, 데폭Depok, 사우스탕에랑South Tangerang, 탕에랑Tangerang(자카르타, 인도네시아), 타네Thane(뭄바이, 인도), 파리다바드Faridabad(델리, 인도), 칼로오칸Caloocan, 케손시티Quezon City(마닐라, 필리핀), 구아룰류스Guarulhos(상파울로, 브라질).

8 Paul L. Knox, *Metroburbia USA* (New Brunswick: Rutgers University Press, 2008).

9 Bernadette Hanlon et al., *Cities and Suburbs. New Metropolitan Realities in the US* (New York: Routledge, 2010).

10 Paul L. Knox and Linda McCarthy, *Urbanization. An Introduction to Urban Geography* (New York: Prentice Hall, 2005).

11 Kruse and Sugrue, *The New Suburban History*.

12 J. Summerson, *Georgian London* (rev. edn., London: Penguin, 1962); H. J. Dyos, *Victorian Suburb: A Study of the Growth of Camberwell* (Leicester: Leicester University Press, 1961).

13 Donald J. Olsen, *The Growth of Victorian London* (London: Batsford, 1976), ch.5; idem, *The City as a Work of Art: London, Paris, Vienna* (New Haven: Yale University Press, 1986), 161과 여기저기.

14 Nancy G. Duncan and James S. Duncan, "Deep Suburban Irony: The Perils of Democracy in Winchester County, New York", in Roger Silverstone, ed., *Visions of Suburbia* (London: Routledge, 1997), 161-79; 그들의 심화된 사례연구도 참고하라. James S. Duncan and Nancy G. Duncan, *Landscapes of Privilege. The Politics of the Aesthetic in an American Suburb* (New York: **Routledge, 2004).**

15 Friedrich Engels, *Die Lage der arbeitenden Klasse in England* (Leipzig: Otto Wigand, 1845).

16 Ildefonso Cerdà, *Teoría General de la Urbanización y Aplicación de sus Principios y Doctrinas a la Reforma y Ensanche de Barcelona* (Madrid: Imprenta Española, 1867). 20세기 초반에 최상의 교외 형태에 대한 중요한 연구와 실천이 Unwin에 의해 수행되었다. Raymond Unwin, *Nothing Gained by Overcrowding! How the Garden City Type of Development May Benefit Both Owner and Occupier* (Westminster: Garden Cities and Town Planning Association, 1912).

17 1901년 토니 가르니에Tony Garnier는 리옹(프랑스)에서 기능적 도시 구역화 원칙을 제시했다. 도시공간은 산업, 업무, 여가〔레저〕, 교통으로 구분되었다. 르코르비지에는 이와 같은 생각을 이어받아 가장 영향력 있는 기능주의 건축가이자 모더니즘 도시계획가가 되었다.

18 Le Corbusier, *The City of To-Morrow and Its Planning* (London: John Rodher, 1925), 166, 175-176.

19 이와 같은 정원도시의 개념은 에버니저 하워드의 정원도시와 일부 다르다.

20 유명한 도시폭동은 광범위하게 쇠퇴한 교외에서 많이 발생한바, 예를 들어 1970년대 볼티모어(미국), 1980년대 런던 근처 브릭스턴(영국), 2000년대 프랑스 파리 교외banlieu와 스웨덴 말뫼 교외suburb가 그러하다.

21 Lewis Mumford, *The City in History. Its Origins, Its Transformations and Its Prospects* (London: Penguin, 1961), 555.

22 이 책은 1898년에 다음의 제목으로 처음 출판되었다. *To-Morrow: The Path to Real Reform*.

23 타운과 시골country은 결합되어야 하며, 이 즐거운 조합에서 새로운 희망, 새로운 삶, 새로운 문명이 생길 것이다." Ebenezer Howard, *Garden Cities of To-Morrow* (Cambridge, Mass.: MIT Press, 1965), 48.

24 Knox, *Metroburbia*, 17.

25 Frank Lloyd Wright, *The Disappearing City* (New York: Payson, 1932).

26 Knox, *Metroburbia*, 27-9.

27 Peter Hall, *Cities of Tomorrow. An Intellectual History of Urban Planning and Design in the Twentieth Century* (Oxford: Oxford University Press, 1988), 296.

28 Herbert J. Gans, *The Levittowners. Ways of Life and Politics in a New Suburban Community* (London: The Penguin Press, 1967).

29 United Nations-Habitat, *State of the World Cities 2010/2011: Bridging the Urban* Divide (London: Earthscan, 2010).

30 Hall, *Cities of Tomorrow*, 13-46.

31 브라질에서 가장 오래된 파벨라는 도망자 아프리카 노예의 독립적 정착지였다. 현대적 빈민가 대부분은 많은 이가 농촌권rural area에서 도시city로 이주한 1970년대에 등장했다. 현재 브라질에서 더 큰 규모의 도시 거주민 5분의 1이 빈민가에서 살고 있다.

32 Mike Davis, *The Planet of Slums* (New York: Verso, 2006), 30.

33 Isa Baud et al., "Matching Deprivation Mapping to Urban Governance in Three Indian Mega-cities", *Habitat International*, 33 (2009), 365-377,

34 United Nations-Habitat, *The Challenge of Slums. Global Report of Human Settlements 2003* (London: Earthscan, 2003).

35 Davis, *The Planet of Slums*, 26-8에 의하면, 적어도 100만 명이 거주하는 거대슬럼mega-slum은 다음을 포함한다. 멕시코시티(멕시코)의 네자/차도/이스타Neza/

Chado/Izta(400만), 카라카스(베네수엘라)의 리베르타도르Libertador(220만), 보고타(콜롬비아)의 엘쉬르/시우다드볼리바르El Sur/Ciudad Bolivar(200만), 리마(페루)의 산후안데루리간초San Juan de Lurigancho(150만), 라고스(나이지리아)의 아제군레Ajegunle(150만), 바그다드(이라크)의 사드르시티Sadr City(150만), 요하네스버그-하우텡(남아프리카공화국)의 소웨토Soweto(150만), 리마(페루)의 코노쉬르Cono Sur(150만), 가자지구(팔레스타인)의 가자(130만), 카라치(파키스탄)의 오렌지타운십Orangi Township(120만), 케이프타운(남아프리카공화국)의 케이프플래츠Cape Flats(120만), 다카르(세네갈)의 피키니Pikini(120만), 카이로(이집트)의 임바바Imbaba(100만)과 에즈베트 엘-하가나Ezbet El-Haggana(100만).

36 Celine Ferre, Francisco H. G. Ferreira, and Peter Lanjouw, "Is There a Metropolitan Bias? The Inverse Relationship between Poverty and City Size in Selected Developing Countries", *World Bank Policy Research Working Paper 5508* (2009).

37 United Nations-Habitat, *State*.

38 United Nations-Habitat, *State*, 10-11.

39 예들 들어 Edward Soja, *Postmetropolis: Critical Studies of Cities and Regions* (Oxford: Oxford University Press, 2000); Hanlon, Short, and Vicino, *Cities and Suburbs*.

40 Marco Bontje, "Edge Cities, European-style: Examples from Paris and the Randstad", *Cities*, 22 (2005), 317-330.

41 이 새로운 영역에는 사이버비아cyberbia, 페리미터시티perimetercity, 서브어번다운타운suburban downtown, 스텔스시티stealth city, 테크노버브technoburb 같은 많은 이름이 있다. Paul L. Knox and Steven Pinch, *Urban Social Geography* (New York: Pearson, 2010), 32.

42 Hanlon, Short, and Vicino, *Cities and Suburbs*, 85-107.

43 한 예측에 따르면, 2024년에는 2010년보다 도시권에서 1억 명이 더 많이 거주할 것이고, 대부분의 성장은 교외에서 일어날 것이다. United Nations Population Division, *World Urbanization Prospects: The 2009 Revision Population Database*, http://esa.un.org/wup2009/unup/index.asp.

44 Soja, *Postmetropolis*.

45 Brookings Metropolitan Policy Program, *State of Metropolitan America. On the Frontlines of Demographic Transformation* (Washington, D.C.: Brookings, 2010),

51-61.

46 Karina M. Pallagst et al., "Planning Shrinking Cities", *Progress on Planning*, 72 (2009), 223-232.

47 Dean MacCannell, "New Urbanism and Its Discontents", in Joan Copjec and Michael Sorkin, eds., *Giving Ground: The Politics of Propinquity* (London: Verso, 1999), 106-130.

48 David Harvey, *The Urbanization of Capital* (Oxford: Oxford University Press, 1985).

49 Alan Mace, "Suburbanization", in Rob Kitchin and Nigel Thrift, eds., *The International Encyclopedia of Human Geography* (Oxford: Elsevier, 2009), 77-81.

50 Peter Mieszkowski and Edwin S. Mills, "The Causes of Metropolitan Suburbanization", *Journal of Economic Perspectives*, 7 (1993), 135-147.

51 Doreen Massey, *For Space* (London: Sage, 2005).

52 Mace, *Suburbanization*.

53 Ibid.

54 Robert E. Park, Ernest W Burgess, and Roderick D. McKenzie, *The City* (Chicago: University of Chicago Press, 1925).

55 Brookings, *State*, 33.

56 Knox and Pinch, *Urban Social Geography*, 180.

57 Mace, *Suburbanization*.

58 Brookings, *State*, 146.

59 Ash Amin and Nigel Thrift, *Cities Reimagining the Urban* (London: Pergamon Press, 2002).

참고문헌

Davis, Mike, *The Planet of Slums* (New York: Verso, 2006).

Fishman, Robert, *Bourgeois Utopias: The Rise and Fall of Suburbia* (New York: Basic Books, 1989).

Hall, Peter, *Cities of Tomorrow. An Intellectual History of Urban Planning and Design in the Twentieth Century* (Oxford: Oxford University Press, 1988).

Hanlon, Bernadette, Short, John Rennie, and Vicino, Thomas J., *Cities and Suburbs. New Metropolitan Realities in the US* (New York: Routledge, 2010).

Harris, Richard, and Larkham, Peter J., eds., *Changing Suburbs: Foundation, Form and Function* (New York: Routledge, 1999).

Harvey, David, *The Urbanization of Capital* (Oxford: Oxford University Press, 1985).

Hayden, Dolores, *Building Suburbia: Green Fields and Urban Growth, 1820-2000* (New York: Vintage Books, 2003).

Howard, Ebenezer, *Garden Cities of To-Morrow* (Cambridge, Mass.: MIT Press, 1965).

Jackson, Kenneth T., *Crabgrass Frontier: The Suburbanization of the United States* (Oxford: Oxford University Press, 1985).

Knox, Paul L., *Metroburbia USA* (New Brunswick: Rutgers University Press, 2008).

Kruse, Kevin M., and Sugrue, Thomas J., eds., *The New Suburban History* (Chicago: University of Chicago Press, 2006).

Mumford, Lewis, *The City in History. Its Origins, Its Transformations and Its Prospects* (London: Penguin, 1961).

Soja, Edward, *Postmetropolis: Critical Studies of Cities and Regions* (Oxford: Oxford University Press, 2000).

제43장

항구도시

Port Cities

카롤라 하인
Carola Hein

배는 수백 년 동안 상품과 사람들의 장거리 운송에서 가장 신뢰할 수 있고 빠른 수단이었다. 항구와 항로는 오랫동안 전 세계의 정치와 무역 제국에 기반설비를 제공해왔다. 주요 항구도시port city 중에는 정치적 세력과 경제적 세력 사이 협력이 특히 강력했던 수도capital city가 다수 있지만, 때로는 정치적 지도부의 존재가 경제발전을 가로막기도 했다. 그 결과, 주요 해항海港, seaport 가운데 많은 곳은 수도보다는 제2의 도시인 거대도시metropolis다. 더 큰 네트워크(런던 · 암스테르담 · 마르세유 · 홍콩 · 뉴욕 등)를 통제하는 도시와 항구는 캘커타 · 라고스 · 요코하마 · 마르세유 · 상하이 등 전 세계의 여러 항구 및 항구도시를 형성했고 그것에 영향을 끼쳤다. 따라서 전 세계의 항구도시는 오랫동안 새로운 문화적, 정치적, 경제적, 사회적 관행을 개척하는 범세계적cosmopolitan이고 문화적인 중심지들의 중요한 범주였다.

항구도시를 특징짓는 단일한 도시 형태는 없지만, 항구도시의 도시 조직체는 기술의 능률화, 교류의 성장, 항만의 교통에서 비롯되는 동시적인 정치적, 경제적, 사회적 변화를 보여주는 하나의 기록물이다. 항구도시의 도시환경은 행위자들의 특별한 지역적 성운화의, 지구적 변화만이 아니라 전면지前面地, foreland와 배후지hinterland가 맺는 관계의 결과물이다.[1] 새로운 개발은 항구도시가 발전해온 다양한 방법—초거대 허브mega-hub와 심수항deep-water port에서부터 수변 재개발 및 레저항leisure port에 이르기까지—을 예증한다. 항구도시는 혁신적인 건축과 도시계획을 계속해서 생산하고 있으며 세계화globalization의 공간적 영향을 선언적으로 드러낸다.

수 세기 동안 항구port와 도시city는 밀접하게 얽혀 있었고 항구 당국과 도시 정부는 긴밀히 협력해야 했다. 지난 200년 동안에는 항구와 도시는 사이가 벌어졌다.[2] 항로는 상대적으로 유연해 전면지의 변화하는 정치적·경제적 상황에 쉽게 적응할 수 있지만, 도시 자체에서 더 큰 규모의 지역까지 배후지는 강, 운하, 철도, 고속도로, 여타 도로의 고정적 기반설비에 연계되어 있다. 항구에 접근할 수 있는 기반설비는 도시권urban area을 가로지른다. 때로는 항구가 확장하려 할 때 특히 토지를 놓고 도시는 항구와 경쟁한다. 따라서 도시와 그 거대도시권metropolitan area은 항만 기능을 지원하는 데서 필수적이다. 마찬가지로 중앙정부는 개발 정책, 육로 교통의 촉진, 또는 광범위한 (식민지적) 배후지의 개발을 통해 항구와 항구도시의 운명을 결정할 수 있다.

실제로 배후지는, 더 큰 기여 지역(농업, 원자재, 소비자 시장consumer market 측면에서)으로 간주되었으며 역사를 통해 항구의 성장이나 쇠락에 중요한 요인이었다. 근대 도시에서는 철도 가격 책정이나 야간 트럭 운송 범위와 같은 배후지의 크기를 형성하는 요인이 선박회사들의 항만 선택을 공동 결정 했다.[3] 전쟁(2차 세계대전 후 철의장막Iron Curtain의 등장 같은)이나 경제적 변화(유럽연합EU과 그 전신의 창설 같은)에 따른 배후지의 커다란 변화는 항로의 재설정만큼 항구에 파괴적이거나 고무적인 변화를 미칠 수 있다.

이 장은 전근대 시대의 선박, 항만, 도시 사이 상호작용을 보여주는 짧은 역사적 소개를 하고, 이어 주요한 지구적 변화, 해운 네트워크의 변화, 산업화industrialization에 따른 새로운 행위자의 등장을 특징으로 하는 19세기 중반부터의 근대를 탐구한다. 사례 분석을 통해 기술적, 정치적, 경제적, 사회적 변화와 차이가 특정 항구도시의 성장이나 쇠락에 어떤 영향을 끼쳤는지, 개별 도시가 어떻게 글로벌 지도에 자리를 잡게 되었는지 추적할 수 있다. 이와 같은 변화들은 또한 우리에게 더 많은 개발을 가능하게 하는 건조환경built environment에 흔적들을 남긴다. 이 장은 먼저 유럽 국가들과 항구도시들이 글로벌 항구를 지배하고 통제했던 19세기 후반에서 20세기 초반에 대해 논의한다. 주요 해양 통제 중심지와 가장 큰 항구는 런던·리버풀·함부르크를 포함한 유럽이었다. 이 기간에 증기선은 상품과 사람들의 주요 운송수단으로 등장해 여행을 더 저렴하고, 더 빠르고, 더 신뢰할 수 있게 했고 19세기의 이민immigration 물결을 촉진했다. 20세기 초반부터 미국은 주요 글로벌 행위자로 변모했고, 뉴욕과 샌프란시스코는 자체적인 항구 중심지가 되었다. 19세기와 20세기에 중국과 일본의 새로운 시장이 열리면서 홍콩·광저우·상하이 같은 새 항구도시가 글로벌 중심 무대에 등장했다. 1960년대 이래 광범위한 세계화와 컨테이너화containerization는 모든 항구와 항구도시를 재편성했다. 이러한 역학은 정부가 이전의 내부도시inner city 항구들을 변화시키고 재활성하며, 새 심수항을 건설하도록 자극했다. 결론적으로, 이 장은 항구도시의 글로벌 상호연결성이 어떻게 지역적 주도성과 지구적 변환을 상호 구성하는지를 탐구할 수 있게 해준다.

간략한 역사적 검토

전근대 시대에 국민국가〔민족국가〕들은 상인 공동체와 함께 항구의 멀리 떨어진 운송 네트워크 조직을 촉진했고, 개별 도시들과 항구들에 서로 다른 역할과 형태를 부여했다. 식민 왕국(네덜란드, 영국, 프랑스, 포르투갈, 스페인〔에스파냐〕 식민지 등)은 대양의 특정 지역에 대한 통제권을 행사했고, 이를 통해 유럽의 해양 중심지 및 식민지 항구를 연결하는 국가적 영향권을 형성했다. 네덜란드인들, 스페인인들, 포르투갈인들이 장악한 항구를 통과한 상품들은 유럽 중심지에 부를 가져다주었고 제국의 범위를 과시했다(19장, 40장 참조).

무역의 증가와 신기술로 전 세계의 도시는 항구들과 여기에 더해 더 커다란 거대도시권을 변화하게 했다. 런던, 함부르크, 필라델피아, 글래스고, 에든버러의 분주한 주요 강에서의 선적 및 하역 작업은 대형 선박에서 소형 선박으로 물건을 옮겨 육지로 가져가는 것을 포함했으며, 이는 점점 더 안전하지 않고 비효율적인 과정이 되었다. 일찍이 1802년에 서인도제도로 항해하는 무역회사는 런던 외곽의 아일오브독스Isle of Dogs에 새 항구 복합단지인 서인도도크West India Docks의 건설 허가를 받았다. 새 복합단지complex(선박 600척의 수용 능력, 다양한 선적 및 하역 부두, 5층 창고)는 6미터 높이의 벽으로 둘러싸여 있어 화물을 선박에서 육지로 옮길 수 있는 안전한 환경을 제공했다.

정부와 무역 공동체는 또한 시간이 지남에 따라 멀리 떨어진 도시들의 형태를 틀지었는데, 도시들을 군사적 목적과 상업적 목적 둘 모두로 활용하는 방법을 통해서였다. 스페인 정부는 남아메리카에서 인디아법Law of Indies에 따라 수많은 도시를 계획했다.* 또한 카리브해에서 군사 및 식민 활동의 중심지로 도시를 활용하려 16세기에 아바나 항구 근처에 새 요새를 건설했다. 상인과 군인들은 식민지에 새 요새, 상점, 정주지settlement를 만들어 미래의 도시들이 생겨나는 토대를 마련했다. 일례로, 아프리카 해안 주변에 세워진 포르투갈의 팍토리아factoría(식민지에 있는 무역관 또는 교역장)는 외국의 영향력을 반영하는 초기 글로벌 네트워크의 기념물이다.

런던은 정부와 무역회사가 네트워크를 구축하고 전 세계의 항구도시 형태에 영향을 주고자 협력한 도시의 예시다. 영국의 선박은 20세기 초반까지 런던의 항구와 도시를 태평양에서 인도양까지의 해항들

* 스페인 인디아법Leyes de las Indis은 스페인 제국의 아메리카와 아시아 식민지 전역에 적용된, 16세기 스페인 황실이 제정한 식민지 관련 법률을 총칭한다.

과 연결했다. 영국 제국의 다른 항구도시들뿐만 아니라 런던 도시환경의 여러 층위는 제국의 성장(및 쇠퇴)과 제국의 무역 연결성을 기록하고 있다. 공공 이익과 민간 투자 사이의 밀접한 연관성은 영국동인도회사East India Company, EIC의 업무에서 특히 두드러졌다. 1600년에 상인 집단에 의해 설립된 이 회사는 동인도제도와의 영국 무역에 대한 독점권을 가졌다. 런던시티City of London구의 리든홀스트리트Leadenhall Street에 자리한 1760년대의 인상적인 신고전주의 양식의 런던 본부([도판 43.1])는 영국동인도회사가 영국의 수도에서 차지하는 중요성과 회사의 더 큰 네트워크 차원에서 사무실의 핵심 기능을 모두 보여준다. 영국동인도회사는 수많은 무역항을 개발했다. 캘커타, 봄베이, 마드라스의 3개 도시는 본국과의 무역 및 인도 내륙 확장을 위한 군사 및 경제

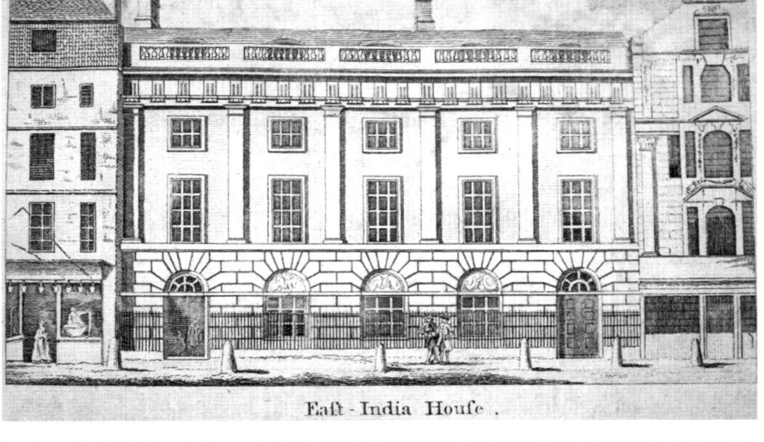

[도판 43.1] 영국동인도회사, 1760년경 런던 리든홀스트리트 영국동인도회사 본부 (출처: 새뮤얼 왈레 Samuel Wale 드로잉)

기지 역할을 했다. 캘커타는 1773년부터 영국령 인도의 수도였거니와 회사의 행정본부였고 런던과 특별한 연결고리를 가지고 있었다. 마이단Maidan으로 알려진 2제곱마일의 광장 에스플러네이드esplanade에는 정부 청사, 법원, 우체국 같은 수많은 신新고전주의 건물과 여러 행정, 주거, 여가 기관들이 배치되었다.[4]

교환 장소로서 수변: 식민화 시기, 증가한 교역 네트워크, 무역 엘리트

식민화colonization와 19세기 세계무역의 다섯 배나 되는 대규모 확장은 전 세계의 네트워크를 변화시켰다. 방콕은 전통적으로 중국과 무역을 해왔으나 1850년 이후 대부분 아시아 시장(주로 홍콩과 싱가포르)으로 쌀을 수출하는 국제적 중심지로 발전했다. 방콕은 서양인 교역소trading house, 은행, 호텔, 증기제분소를 유치하고 중국 이민자를 받아들이게 되었다.[5] 다른 타운town들은 현지적 중요성 또는 지역적 중요성이 없었기에 오히려 국제적 항구도시가 되었다. 일본의 도쿠가와 막부 시대에 고베는 어촌이었고 인근의 오사카가 지배적 위상을 가졌다. 메이지유신 이후 고베의 도시와 항구로서의 발전은 국제무역에 달려 있었고 1850년대부터의 조약들로 외국인들이 일본과 무역을 할 수 있게 되었다. 그 조약들과 관련된 상황은 다른 곳들에서 문제를 일으켰다. 미국 해군 함정은 러시아가 동쪽으로 확장하기 몇 년 전에 일본의 개항에 착수했다. 1860년에 러시아 정부는 블라디보스토크를 러시아의

동아시아 진출 도약 지점으로서, 군사항 및 무역항으로 개발할 것을 결정했다.[6]

이 기간에 수변waterfront은 해양사업 안내판과 바다를 건너오는 여행자들을 환영하는 표식으로서 항구도시의 가장 중요한 이미지가 되었다. 콘스탄티노폴리스·스미르나Smyrna·살로니카Salonica·홍콩·광저우·상하이의 항구로 들어오는 배들은, 수변 너머의 도시들이 그 양상이 매우 달랐고 각 수변의 실제 형태와 기능이 서로 크게 다르다 할지라도, 유럽식 건축물의 환영을 받을 것이었다. 전 세계의 수변은 또한 한 도시의 국제적 성격을 드러냄과 동시에, 도착 승객과 출발 승객들에게 글로벌 무역과 여러 편의시설의 존재를 과시했다. 그 수변들은 선박, 물품 및 창고와 아울러 선원과 이주민을 수용했고, 모두 세계의 관문으로서의 성격과 기능을 확립하거나 강화했다. 외국 무역업자들의 존재는 또한 항구 관련 시설, 회사 본부, 종교기관, 거주지의 더 커다란 도시권에서의 건설을 촉발했다.

특정 국가 또는 민족 배경의 상인 가족 네트워크는 사회적 연결을 확립했고 무역 네트워크가 번성하도록 도왔다. 무역 엘리트—흔히 다국어를 사용하는 사업가—는 현지 정부에서 직책을 맡았고 다양한 수준에서 고향 도시의 건축 형태를 구축하는 데 관여했다. 이들은 해운시설과 기반설비, 증권거래소와 시청, 영사관 같은 정치적 건물, 세관 같은 경제적 시설물 건축에 자신의 지식을 주입했다. 또한 자신이 활동하는 국내외의 도시에 여가, 문화, 이에 더해 법과 정치에 대한 새로운 접근법을 도입했다. 이들 제도 가운데 일부, 특히 교육 및 종교 시설은 건축 디자인을 통해 〔쉽게〕 알아볼 수 있었다.

지역의 무역업자들은 또한 항구 네트워크를 변화시켰고 전면지와 배후지의 새로운 관계를 창출했다. 1860년대에 로테르담의 무역 엘리트들은 독일 서부의 산업권을 영국 및 세계로 연결하는 환승 항구도시로서 역할을 공고하게 했다. 그들은 특히 도시를 북해에 직접 연결하는 선박용 신新운하〔신新수로〕 니워에 바테르베흐Nieuwe Waterweg〔New Waterway〕 건설을 결정했다. 이 운하는 로테르담을 글로벌 및 유럽의 네트워크로 끌어들였다. 대조적으로, 경쟁 도시인 암스테르담은 제국의 종말과 함께 사라질 식민 관계에 기반을 둔 글로벌 부를 쌓으면서 현대적 주식시장으로 자신의 위치를 자리매김했다. 암스테르담은 1872년에 노르트제이카날Noordzeekanaal〔북해운하North Sea Canal〕를 건설했으나 라인강에는 여전히 현대적 운하가 부족했다.[7] 마찬가지로, 함부르크와 브레멘, 필라델피아와 뉴욕은 국제무역과 관련해 치열히 경쟁하는 이웃 항구였다.[8]

중국 개항장〔조약항〕treaty port은 외국의 개입과 지역적 역학이 도시를 어떻게 형성했는지를 보여주는 또 다른 좋은 사례다. 외국 열강들과 중국 정부 간의 무역을 목적으로 개항된 곳들에는 외국 상인과의 무역이 집중되었다(17장 참조). 1842년 청나라와 영국의 아편전쟁阿片戰爭, Opium War부터 1937년 일본의 점령까지 광저우, 아모이Amoy(샤먼廈門), 푸저우福州, 닝보寧波, 상하이 등 48개 선별적 개항장, 톈진 자체, 즈푸芝罘(옌타이煙臺), 산터우汕頭, 양쯔강 항구 한커우漢口(오늘날 우한武漢의 일부)가 외국인에게 개방되었다. 독일에 할양된 칭다오青島 항구를 제외한 대부분에는 중국 도시로 기존의 정주지가 존재했었다. 측량 기사들과 기술공학자들은 항구에 서양이 통제하는 지역을 설계했다. 주장강 둑 위에 세워진 광동13행廣東十三行은 무역업자나 대리인의 거주지로 서양 무역업자·사절·선교사들을 수용했으며, 18세기부터 서양에서 영감을 받은 고전주의적 파사드façade와 중국적 실내공간이 혼합된 형태였다.[9] 〔'광동13행'은 중국 청나라 때 광저우(광둥) 주장강 삼각주에 있던 대외무역 특허 상인 조합을 지칭한다. 청은 당시 '외국과의 관계를 단절하고 자국의 주장을 고집하는' 폐관자수閉關自守의 정책을 시행했으나 광저우에는 대외무역을 한정적으로 허가하고 상거래를 전문으로(곧 독점적으로) 하는 상인단체(상관商館) 13가家를 지정했다〕.

다른 요소들도 항구도시를 형성했다. 중국에서 일하는 외국인 건축가들과 서양에서 훈련받은 중국인 설계가들은 외국의 아이디어들을 중국 도시, 특히 외국 열강의 지배를 받는 중국 도시 내부의 영토인 조계租界, concession로 가져왔다. 상하이에는 영국조계(1843년부터), 프랑스조계(1849년부터), 미국조계(1861년부터)가 있었고 영국조계와 미국조계가 합쳐져 공공조계International Settlement로 알려진 곳과 프랑스조계(1962년 이후부터)가 유지되었다. 서양의 존재에 대한 가장 포괄적인 표현은 남아시아에서 제방을 뜻하는 용어였던 이른바 번드Bund로 지칭된 와이탄外灘이었다. 이 넓은 대로는 대중이 강에 접근할 수 있는 열린 회랑corridor이었다. 번드는 중국 전역에서 행정, 여가, 또는 업무 지향적 여러 형태를 취했으며 각 도시에 서양 기업들의 일련의 본사를 위치하게 했다.[10] 외국 기업체들과 여타 기관들은 교육용, 종교용, 주거용 건물을 설립할 때 서양의 디자인 원칙을 도입했다.

일본의 개항장들은, 나가사키(가장 오래된 개항장)와 고베·오사카 및 요코하마(일본 최초의 근대 항구도시)의 도시개발urban development에서 볼 수 있듯, 글로벌 방문객들에게 유사하게 대응했다. 그곳들은 건축에서부터 음식에 이르기까지 외국인과의 초기 접촉 및 교환 장소로서 뚜렷한 특징을 유지했다. 나가사키 항구도시에서는 외국인들의 영향력이 선박, 창고, 또는 수변을 차지한 그들의 존재에 국한되지 않았다. 더 넓은 도시권의 서양인 무역업자들이 세운 빌라villa들도 경제 네트워크의 힘을 보여준다. 예를 들어, 1859년에 상하이에서 일본으로 건너온 스코틀랜드 기업가 토머스 블레이크 글로버Thomas Blake Glover는 나가사키에 일본의 요소와 서양의 요소가 혼합된 좋은 사례로 〔일본〕 최초의 서양식 주택인 글로버저택Glover Residence을 건설했다. 건물 구조(호박돌boulder과 지붕지지대에 설치된 기둥-보 골조post-and-beam frame)가 전형적인 일본식이었던 반면, 베란다, 격자 아치latticed arch, 유리판 문glass-paned door 등은 외국의 영향을 반영한다〔'기둥-보 골조'는 수직부재인 기둥과 수평부재인 보·도리 등으로 이루어진 골조를 말한다. '호박돌' 또는 '알돌'은 집터 따위의 바닥을 단단히 하는 데 쓰는 둥글고 큰 돌을 말한다〕. 글로버는 이질적 영향을 결합한 단층 외국 거주지가 흔했던 상하이에서 머물렀을 때 이런 혼합된 양식을 참조했을 가능성이 있다. 글로버는 유럽을 방문할 때에는 애버딘Aberdeen〔영국 스코틀랜드〕에 소유하고 있는 저택에 머무르면서 당시 경제 네트워크의 외연을 과시했다.

글로버의 역사는 또한 개별 행위자의 개인적 연결과 경험이 항구와 도시를 어떻게 형성할 수 있는지를 예시해준다. 무역업자로서 글로버는 1860년대에 반反체제적인 일본인 파벌들에 배·총·화약을 팔았고, 최초의 증기 철도 기관차를 일본에 도입하는 데 적극적으로 움직였다. 그는 일본 해군의 군함도 주문했는데, 군함은 애버딘에서 건조되었다. 게다가 글로버는 일본에 최초의 드라이독dry dock〔건선거乾船渠. 배를 건조 또는 수리할 때 해안에 배가 출입할 수 있을 정도로 땅을 파서 만든 구조물〕을 들여와 미쓰비시상사주식회사三菱商社株式會社가 될 해운회사의 창립을 도왔다. 1870년부터 1890년까지 미쓰비시사는 일본 근대화modernization에서 정부의 주요 파트너가 되기 이전에 외국인 대리인과 함께 일본의 개항장open port 두 곳에서 활동했다.

미쓰비시사 자체가 도시 형태를 형성했다. 1871년 미쓰비시사는 도쿄의 새로운 메이지 정부 구역과 인접한 곳에 본사를 설립했다. 미쓰비시사는 정부와 손잡으면서 새 정책에서 이익을 얻고 이전에 외국 기업체들이 수행한 계약을 수주하기 시작했다. 도쿄 전역에 위치하는 미쓰비시 건물들—해운시설에서 본부와 빌라에 이르기까지—은 도시 내에서 항구 네트워크의 범위와 도시 전체에 걸쳐 다양한 항구의 기능이 어떻게 상호 연결되어 있는지를 부각해 보여준다. 미쓰비시사는 서양인 무역 파트너들의 근대성, 부, 권력 및 친화력의 상징인 서양 건축 양식을 선택했다. 회사는 도쿄대학교 최초의 건축학 교수이자 정부 고문인 영국 건축가 조시아 콘도르Josiah Conder를 수차례 고용했다. 콘도르는 최초의 미쓰비시 본사 건물, 후카가와深川 구역의 이와사키 야노스케 양관岩崎弥之助邸洋館, 미나토구港區 언덕 위 별장과 수많은 공공건물을 설계했다. 콘도르의 작품과 그의 위상은 항구도시이자 글로벌 행위자인 도쿄의 건설에서 사업과 정치 사이 연결고리를 강조한다.

증기의 시대

신新발명품인 증기선steamship에서 볼 수 있는 산업화는 바람의 예측 불가능으로부터 운송을 자유롭게 했다. 또한 개별 도시들의 건조환경뿐만 아니라 글로벌 네트워크를 형성한 수많은 유무형의 행위자와 요인을 증가시켰다. 최초의 증기선과 범선sailing ship의 혼성체〔항해용 증기선〕는 19세기 초반에 대서양을 횡단했지만, 1880년대가 되어서야 뉴욕·샌프란시스코·보스턴의 항구에서 많은 증기선을 볼 수 있었다. 이 긴 변화는 구조적, 재정적, 노동적 변화를 동반하고 추동한 주요 기술의 변화였다. 증기선은 전 세계 상품의 신뢰할 수 있는 예정된 운송을 가능케 함으로써 세계화의 확대로 이어졌다.

전에 없던 선박과 확장된 무역은 전 세계적으로 부두의 형태 및 크기, 선박을 선적하고 하역하는 장비, 연료 서비스 및 저장시설 같은 편의시설을 재구축하는 항구의 확장을 요구했다. 런던에서는 1830년 브런즈윅 워프Brunswick Wharf〔브런즈윅 선창〕의 건설로 증기선들이 더는 바닷물이 부두〔선착장〕dock로 들어오는 것을 기다릴 필요가 없어졌고, 각 증기선이 개별 시간대에 출발할 수 있는 장소가 마련되었다. 남반구에서 무역하는 기선에 사용하는 로열앨버트독Royal Albert Dock(1880) 등 신新부두〔선착장〕가 건설되었다.

런던에서 함부르크, 요코하마, 볼티모어까지 창고지구Warehouse district는 서로 밀접하게 닮았다. 그곳들은 비슷한 건설 기술로, 비슷한 시기에 비슷한 목표로 건설되었다. 함부르크는 1871년 독일 제국이 탄생한 후 새로운 면세창고지구인 슈파이허슈타트Speicherstadt를 건설했다. 함부르크는 케르비더Kehrwieder와 반트람Wandrahm 섬의 항구 지역에서 약 2만 4000명을 추방하고 엘리트 주택과 노동자 주택을 모두 철거했다. 그 자리에 화려한 장식, 좁은 창문, 윈치winch용 및 리프트용 타워가 있는 붉은 벽돌 창고를 지었다. 커피, 차, 향신료, 카펫 같은 상품을 보관하는 총체總體, ensemble가 이와 같은 도시의 첫 번째 단일 기능 영역이었다. 다른 곳은 사무실지구와 신주택구역을 포함했다.

증기선의 새로운 사용과 대양을 건너는 승객들의 증가는 일부 해운회사들이 글로벌 행위자가 되는 것을 촉진했다. 리버풀의 블루퍼넬라인Blue Funnel Line, 사우샘프턴의 큐나드라인Cunard Line, 브레멘의 노르트도이처로이드Norddeutscher Lloyd, 함부르크-아메리카니체파케트파르트-악티엔게젤샤프트〔함부르크아메리카해운〕Hamburg-Amerikanische Packetfahrt-Actien-Gesellschaft, HAPAG 등이 당시 주요 해운회사의 하나다. HAPAG의 글로벌 범위는 전 세계의 사무실 목록 및 칭다오의 사무실 건물에서 필라델피아의 상품거래소 건물에 이르기까지 회사가 본부를 두고 있는 장소와 건물의 명성에서 가시적으로 나타난다.[11] 뉴욕시티에서는 노르트도이처로이드, 큐나드라인, 여타의 해운회사가 브로드웨이와 그 인접 거리의 중심권central area에 자리를 잡고 있었다.

한편, 뉴욕은 미국 동부 해안으로의 이민자들에게 미국의 관문으로 부상하고 있었다. 뉴욕의 항구 기능은 기반설비 건설과 맨해튼과 주변 지역의 건물환경을 형성했다. 궁극적으로 99개의 부두가 59번가까지 맨해튼의 서쪽 측면에 줄지어 늘어서게 되었고, 상업용 건물이 해안가에 점점이 흩어져 들어섰다.[12] 이른바 하이라인High Line은 벨텔레폰컴퍼니Bell Telephone Company와 현재의 첼시마켓Chelsea Market 빌딩을 포함한 몇몇 항구 관련 건물을 연결하는 철도를 통해 상품 배송을 가능하게 했다. 부유한 시민들이 맨해튼 끝에서 벗어나는 동안에도 월가의 증권거래소와 상품거래소는 항구 사업 관련 회사들과 마찬가지로 남아 있었다.

글로벌 해운과 해운 속도가 증가하면서 등장한 새로운 운송 양상은 무역 양상의 변화를 의미했다. 새 주요 항로 특히 수에즈Suez운하(1869), 키엘Kiel운하(1895), 파나마Panama운하(1914)의 개통은 여행의 거리를 크게 단축했다. 새 도시들이 지배적으로 부상하면서 다른 도시들은 명성을 잃었다. 일례로 수에즈운하의 건설은 포트사이드Port Said, 운하 중간의 이스마일리아Ismailia, 수에즈 3개 신新항구도시 개발과 함께 진행되었다.[13] 이 도시들은 다양한 배경에서 이주민들을 유인하고 상품·사람·아이디어의 교환 장소 역할을 하는 범세계적 중심지가 되었다. 건축 양식은 후견인의 출신지와 동의어가 되었다(한 예로, 이탈리아영사관은 네오베네치아 양식이었다). 뚜렷하게 구분되는 지구들은 그리스 정주민뿐만 아니라 아랍인과 유럽인을 위해 개발되었다. 건설 지식은 건축 원자재와 마찬가지로 다양한 유럽적 원천에서 수입되었다. 유사한 방식으로 운하 노동자들은 이탈리아인, 프랑스인, 그리스인, 달마티아인, 상上이집트 출신 아랍인 등 다민족이었다. 이 타운들은 용광로 역할을 했지만 동시에 식민타운colonial town과 비슷하게 계급과 인종적 기준에 따른 구역 분리를 특징으로 했다.

많은 나라에서 배후지 기반설비가 부재한 탓에 식민지 항구 건설은 전국적 철도 건설을 동반했다. 예를 들어, 독일의 식민자colonizer들은 탄자니아의 다르에스살람Dar-es-Salaam 항구를 재설계해 1891년과

1914년 사이에 이 도시를 독일령 동아프리카의 수도로 만들었다. 독일인들은 건축적 선호에 따라 수많은 건물—국가용 청사, 시청, 교회, 우체국—을 건설하면서 다르에스살람을 식민지의 첫 번째 항구이자 그 배후지의 주요 접근 지점으로 삼으려 노력했다. 1916년 연합군이 장악한 이 항구는 영국이 통제했던 몸바사와 경쟁해야 했다.[14]

이미 언급했듯, 19세기 내내 항구도시들은 무역과 이주migration의 중심지였다. HAPAG가 활동했던 함부르크 같은 도시는 즐거움을 찾아 여행하는 엘리트에서부터 이민자들에 이르기까지 모든 계층의 승객들에게 출발지 역할을 했으며 뉴욕과 미국의 여러 동해안 도시는 이민자를 수용하는 항구들이었다. 호텔과 하숙집에서부터 매표소와 대기하는 시설 등 여러 승객시설이 선원시설들 인근의 수변에 생겨났다.

사실 엘리트 네트워크만이 도시들을 변화시킨 것은 아니었다. 증기선들이 등장하면서 노동력에 변화가 나타났으며, 주로 광저우(광둥) 지역 출신의 중국인 선원들이 포함되었다. 영국 통치 아래에서 허브로 성장한 홍콩은 중국인 노동자들이 이주해오는 지점이었고 유럽인 선단에서 일할 중국인 선원들의 출발 지점이었다. 이 노동력은 유사하게 도시를 변모시켰다. 19세기 후반 중국인 선원들은 다른 선원들과 마찬가지로 선적과 하역 일에 시간이 걸렸기에 수변 구역에서 임시주택을 구했다. 때때로 그들은 런던의 서인도독West India Docks 옆 라임하우스Limehouse지구에서 그랬던 것처럼 로테르담의 전통적 부두 구역인 카르텐드레흐트Katendrecht, 함부르크의 장크트파울리St. Pauli 구역 등 전 세계의 항구도시에 차이나타운Chinatown을 개발하면서 체류했다. 미국은 중국인들의 입국을 허용하지 않았던 만큼 이와는 달랐다.[15] 이들 민족적 거주지가 구축한 차이나타운의 문門, 상점의 한자漢字 모습은 항구도시들의 글로벌 네트워크의 한 부분으로 식별되는 상징적인 이미지들이다.

항구도시는 먼 목적지에서 온 사람들의 통로 장소로서 선박(과 선박 내의 쥐) 및 선원에 의해 운반되는 질병에 걸리기 쉬운 장소였으며, 이로 인해 특정 격리시설, 병원, 연구소(예컨대 질환 연구) 기관들이 생겨났다.[16] 도시들은 이민자들에 의한 질병의 전염을 막으려 여행의 출발지와 도착지 양쪽 끝에 특정 시설물(열병 병원과 검역소 등)을 건설했다(가장 유명한 시설들의 일부가 뉴욕의 엘리스Ellis 섬과 함부르크의 발린슈타트Ballinstadt에 있었다).

글로벌항구global port 뉴욕의 뿌리는 부분적으로 주州 간 경계선을 넘어 창설된 기관 곧 뉴욕과 뉴저지 항만청이다. 1900년대 초반 맨해튼과 뉴저지 사이의 해역은 각종 활동으로 분주했으나 운송의 조정이 없었다. 1921년에 두 주는 협정에 서명했고 항만청은 이때부터 단일 정책을 추구하고 항구지구를 현대화할 수 있었다.[17] 또한 스테튼Staten 섬과 뉴저지, 뉴저지와 맨해튼을 연결하는 교량 건설에 착수하며 일부 주 정부 기금을 일반에게 판매한 채권과 함께 활용했다. 한 예로, 항만당국의 기술공학자 오트마르 암만Othmar Ammann은 1923년과 1931년 사이에 뉴욕시티와 뉴저지를 연결하는 조지워싱턴George Washington 현수교를 설계했다. 이 교량과 여러 교량은 항구의 요구에 대응했고, 거대도시의 개발을 지속시켰으며, 기업의 이익을 고려했다.

항구들은 화물 취급, 시설물, 가격, 기반설비 및 그 가격, 운송 가능한 상품과 소비자의 가용성可用性, availability을 놓고 경쟁한다. 미국 동부 해안의 항구들(보스턴, 뉴욕, 필라델피아, 볼티모어) 간의 경쟁은 뉴욕/뉴저지를 선두 주자로 부상하게 했으며, 미래에 대비할 수 있는 능력과 아울러 서로 다른 상업적, 재정적, 조직적 구조와 효과성을 대변했다. 한편 서로 다른 해안에 있는 뉴올리언스와 시카고는 자신들만의 고유한 장점을 바탕으로 건립될 수 있었다.

석유의 시대

많은 행위자가 세계 여러 지역의 생산 및 소비 장소의 신속한 연결에 관심을 가졌으며, 그중에는 미국과 유럽의 석유회사들이 있었다. 그들은 운송 통로를 만들고 형성하는 것을 도왔고, 글로벌 석유 운송 네트워크는 항구도시들이 글로벌 무역에서 차지하는 핵심 요소의 정도를 지도화地圖化했다. 수에즈운하, 새로운 항구시설, 새로운 항구도시가 그 예다. 이미 1890년대 초반에 셸트랜스포트앤드트레이딩컴퍼니Shell Transport and Trading Company는 석유를 석탄의 대체 연료로 인식하고 수에즈에 있는 땅을 사서 가연성 연료로 석유를 판매했다. 셸컴퍼니는 최초의 유조선 SS무렉스SS Murex호에 수에즈운하를 통해 러시아와 아시아에서 석유를 운반해올 것을 주문했다(1892년 이전에는 안전 규정에 따라 그와 같은 운송이 금지되었다). 1907년 로열더치퍼트롤리엄컴퍼니Royal Dutch Petroleum Company와 셸트랜스포트앤드트레이딩컴퍼니의 합병으로 로열더치셸Royal Dutch Shell이 탄생했다.[18] 이 회사는 수마트라섬(인도네시아)에서의 석유 생산에 대한 네덜란드의 이해관계와 런던에 본사를 두고 러시아와 아시아에서 활동하던 영국 무역회사의 역량을 결합했다. 1907년까지 로열더치셸은 이미 38척의 유조선을 소유했다.[19]

석유petroleum는 20세기의 가장 중요한 화석연료로 부상했다. 주로 선박으로 운송되는 석유는 이후 화물과 연료로서 항구 및 도시를 광범위하게 변화시켰다. 석유는 그 정치적 중요성과 지정학적 함의가 커지면서 식민주의colonialism와 전쟁의 주요 요인이 되었다. 제1차 세계대전은 군대가 선박, 탱크, 트럭, 차의 연료를 가솔린에 점진적으로 의존했다는 점에서 하나의 전환점이었다. 석유는 석유탱크, 정유소, 송유관 설치를 필요하게 하면서 선박, 항구, 도시를 변화시켰다.

전 세계의 항구는 정제 및 연료 보급을 위해 항구에 석유 저장 시설을 추가해야 했다. 주요 석유회사들은 수많은 도시에 항구시설을 만들었다. 예를 들어 함부르크시市는 1879년부터 베델Veddel 구역에 석유용 항구를 보유하고 있었으며, 특히 베네수엘라와 멕시코에서 석유를 수입하고 있었다. 또한 함부르크는 최초의 저장탱크를 건설한 1884/1885년 이후 석유 거래에서 인근의 브레멘을 압도했다. 1890년 석유무역의 주도적 현지 회사인 리데만Riedemann사는 브레멘에서 미국의 스탠더드오일컴퍼니Standard Oil Company의 협력사와 함께 도이치-아메리카니체퍼트롤리엄게젤샤프트Deutsch-Amerikanische Petroleumgesellschaft, DAPG를 설립했다. 한동안 브레멘은 독일의 최고 정유 중심지로 발전했다. 제1차 세계대전 동안에 함부르크는 지역의 석유저장소를 통제했고 도시와 배후지를 통합했다. 정유소들은 함부르크 항구의 그라스부르크Grasbrook 구역과 하르부르크Harburg 구역에서 석유를 정제했다. 1937~1938년 에소/엑손Esso/Exxon사의 전신인 DAPG는 함부르크의 선도적 해운회사 HAPAG의 사무실과 대각선 맞은편인 비넨알스터Binnenalster에 본사를 설치해 알스터Alster를 도시 사업의 첫 번째 장소로 강조했다. 1920년대 함부르크 운송 연결망의 중요성은 [도판 43.2]를 참조하라.

휴스턴Houston의 항구도 마찬가지로 석유 운송에 초점을 맞춘 것으로 유명하다. 19세기 후반기 철도 중심지 휴스턴은 허리케인이 1900년에 갤버스턴Galveston과 그 항구를 파괴하고 1901년에 해당 지역에서 석유가 발견된 후 성장이 가속화했다. 휴스턴십채널Houston Ship Channel(1914)이 완공되자 석유회사들은 수많은 정유소를 세우고 본사를 그곳으로 옮기게 되었다('휴스턴십채널'은 미국 텍사스주 휴스턴항-멕시

함부르크 수리水利관리국, 1927년

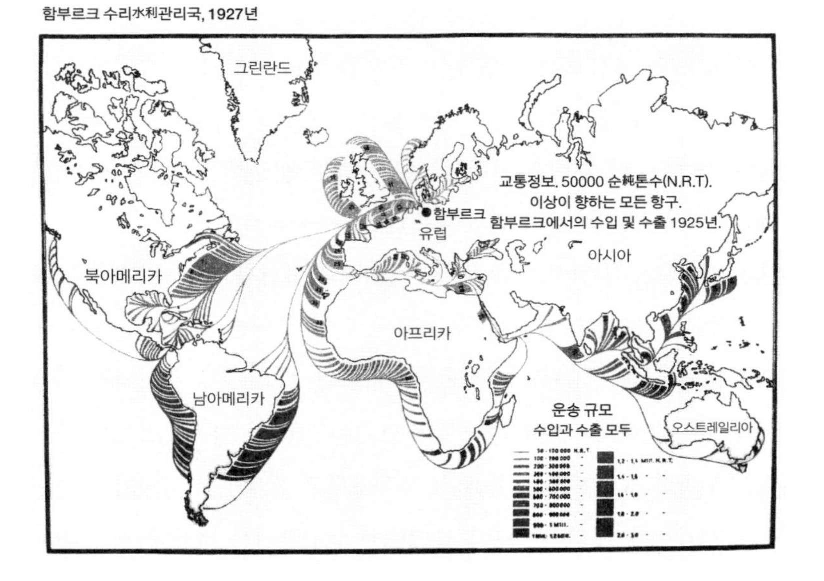

[도판 43.2] 함부르크 운송 연결망, 1925년

코만Gulf of Mexico을 항해하는 선박의 수로다〕.

바쿠Baku〔아제르바이잔 수도〕는 19세기 중반 석유의 발견과 추출 시작에 따른 항구와 도시의 변화가 특히 두드러진 사례다. 로스차일드Rothschild 가문과 노벨브라더스Nobel brothers 석유회사 등 외국인 투자자들은 석유 생산의 발전을 도왔다. 바쿠는 빠르게 성장했으며, 철도역과 원래 바다와 평행을 이루었던 바쿠대로Baku Boulevard에 늘어선 석유 거물들의 저택들 등 기념(비)적 건축물로 새로운 부를 과시했다.[20] 석유회사들은 석유 추출 기술과 함께 건축 및 도시 구상들을 가져왔다. 예를 들어, 앵글로-페르시안오일컴퍼니Anglo-Persian Oil Company는 1920년에서 1950년 사이에 이란 샤트-알-아랍Shatt-al-Arab 지역의 송유관 끝에 정유 장소로 아바단Abadan 타운을 개발했다. 이곳은 사회적, 민족적 불안을 해소하려는 회사타운company town으로 배치되었다. 현지 노동자와 재在외국인expatriate을 분리했던 주택지구는 식민지 사회구조가 도시 형태로 어떻게 옮겨졌는지를 강조하는 것이었다. 이곳에서 영국인 재외국민 노동자들 대상의 넓은 복합단지compound는 현지에서 고용된 노동자들이 거주하는 막사 같은 오두막은 물론이고 지역적으로 관리되는 현지 국민이 거주하는 타운과도 대비되었다.[21]

항구와 항구도시는 오랫동안 군사적 표적이 되었다. 제2차 세계대전 당시 유럽과 일본의 항구는 광범위하게 파괴되었고, 항구 기반설비는 물론 인구를 잃었으며, 도시 중심지urban centre가 광범위하게 피해를 보았다. 이 중 많은 항구는 이미 대공황Great Depression에 따른 세계무역의 쇠퇴로 큰 고통을 겪고 있었다.[22] 1923년 간토関東대지진으로 대규모 파괴가 발생한 후 정부 지원으로 막 재건되고 개선된 요코하마와 도쿄의 항구는 다시 크게 파괴되었다. 전쟁이 끝난 후 미군은 일본의 항구를 점령했고 1951년이 되어서야 항만법을 통해 그곳들을 다시 일본의 지방정부로 넘겨주었다. 1950년까지, 파괴되었던 일본의 도시들은 대부분 재건되었고 다시 성장하고 있었다. 도쿄만의 항구는 수도의 전후 국가적 성장의 일환으로 빠르게 발전했다. 도쿄는 1967년 시나가와品川 컨테이너 터미널container terminal을 개설해 계속해서 확장했다. 제2차 세계대전 중 잠수함 공격은 유조선의 취약성을 보여주었다. 그에 대응해 미국은 1942년과 1943년 사이에 더 많은 송유관을 건설하기 시작해 높은 밀도의 송유관을 갖추게 되었다.

제2차 세계대전 종전 후 여러 나라에서 탈식민 국유화 노력은 글로벌 석유 네트워크와 교통 기반설비의 구조조정을 강요했고 새 정유소 건설과 행정 건물 및 여러 석유 관련 구조물의 재개발에 영감을 주었다. 이란은 1951년에 석유자산을 국유화했고, 앵글로-이집트 유전은 1964년에 국유화되었다. 1967년에서 1975년 사이에 수에즈운하가 폐쇄되면서 석유 생산과 운송이 더욱 재편되었고, 더 많은 정유소가 소비 현장에 세워지고 송유관 건설이 증가했다. 나이지리아에서는 1950년대 후반 이래 석유의 발견과 지속적 생산이 국가의 중앙 지점에 새 수도인 아부자를 만들려는 구상으로 이어졌고 1980년대에 건설이 이루어졌다. 자금이 국내로 유입되면서 원자재는 물론 소비재 수요가 증가했고 결과적으로 운송시설이 더 필요하게 되었다. 라고스Lagos 항구에서의 긴 대기 기간을 줄이려고 나이지리아항만청NPA은 특히 신설 해양 터미널 건설의 규모, 시기, 위치를 결정할 목적으로 항만 체계로의 투자 마스터플랜을 개발했다.[23]

컨테이너화: 수변의 종말?

1960년대부터 항구와 도시는 물리적으로 멀어지기 시작했다. 1960년대 후반부터 1970년대 후반까지 선박의 크기가 커져 5만 톤의 장벽을 넘어서게 되었다.[24] 이 정도 규모의 석유운반선 및 화물운반선을 처리할 수 있는 항구는 거의 없었던 터라 항구 외곽에 새 터미널이 개발되었고, 이로써 기존 터미널들이 도시 수변에서 사라졌다. 세계 각지의 항구와 도시는 변화하는 글로벌 체계와 새로운 지역 생산 양상에서 기인하는 압력에 직면했다. 가장 중요한 것은 컨테이너화containerization가 운송 네트워크, 무역 양상, 항만 편의시설, 항구도시 위계, 도시 형태의 대대적 재편성으로 이어졌다는 점이다. 컨테이너화로 8시간 교대노동을 통해 훨씬 더 많은 환적 톤수가 가능해졌다(100~200톤에서 2500~3000톤으로).[25] 그것은 항구만이 아니라 트럭과 기차를 통해 배후지 깊숙한 곳에 있는 상품의 운송과 환적의 속도 및 편리성도 촉진했다. 이러한 효율성은 주요한 사회-경제적 변화와 아울러 토지 이용 및 항구도시의 여러 물리적 측면에 변화를 가져왔다. 미국에서 개발된 후 컨테이너container는 전 세계적으로 빠르게 채택되었다. 컨테이너 수는 1968년 4만 7221개에서 1970년 13만 2000개, 1972년 27만 7000개로 증가했다.[26] 컨테이너가 선박(과 육상)에서 물건을 포장하고 운송하는 주요 수단이 되면서 선박에 적재하고 하역하는 데 필요한 사람들 수는 급감했다.

새로운 운송 조건은 전 세계의 항구와 도시에 강력하고 다면적인 영향을 끼쳤다. '잔교棧橋, finger pier' 저장고 및 창고가 배치된 수변의 오래된 구성은 새로운 컨테이너 항구container port에 적합하지 않았다〔'잔교'는 해안선으로부터 바다 쪽으로 돌출하고 길게 뻗어 양측에 선박 접안과 선적 및 하역 작업이 가능한 부두다〕. 많은 항만청과 시 정부는 치열한 경쟁에서 도시의 우위를 유지할 셈으로 항구를 빠르게 개조했다. 그 결과, 대부분의 저장용 창고가 더는 필요가 없어졌다. 오래된 항구는 새로운 컨테이너를 수용할 만큼 충분히 저렴한 땅을 제공하지 못했고, 도시들이 새로운 땅을 요구했기에 오래된 창고는 빠르게 쓸모없게 되었다. 공간 부족으로 컨테이너 터미널은 〔미국〕 유타주州의 그린필드Greenfield, 몬태나주의 뷰트Butte, 나이지리아 북부의 카노Kano, 타이완의 네이리內壢 같은 내륙 지역으로 밀려났다.[27] 마르세유 항구는 근처의 신항 포스Fos로 향하는 운송을 상실했다. 뉴욕시티 항구의 변신은 본보기였다. 1964년 포트아서Port Arthur와 포트엘리자베스Port Elizabeth 컨테이너 터미널이 개통된 후 20년 이내에 뉴욕시티는 운송 기능을 대부분 잃었다. 유사하게, 오래된 런던 항구는 1968년 템스강 하구 틸버리Tilbury에 컨테이너 터미널이 개설된 이후 1970년대를 지나며 기능을 잃었다. 수많은 항구가 이전의 지위를 잃었고 높은 수준의 실업을 겪었다. 20세기 후반 유럽의 항구도시들에서 모든 도시 중심지는 가장 높은 수준의 경제적 수축을 겪었다. 그러나 로테르담처럼 새로운 리더십을 획득하는 승자가 있었다. 아마도 화물 운송 시설 이전 효과의 가장 좋은 사례 하나는 넓은 접안시설과 좋은 교통 접근성을 제공한 오클랜드 항구의 급속한 개발과 기존의 잔교들과 지형의 한계가 있던 〔오클랜드 건너편〕 샌프란시스코 항구의 동반 쇠퇴일 것이다.

유령 지구로 변모한 수변 구역은 도시개발에 대한 관심을 환기시켰다. 1970년대 볼티모어, 런던, 함부르크, 상하이, 시드니, 기타 항구도시에서 시작된 수변 재활성화 프로젝트waterfront revitalization project는 재활성화 및 변환transformation이라는 유사한 도전에 직면했다. 유사한 건축 유산이 있고 전통적 방식의 사용이 감소하던 항구도시들은 비슷한 대응을 채택했다. 발트해 주변의 해양 축제인 발틱항해Baltic Sail, 벨파스트의 수변 재개발 프로젝트waterfront redevelopment project인 타이타닉Titanic 구역, 함부르크 기반 이민 박물관과 그 주변의 발린슈타트BallinStadt에서 볼 수 있듯이 여가와 항구 지리는 밀접한 관련을 맺게 되었다.

전 세계적인 수변 재개발 계획들은 서로 영감을 주고 서로를 투영했으나, 지역의 문화 구상을 반영하면서 각기의 위치에 특화되어 있었다. 암스테르담은 1970년대에 수변을 재개발하기 시작했으며, 운송 및 무역에 전념했던 도시에서 선창·부두 등 여러 기반설비로 분리된 토지를 재개발했다. 렘 쿨하스Rem Koolhaas〔네덜란드 건축가〕는 1981~1988년까지 에이플레인IJ Plein 도시 마스터플랜을 준비했다. 아드리안 회저Adriaan Geuze〔네덜란드 조경가. 국내서는 '아드리안 구즈'로 통용된다〕와 그의 베스트8West 8 회사 동료들은 1993~1996년까지 전통적인 네덜란드 운하 주택을 해석한 새로운 유형의 3층짜리 연립주택들인 보르네오-스포렌뷔르흐Borneo-Spoerenburg 주택단지를 건설했다.

로테르담 시 중심지city centre와 그 수변의 많은 부분이 파괴되었던 제2차 세계대전 이후에 로테르담은 수변에서의 운송 부흥 등 주요한 재건에 착수했다. 1970년대 후반까지 로테르담은 전통적인 선박과 역사적으로 영감을 받은 건축물이 있는 대부분이 보행자 전용인 수변으로 오래된 항구를 재개발했다. 1986년의 발터르스타트Waterstad 계획은 수변을 도시의 주요 상징으로 재정의할 수 있는 혼합 활동 개발을 제안했다. 1990년대부터 낡고 버려진 항구 구역에 건설된 코프판자위트Kop van Zuid 동네는 해양 역량을 갖춘 혼합 활동으로 수변 재활성화의 모델이 되었다. 새 개발은 도시 전체에 이익을 주었고 광범위한 사람들을 그 지역으로 유인했다.

수변 (재)개발은 구도시와 신도시를 위한 앵커 프로젝트anchor project로 부각되었다. 볼티모어, 샌프란시스코, 보스턴, 뉴욕, 바르셀로나, 제노바, 런던, 시드니, 멜버른, 함부르크, 빌바오, 상하이의 역사적인 수변은 재개발되었고 유휴 부지 재생, 역사적 적용, 새 도시지구urban district 조성에 대한 주목은 광범위한 학술적 관심을 받았다. 고급 주택, 관광, 문화, 여가활동에 초점을 맞춘 완전히 새로운 수변은 두바이, 아부다비, 사우디아라비아, 카타르, 마나마Manama에서 이러한 목적에 따라 새롭게 매립된 땅에서 상상되고 건설되고 있다. 예를 들어 두바이의 야자palm 섬들은 고베神戸의 섬과 같은 인공 섬과 홍콩 및 기타 도시들의 토지 매립 프로젝트 전통을 이어간다. 월드World〔두바이에 있는, 세계지도 모양을 본뜬 인공 섬〕—도시와 기반설비 또는 여타 연계가 없는 새로운 개발로 보트나 헬리콥터로 한 섬에서 다른 섬으로 이동—와 펄카타르Pearl-Qatar〔도하에 있는, 진주pearl 모양을 본뜬 인공 섬〕 같은 카타르의 여러 새로운 개발은 글로벌도시global city에 걸맞은 도시 이미지를 구축하려는 현대적 시도를 구현하는 것이다.

이중 개발: 심수항과 수변 재개발

로테르담이 오래된 수변의 혁신적 재개발을 추진하면서 로테르담의 새 항구는 글로벌항구들 가운데 주요한 역할을 하게 되었다. 2009년 로테르담은 상하이와 싱가포르에 이어 글로벌 화물량(386,957,000미터톤) 3위, 컨테이너 교통량(9,743,290TEU. TEU는 20피트 단위 표준 컨테이너 측정 및 컨테이너선 환적 용량 기준이다) 10위를 차지한 도시로 아시아 및 중동을 제외한 제1의 도시다. 일본에서는 지바千葉, 요코하마橫浜, 도쿄 3개 도시가 하나의 대규모 거대도시권 내에서 협력하는 수변 재개발 및 항구 재생port renewal에서 로테르담과 유사한 이중 접근법을 명확히 보여주었다. 지바, 요코하마, 도쿄는 각각 글로벌 화물량에서 20위, 25위, 46위를 차지하고 있다. 세 도시의 총 332,692,000미터톤에 달하는 글로벌 화물량은 7위가 될 것이다. 도쿄와 요코하마는 컨테이너 교통량에서 25위와 39위를 차지했는데, 서로 결합하면 총 6,365,769TEU로 17위가 된다. 세 항구(지바, 요코하마, 도쿄)가 공동으로 글로벌 거대도시 도쿄의 경제적 우위에 기여하는 한편으로, 각각의 수변 개발은 각 장소의 서로 다른 지역적 특수성을 강조하도록 설계되었다.

도쿄만의 요코하마는 1965년에 처음으로 재개발과 관련한 종합적인 계획을 수립했다. 1981년 마스터플랜은 186헥타르의 옛 산업용지(미쓰비시 부지를 포함)에 주택과 수많은 사업·상업·문화 기능을 포함하는 새 개발로, 미래항을 뜻하는 미나토미라이港未來를 계획했다. 랜드마크 타워Landmark Tower, 컨벤션센터Convention Centre, 코스모 클락21Cosmo

Clock 21 대회전 관람차는 물론 전통적인 붉은 벽돌로 복원한 창고지구 warehouse district와 인근의 차이나타운은 이 지역을 관광 명소로 만들었다. 새 항구 지역은 투자자뿐만 아니라 국가 및 지방정부 사이 긴밀한 협력의 결과였다. 지바는 나리타成田국제공항과 도쿄디즈니랜드Tokyo Disneyland를 포함한 여러 대규모 개발처럼 수도에 지나치게 큰 기반설비를 유치하게 되었다. 도쿄는 영향력 있는 근대주의 건축가 단게 겐조丹下健三 등 국제적으로 인정받는 건축가들의 랜드마크 프로젝트를 통해 일본 수도의 글로벌 특성을 과시하려 수변을 개발했다.

항만 확장과 수변 재활성화를 결합한 또 다른 일본 도시로는 고베가 있다. 인구성장population growth과 항구 정체는 1960년대 오래된 수변과 그곳의 역사적 근대 건축물을 마주하는 인공 섬을 건설하려는 계획에 영감을 주었다. 그 이후로 포토아이란도ポートアイランド와 롯코아이란도六甲アイランド는 주택, 놀이공원, 스포츠시설과 아울러 새 항구 기능을 갖추게 되었다.

항구를 형성하는 다른 글로벌 역학

컨테이너화 및 수변 재개발과 함께 정치적 변화가 항구를 재편성했다. 유럽 내에서는 제2차 세계대전의 종식, 냉전, 철의장막Iron Curtain 몰락이 항구와 배후지 관계에 거대한 변화를 일으켰다. 일부 항구는 자신들의 서쪽 이웃, 특히 헬싱키를 따라잡고 추월하려 노력해왔는바, 헬싱키는 이전에는 가장 동쪽에 있던 서유럽 항구였다. 역사적 항구이자

발트해에 있는 소련의 군사항구military port 및 상업항구commercial port 중 하나인 탈린은 1991년에 독립으로 글로벌 무대에 진입했고 이미 2003년에 존스랭라살Jones Lang Lasalle과 라살인베스트먼트매니지먼트Lasalle Investment Management로부터 떠오르는 스타로 인정을 받았다. 탈린은 헬싱키보다 더 〔시설이〕 좋고 더 〔규모가〕 큰 항구가 있으며 대륙에 자리하고 있어서 열차로 직접 환적을 할 수 있다. 탈린 항구는 러시아로 가는 새 관문으로 번성하고 있다. 한편, 러시아 흑해함대Black Sea Fleet가 주둔하고 있는 세바스토폴Sevastopol은 유럽의 정체성으로 스스로 자리매김하지 않고 있다.[28] 그 대신 모스크바 쪽으로 계속 방향을 틀고 있는데, 크림Krim전쟁〔1853~1856〕은 정체성과 경관 디자인의 주요 참고 자료로 남아 있다.

1960년대 이래 글로벌 양상의 변화, 특히 중동과 중국이 글로벌 행위자로 부상하면서 유럽의 항구 이상으로 아시아 및 중동의 항구가 갖는 중요성이 커졌다. 2008년 미국항만청협회AAPA가 발간한 글로벌 선도 항구의 경제통계에서는 싱가포르와 상하이가 각각 총 화물량과 TEU 면에서 1, 2위를 차지했다. 그 뒤를 아시아 여러 도시(컨테이너용 두바이 항구 포함)가 뒤따랐으며, 수변 재개발 활동의 중심에 있는 항구로는 ―로테르담(각각 3위와 9위)을 제외하고― 함부르크, 뉴욕 및 뉴저지, 안트베르펜이 10위와 20위 사이에 위치했다.[29]

1970년대 이후 많은 상품이 만들어지고 지도자들이 항구의 성장을 강조해온 중국에서는 새 항구들이 눈에 띄게 부상했다. 상하이의 새 항구는 무역 양상의 변화가 도시 형태를 다시 만드는 방식의 좋은 사례다. 이곳에서는 양산洋山 심수항까지 길이 30킬로미터(18.6마일)

이상의 새 둥하이대교東海大橋로 육지와 연결되는 두 섬 사이 인공지대를 마련했으며, 이곳에 새(아마도 가장 규모가 큰) 컨테이너 터미널을 만들었다. 싱가포르는 동남아시아의 주요 정유 중심지로 자리매김했다. 1890년대부터 국제적 석유회사들이 존재해왔지만, 근본적으로 1960년대 독립 이후 여러 주요 석유회사와 정유회사가 있는 국제적 비즈니스 중심지로 부상했다. 정부가 경제 다변화를 목표로 하는 사우디아라비아에서는 여러 새 항구의 건설이 계획되고 있으며 홍해에 자리하는 새 항구도시 킹압둘라이코노믹시티King Abdullah Economic City 등 여러 경제도시 프로젝트가 추진되고 있다. 유럽과 미국에서도 심수항에 대한 논의가 진행 중이다.

결론

지구적으로, 현재의 항구도시들은 비슷한 난제와 기회에 대응해 오래된 수변을 재건하고 새 항구를 개발하고 있다. 항구도시들은 기후변화로 인한 해수면 상승과 홍수 또는 해빙이 녹아드는 새 운송 경로의 개설과 같은 미래의 난제 때문에, 특히 환경적 위험 때문에 결속한다.[30] 변화는 현지 역사, 네트워크, 지형, 정치, 문화에 대한 반응으로도 발생한다.

항구도시는 대륙과 국가를 넘어 도시체계urban system를 연결해 국가사회로부터 반半분리된 거의 자율적인 네트워크를 형성한다. 19세기 무역 네트워크는 수 세기 동안 존재해온 특정 도시 사이 교환 네트워크를 기반으로 한다. 이들 연계성은 도시들 사이에 문화 및 여러 형태의 교류를 고무시켰고, 세계의 한쪽이었던 남아메리카와 카리브해의 일부 도시들, 다른 한쪽의 프랑스와 스페인 도시들 사이 긴밀한 정치적, 경제적, 문화적 유대를 촉진했다. 새로운 기술 특히 컨테이너화와 새로운 무역 양상 특히 중국산 수입에 대한 서양 국가들의 의존도는 무역 네트워크와 도시 형태를 또다시 재구성했다.

항만의 기능 및 활동의 변화(성장과 쇠퇴)는 수변의 활용에서부터 기반설비 건설, 회사 본부 위치, 주택시설 등 도시 전체에 주요한 영향을 끼쳤다. 일부 도시들은 운송 네트워크에서 사라지고 있는 반면에, 다른 도시들은 증가하는 항만 기능을 수용하려 애쓰고 있다. 이들 도시가 항구를 확장하고 있든 아니든, 많은 도시는 컨테이너 선적의 출현 이후 더는 적합하지 않게 된 지역을 재개발해야 했다.

항구도시는 바다와 육지 사이 글로벌 경제 흐름의 공간적 구현이다. 지난 50년 동안 항구와 도시 사이 관계가 혁명적으로 변모했음에도, 선박과 교역품의 필요성이 항구 기반설비, 도시 전체 및 그것의 더 큰 배후지에 새겨져 있다. 글로벌 전환과 지역 주도성은 항구도시에서 상호 작용하며 건조환경의 여러 층위를 형성한다.

주

1 Guido Weigend, "Ports: Their Hinterlands and Forelands", *The Geographical Review*, 42 (1952), 660–672.

2 Brian S. Hoyle, "The Port-City Interface: Trends, Problems and Examples", *Geoforum*, 4 (1989), 429–435.

3 James B. Kenyon, "Elements in Inter-Port Competition in the United States", *Economic Geography*, 46:1 (1970), 1–24.

4 Meera Kosambi and John E. Brush, "Three Colonial Port Cities in India", *Geographical Review*, 78:1 (1988), 32–47.

5 Malcolm Falkus, "Bangkok in the Nineteenth and Twentieth Centuries: The Dynamics and Limits of Port Primacy", in Frank Broeze, ed., *Gateways of Asia. Port Cities of Asia in the 13th–20th Century* (London: Routledge, 1997).

6 Robert Valliant, "Vladivostok: 'City and Ocean' in Russia's Far East", in Broeze, *Gateways of Asia*.

7 Huibert Schijf, "Mercantile Elites in the Ports of Amsterdam and Rotterdam, 1850–1940", in C. Hein, ed., *Port Cities: Dynamic Landscapes and Global Networks* (London: Routledge, 2011).

8 Frank Broeze, "Albert Ballin: The Hamburg-Bremen Rivalry and the Dynamics of the Conference System", *International Journal of Maritime History, 3 (1991), 1–32; Rohit Aggarwala, Seat of Empire: New York, Philadelphia and the Emergence of an American Metropolis, 1776–1837* (New York: Columbia University Press, 2002).

9 Jonathan Farris, "Treaty Ports of China: Dynamics of Local and Global in the West's Architectural Presence", in Hein, *Port Cities*.

10 Seng Kuan and Peter G. Rowe, Shanghai. *Architecture and Urbanism for Modern China* (London: Prestel, 2004).

11 Frank Hamilton Taylor and Wilfred Harvey Schoff, *The Port and City of Philadelphia* (Philadelphia: Local Organizing Commission of the 12th International Congress of Navigation, 1912).

12 Carol Krinsky, "How Manhattan's Port Shaped Its Streets and Building

Locations", in Hein, *Port Cities*.

13 Celine Fremaux, "Town Planning, Architecture and Migrations in Suez Canal Port Cities: Exchanges and Resistances", in Hein, *Port Cities*.

14 J. E. G. Sutton, *Dar Es Salaam. City, Port and Region* (Dar es Salaam: Tanzania Society, 1970).

15 Lars Amenda, "China-Towns and Container Terminals: Shipping Networks and Urban Patterns in Port Cities in Global and Local Perspective, 1880-1980", in Hein, *Port Cities*.

16 Myron J. Echenberg, *Plague Ports: The Global Urban Impact of Bubonic Plague, 1894-1901* (New York: New York University Press, 2007).

17 George S. Silzer, "Making a Super-Port", *The North American Review*, 225:844 (1928), 668-672.

18 Stephen Howarth et al., *A History of Royal Dutch Shell* (Oxford: Oxford University Press, 2007).

19 Robert Powell, "Urban Morphology", *Journal of Southeast Asian Architecture* (1998).

20 F. Akhundov, "Seaside Boulevard", *Azerbaijan International Magazine*, 8:2 (2000), 36-39.

21 Mark Crinson, "Abadan: Planning and Architecture under the Anglo-Iranian Oil Company", *Planning Perspectives*, 12:3 (1997), 341-359.

22 Peter Clark, *European Cities and Towns* (Oxford: Oxford University Press, 2009).

23 Dan Shneerson, "Investment in Port Systems: A Case Study of the Nigerian Ports", *Journal of Transport Economics and Policy*, 15:3 (1981), 201-216.

24 Yehuda Hayuth, "The Port-Urban Interface: An Area in Transition", *Area*, 14:3 (1982), 219-224.

25 Ibid.

26 L. Amenda, "China-Towns and Container Terminals: Shipping Networks and Urban Patterns in Port Cities in Global and Local Perspective, 1880-1980", in Hein, *Port Cities*.

27 Hayuth, "The Port-Urban Interface".

28 K. D. Qualls, "Traveling Today through Sevastopol's Past", in J. Czaplicka, et al., eds., *Cities after the Fall of Communism* (Washington, D.C.: Woodrow Wilson

Center Press, 2009).

29 World Port Rankings (2009), http://www.aapa-ports.org/Industry/content.cfm?ItemNumber=900

30 R. J. Nicholls et al., "Rankings of the World's Cities Most Exposed to Coastal Flooding Today and in the Future. Executive Summary" (OECD, 2007).

참고문헌

Breen, Ann, and Rigby, Dick, *The New Waterfront: A Worldwide Urban Success Story* (London: Thames and Hudson, 1996).

Broeze, Frank, ed., *Brides of the Sea: Port Cities of Asia from the 16th-20th Centuries* (Honolulu: University of Hawaii Press, 1989).

Broeze, Frank, ed., *Gateways of Asia: Port Cities of Asia in the 13th-20th Centuries* (London: Routledge, 1997).

Desfor, Gene, Laidley, Jennefer, Schubert, Dirk, and Stevens, Quentin, eds., *Transforming Urban Waterfronts: Fixity and Flow* (London: Routledge, 2010).

Hein, Carola, ed., *Port Cities: Dynamic Landscapes and Global Networks* (London: Routledge, 2011).

Hoyle, Brian S., "The Port-City Interface: Trends, Problems and Examples", *Geoforum*, 4 (1989), 429-35.

Marshall, Richard, ed., *Waterfronts in Post-Industrial Cities* (London, New York: Spon, 2001).

Meyer, Han, *City and Port: Urban Planning as a Cultural Venture in London, Barcelona, New York, and Rotterdam: Changing Relations between Public Urban Space and Large-Scale Infrastructure* (Utrecht: International Books, 1999).

Schubert, Dirk, "Transformation Processes on Waterfronts in Seaport Cities. Causes and Trends between Divergence and Convergence", in Waltraud Kokot, ed., *Port Cities as Areas of Transition*(Bielefeld: Transcript Verlag, 2008).

Weigend, Guido G., "Ports: Their Hinterlands and Forelands", *The Geographical Review*, 42 (1952), 660-672.

제44장

결론: 역사 속의 도시

Conclusion: Cities in Time

퍼넬러피 J. 코필드
Penelope J. Corfield

타운을 만들고 타운에서 생활한 것은 인간이 했던 첫 번째 일이 아니었다. 하지만 지구적으로 도시가 되는 것은 시간을 통해 이루어낸 인간의 위대한 집합적 성취 가운데 하나다.[1] 처음부터 호모사피엔스Homo Sapiens의 특징적인 군거성群居性, gregariousness〔무리를 지어 사는 성향〕은 모든 기후와 위도에서 함께 살아가기의 내재적 역량을 표출했다. 이번 장에서는 마을village과 부락hamlet이 소규모 타운town과 대규모 도시city로 성장한 —때로는 쇠락한— 복잡한 과정을 풍부하게 분석한다. 성과와 함께 문제점도 그 과정에 필수적이었다. 그럼에도 많은 혼란을 극복하며 집합적인 도시 모험담은 한곳의 '바빌론Babylon'을 처음 창조한 것에서 도시화한 세계 '바빌로니아Babylonia'에 이르기까지 오랜 시간

완만하게 발전한 것이 아니라 거칠게 전개되었다.

어떠한 즉석 이론이나 단일 요인도 타운과 도시의 흥망성쇠를 설명할 수 없다. 앞의 장들은 도시 중심지urban centre들을 그 기원에서 정치적, 제국적, 군사적, 상업적, 또는 여타의 이유와 관계없이 자생적으로 성장한 곳들과 '이식된planted' 곳들로 구분할 수 있음을 보여주었다. 그러나 그와 같은 구별은 시간이 지남에 따라 지워지는 경향이 있다. 모든 타운과 도시는 일단 설립되면 공통된 요구사항들을 가지게 된다. 타운과 도시는 지속가능한 자원(물, 음식, 원자재, 성장에 필수적인 인구 모집의 흐름 등)과 실행가능한 경제적 역할(행정 및 종교 중심지의 경제적 기능 등)이 필요하다(7장, 10장 참조). 도시의 생존은 또한 상업 네트워크에 의해 연결된 보완적 농촌 지원 체계에 달려 있다. 무역 역시 성공적으로 운영되려면 정치적·사회적 안정이 필요하다. 타운은 또한 비교적 높은 밀도의 압축적 구역에서 살아가는 정주 인구를 유지하고자 약간의 조직을 요구한다. 그래서 대중적 삶을 수용하는 바람직한 사회-문화적 신념 체계와 마찬가지로 행정적, 재정적, 법률적 지원 틀이 필수적이다. 이처럼 서로 맞물린 연동 요인—사회적/경제적 요인이거니와 정치적/문화적 요인—은 다원적이며, 그 장기적 결과 또한 마찬가지다.

따라서 도시 변화에 대한 주요 해석은 하나의 정적인 인과관계를 강조하지 않는다. 그런데 역사적으로 3개의 거대서사Grand Narrative(장기적 해석)들이 시간을 관통하는 도시개발urban development에 대한 고전적 설명들을 제공하는바, 이는 물론 공간과 완전하게 연관되어 있다. 이번 장의 전반부는 그 모델들이 지구적으로 적용될 때의 강점과 약점을 검토할 것이다. 모든 상황에 적합한 것은 존재하지 않는다. 그러나 그 모델들의 집합적 통찰력은 도시사의 주요 특징을 지적한다. 따라서 후반부에서는 이와 같은 중심 요소들이 새롭고 다른 세 가지의 겹치는 양상으로 재결합해, 다시 매우 장기간에 걸친 발전들을 종합적으로 바라볼 수 있을 것이다.[2]

가장자리margin에서는 타운과 시골이 종종 겹치는 것이 받아들여진다.[3] 그러나 상당수의 사람이 주로 비농업 직업에 종사하고, 토지에 얽매이지 않는 시간표에 의해 생활하면서, 감내할 수 있을 정도의 거리에 거주할 때에는 항상 도시 중심지가 존재한다.[4] 게다가 타운에 사는 총인구 비율이 크게 확대될 때마다 누적된 '도시화urbanization' 과정이 펼쳐진다. 그런데 그 과정은 앙리 르페브르Henri Lefebvre에 의해 '도시적인 것the urban'의 출현으로 재정의되었다.[5] 르페브르는 이 역사적 경험을 '도시the city'의 초기 존재와 대비했다. 그러나 그의 용례는 혼란을 초래할 수 있다. 용어들은 일반적으로 대안으로가 아니라 함께 사용된다. 이러한 연유로 전체 백분율의 비농촌 인구의 확대는 '도시urban'가 아니라 '도시화urbanizstion'로 가장 잘 정의된다. '도시화'라는 용어는 누적된 추세를 나타내는데 역으로 진행될 수도 있다.

시간이 지남에 따라 사회적/경제적 및 정치적/문화적 변화는 '죄악의 도시sin city'에서 '성스러운 도시holy city'까지 다양한 전문 장소들을 촉진했다. 곧 다음과 같은 장소들이다. 거대도시지역metropolitan region, 수도capital city, 행정 중심지administrative centre, 항구port, 금융수도finance capital, 상업 중심지commercial centre, 제조업타운manufacturing town, 시장타운market town, 교육도시city of learning, 내륙 휴양지inland resort, 해안가타운

seaside town, 도박도시gambling city, 병영타운garrison town, 조선소타운dockyard town, 주택타운〔베드타운, 교외 주택지〕dormitory town, 교외 연담連擔도시〔집합도시〕suburban conurbation, 은퇴타운〔실버타운〕retirement town, 심지어 1920년대 알카포네Al Capone의 시카고 같은 '갱스터타운'gangster town 등. 많은 독특한 이야기들이 뒤따른다. 집합적 도시사 역시 존재한다(개념 정의와 접근법에 대한 자세한 내용은 1장의 첫 부분을 참조하라).

순환적 역사에서의 도시

역사적 변화에 대한 영향력 있는 개괄적인 거대서사는, 전통적이었으나 농촌사회에서 항상 선호되는 것은 아니었는데, 역사를 순환적 과정으로 보았다. 변화는 일어나지만 궁극적으로, 계절의 주기나 달의 단계처럼, 그 출발점으로 되돌아간다. 특히나 순환적 해석은 도시의 부상과 그에 연계된 '문명civilization'뿐만 아니라 도시의 쇠퇴와 심지어 도시의 완전한 소멸까지도 통합한다—'문명'은 이른바 '문명화한' 사회들이 명백하게 잔인하고 미개한 방식으로 행동해왔다는 점에서 현재는 일반적으로 '문화culture'로 지칭된다.

많은 역사적 사례는 도시의 쇠퇴와 소멸을 확인해준다. 고대 칼데아의 우르Ur of the Chaldees는 이라크 남부의 모래로 뒤덮여 있다. 치첸이트사Chichén Itzá의 폐허는 멕시코 유카탄반도의 정글에 의해 오랫동안 발전이 가로막혀 있었다. 한때 위대한 알렉산드리아의 항구였던 헤라클레이온Herakleion의 부지는 지중해 푸른 바다 아래에, 해안에서 4마일

〔약 6.5킬로미터〕 떨어져 있다. 이 지난날의 도시 중심지들은 현재 관광지로서 생존하고 있으며 평화로운 상태를 유지하고 있다. 이와 같은 순환적 상승과 '무에서 무로 돌아가는dust to dust' 하락은 어디서나 일어날 수 있다. 이에 역사가 T. B. 매콜리T. B. Macaulay는 1840년에 영국의 번화한 거대도시metropolis에서 글을 쓰면서 세인트폴대성당St Paul Cathedral의 폐허를 묘사하려고 런던브리지London Bridge의 부서진 아치 위에 서 있는 뉴질랜드 출신의 미래 여행자를 상상했다.[6] 그의 독자들은 비非영구성impermanence에 대한 생각에 충격을 받았으나, 실제로 존속가능한 존재 이유가 있는 도시 중심지는 종종 심각한 황폐화 이후에도 소멸하지 않고 재편성된다.

순환적 역사는 가변적 도시 운명을 설명하거니와 도시경험urban experience 자체에 거대한 동력을 부여했다. 무엇인가가 순환에 회전을 부여해야만 했다. 경제성장은 자산이 고르지 않게 분배되더라도 타운에 소비자consumer와 부wealth의 집중으로 이어졌다. 그런데 부riches와 함께 사치luxury가 찾아들었다—게다가 물리적, 정치적, 문화적 퇴폐decadence도 찾아들었다. 부패한 도시들과 부패해가는 도시들은 공격에, 결국은 쇠퇴에 취약해질 것이었다. 14세기 북아프리카에서 이븐 할둔Ibn Khaldûn〔이븐 칼둔. 이슬람 역사가〕의 고전적 설명은 원시 유목주의primitive nomadism에서 농촌 가정, 도시 주거, 도시 기반의 거대 제국, 문화적·시민적 붕괴/죽음이라는 5단계 순환을 제안했다. 이후 그러한 순환은 농촌의 뿌리에서 다시 시작될 것이었다. 이븐 할둔이 설명했듯, 이는 유기적이고 피할 수 없는 과정이었다.

> 문명의 목표는 정주문화sedentary culture와 사치다. 문명은 그 목표에 도달하면 부패로 변해가고, 살아 있는 존재의 자연적 삶에서 일어나는 것처럼 노쇠해지기 시작한다.[7]

또 한 명의 매우 다른 저자, 18세기 중반 영국의 개신교 성직자는 변종이지만 다소 비슷한 순서를 제시했다. 그는 다음과 같이 분류한 9개의 역사적 단계를 감지해냈다. "거친rude, 단순한simple, 문명화한civilized, 세련된polished, 유약한effeminate, 부패한corrupt, 방탕한profligate, 쇠퇴declension의, 그리고 폐허RUIN의."[8] 이븐 할둔의 모델에서 타운 생활은 문명과 사회적 윤택함의 이점을 끌어냈으나, 동시에 사치·유약함·부패를 초래할 위험도 있었다.

따라서 도시 생활은 변화에 필수적이었으나 장기적으로 호의적인 결과를 낳는 데는 불리했다. 이븐 할둔의 모델은 정책 딜레마를 극대화했다. 도시의 혜택이 도시의 불이익보다 더 큰 것인가? 아니면 허영의 시장Vanity Fair의 밝은 불빛이 폐허의 거리Desolation Row로 이어지는가?* (칭찬, 비난, 익숙함을 포함하는 다양한 문화적 수용에 대해서는 24장과 39장을 참조하라).

자치체 거버넌스municipal governance를 담당하는 사람들은 거대한 타운의 공급, 청소, 치안 유지 문제를 일상적으로 고심하는 한편, 도시 거주민들은 동시에 자신들의 발feet[이주]을 통해 의사 표시를 한다—

* 'Vanity Fair'는 영국 작가 윌리엄 메이크피스 새커리William Makepeace Thackeray가 쓴 장편소설(1848)의 제목이자 《천로역정天路歷程, The Pilgrim's Progress》에 나오는 지명이기도 하다. 'Desolation Row'는 미국 가수이자 2015년 노벨문학상 수상자 밥 딜런Bob Dylan의 노래(1965)다.

종종 시골countryside에서 타운으로, 도시성장urban growth을 촉진하는 순純유입이 발생하게끔 몰려든다.

그러나 어느 쪽이든 성과물이 주기적으로 미리 결정되지는 않는다. 타운과 도시가 항상 위대하게 성장하는 것은 아니다. 타운과 도시가 항상 부패하는 것도 아니다. 또한 타운과 도시가 성장한 후에 자동으로 하락하는 것도 아니다. 중소 규모 도시의 많은 장소는 비교적 안정된 상태로 지속된다. 예컨대 현지와 지방의 수도들은 흔히 현지에서의 역할을 지속함으로써 유지된다. 그곳들은 도시 거인urban giant이 되지는 않을지 모르지만 사라지지는 않는다. 앨런 에버릿Alan Everitt은 그것들을 "잉글랜드의 밴버리들the Banburys of England"이라고 지칭하면서 한 매력적인 소규모 타운을 예로 들었다('밴버리'는 영국 잉글랜드 옥스퍼드셔카운티의 타운이다).[9] 따라서 필연적 성장과 쇠퇴의 순환은 보편적이지 않다. 지리적 역사는 순환 양상과 함께 또는 그것과 경쟁하며 연속성을 유지한다. 또한 지리적 역사는 혁신을 목격하는바, 지속적인 도시화 시대에 오래된 도시가 사라지는 것보다 더 많은 뉴타운이 도시 대열에 합류하기 때문이다.

선형적 역사에서의 도시

두 번째 거대서사는 대안적 해석을 제시했다. 이 경우 역사는 발전적이고 선형적linear이다. 이 경쟁 모델은 궁극적으로 순환성cyclicality의 전통적 이론을 특히 서양의 사상 속에서 침해하는 경향이 있었다. 그리고 19세기에는 진보Progess의 개념에서 자신감 있는 신화를 완성했다.

선형성linearity은, 순환성과 마찬가지로, 시작에서 끝까지 계속되는 여정에 관한 생각들을 통합했다. 그러나 결승점은 출발점과 같지 않았다. 기독교의 가르침은 역사를 '언덕 위의 빛나는 도시shining city on a hill'를 향한 점진적인 상승적 여행으로 보았다. 도시의 은유는 구원에 대한 희망의 등불이었다. 성 아우구스티누스St Augustine[고대 로마의 교부敎父]는 죄 많은 현세의 '인간의 도시City of Man'와 덕 있는 내세의 '신의 도시City of God'를 구별하는 모델을 더욱 명확히 했다. 그런데 신자들은 도시의 유혹을 피하라는 경고를 받는 한편으로, 구원의 진정한 통로의 상징으로 하나의 성스러운 도시를 숭배할 수도 있었다. 전 세계의 많은 종교가 그와 같은 도시적 영감을 발견했고 발견하고 있다. 예컨대, 16세기 칼뱅주의자들은 많은 제네바 사람이 개인적으로 종교적 배교자였음에도 장 칼뱅Jean Calvin의 제네바를 경건한 안식처로 보았다.[10] 오늘날 많은 도시는 영적이고 종교적인 숭배의 초점들이다. 이 역할은 도시들을 사람들이 모이는 세계적 사업과 정착의 장소뿐만 아니라 종교적 행정 그리고/또는 순례의 중심지로 주목하게 한다. 특히 로마, 콘스탄티노플/이스탄불, 예루살렘, 메카, 메디나, 쿰Qom(이란), 암리차르Amritsar와 인도의 많은 다른 도시, 라싸, 교토, 이페(나이지리아) 등이다. 역사 초기에는 다른 예들을 들 수 있다. 고대 이집트의 헬리오폴리스Heliopolis와 잉카의 성스러운 도시 쿠스코에서 같은 기능을 관찰할 수 있다.

더욱이 18세기부터 선형적 변화의 세속화한 전망이 생겨났는데, 유럽과 북아메리카에서 처음 나타났다. 그 전망은 개선으로 시작되어 열광적 진보로 변해갔다. 도시성장은 축적된 긍정적 경향의 일부로 여겨졌다. 도시성장의 구성 요소는 식자층의 확산, 상업의 다양화, 기술의 변화, 정치적 자유의 출현 등이다. 이러한 동일시는 봉건적 토지소유주로부터 도망친 농민들이 환기한 "도시의 공기가 자유를 만든다city air sets one free〔Stadtluft macht frei〕"는 오래된 농촌의 꿈을 한층 더 발전시켰다(23장 참조). 따라서 잠재적으로 도시 '진보'의 행진은 결국에 모든 사람을 해방할 것이었다. 이번에는 이상적인 도시 역시 운 좋게도 지상에 도래할 것이었다.[11] 1741년 버밍엄으로 이주해온 한 젊은이는 개인들이 어떻게 이와 같은 낙관론을 내면화했는지를 보여주었다. 윌리엄 허턴William Hutton은 18세의 나이로 버밍엄에 도착했을 때 느낀 흥분을 다음과 같이 서술했다.

> 나는 그 장소에 놀랐으나 사람들에게 더 놀랐다. 그들은 내가 본 적이 없는 활기를 띠고 있었다. 나는 꿈을 꾸는 사람들 사이에서 살아왔으나, 이제 사람들이 깨어 있는 것을 보았다. 그들은 길을 따라 걸으며 민첩함을 보여주었다.[12]

버밍엄은 21세기 기준으로 여전히 소규모 타운이었고, 당시 2만 명이 조금 넘는 주민이 살고 있었다. 그러나 버밍엄은 이미 마을 사회village society와는 지각할 수 있을 정도로 차이를 보였다. 또, 도시 거주민들이 농촌 정주지rural settlement의 사람들보다 (대체로) 더 빨리 걷는 경향이 있다는 윌리엄 허턴의 인식은 이후 연구로 확인되었다.[13] 그래서 활기vivacity와 도시성urbanity의 동일시에는 외적 정당성이 있었다. 타운 생활 지지자들에게 소박함은 후진성과 관성을 의미했다. 농촌의 잉글랜드는 1838년에 성직자다운 재치로 시드니 스미스Sydney Smith가 발언한 "건강한 무덤healthy grave"에 지나지 않았다.[14]

그러나 그 평가에는 많은 역설이 있었다. 시드니 스미스 시대에 빠르게 성장하는 많은 타운이 사실상 '도시 묘지urban graveyard'였다. 타운들은 질병, 공해, 혼잡, 높은 사망률을 더 높였다—도시가 규모가 클수록 물 공급과 쓰레기 처리가 개선되기 이전까지는 환경 압박이 더 심했다. 게다가 분석가들은 사람들이 마을 사회의 전통적 유대에서 벗어나 타운으로 모여드는 것이 범죄, 무질서, 갈등을 고조시킬 것을 우려했다. 일반적으로 도시 생활을 숭배하는 역사가 루이스 멈퍼드Lewis Mumford는 낯짝이 두꺼운 사업가들이 가난하고 '불안정한defective' 노동자들과 논쟁을 벌이는 '비정한insensate' 산업도시industrial city의 형태에서 새로운 타락을 우려했다.[15] 도시화는 유토피아utopia보다는 디스토피아dystopia로 이어질 수 있다. 공중보건에 대한 필요성이 개선된 오늘날에도 여전히 세계에서 가장 오염된 도시들의 목록이 있다—2011년 목록에서 앞자리에 있는 중국 산시山西성 린펀臨汾 산업/탄광 도시지역city-region은 인구가 400만 명이 넘는다.[16] 다시 말해, 선형적 변화는 진행 과정에서 그 역으로 반전될 수 있다.

그렇더라도 칭찬이든 비난이든 단일한 글로벌 통로는 모든 도시 장소urban place에 보편적으로 적용하기에는 지나치게 단순하다. 도시화가 확산한 시기에도 일부 도시는 확장하는 반면, 다른 도시는 팽창을 중단하거나 완전히 쇠퇴한다(이전 장에서 살펴보았다). 더욱이 모든 도시가 산업적 코크타운Coketown〔찰스 디킨스의 소설 《어려운 시절》에 나오는 가상의 도시〕이 되는 것이 아니다. 또한 모든 제조업 중심지가 단순히 '비정한' 것만은 아니다. 도시문제는 다음과 같이 해결할 수 있다. 예를 들어 린펀 자치체는 환경 구하기 프로그램을 시작하고 있다. 따라서 선형성은 누적된 추세—1850년경 이후 지구적 도시화global urbanization 같은—를 식별하기에는 능숙하나 결과의 다양성은 과소평가한다. 선형적 모델은 또한 중단기적 변동을 지우는 경향이 있어 변화를 너무 매끄럽고 일방향적으로 만든다. 이에 따라 한 세대의 판단이 이후 세대에서 매우 다르게 나타날 수 있다.

혁명적 역사에서의 도시

역사의 '덩어리진lumpy' 가변성은 1848년 카를 마르크스Karl Mark와 프리드리히 엥겔스Friedrich Engels로부터 확고하게 다른 하나의 거대서사를 촉발시켰다. 마르크스와 엥겔스에게는 갈등이 중심에 있었다. 역사는 매끄러운 선형 진행이 아니라 간헐적인 혁명적 도약을 통해 발전했다. 경제발전의 각 단계는 자체적인 내적 '모순contradiction' 혹은 결점을 생성했다. 그 후 계급갈등은 혁명으로 폭발하는 동력을 제공했다. 이오시프 스탈린Iosif Stalin의 권위에 따라 나중에 정형화된 5개 핵심 단계는 역사를 원시 공산주의primitive communism(부족노동tribal labour), 고대 노예제(노예노동slave labour), 봉건주의feudalism(농노노동serf labour), 자본주의capitalism(임노동waged labour), 궁극적 '최고the highest' 단계인 진정한 공산주의Communism(공동의 공유노동shared labour)로 전환되었다.[17]

타운은 가장 이른 초기에는 중요하지 않았다. 그러나 타운의 성장은 곧 역사에 갈등의 진통을 추가했다. 마르크스주의 역사학자들은 타운과 이에 연계된 상업을 농촌 봉건주의rural feudalism를 불안정하게 하는 중심 요인으로 보았다.[18] 뒤이어 일어난 도시 자본주의urban capitalism는 그 이상의 혁명을 향해 무르익었다. 디스토피아적인 산업도시에는 분노한 착취당하는 임노동자wage-worker들이 집단을 이루며 거주했는데, 그들은 비참한 생활을 하며 다른 사람들의 부를 창출하고 있었다. 이는 1844년 엥겔스의 메시지였는데 나중에 멈퍼드가 '비정한insensate' 코크타운을 비판하면서 지지했다. 이어 도시혁명urban revolution이 뒤따를 것이었다. 도시는 낡은 것의 용해제이자 혁명의 도가니 둘 다였다.

하나의 모델로서 마르크스주의 관점은 매우 도식적이었다. 그러나 그것은 종종 다른 모습으로 반복되는 경제적 갈등에 결정적 역할을 할당했다. 마르크스주의Marxism는 그래서 '껄끄러운gritty' 현실에 근거한 것으로 보였다. 마르크스주의는 진보의 오만함에 반대했다. 또한 하나의 지적 체계로서 마르크스주의는 순환성과 선형성 모두에서 구성 요소를 끌어냈다. 순환성과 함께 마르크스주의는 구분되는 경제단계의 개념을 공유했다. 선형성과 함께 마르크스주의에는 역사의 '결말end'에 대한 근본적 유토피아가 깔려 있었다. '최고' 단계에서는 갈등이 사라질 것이었다. 따라서 국가는 더는 계급 지배에 필요하지 않고 '소멸'할 것이었다. 엥겔스는 다음과 같이 선언했다.

> 그것[공산주의의 도래]은 필요의 왕국Kingdom of Necessity에서 자유의 왕국Kingdom of Freedom으로의 인간man[인간성humanity]의 도약이다.[19]

그러나 지구의 전체 역사에 적용되었을 때, 마르크스주의적 단계들은 역사적 다양성을 포괄하기에는 그 수와 형태가 불충분하다는 것이 증명되었다. 빅토리아 시대〔1837~1901〕 영국에서조차 타운과 도시는 마르크스와 엥겔스가 환기한 공장 '코크타운'보다 훨씬 더 변화무쌍했다. 더욱이 초기에 황폐해진 많은 장소는, 이러저러한 결과를 낳았을지라도, 19세기 후반까지 개혁 프로그램을 착수했었다.[20] 협력은 갈등과 마찬가지로 역사의 일부임이 밝혀졌다.

마르크스주의의 도식은 도시성을 문제가 있는 것이자 잠재적으로 변화가능한 것 **둘 다**로 인식했기 때문에, 마르크스주의적 공산주의Marxist Communism라는 이름으로 설립된 20세기 국가들 사이에서 타운의 역할에 커다란 양면성이 나타난 것은 놀라운 일이 아니었다. 마르크스와 엥겔스에게 '부르주아 도시bourgeois city'의 결점은 '농촌 생활의 어리석음the idiocy of rural life'으로 불리는 것으로 사람들이 돌아가야 한다는 것을 의미하지 않았다. 저명한 공산주의 지도자들(스탈린, 니콜라에 차우셰스쿠Nicolae Ceaușescu)은 농촌 인구를 새로 건설된 대규모 타운들로 몰아넣음으로써 예정된 궤적을 따라 역사를 서둘러 완수하려 했다. 거대 철제 콘크리트를 사용하는 고층 아파트 블록은 "하늘을 뒤흔들라"면서 강건한 노동자들의 역량을 강화하는 것처럼 보였다. 그럼에도 도시들은 또한 '퇴폐'와 '부패corruption'를 조장할 수 있었다—아울러 일당 통치의 반대도 조장할 수 있었다. 따라서 다른 공산주의 지도자들(마오쩌둥이나 폴포트Pol Pot)은 지식인과 전문직 종사자들을 시골로 강제로 보내 부르주아적 방식을 버리게 했다. 그들은 더럽혀지지 않은 농민의 '혁명적revolutionary' 관점에서 배우고 공산당의 역사적 의지에

복종해야만 했다.

두 정책 모두 극도로 고압적이었다. 또한 둘 다 성공하지 못했다. 공산주의 러시아와 동유럽에서 실행가능한 사업 기반설비infrastructure를 갖추지 못한 새로 계획된 타운들은 장기적으로 번성할 수 없었다. 반대로 엄격한 '녹화綠化, rustification' 정책—1966년 중국의 문화대혁명文化大革命, Cultural Revolution 같은—을 시행한 공산주의 정부들은 조화가 아니라 재앙을 낳았다[여기서 '녹화'는 도시 지식인을 농촌으로 보내 계급의식 재무장을 꾀한 하방下放운동을 지칭한다]. 사망률은 치솟았고, 교육은 차질을 빚었으며, 정치적 무질서는 확산했고, 생산량은 감소했다. 또한 경제성장이 새 정책 목표로 채택되자마자 정신없는 도시화와 결합한 과정이 재개되었다. 이러한 역동성의 결과, 공산주의라는 꼬리표로 일당 통치하에 남아 있는 현대 중국은 160년 전에 마르크스와 엥겔스가 자본주의 영국에서 프롤레타리아혁명proletarian revolution을 예측하게 만든 환경적 황폐, 정치적 배제, 사회적 불평등의 바로 그 문제에 매일 직면하는 6억 명 이상의 타운 주민들이 있다. 도시사는 따라서 깔끔한 마르크스주의적 단계를 거스른다.

역사적으로, 역사의 혁명적 모델은 매우 공개적인 시험의 찬사를 받았다. 그러나 그것의 강력한 선언은 모든 세계 지역의 모든 다양성과 일련의 역사를 포괄할 수 없었다. 역사 단계는 모든 곳에서 같은 순서로 나타나지 않았다. 또한 공산주의 체제들은 시민들이 역사의 정점에 살고 있다는 점을 시민들에게 만족시키지 못했다. 사실 평등, 착취, 도시 황폐는 많은 다른 체계에서 나타났었고, 또다시 나타났다. 선형성과 순환성의 경우와 마찬가지로, 하나의 유형과 변화 순서를 보편적으로 취할 때 그 모델은 실패한다. 다수의 결과는 도시사의 방향을 정하려는 정치인들에게 시사하는 바가 있다. 정치인들이 변화에 대한 단일 슬로건이나 가정에 의존한다면(강제된 도시화든, 그 반대로 완전한 규제 완화든), 그들은 결국 정치적 의지의 한계를 발견하게 된다. 도시는, 경제와 마찬가지로, 하향식 지시가 아닌 다른 것에 더 반응하는 대중의 창조물이다. '**사람을 제외한 도시는 무엇일까?**'

장기적 힘: 도시와 혼란

이번 장의 두 번째 부분에서는 미리 정해진 모델들을 거부한다. 그 대신, 이들 거대서사의 강력한 특징들을 다원적 과정의 측면에서는 이해하면서도 결과의 측면에서는 개방적 방식으로 재결합한다. 선형성 이론과 순환성 이론 모두 시간이 지남에 따라 점진적으로 발생하는 누적적인 장기적 경향의 역할을 강조한다. 순환성은 사물을 출발점으로 되돌아가게 하면서 연속성의 근본적인 힘에 더욱 집중한다. 반면에 혁명적 역사에 대한 갈등 기반의 마르크스주의 모델은 엄청난 변화의 잠재력을 생산하는 격변의 역할을 강조한다. 이와 같은 통찰력을 결합해 도시사는 지속성persistence, 미시적 변화micro-change, 혁명revolution이라는 세 가지 구분되는 특징의 상호작용 측면에서 재분석될 수 있다.[21] 이 장 첫 번째 부분이 과격한 혼란turbulence으로 끝났기 때문에 두 번째 부분은 그 주제를 다시 쓰는 것으로 시작한다.

확실히 역사 속의 도시들은 때때로 등장하기도 하고 사라지기도

하는바, 때때로 빠르게 그러하다. 도시인구 역시 급진적 격변을 경험할 수 있다. 도시들 자체가 긍정적 또는 부정적 혼란을 발생시키거나 유발해 엄청난 변화를 초래할 수도 있다.

위기는 재앙일 수 있으나 대처하는 방법에서 교육적일 수도 있다.[22] 도시들는 봉쇄되거나 포위되는바, 가장 유명한 것은 서사시 신화의 트로이Troy다. 혹은 도시들은 승리한 적들에 의해 약탈을 당한다. 제정기 로마는 5세기 '야만족barbarian'에게 여러 차례 약탈을 당했거니와 1527년 신성로마 제국의 황제 카를 5세Karl V의 반란군에 의해서도 약탈을 당했다. 다른 때는 시민들이 학살되거나 추방되었다. 아니면 전염병으로 사망했다. 또는 도시들은 전시나 자연재해 후에 불에 타거나 파괴되었다. 아니면, 악명 높은 2005년 뉴올리언스처럼, 홍수 피해를 받았다. 예리코Jericho의 전설적인 벽을 '흔들어 넘어뜨린' 것과 같은 지진에 의해 타격을 받기도 한다. 주거밀도가 높을 때, 예상치 못한 위기가 찾아들 때 심각한 영향이 악화된다.

이들 격변 가운데 최종적인 것이 도시의 죽음이다. 정확히 얼마나 많은 장소가 완전히 사라졌는지는 불확실하다. 더 많은 '잃어버린lost' 도시들이 정글, 모래, 바다 밑에서 간헐적으로 발견되기 때문이다. 많은 사례가 이미 알려져 있다. 고대 도시인 하라파Harappa와 모헨조다로Mohenjo-daro는 한때 고유한 인더스계곡 문화를 이끌었으나, 지금은(여전히) 해독되지 않은 언어의 파편과 폐허에 의해서만 알려져 있다(5장 참조). 또 다른 사례는 인도 우타르프라데시Uttar Pradesh주의 파테푸르시크리Fatehpur Sikri다. 현재 〔유네스코〕 세계유산World Heritage Site인 거대한 붉은 돌 궁전과 이에 연계된 소규모 타운은 16세기 무굴 황제 아크바르Akbar에 의해 건립되었다. 그런데 그의 계획은 건조해지는 호수로부터 안정적인 물 공급이 부족해지자 한 세대도 안 되어 실패했다. 그것은 기본적인 자원에 대한 도시의 필수적 필요성을 강조하는 극단적 사례였다.

그러나 충격과 위기가 결코 항상 치명적인 것은 아니다. 소규모 타운과 대규모 도시 모두 재난 후에 재건되는 예가 많다. 이 불사조 같은 특성은 이미 주목을 받았다. 그것은 지속해 실행가능한 경제 기반 설비, 뒷받침되는 정치적/사회적 맥락(전쟁행위 종식 등)과 충분한 대중의 의지에 달려 있다.

역사를 통틀어 도시의 죽음보다 도시의 탄생이 더 많았기에 도시 중심지의 총계가 증가했다. 흔히 타운들이 이전의 마을들에서 성장하기에 그 과정은 점진적이다. 그런데 도시의 탄생이나 부활은 급격한 충격이나 격변으로 경험될 수도 있다. '인스턴트instant' 도시들은 새 인구를 엄청난 속도로 확보한다. 잘 알려진 사례 하나는 캘리포니아 골드러시 당시 샌프란시스코가 1849년 200명의 정주지에서 1852년까지 3만 6000명의 신흥 타운으로 급속히 성장한 것이다. 그러한 경우에는 무질서한 도시 탄생의 뒤를 따라서 질서정연한 타운 정부town government가 등장했다. 반대로, 정치적 **인가**flat로 만들어진 계획도시planned city들은 '인스턴트' 행정부와 함께 시작했다. 16세기 마드리드, 18세기 상트페테르부르크, 19세기 오타와, 20세기 캔버라 같은 연방 수도들은 질서로 시작해 시간이 지나면서 (비교적) 덜 단정하게 되는 반례反例에 해당하는 장소들이다.

혼란은 따라서 도시 생활의 일부인바, 그것이 그에 반대하는 힘으로 완화되더라도 그러하다. 특히 거대한 도시 중심지는 도덕적·사회적 규칙에 따르지 않는다는 종종 '충격적인' 평판을 받는다. '죄악의 도시'의 경고적 신화에는 성서에 등장하는 소돔Sodom과 고모라Gomorrah가 있는데, 두 도시의 비열함은 신성의 파괴를 야기했다. 그러나 실제로 많은 도시는 홍등가 구역과 음주, 도박, 마약 복용(합법이건 반半합법이건 불법이건 간에), 매춘의 조직적 제공과 함께 용케 살아간다. 그와 같은 도시 서비스가 다른 도시 기능을 몰아내거나 치안 유지 실패나 범죄 조직 간 경쟁을 통해 심각한 기능 장애로 이어지지 않는다면 말이다. 실제로 약간의 방탕한 이미지와 성적 접촉 기회에 대한 명성은 국제 관광객들을 유인하고, 상업을 촉진하며(암스테르담·방콕 등), 성매매 윤리를 둘러싼 신속한 논쟁을 촉발하기도 한다. 동시에, 다른 경제적 안정성이 부족한 집중된 오락도시entertainment city들은 소비자의 가처분소득 변동과 함께 변화하는 수요의 유행에도 매우 취약하다. 따라서 라스베이거스Las Vegas(이미 비교적 높은 자살률을 경험하고 있)는 2008년 글로벌 금융위기 이후, 두바이처럼, 이주노동자들의 현저한 이탈과 여러 야심 찬 건축 프로젝트의 포기로 더 많은 문제에 직면해 있다.

그러나 도시 혼란에 대한 적대적 가정은 도시의 긍정적 역할을 통해 균형을 이룰 필요가 있다. 특히 검열이 없을 때, 상당히 결집한 사람들 사이의 빠른 상호작용으로 생성된 급진적 자극은 혁신, 실험, 사상의 효과적 전달을 촉진하는 데 도움을 준다. 다시 말하지만, 이와 효과는 가변적이다. 도시의 혁신은 도시의 붕괴만큼은 보장되지 않는다. 권력 구조의 특성등 다른 요인들이 관련 있다(앞서 본 대로, 그것이 단일적이건 다원적이건 간에. 9장, 23장 참조). 이에 더해 교육 상태, 창의적 자유의 정도, 소통의 기술, 문화적 기대가 중요한 역할을 한다. 그러나 일반적 요점은 도시 인구 스스로가 경험과 구조적 변화를 일으키는 경우가 많다는 것이다. 놀랍게도 '창의도시creative city'라는 이름표는 고대 메소포타미아에서 등장한 세계 최초의 도시들에 붙어 있다. 따라서 역사적으로 도시사회—그리고, 특히 더, 도시화하는 사회—는 농촌 공동체보다 문화·기술 혁신을 더 촉진·보급하는 경향이 있다(2장, 38장 참조).

무엇보다도, 도시 인구와 정치적 혁명 또는 근본적 격변 사이의 연관성이 도시에 가장 위대한 평판을 제공한다—도시들에 대해 감탄하건 질색하건 간에. 대규모 군중은 기본적인 힘을 가지고 있어 두려움, 흥분, 경외, 그리고/또는 마지못한 감탄을 불러일으키게 한다. 1789년 파리와 1917년 10월 상트페테르부르크(페트로그라드)가 고전적 원형原型들이다. 사실 이들 사례가 보여주듯, 전체 정치체계의 강력한 전복으로 이어지는 대규모 도시봉기는 비교적 드물게 일어난다. 그럼에도 불만을 품은 도시 군중의 결연한 모임에서 비롯하는 잠재적 위협조차, 특정의 상황에서는, 붕괴하는 정권들에 주요한 변화를 강제하게 할 수 있다(1989년의 베를린, 2011년의 튀니스와 카이로 등이 그 사례다). 대중과 도시는 함께 뭉쳐진 힘을 생성하고, 때로는, 그 힘이 깨어나고 적용된다. 찰스 디킨스Charles Dickens는 파리 군중의 바스티유 장악을 회고적으로 상상하면서 그 원초적 요소를 잘 포착했다. 목적을 가진 대규모의 도시 인구는 세계에서 가장 깊은 바다만큼 강력해질 수 있을 것이다. 〔아래 인용문은 디킨스의 《두 도시 이야기A Tale of Two Cities》에 나오는 것이다.〕

프랑스에서 모든 숨소리가 혐오스러운 단어로 변하는 듯한 포효와 함께, 살아 있는 바다가 솟구쳐 오르고, 깊고 깊은 파도에 파도가 몰아쳐 도시에 넘쳐흘렀다.[23]

장기적 힘: 도시와 심층적 연속성

살아 있는 바다에 대한 디킨스의 은유는 웅장하며 도시 군중의 썰물과 밀물의 흐름을 포착해낸다. 그러나 대양은 또한 타운과 도시들처럼(문자 그대로) 깊은 연속성을 가지고 있다. 개별적 타운의 역사에 영향을 끼치는 격변 및 역동성과 함께 모든 도시체계urban system를 균형 있게 조정하고 안정시키는 지속적 요인들이 존재한다.

역사에서 연속성continuity은 불분명하고 과소분석되는 경향이 있다. 연속성은 화려함이 부족하고 관성을 잘 키울 수도 있다. 그러나 안정성stability으로 이름이 바뀌었음에도, 그것의 역할은 종종 당황스러운 변화의 구성 요소에 대한 핵심적 대응책을 제시한다. 큰 격변 후에는 사람들이 빠르게 연속성을 재충전하려고 한다는 것이 잘 관찰된다. 그리고 지속성persistence은 또한 타운과 도시의 물리적 역사 내부의 연속성과 도시의 사회적·문화적·정치적 역할의 지속적 요소에서 볼 수 있듯 구조적 수준에서 작동한다.

기능적 도시들은 무엇보다도 그들의 위치에서 내재적 안정성을 가지고 있는데, 이것은 통신망과 교통 체계에 의해 더욱 확고하게 뿌리내린다. 기능적 도시들은 행진하는 군대와는 달리 자신들만의 공간에서 존재한다. 자신들의 위치적 안정성에서 기능적 도시들은 페르낭 브로델Fernand Braudel의 표현인 "좀 더 느린 속도로, 때때로 거의 움직이지 않는 곳과 접해 있는" 지점에서 작동하는 지리적 역사의 심오한 연속성을 공유한다.[24] 실제로는 지리적 환경마저도 폭력적이건 점진적이건 간에 변화로부터 면역되는 게 아니다. 그럼에도 그것은 매 순간 안정을 유지하는데, 이 점이 갑자기 전쟁 중에 타운경관townscape이 파괴되면 방향감각이 심하게 상실되는 이유다. 실제로, 손실된 건물의 충실한 재건(제2차 세계대전 종전 이후 바르샤바의 역사적 중심지 재건)은 잃어버린 정상성을 회복하려는 의지를 나타낸다. 동일한 정신으로, 심지어 논란의 여지가 있는 변화 이후에 오래된 거리와 도시 이름이 때때로 복원되기도 한다—오랜 시간이 지난 뒤에도 그러하다. 그래서 상트페테르부르크는 페트로그라드(1914), 레닌그라드(1924)가 되었고 거의 80년 후(1991)에 원래 이름을 되찾았다.

또한 타운과 도시는 일반적으로 원래의 위치 선정에 경제적이고 지리적인 근거가 있기 때문만이 아니라 건조환경built environment과 확립된 소통 네트워크들이 막대한 양의 저장된 간접자본을 표상하기 때문에도 유지된다. 도시의 수명 측면에서는 저지대 예리코가 역사적인 선도적 사례다. 그곳은 샘물에 의해 물을 공급받고 야자수에 의해 보호되는 매력적인 오아시스 부지에서 약 1만 년의 지속적인 도시성을 경험했다.[25]

때로는 장소가 시간이 지나며 확장, 축소, 재개발되면서 지역화한 이전〔이동〕localized shifting의 사례도 존재한다. 일례로, 튀니스는 조상 카르타고의 서쪽에 위치하나 이제는 공동의 도시 스프롤urban sprawl이 두 중심지를 연결하고 있다. 그러나 일반적으로 타운과 도시의 위치적 안정성을 언급하는 것이 놀라움을 유발하는 경향이 있을 정도로 그 요인은 당연한 것으로 간주되었다. 이와 같은 고정성은 특정 기능을 얻거나 잃어도 유지되는바, 수도가 되거나(베를린이나 베이징), 수도의 지위를 잃었던 경우(이스탄불과 리우데자네이루)가 그러하다. 실제로 전통적인 기대의 힘에 비추어, 정주국가settled state의 통치자들은 한번 선택한 수도를 바꾸는 일이 거의 드물다. 이것들은 지리와 역사에도 관습적으로 자리를 잡고 있다.

도시 지형도와 배치에서도 '고정성fixity'과 연속성을 감지할 수 있다. 역사가 긴 위대한 도시들은 한 시대의 발전으로 이전의 도시들을 절반쯤 보충하고 절반쯤 대체하는 다층적 의미를 지닌다. 일부 건물이 파괴될 때에도 기반의 지질학적 유산은 생존하며, 고대의 구획선, 토지 이용 양상, 부지 경계, 거리 윤곽, 여러 남겨진 건물, 일상적 사용물의 사회적 지형 또한 흔히 그러하다. 로마의 나보나광장Piazza Navona([도판 44.1])은 하나의 유명한 사례다. 그곳의 타원형 윤곽은 기원후 1세기 도미티아누스Domitianus 황제가 지은 공공경기장을 정확하게 드러내며, 그 자체는 로마의 옛 도시 성벽 밖 전통적인 여가 영역의 부지에 서 있다. 주변 건물들은 여러 시대에서 유래했다. 어떤 건물은 경기장의 토대 위에 놓여 있다. 다른 건물은 17세기 바로크적 쇄신에서 유래했다. 또 다른 건물은 더욱 최근에 등장한 것이다. 계속해서 이 광장은 도시 오락urban entertainment과 '사회적 행진social parade'에 선호되는 장소로 남아 있었다. 나보나광장은 오늘날 2000년의 생동감 있는 역사의 일부로서 그 역할을 유지하고 있다.

[도판 44.1] 로마 나보나광장 전경

사회적 전통은 알려진 정주민을 지원하는 데 정기적으로 도움을 준다. 계획된 블록에서 성장하든 판자촌shanty town에서 비공식적 정주를 통해 성장하든 간에, 등장한 지 가장 얼마 안 된 '버섯mushroom' 도시〔곧 신흥도시〕 사람들은 급속한 도시화의 충격을 절충한다. 만남의 장소가 만들어지고, 정보망은 친숙해지는 방식을 제공한다. 대중음악은 감정을 불러일으킨다. 동네neighbourhood에 대한 충성은 증가한다. 가족 유대는 언제나처럼 매우 끈질기다. 고밀도의 경험은 강렬하게 각인되고 공유되며, 인구 재편성의 도시적 특성인 '뒤섞기churn'는 안전장치 및 보완 기제를 모두 제공한다. 도시환경은 흔히 보기보다 덜 혼란스러웠다. 경제적 기회는 공식적이든 우연적이든 창출되는바, 도시경제가 자신의 기본적 활력을 유지한다면 그러하다. 정치적 대응은 자치체 서비스, 교육시설, 복지 네트워크, 치안 특히 지하세계의 범죄를 통제함으로써 초기의 무질서에 질서를 부여하는 활동을 고르게 촉진한다.

새로움의 대대적 충격과 함께 유명한 세계도시world city들은 오늘날에도 여전히 오래된 매력을 두드러지게 보여주고 있다. 19세기 중반에 벤저민 디즈레일리Benjamin Disraeli〔영국의 정치가·총리〕는 한 젊은이와 그의 조언자인 세상 경험 많은 노인 사이의 이와 같은 교류에 대해 기록했다.

> 코닝스비Coningsby : 아! 지중해! 아테네를 보려고 무엇인들 주어도 아깝지 않으리!
>
> 시도니아Sidonia : 나는 그곳을 보았고 더 멋진 것도 보았어요. 유령과 망령들! 폐허의 시대는 지나갔어요. 당신은 맨체스터를 가본 적이 있나요?[26]

새로운 부wealth, 시민문화, 공장, 매연, 산업 빈민가가 극적 조합을 이루어 랭커셔Lancashire주의 코트노폴리스Cottonopolis〔면직물도시〕라 불린 맨체스터Manchester는 빅토리아 시대 영국에서 '반드시 가봐야 하는' 도시가 되었다. 그런데 오늘날에는 아테네가 적어도 세계적으로 유명한 역사적 목적지로서 미소를 지을지도 모른다. 아테네의 고전적 유산은 로마와 함께 정확한 방문객 수치를 측정하기 어려울 정도로 유럽의 많은 관광도시tourist city 가운데 가장 인기 있는 도시로 남아 있게 해준다.[27] 인상적인 기념물, 매력적인 오래된 건물, 원래의 거리 배치로 응축된 도시 수명의 증거는 귀중한 자산이 되었다. 그것〔도시 수명의 증거〕은 각각의 독특한 순열에서 타운 생활을 가능하게 하는 안심할 수 있는 연속성을 가시적으로 만든다. 게다가 역사적 시 중심지city centre가 이제 훨씬 더 큰 영향을 끼치기에, 많은 '다운타운downtown'이 국제 업무와 글로벌화한 건축 작업을 통해 단조로운 균질화를 초래할 위험이 있다. 실제로 다운타운들의 오래된 건물들을 성급하게 폐기한 여러 장소가 이제는 그 건물들을 보존하거나 더 나아가 재건하고 있다. 일례로, 한때 거대했던 요새화한 벽을 재건하고 있는 중국 산시山西성의 다퉁大同이 있다.[28]

널리 흩어져 있는 타운과 세계 전역의 도시 사이 유사성의 요소들은 공통적 양상의 지속성을 확인해준다. 시간이 흐르면서 도시화의 규모가 크게 달라진 것은 사실이다. 2000년 전 아우구스투스 황제 당시 로마와 알렉산드리아만이 100만 명의 주민이 거주했는데, 2009년에는 그 정도 규모의 도시장소가 지구적으로 470개 이상 발견되었다.[29] 그런데 도시 생활에 대한 인간의 반응은 가능성, 두려움, 희망, 꿈이 혼합된 모습을 일관되게 재현한다. 도시의 '밝은 빛bright light'의 매력은 문자 그대로 '어두운dark' 시골과 대비된다—그리고 은유적이다. 이 강력한 이미지는 시간과 공간에 걸쳐 널리 반복된다. 고대 바빌로니아의 창조 전설은 신들의 힘을 찬송했다. "그들은 [바빌론, 최초의 도시 신전을] 밝게 만들 것이다." 빛은 중요한 도시화 시기인 중국 송 대의 도시에서도 똑같이 연관되어 있었다. 등 축제는 군중을 타운으로 유인했고 "빛은 대낮처럼 밝았다." 20세기 미국의 블루스blues는 또한 고난과 희망, 양가성, 감탄으로 가득했다. 1953년에 시카고에서 만들어진 블루스의 반복적인 가사 두 줄은 분위기를 사로잡았다. "밝은 불빛, 대도시/ 내 아기 머리를 비추네···Bright lights, Big City/Gone to my baby's head···."[30]

장기적 힘: 도시와 경향성

혁명적 혼란과 깊은 연속성의 대비적 양극 사이에서, 타운과 도시는 자신들의 역사를 절충한다—동시에 느리고 점진적 수정의 대상이 된다. 점진적 변화는 부드러운 추진력을 제공한다. 점진적 변화는 관성과 싸우지만 또한 급격한 격변을 완화하고 피하기까지 한다. '슬로시티slow city'는 특히 이탈리아의 슬로푸드Slow Food 캠페인에서 영감을 받은 치타슬로Cittàslow 운동(1999)에 격려를 받는다. 도시 중심지들은 열광적 개발에 저항하고 개성을 유지하도록 권장된다. 그와 같은 식으로 타운과 도시는 "전 세계의 다른 도시에서 매우 흔하게 볼 수 있는 빠른 처리의 균질화한 세계"에 저항할 수 있다.[31] 어느 쪽이든, 빠르든 느리든 모든 변화는 도시화의 윤곽을 형성하는 장기적 경향성long-term trend을 발생시킨다.

건조환경은 그 자체가 완전히 오래되거나 완전히 새로운 것이 아니다. 그것은 자연적 침식과 인간에 의한 조정의 대상이다. 자원은 대대로 재활용된다—때로는 엄청난 시간의 간격을 두고 그러하다. 현대 로마에서 물 공급의 일부는 고대 로마의 수도교水道橋, aqueduct를 통해 이동한다. 또한 오늘날 라호르와 카라치 사이의 철도는 고대 하라파에서 나온 벽돌 토대 위에 놓여 있다. 이와 같은 차용과 느린 증식은 유기적 과정으로서 도시성장에 대한 해석을 촉진한다. 기존 도시는 산호초의 이미지로 효과적으로 다음과 같이 묘사되고 있다. "생물학적 걸작이다—수백만 명의 [사람들이] 수 세기 동안 축적되고 켜켜이 쌓인 업적을 둘러싸고 모여 있다." 아니면 성장은 병폐로 여겨질 수도 있다.

그래서 윌리엄 코벳William Cobbett은 1821년 거대도시 런던을 "성가신 혹infernal wen"이라고 비난했다—정치적 통일체에 기생하는 괴물 같은 종양 말이다〔'wen'은 비유적 표현으로 '(인구가 밀집한) 대도시'를 뜻하기도 한다. 이에 'infernal wen'를 "지옥 같은 대도시"라는 의미로 볼 수도 있다〕.[32] 어느 쪽이든 그 과정은 거부할 수 없고 뿌리가 깊은 것처럼 보인다.

한편, 그 배후에서는 도시들이 매일 작동하도록 만드는 많은 인간 조직이 필요하다. 기본적 자치체 행정부는 정기적인 청소, 급수, 규제, 치안의 형태를 취한다. 이에 더해 거주민들과 방문객들의 미세한 행동은 좋든 나쁘든 모든 도시환경에 결정적으로 영향을 끼친다. 투기된 쓰레기, 쓰레기 더미, 버려진 차량, 훼손된 건물, 파괴된 거리의 경관은 방치의 신호로서 부정적 소용돌이를 일으킬 수 있다. 따라서 일부 전문가들은 모든 공공 황폐화에 대한 신속한 수리가, 모든 깨진 창문의 수선에 이르기까지가, 도시 범죄와 반사회적 행동을 억제하는 데 도움이 될 것이라 주장한다. 말할 필요도 없이, 현실은 그렇게 간단하지 않다. 범죄는 깨끗하고 깔끔한 도시에서 발생할 수 있는 '비가시적invisible' 사무직 범죄를 포함해 많은 범주를 포괄한다. 또한 범죄 양상은 다양한 문화적 태도와 지역적 치안 방식에 영향을 받는다(36장, 37장 참조). 결과적으로, 모든 가난하고 오래가지 못할 것 같은 타운들이 범죄에 휩싸이고 폭력적인 것은 아니며, 부유하고 잘 관리된 모든 도시가 역병, 빈곤, 착취, 불법, 심지어 '보이지 않는unseen' 노예제도를 피하는 것 또한 아니다.

그러나 모든 장소는 꾸준한 개선이든 느린 쇠퇴든 점진적으로 변화한다. 장소에 대한 유지 보수를 잘하면 그것을 방치하는 것보다 특히 심하게 방치하는 경우보다 관광산업을 번성시키는 것은 말할 것도 없고 협력과 긍정적인 에너지를 촉진할 가능성이 더 크다. 따라서 당국은 도시 재정 자원이 기반설비와 환경 복지에 투자할 수 있을 만큼 충분히 견고하다는 것을 보장하는 강력한 사회경제적 사례가 있다(11장, 36장, 37장, 42장 참조).

지속적 적응은 궁극적으로 급격한 변화의 가혹함을 완화하는 효과를 동반한다. 모호한 바람통로wind-channelling 효과 그리고 건물과 도로 사이 땅의 부재不在에도 불구하고, 땅을 많이 차지하는 대로와 철도, 주변 쇼핑몰, 중앙 고층 블록은 옹호하는 사람들이 있다('바람통로'는 도시의 빌딩 밀집 구역에서 바람이 잘 통하지 못해 열섬이나 대기오염이 악화하는 것을 막을 목적으로 바람이 잘 통하게 설계 배치하는 공간을 말한다.). 그러나 다른 사람들은 저층주택, 혼합적 토지 이용, 타운 내in-town 쇼핑, 지역 공원, 보행자친화적 거리를 선호한다. 1970년대 더블린에 관한 '희귀한 옛날in the rare old times'의 노래는 다음과 같이 애통해했고 즉시 명곡이 되었다(매리 오브리언Marie O'Brien이 노래한 〈더블린 사람들: 희귀한 옛날에The Dubliners: In The Rare Old Times〉를 말한다). "대단한 비타협적 콘크리트가 나의 타운을 도시로 만들어버리네The great unyielding concrete makes a city of my town."

그럼에도, 기존의 시경관cityscape에 대한 잔인한 침입조차도 결국은 동화되거나, 적응되거나, 심지어 제거된다. 상상력 가득한 개조는 없어진 철도, 공장, 부두와 같이 쓸모없게 된 과거에 새로웠던 것들을 대체할 수 있는 용도를 찾을 수 있다. 시간의 소용돌이는 여러 형태의 변화와 연속성을 혼합한다. 그리고 명백하게 가장 미적으로 즐거운 오래됨과 새로움이 혼합된 도시 중심지는 세계에서 가장 아름다운 도시들에서 정기적으로 나타난다. 우다이푸르Udaipur('동양의 베네치아', 〔인도〕), 로마, 프라하, 파리, 이스파한Isfahan〔이란〕, 부다페스트〔헝가리어 발음 부더페슈트〕, 방콕—특히 오래된/새로운 시경관이 연중 바다에 투영되는 베네치아, 벤쿠버, 시드니, 스톡홀름, 상트페테르부르크, 샌프란시스코, 리우데자네이루, 뉴욕, 이스탄불, 케이프타운이 그러하다.

시간이 지남에 따라 장기간에 걸친 누적된 작은 적응들은 개별적 결과와 아울러 집합적 경향을 만들어낸다. '인스턴트' 도시의 드문 사례에도 도시 변화의 총체적 속도는 점진적 경향이 있다. 특정 장소들은 흥기하거나, 안정적으로 유지되거나, 쇠락한다. 고도로 도시화한 사회조차도 미국의 러스트벨트Rust belt 철강도시steel town들(피츠버그, 클리블랜드, 디트로이트)에서처럼 원래의 존재 이유가 침식되는 도시들의 경제적 방향 전환을 볼 수 있다. 그러나 그와 같은 장소들은 완전히 사라지기보다는 그 역할을 변형시키는 경향이 있다.[33] 많은 혼합된 경험의 총합은 세계 전역에서 도시문화의 점진적 등장을 만들어낸다(때로는 사라지기도 한다). 전쟁, 질병, 기근, 자연재해, 정치적 대립 같은 냉혹한 파괴와 도전은 흐름을 방해한다. 그러나 미세한 변화와 작은 조정이 성장이든 쇠퇴든 변화를 부드럽게 하려고 작용한다. 그 결과, 도시사의 장기적 경향은 날카로운 지그재그의 형태가 아니라 흘러가는 '롤러코스터roller coaster'의 형태라는 피터 클라크의 적절한 표현으로 나타난다(1장 참조).

앞의 장들에서 설명한 것처럼, 점진적 도시화에 핵심적으로 요구되는 것은 상관관계에 있는 여타 장기적 요인들이다. 여기는 다음과 같은 것이 포함된다. 신뢰할 수 있는 농업 잉여물, 좋은 무역 네트워크(특히 장거리 무역), 상업화commercialization 그리고/또는 금융 이동 등이다. 흔히 다음과 같은 요소도 포함된다. 산업화industrialization, 기술 수용, 지원해주는 정치 구조, 높은 도시 사망률에 대응하는 많은 인구 충원 등이다. 요인들의 유형은 기본적인 도시 존재에 필요한 것과 유사하다—하지만 다양한 성장 양상을 촉진하고자 대규모로 곱해지고 강화된다(21장, 23장, 24장 참조). 그러나 도시화는 단순히 다른 경향들의 산물만은 아니다. 도시 인구는 그들 자신의 성장에 기여한다. 도시 인구는 상업, 산업, 서비스, 정치 조직, 문화(종교 포함) 정체성을 포함한다—그리고 혁신까지도(34장, 38장 참조).

한편, 점진적 도시화에 수반되는 많은 주요 사회적 경향은 그 자체가 특징적으로 점진적이다. 역사적 도시 통치자들과 관리자들 사이에서는 문맹 퇴치와 산술 능력의 요소가 일반적으로 요구되었다. 그 후 도시가 성장함에 따라, 이들 중심지는 문맹 퇴치와 교육에 대한 접근성을 넓혀나갔고, 대중적 도시화는 대중의 규모에 동일한 영향을 끼쳤다. 따라서 문맹 퇴치의 확산은 도시성장의 효과와 성장에 추가적 원인을 구성한다. 시 중심지city centre의 상징적 공공건물들은 이러한 문화적 접근의 확대를 나타낸다. 전통적 중심 지점에는 궁전, 신전〔사원〕, 신사, 교회, 모스크, 극장, 경기장, 체육관, 유명 도서관이 포함될 수 있다. 오늘날의 도시화한 세계에서는 모든 실질적 시민 중심지에 학교, 대학, 박물관, 예술 및 문화 기관, 공동체 회의 장소, 다양한 스포츠시설, 그리고 많은 도시, 지역, 국가 또는 국제 정부 건물이 들어서 있다. 이와 같은 장소들은 공공과 민간의 투자로 격려되는 거대한 도시 지식 체계에 대한 접근을 제공한다. 따라서 도시 네트워크는 도시 경험을 보존하고 혁신하는 도시 역량을 지속적으로 갱신하는 이중적 효과가 있다.

비록 문화적 맥락에 따라 변화의 속도가 다르겠지만, 타운 내부의 다양성은 계급class, 계층caste, 젠더gender, 민족성ethnicity에 기초한 사회적 장벽을 암묵적으로 잠식할 가능성이 있다. 특히 여성의 대다수 존재는, 대부분은 아니더라도 많은 도시 중심지에서 일반적으로 과소평가된다. 병영타운garrison town과 조선소타운dockyard town처럼 겉으로 보기에 남성과시적macho 장소들조차도 여성 인구가 상당하며, 이는 도시에서의 여성 노동과 시골에서의 남성 노동에 대한 상대적으로 높은 수요를 반영한다. 모든 곳에서 그 양상이 들어맞는 건 아니다. 21세기 초반 두바이에서 여성은 전체 거주민의 27퍼센트만을 차지하는데, 이곳에는 남성 이주 노동자 인구가 많다. 그러나 이 '낯선 도착자strange arrival'는 규칙을 증명하는 데서 극적인 도시적 예외에 해당한다.[34]

증가하는 도시화는 점진적으로 농촌의 직업에서 여성들을 '해방'하고, 민주적 도시사회에서 여성의 시민생활에의 참여를 천천히 확대하는 기초를 제공한다(아프리카 도시들에서의 이 효과에 대해서는 30장을 참조하라). 민족 혼합 또한 촉진되는 경향이 있는데, 특히 주요 이주 경로에 위치하는 도시 중심지에서 더욱 그러하다—문화적, 종교적, 정치적 압력이 상쇄되지 않는 한 말이다. 또한 고도로 규제되지 않은 타운 내부에서는 계급 간에 교류관계가 형성될 잠재성이 존재한다. 의심할 여지가 없이, 민주적 도시들은 흔히 공식적인 정치적 평등과 함께 가파른 사회적 불평등을 유지한다. 그래서 (인종 간 혼합과는 대조적으로)

계층 간 혼합의 속도는 느린 것에서 지지부진한 것에 이르기까지 다양한 경향이 있다. 그러나 빠르지는 않더라도 경향성은 경향성으로 여전히 남아 있다. 타운과 도시는 서로 만나는 장소이고 같은 이유로 장소를 혼합하기도 한다. 타운과 도시는 인간의 잠재력을 해방할 능력이 있다. 따라서 점진적 변화는 전통과 격변 사이에서 그것들이 지속적으로 누적한 양식을 계속해 매개한다. (도시사회의 지구적 성장과 때때로의 몰락에 대해서는 2장부터 6장, 12장부터 20장, 25장부터 33장을, 장거리 접촉에 대해서는 19장과 43장을, 이주와 민족성에 대해서는 8장, 22장 35장을 참조하라.)

결론

18세기에 시작된 현재 도시화의 장기적 과정은[35] 도시적 특화 및 다양성을 계속해서 촉진하고 있으며, 이는 다시 집합적 상호의존성collective inter-dependence 및 거시적 연결성macro-connectivity과 관련을 맺는다. 이러한 발전은 지구적으로 일어나고 있다. 따라서 역사적으로 도시화 정도가 가장 덜한 세계-지역인 아프리카는 현재 나이지리아의 라고스 항구에 새로운 초거대도시mega-city를 가지고 있는데, 이곳은 카이로에 이어 아프리카에서 가장 인구가 많은 두 번째 연담連擔도시〔집합도시〕다.

지구적으로 볼 때 그 어느 때보다도 행성의 더 많은 토지가 도시생활에 집중되고 있다. 다른 한편으로 타운과 도시의 공간밀도(팽창하는 교외를 허용할지라도)는 세계의 인구 밀집도가 고르게 퍼져 있기보다 높은 결집을 이루고 있음을 의미한다. 이 행성은 콘크리트로 덮혀 있

[도판 44.2] 〈메트로폴리스〉(조지 그로스, 1917)

지 않다. 〔그런데〕 이 행성에는 의심할 여지가 없고 계량할 수 있는 규모의 경제가 존재한다.[36]

그 요소는 지속가능성 측면에서 손실만 아니라 이득도 있다는 것을 의미한다. 세계의 도시화하는 경제가 소비하는 에너지는 유해한 탄소 배출을 통한 지구 온난화의 원인이 되고 있다. 효과적인 치료법은 도시 인구가 적응할 필요성을 확신해야만 따를 수 있게 된다.

분명히 보장은 없다. 교통 관리는 이동(성)mobility에 대한 개인의 열망과 충돌하는 주요 문제로 남아 있다. 그러나 2011년 일본의 지진/쓰나미tsunami 이후 현재 센다이仙臺시에서 시연되고 있는 불사조 같은 도시 복원력의 역사는 기후학자들이 촉구하는 것만큼 빠르지는 않더라도 결국 긍정적 반응이 나올 것을 시사한다. 도시화한 사회는 무작위로 나타나지(또는 사라지지) 않는다. 그것은 깊은 연속성에 의해 강화된 지속적 경향을 구현한다. 그것은 또한 위기의 도전에 대응할 준비가 되어 있다. 실제로 도시화의 전체 과정은 지속적인 미세 변화로의 역사적 이동을 나타내며, 지구적 규모에서 적응력 있는 도시 인구를 창출한다.

따라서 궁극적으로, 해답은 도시를 떠나서가 아니라 해결책을 찾는 데서 도시의 의지를 이용함으로써 발견할 수 있을 것이다. 조지 그로스George Grosz의 그림 〈메트로폴리스Metropolis〉의 상징적 이미지는([도판 44.2]) 위대한 도시를 위협과 약속으로 묘사한다. 도시는 위대한 인간의 성취—창조적 조직과 해체로 맥동치는—이며 살아 있다.

주

* 숙련된 편집의 Peter Clark, 훌륭한 질문을 해준 Ben Wilson, '밝은 빛'이 되어준 Peter Jones, 건설적 비평을 해준 Tony Belton에게 감사한다.

1 E. L. Glaeser, *The Triumph of the City* (London: Macmillan, 2011), 1-15, 268-267; P. Wood and C. Landry, *The Intercultural City: Planning for Diversity Advantage* (London: Earthscan, 2008), 특히 25-65; 논쟁적인 것으로 J. Jacobs, *The Economy of Cities* (New York: Random House, 1969), 6-48.

2 P. J. Corfield, "POST-Medievalism/Modernity/Postmodernity?", *Rethinking History*, 14:3 (2010), 379-404; id., "Historians and the Return to the Diachronic", in G. Harlaftis, N. Karapidakis, K. Sbonias, and V. Vaiopoulos, eds., *New Ways of History: Developments in Historiography* (London: Tauris, 2010), 1-32. 관련 연구에는 다음이 포함된다. Peter Clark, *European Cities and Towns, 400-2000* (Oxford: Oxford University Press, 2009); Gilbert Rozman, *Urban Networks in Russia, 1750-1800, and Premodern Periodization* (Princeton: Princeton University Press, 1976).

3 T. Champion and G. Hugo, eds., *New Forms of Urbanization: Beyond the Urban-Rural Dichotomy* (Aldershot: Ashgate, 2004), 365-384.

4 E. L. Jones, *Towns and Cities* (London: Oxford University Press, 1966), 특히 1-12; Max Weber, *The City* (1921; Eng. trans. 1958; repr. New York: Free Press, 1968); Lewis Mumford, *The Culture of Cities* (London: Secker & Warburg, 1938); Georg Simm el, "The Metropolis and Mental Life", in D. N. Levene, ed., *Georg Simmel: On Individuality and Social Forms* (Chicago: University of Chicago Press, 1971), 324-339.

5 Henri Lefebvre, *La révolution urbaine* (Paris: Gallimard, 1970), trans. R. Bononno, *The Urban Revolution* (Minneapolis: University Minnesota Press, 2003), 1-8; 논쟁에 대해서는 Manuel Castells, *The Urban Question: A Marxist Approach*, trans. A. Sheridan (London: Arnold, 1977).

6 T. B. Macaulay, "Ranke's History of the Popes", in *Selections from Macaulay's Essays and Speeches*, 1 (London: 1851), 5.

7 Ibn Khaldûn, *The Muqaddimah: An Introduction to History*, trans. F. Rosenthal; ed. N. J. Dawood (Princeton: Princeton University Press, 2005), 288.

8 Anon. [John Brown], *An... Estimate of the Manners and Principles of the Times* (London: 1758), 5.

9 Alan Everitt, "The Banburys of England", *Urban History*, 1 (1974), 28-38.

10 E. W. Monter, Calvin's Geneva (New York: Wiley, 1967); J. Witte and R. M. Kingdon, *Sex, Marriage and Family in John Calvin's Geneva* (Grand Rapids, Mich.: Eerdmans, 2005).

11 R. W. Liscombe, The Ideal City (Vancouver: Vancouver Working Group, 2005); H. Rosenau, *The Ideal City: Its Architectural Evolution in Europe* (London: Methuen, 1980); J. H. Bater, *The Soviet City: Ideal and Reality* (London: Arnold, 1980).

12 W. Hutton, *The Life of William Hutton... Written by Himself* (London: 1816), 41.

13 M. H. Bornstein and H. G. Bornstein, "The Pace of Life", *Nature*, 259 (1976), 537-539; and P. J. Corfield, "Walking the City Streets: The Urban Odyssey in Eighteenth-Century England", *Journal of Urban History*, 16 (1990), 132-174, 온라인에서 확인가능하다. www.penelopejcorfield.co.uk.

14 N. C. Smith, ed., *Selected Letters of Sydney Smith* (Oxford: Oxford University Press, 1981), 170.

15 Mumford, *Culture of Cities*, 143-222.

16 "The World's Most Polluted Places", *Time Magazine*, 5 April 2011: online.

17 Karl Marx and Friedrich Engels, *Communist Manifesto* (1848), in David McLellan, ed., *Karl Marx: Selected Writings* (Oxford: Oxford University Press, 1977), 221-247; 성문화된 것으로 Joseph Stalin, *Dialectical and Historical Materialism* (Moscow: Foreign Languages Publishing House, 1939), 32.

18 Rodney Hilton, *English and French Towns in Feudal Society: A Comparative Study* (Cambridge: Cambridge University Press, 1992).

19 Friedrich Engels, *Socialism: Utopian and Scientific (1882), in K. Marx and F. Engels, Selected Works*, 2 (Moscow: 1962), 153.

20 Tristram Hunt, *Building Jerusalem: The Rise and Fall of the Victorian City* (London: Weidenfeld, 2004); B. Luckin, C. G. Pooley, P. Scott, A. Beach, and N.

Tiratsoo, all in Martin Daunton, ed., *The Cambridge Urban History of Britain, vol. 3, 1840–1950* (Cambridge: Cambridge University Press, 2000), 207–228; 429–466; 495–524; 525–550.

21 P. J. Corfield, *Time and the Shape of History* (London: Yale University Press, 2007), 특히 18, 122–123, 211–216, 231, 248, 249–250.

22 G. Massard-Guilbaud, H. L. Platt and D. Schott, eds., *Cities and Catastrophes: Coping with Emergency in European History* (Frankfurt-am-Main: Lang, 2002).

23 Charles Dickens, *A Tale of Two Cities* (1859; London: Collins, 1953), 243.

24 F. Braudel, "Histoire et sciences sociales: la longue durée", *Annales: E.S.C.*, 14 (1958), 725–753; repub. in his *On History*, trans. S. Matthews (Chicago: Chicago University Press, 1980), 특히 33.

25 Charles Gates, *Ancient Cities: The Archaeology of Urban Life in the Ancient Near East* (London: Routledge, 2003), 18–20. 다음도 보라. Peter Whitfield, *Cities of the World: A History in Maps* (London: British Library, 2005).

26 Benjamin Disraeli, *Coningsby: Or, the New Generation*, ed. S. M. Smith (Oxford: Oxford University Press, 1982), 101. 다음도 보라. G. S. Messinger, *Manchester in the Victorian Age: The Half-Known City* (Manchester: Manchester University Press, 1985).

27 W F. Theobald, "The Meaning, Scope and Measurement of Tourism", in id., ed., *Global Tourism* (Amsterdam: Elsevier Butterworth-Heinemann, 2005), 5–24.

28 I. Mohan, *The World of Walled Cities: Conservation, Environmental Pollution, Urban Renewal and Developmental Prospects* (New Delhi: Mittal, 1992); Datong in "Chinese City's Bid to Revive Glory of Imperial Past", *BBC News*, 3 May 2010.

29 Thomas Brinkhoff, "The Principal Agglomerations of the World", US Census Bureau, www.world-population.com.

30 E. A. Wallis Budge, *Babylonian Legends of the Creation* (London: British Museum, 1921), 60; Ouyang Xiu, "At the Lantern Festival" (nth century) in www.lantern-festival.com; Jimmy Reed's "Bright Lights, Big City" (Chicago, 1961).

31 www.wikipedia.org/wiki/cittaslow.

32 Ian McEwan, *Saturday* (London: Vintage, 2006), 5; William Cobbett, *Rural Rides* (1830; London: Penguin, 2001), 285, 362.

33 Steven High, *Industrial Sunset: The Making of North America's Rustbelt, 1969-84* (Toronto: University of Toronto Press, 2003).

34 2005 United Arab Emirates census: www.dubaifaqs.com/population-of-uae.php.

35 Eric E. Lampard, "The Nature of Urbanization", in Derek Fraser and Anthony Sutcliffe, eds., *The Pursuit of Urban History* (London: Arnold, 1983), 3-53; E. L. Birch and S. M. Wachter, eds., *Global Urbanization* (Philadelphia: University of Pennsylvania Press, 2011).

36 물리학자 Geoffrey West의 도시 자원 계산에 대해서는 www.santafe.edu/news/item/west-intelligent-infrastructure-event; E. L. Birch and S. M. Wachter, eds., *Growing Greener Cities: Urban Sustainability in the Twenty-first Century* (Philadelphia: University of Pennsylvania Press, 2008).

참고문헌

Birch, E. L., and Wachter, S. M., eds., *Global Urbanization* (Philadelphia: University of Pennsylvania Press, 2011).

Champion, T., and Hugo, G., eds., *New Forms of Urbanization: Beyond the Urban-Rural Dichotomy* (Aldershot: Ashgate, 2004).

Clark, Peter, *European Cities and Towns, 400-2000* (Oxford: Oxford University Press, 2009).

Corfield, Penelope J., *Time and the Shape of History* (London: Yale University Press, 2007).

Glaeser, E. L., *The Triumph of the City* (London: Macmillan, 2011).

Hilton, Rodney, *English and French Towns in Feudal Society: A Comparative Study* (Cambridge: Cambridge University Press, 1992).

Lampard, Eric E., "The Nature of Urbanization", in Derek Fraser and Anthony Sutcliffe, eds., *The Pursuit of Urban History* (London: Arnold, 1983), 3-53.

Lefebvre, Henri, *La révolution urbaine (Paris: Gallimard, 1970), trans. R. Bonanno as The Urban Revolution* (Minneapolis: University of Minnesota Press, 2003).

Massard-Guilbaud, G., Platt, H. L., and Schott, D., eds, *Cities and Catastrophes:*

Coping with Emergency in European History (Frankfurt-am-Main : Lang, 2002).
Mumford, Lewis, *The Culture of Cities* (London : Secker & Warburg, 1938).
Rozman, *Gilbert, Urban Networks in Russia, 1750–1800, and Premodern Periodization* (Princeton : Princeton University Press, 1976).
Whitfield, Peter, *Cities of the World: A History in Maps* (London : British Library, 2005).

시각자료 목록(도형, 도판, 지역지도, 표)

도형 목록

도판 목록

지역지도 목록

표 목록

이미지 사용 허가

지역지도

책의 각 부가 시작하는 곳에 있는 지역지도는 주로 장들에 언급된 도시 중심지의 위치를 안내하는 것이다. 취약한 인구 데이터의 문제, 확장된 시기, 지역 간의 차이는 분류가 불완전함을 의미하며, 도시 이름도 시간이 지남에 따라 변경된다. 이들 지도는 포괄적이지 않고 지리 수업용으로 구성되지도 않았다(따라서 지역 경계 및 국가 경계는 생략되었다).

I부 및 II부 지역지도 속 도시들은 주로 전문 지도에 대한 추가적인 참조와 함께 작성자의 데이터를 기반으로 한다. III부 지역지도 속 도시들은 대부분이 《유엔 세계 도시화 전망: 2005년 개정판UN World Urbanization Prospects: The 2005 Revision》에서 얻은 2000년경의 인구 데이터에 따라 목록화되었다. 여기에는 2005년까지의 인구 100만 명 이상의 도시들이 포함되었다. 몇몇 경우는 국가의 통계 시리즈 데이터를 확인했다. 위치 데이터는 가능한 경우 텍사스대학교/CIA의 페리-카스타네다 컬렉션Perry-Castaneda Collection에서 가져왔고, 그렇지 않은 경우는 주로 구글지도Google Map에서 가져왔다. 지중해 유럽의 위치 데이터는 부분적으로 리처드 탤버트Richard Talbert가 편집한 《배링턴의 그리스와 로마 세계 지도The Barrington Atlas of the Greek and Roman World》(프린스턴대학교출판부, 2000)에서 가져왔다.

도판

출판을 허락해준 다음 저작권자들에게 감사한다. 4.1 © David Mattingly; 4.2 © Kevin MacDonald; 5.1 및 5.2 © J. M. Kenoyer/Harappa.com, courtesy Department of Archaeology and Museums, Govt. of Pakistan; 11.1 및 11.2 © Ray Laurence; 12.1 © Brigitte Miriam Bedos-Rezak, History Department, University of New York; 13.1 및 13.2 Nicolas de Fer, *Tables des forces de l'Europe* (1723), University of Antwerp, Preciosa Library의 허가에 따른 재생산; 14.1 및 14.2 © Dominique Valerian; 14.3

© Jack and Barbara Sosiak, Spring City, PA 19475; 그리고 the Jack and Barbara Sosiak Collection, Rare Book and Manuscript Library, University of Pennsylvania (John Pollack에게 감사하다); 15.1 및 15.2 © Skilliter Centre for Ottoman Studies, Newnham College, Cambridge; 16.1 © Palace Museum, Beijing; 18.1 © 'Ochanomizu', 齋藤長秋, 《江戸名所図会》, 일본 국립의회도서관의 근대디지털도서관 허가; 24.1 Author Matteo Pagano. *Civitate Orbis Terrarum* by Braun et Hogenberg, 1572. wikipedia.org/wiki/File:Cairo_map1549_pagano.jpg; 24.2 National Archives of Japan의 디지털컬렉션에서 재생산; 24.3 © Istanbul University Library; 25.1 public domain. Paul Robeson Library, Camden Campus, Rutgers University의 허가에 의한 재생산; 25.2 © Bildarchiv Preußischer Kulturbesit z & Art Resource Inc. New York; 27.1 public domain; 28.1 © United Church of Canada Archives, Toronto, 98.083P/25N, 거리 확장 전 중국 청두의 전형적인 거리 사진; 28.2 © Zhang Chunhai; 30.1 George Grantham Bain collection, Library of Congress, 1948. public domain; 30.2 VtTN: //en.wikipedia.org/wiki/File:Chennai_Skyline_Anna_Salai. jpg; 33.1 Walter Mittelholzer (1894-1937), *Tschadseeflug* (Verlag Schweizer Aero-Revue, Ziirich, 1932). public domain(저작권 기간 만료); 33.2 Schreibkraft, wikimedia.org/wiki/File:Nairobi_ Kibera_01.JPG; 39.1 public domain; 39.2 *Mr. Smith Goes to Washington*, © 1939, renewed 1967 Columbia Picture Industries. Inc. All Rights Reserved. Courtesy of Columbia Pictures; 39.3. *Taxi Driver*, © 1976, renewed 2004, Columbia Picture Industries, Inc. All Rights Reserved. Courtesy of Columbia Pictures; 40.1 이 장의 저자와 편집자는 해당 이미지의 저작권 소유자를 찾기 위해 모든 노력을 기울였으나 성과가 없었음. 저작권 소유자는 편집자에게 연락하기 바람; 41.1 © Tuca Vieira; 41.2 © Ratoola Kundu; 43.1 © Peter Clark; 43.2 © Carola Hein; 44.1 Myrabella ://en.wikipedia.org/wiki/File:Piazza_Navona_1.jpg; 44.2 © Museo Thyssen/Bornemisza, Madrid.

글쓴이 소개

[글 게재 순서이고, (공)저서/(공)편저서의 구분은 따로 하지 않았다.]

피터 클라크 Peter Clark (총괄편집, 제1장, 제38장)

핀란드 헬싱키대학교 철학·역사·예술학부 명예교수(유럽도시사). 유럽도시사학회 European Association for Urban History의 공동 창립자이며 20년 동안 재무회계이사였다. 도시사, 사회사, 문화사, 환경사에서 다수의 연구 성과가 있다. *The Cambridge Urban History of Britain* (전 3권, 2000). *European Cities and Towns 400–2000* (2009), *Green Landscapes in the European City* (2016) 등을 출간했다.

오거스타 맥마흔 Augusta McMahon (제2장)

영국 케임브리지대학교 고고학과 교수. 이라크, 시리아, 터키[튀르키예], 예멘의 신석기 촌락에서부터 복합적 도시 중심지를 거쳐 제국의 수도들에 이르기까지 다양한 정주지에 관련된 고고학 발굴에 광범위하게 참여해왔다. 2006년부터는 시리아 텔브라크 프로젝트의 현장책임자였다. 연구 관심사는 초기 도시주의, 도시경관, 선사시대의 폭력적 갈등, 기후변화에 대한 인간의 대응 등이다. *The Early Dynastic to Akkadian Transition* (2006), *Settlement Archaeology at Chagar Bazar* (2009), *Preludes to Urbanism* (2015) 등을 출간했다.

로빈 오즈번 Robin Osborne (제3장)

영국 케임브리지대학교 고전학부 고대사 교수, 킹스칼리지와 영국학술원 펠로. 도시의 역사와 직접 관련되는 *Demos: The Discovery of Classical Attika* (1985), *Classical Landscape with Figures: The Ancient Greek City and Its Countryside* (1987), *Mediterranean Urbanization 800–600 B.C.* (2005), *Greek Historical Inscriptions 404–323 BC* (2017) 등을 출간했다.

앤드루 월리스-하드릴 Andrew Wallace-Hadrill (제3장)

영국 케임브리지대학교 고전학부 로마학 명예교수Honorary Professor. 폼페이와 아우구스투스 시기 로마에 대한 폭넓은 저술 활동을 해왔다. *Augustan Rome* (1993), *Herculaneum: Past and Future* (2011) 등을 출간했다. 저서 *Houses and Society in Pompeii and Herculaneum* (1994)로 1995년 제임스 R. 와이즈먼 도서상James R. Wiseman Book Award을 수상했다.

데이비드 매팅리 David Mattingly (제4장)

영국 레스터대학교 고고학·고대사학부 로마고고학 교수, 영국학술원 펠로. 로마 세계의 도시화 양상에 대해 광범위한 논저들을 발표했고, 최근에는 사하라 지역 초기 도시사회의 고고학으로 연구 범위를 확장했다. *Imperialism, Power and Identity Experiencing the Roman Empire* (2011), *The Archaeology of Fazzan* (전 4권, 2003~2013) 등을 출간했다.

케빈 맥도널드 Kevin MacDonald (제4장)

영국 유니버시티칼리지런던 고고학연구소UCL Institute of Archaeology 아프리카 고고학 교수. 20년 넘게 말리에서 후기 석기시대부터 역사시대까지를 포괄하는 현장에서, 특히 구르마·메마·오트발레·세구 지역 발굴 현장에서 작업했다. 진행 중인 주요 연구는 나이저 내륙 삼각주 서쪽 만데 지역의 역사지리학과 역사고고학이다. 2001년부터 루이지애나주 아프리카 디아스포라의 역사고고학에 대해 연구하고 있다. *Slavery in Africa: Archaeology and Memory* (2011), *Ethnic Ambiguity and the African Past* (2015) 등을 출간했다.

캐머런 A. 페트리 Cameron A. Petrie (제5장)

영국 케임브리지대학교 고고학과 남아시아·이란 고고학 부교수. 연구는 사회-경제적 복합성 증가, 국가 형성의 사회적·경제적 측면, 국가와 제국의 성장이 예속된 지역에 끼치는 영향, 인간과 환경 사이 관계에 초점을 맞추고 있다. *The Mamasani Archaeological Project Stage One* (2009), *Sheri Khan Tarakai and Early Village Life in North-West Pakistan* (2010), *Ancient Iran and Its Neighbours* (2013) 등을 출판했다.

낸시 S. 스타인하트 Nancy S. Steinhardt (제6장)

미국 펜실베이니아대학교 동아시아미술 교수, 중국미술 큐레이터. 중국, 일본, 한국의 국제적 학술협력에 참여해왔다. *Chinese Traditional Architecture* (1984), *Chinese Imperial City Planning* (1990), *Liao Architecture* (1997), *Chinese Architecture* (2003),

Reader in Traditional Chinese Culture (2005), *Chinese Architecture and the Beaux-Arts* (2011), *The Borders of Chinese Architecture* (2022) 등을 출간했다.

데이비드 L. 스톤 David L. Stone (제7장)

미국 미시건대학교 고전학과 연구원. 북아프리카 경제, 명문銘文 경관고고학에 관한 여러 학술논문의 공저자다. 최근 연구 주제는 대리이론agency theory, 제국주의, 로마 아프리카 속주의 농촌경관rural landscape 등이다. *Leptiminus (Lamta). Report no.3, the Field Survey* (*Journal of Roman Archaeology Supplement* 87, 2011), *Mortuary Landscapes of North Africa* (2007) 등을 출간했다.

루크 드 리히트 Luuk de Ligt (제8장)

네덜란드 레이던대학교 고대사 교수. 네덜란드 암스테르담자유대학교와 영국 케임브리지대학교에서 공부했다. *Fairs and Markets in the Roman Empire* (1993), *Viva Vox Juris Romani* (2002), *Roman Rule and Civic Life* (2004), *People, Land and Politics* (2008), *Peasants, Citizens and Soldiers* (2012), *Regional Urban Systems in the Roman World, 150 BCE–250 CE* (2019) 등을 출간했다

마리오 리베라니 Mario Liverani (제9장)

이탈리아 로마라사피엔차대학교 고대근동사 교수. 2014년에 *Immaginare Babele*로 셰이크 자이드 도서상Sheikh Zayed Book Award을 수상했다. *Myth and Politics in Ancient Near Eastern Historiography* (1999), *Antico Oriente. Storia, società, economia* (2009), *Oriente Occidente* (2021) 등을 출간했다.

제니퍼 A. 베어드 Jennifer A. Baird (제10장)

영국 런던대학교 버크벡칼리지 역사·고전·고고학과 고고학 교수. 최근 연구는 고대의 일상생활과 로마의 통치에 대한 반응을 탐구하는 데서 건축, 유물, 텍스트 기록을 통합하는 것에 관련된다. 최근 성과는 수년간 참여한 시리아 고대 도시 유적 두라에우로포스Dura-Europos(헬레니즘 시대의 국경도시)에 맞추어지며, 현장과 예일대학교의 아카이브Archives at Yale 구축 모두에서 활동했다. *Ancient Graffiti in Context* (2010), *Ancient Graffiti in Context*(2011), *The Inner Lives of Ancient Houses: An Archaeology of Dura-Europos* (2014) 등을 출간했다.

레이 로런스 Ray Laurence (제11장)

오스트레일리아 매쿼리대학교 역사·고고학과 고대사 교수. 고고학·역사·고전에 기반을 둔 연구를 하며, 건축가, 조경사가, 지리학자, 도시학자가 접근할 수 있도록 하는 학제 간 측면이 특징이다. *Roman Pompeii* (1996), *The Roads of Roman Italy* (1999), *Growing Up and Growing Old in Ancient Rome* (2001), *The City in the Roman West* (2011) 등을 출간했다.

마르크 분 Marc Boone (제12장)

벨기에 헨트대학교 예술·철학학부 역사학과 교수. 고고학, 예술, 역사 등을 가르친다. 연구 시대는 주로 중세와 19세기다. 유럽도시사학자협회European Association of Urban Historians 회장(2008~2010)을 지냈고 현재 명예회원(2012~)이다. *Faire société au Moyen Âge: Histoire urbaine des anciens Pays-Bas (1100-1600)* (2021) 등을 출간했다.

브뤼노 블롱데 Bruno Blondé (제13장)

벨기에 안트베르펜대학교 역사학과 교수. 대학 도시사연구소Centre for Urban History 창립자이자 초대 소장이었다. 논저들은 특히 저지대 국가들의 근대 초기 도시사회에서의 경제성장과 사회적 불평등, 중세 후기부터 19세기까지 물질문화와 소매업의 역사, 일반적인 교통사와 도시사 등과 관련된다. *City and Society in the Low Countries, 1100-1600* (2018) 등을 출간했다.

일리야 판 다머 Ilja Van Damme (제13장)

벨기에 안트베르펜대학교 도시사 부교수. 도시사 및 도시이론, 근대 사회경제사를 가르치고 있다. 대학 도시사연구소 학술이사이기도 하다. 연구 분야는 생활환경 및 공간환경으로 18세기 후반과 19세기 도시 등과 관련 있다. *Modernity and the Second-Hand Trade: European Consumption Cultures and Practices, 1700-1900* (2010) 등을 출간했다.

도미니크 발레리앙 Dominique Valérian (제14장)

프랑스 파리1팡테옹소르본대학교 교수. 중세 마그레브와 지중해 전문가이며, 연구는 항구도시와 교역 네트워크에 집중된다. *Bougie, port maghrébin, 1067-1510* (2006), *Les sources italiennes de l'histoire du Maghreb medieval* (2006), *Islamisation et arabisation de l'Occident musulman, VIIe-XIIe siècle* (2011) 등을 출간했다.

에브루 보야르 Ebru Boyar (제15장)

튀르키예 중동공과대학교 국제관계학과 교수. 오스만 제국과 튀르키예의 역사 등을 가르친다. 주요 연구 분야는 오스만 제국과 초기 터키〔튀르키예〕 공화국의 사회사와 외교사다. *Ottomans, Turks and the Balkans: Empire Lost, Relations Altered* (2007), *Entertainment among the Ottomans* (2019) 등을 출간했다.

힐데 드 위어트 Hilde De Weerdt (제16장)

네덜란드 레이던대학교 중국사 교수. 연구는 중국 지성사, 제국의 정치문화, 기술정보, 사회조직망, 도시사 등에 집중된다. *Competition over Content: Negotiating Standards for the Civil Service Examinations in Imperial China (1127-1276)* (2007), *Information, Territory, and Networks: The Crisis and Maintenance of Empire in Song China* (2015) 등을 출간했다.

윌리엄 T. 로 William T. Rowe (제17장)

미국 존스홉킨스대학교 존앤다이앤쿡John and Diane Cooke 중국사 교수. 연구 분야는 14세부터 20세기까지 중국의 문화사, 지성사, 경제사, 정치사 등이다. *Crimson Rain: Seven Centuries of Violence in a Chinese County* (2006), *China's Last Empire: The Great Qing* (2012) 등을 출간했다.

제임스 맥클레인 James McClain (제18장)

미국 브라운대학교 역사학 명예교수. 일본사와 한국사를 가르친다. 연구는 도시문화사에 집중되고, 많은 재단의 국제 연구비 지원을 받아 일본의 도시샤대학교, 게이오대학교, 교토대학교, 한국의 연세대학교 방문교수를 지냈다. 최근에는 20세기 도쿄의 중산층 역사를 연구하고 있다. 저서로 *Kanazawa: An Early-Modern Castle Town* (1982), *Edo and Paris* (1997), *Japan: A Modern History (2001)* 등을 출간했다.

레오나르 블뤼세 Leonard Blussé (제19장)

네덜란드 레이던대학교 유럽-아시아 관계사 명예교수. 동남아시아 및 동아시아의 초기 근대사, 화교의 역사, 글로벌 역사 등이 주요 연구 관심 분야다. *Strange Company,*

Chinese Settlers, Mestizo Women and the Dutch in VOC Batavia (1988), *Bitter Bonds, A Colonial Divorce Drama of the Seventeenth Century* (2002), *Visible Cities: Canton, Nagasaki and Batavia and the Coming of the Americans* (2008) 등을 출간했다.

펠리페 페르난데스-아르메스토 Felipe Fernández-Armesto (제20장)

미국 노터데임대학교 역사학과 윌리엄 P. 레이놀즈 역사학 교수. 연구 분야는 세계 환경사, 도시사, 비교 식민지사, 스페인사, 해양사, 지도 제작술의 역사 등이다. *Civilizations: Culture, Ambition, and the Transformation of Nature* (2001), *Pathfinders: A Global History of Exploration first published* (2006), *Out of Our Minds: What We Think and How We Came to Think It* (2019) 등을 출간했다.

바스 판 바벌 Bas van Bavel (제21장)

네덜란드 위트레흐트대학교 중세 사회경제사 교수로 사회경제사 분야의 책임자. 연구는 전산업 시대 이전 유럽의 경제성장과 사회변화의 재구성 및 분석, 장기적 변화와 지역적 다양성의 강조, 시공간을 교차하는 비교 분석을 주요 도구로 활용하는 데 집중된다. *Manors and Markets: Economy and Society in the Low Countries, 500-1600* (2010), *Disasters and History: The Vulnerability and Resilience of Past Societies* (2020) 등을 출간했다.

마르턴 보스커르 Maarten Bosker (제21장)

네덜란드 로테르담에라스무스대학교 에라스무스경제학부 경제학 교수. 연구는 경제와 도시개발에서 지리의 역할을 경험적으로 확립하는 것에 집중된다. 최근에는 유럽, 북아메리카, 중동에서 장기적 도시 개발, 유럽 도시 체계의 기원에 대한 지리의 역할 등을 고찰한다. 여러 논문이 *Economic History Review* 등의 학술지에 게재되었다.

엘트요 뷔링 Eltjo Buringh (제21장)

네덜란드 위트레흐트대학교 인문학연구원. 로마 시대부터 18세기까지 유럽, 북아프리카와 중동에서의 도시화, 무역과 경제발전의 원인을 규명하려 노력하고 있다. *Economic History Review* 등 여러 학술지에 논문을 게재하고, *Medieval Manuscript Production in the Latin West* (2011)를 출간했다.

얀 라위턴 판 잔던 Jan Luiten van Zanden (제21장)

네덜란드 위트레흐트대학교 글로벌 경제사 교수. 네덜란드, 유럽, 글로벌 경제사 분야에서 전문가로 인정받는다. *Een klein land in de twintigste eeuw* (1997), *Long Road to the Industrial Revolution. The European Economy in a Global Perspective, 1000–1800* (2009) 등을 출간했다.

아너 빈터르 Anne Winter (제22장)

벨기에 브뤼셀자유대학교 역사학 교수. 이주, 사회정책, 도시화, 노동관계 사이 상호작용에 초점을 맞추어 근대 초기와 장기 19세기 저지대 국가들의 사회사·경제사를 국제 비교 관점에서 연구한다. *Migrants and Urban Change: Newcomers to Antwerp, 1760–1860* (2009), *Migration Policies and Materialities of Identification in European Cities: Papers and Gates, 1500–1930s* (2018) 등을 출간했다.

빔 블록만스 Wim Blockmans (제23장)

네덜란드 레이던대학교 중세사 교수. 네덜란드왕립예술과학아카데미 회원(1990)이다. *Cities and the Rise of States in Europe, A.D. 1000–1800* (1997), *The Promised Lands: The Low Countries Under Burgundian Rule, 1369–1530* (2010), *Metropolen aan de Noordzee. Geschiedenis van Nederland 1100–1560* (2010) 등을 출판했다.

마욜라이넌트 하르트 Marjolein't Hart (제23장)

네덜란드 암스테르담자유대학교 인문·예술·문화·역사·고대학부 석좌교수. 초기 근대국가의 형성과 저항의 역사에 관한 폭넓은 논저를 발표해왔으며, 최근 연구 관심사는 환경사와 세계사에 집중된다. *The Making of a Bourgeois State. War, politics and finance during the Dutch Revolt* (1993), *Globalization, Environmental Change, and Social History* (2010), *The Dutch Wars of Independence. Warfare and Commerce in the Netherlands 1570–1680* (2014) 등을 출간했다.

피터 버크 Peter Burke (제24장)

영국 케임브리지대학교 이매뉴얼칼리지 펠로, 문화사 명예교수. 20권이 넘는 저서들은 여러 언어로 번역되었다. 다음의 논저들로 도시사에 기여했다. *Venice and Amsterdam* (1974), *Antwerp, a Metropolis in Europe* (1993), "Imagining Identity in the

Early Modern City" (Christian Emden, Catherine Kee eds., *Imagining the City* (2006, vol. I, 23-38).

앤드루 리스 Andrew Lees (제25장)

미국 럿거스대학교(캠던캠퍼스) 역사학 석학교수. 연구와 저술은 독일의 지성사와 사회사, 영국과 미국의 도시사회에 대한 독일인의 인식, 보다 더 일반적인 도시사에 집중되어 있다. *Cities Perceived: Urban Society in European and American Thought, 1820-1940* (1985), *Cities, Sin, and Social Reform in Imperial Germany* (2002), *The City: A World History* (2015) 등을 출간했다.

린 홀런 리스 Lynn Hollen Lees (제25장)

미국 펜실베이니아대학교 역사학과 명예교수. 영국사, 유럽사회사, 대영제국사, 세계사 분야를 가르쳤다. 연구는 유럽 도시, 사회조직 및 복지기관과 관련한 것이다. *Global Society: The World since 1900* (2004), *Cities and the Making of Modern Europe, 1750-1914* (2007) *Planting Empire, Cultivating Subjects: British Malaya, 1786–1941* (2017) 등을 출간했다.

앨런 길버트 Alan Gilbert (제26장, 제36장)

영국 유니버시티칼리지런던 명예교수. 개발도상국들, 특히 라틴아메리카 국가들의 주거, 빈곤, 고용, 도시문제에 대한 폭넓은 논저들을 발표해왔다. 10여 권의 저자 혹은 공저자, 그 외 4권의 대표편집자, 150편 이상의 학술 논문 저자이고, 미주개발은행, 유엔-헤비타트 등 많은 국제기구의 자문으로 활동한다.

칼 애벗 Carl Abbott (제27장)

미국 포틀랜드주립대학교 교통연구및교육센터TREC 교수. 연구와 저술은 북아메리카의 도시성장, 지역개발과 정체성의 상호작용에 집중되어 있다. 미국역사학회 회원이기도 하다. *The New Urban America* (1983), *How Cities Won the West* (2008), *Imagining Urban Futures* 등을 출간했다.

크리스틴 스테이플턴 Kristin Stapleton (제28장)

미국 뉴욕주립대학교(버펄로캠퍼스) 역사학과 교수. 연구 관심사는 중국과의 비교 도시행정, 중국 가족생활의 역사, 미국 지성계에서 비非미국 역사의 위치 등이다. *Civilizing Chengdu: Chinese Urban Reform, 1895–1937* (2000) *The Human Tradition in Modern China* (2008) *Fact in Fiction: 1920s China and Ba Jin's Family* (2016) 등을 출간했다.

폴 웨일리 Paul Waley (제29장)

영국 리즈대학교 지리학부 선임연구원. 도쿄의 역사, 일본과 동아시아 도시지리학의 현재적 주제 등에 대해 글을 쓰고 있다. 난징·상하이·안후이성의 연구 프로젝트에 참여하고 있다. *Tokyo: City Of Stories* (1991), *Japanese Capitals in Historical Perspective: Place, Power and Memory in Kyoto, Edo and Tokyo* (2003) 등을 출간했다.

프래샨트 키담비 Prashant Kidambi (제30장)

영국 레스터대학교 역사학부 식민지 도시사 부교수. 대학 도시사연구소 회원이기도 하다. 연구는 영국 제국주의와 근대 동아시아사의 상호작용을 다룬다. *Cricket Country: An Indian Odyssey in the Age of Empire* (2019), *The Making of an Indian Metropolis: Colonial Governance and Public Culture in Bombay, 1890–1920* (2007) 등을 출판했다.

하워드 딕 Howard Dick (제31장)

오스트레일리아 멜버른대학교 경영경제학부 교수펠로professorial fellow. 경제학자이자 경제사학자다. 현재 연구는 도시 거버넌스의 도전에 초점을 맞추고 있다. *Cities, Transport and Communications: The Integration of Southeast Asia* (2003), *The City in Southeast Asia: Patterns, Processes and Policy* (2009) 등을 출간했다.

피터 J. 리머 Peter J. Rimmer (제31장)

오스트레일리아 오스트레일리아국립대학교 문화·역사·언어대학 명예교수. 아시아 태평양 연안 지역의 도시 및 지역 개발을 전문으로 하는 경제·인문지리학자다. *Asian-Pacific Rim Logistics: Global Context and Local Policies*(2015), *China's Global Vision and Actions: Reactions to Belt, Road and Beyond* (2020) 등을 출간했다.

메르세데스 볼레 Mercedes Volait (제32장)

프랑스 프랑스국립과학연구센터CNRS 연구책임자. 중동 지역학 박사로 최근 연구는 19세기 카이로의 건축, 지식, 골동품 등 전통유산의 교차점에 초점을 맞추고 있다. *Urbanism: Imported or Exported?* (2003), *A l'Orientale: Collecting, Displaying and Appropriating Islamic Art and Architecture in the 19th and Early 20th Centuries* (2019) 등을 출간했다.

모하마드 알아사드 Mohammad al-Asad (제32장)

요르단 건축가, 건축역사가, 암만 건축환경연구센터CSBE 창립이사. 요르단대학교, 프린스턴대학교, MIT, 일리노이대학교(어배너-섐페인캠퍼스) 등에서 강의했다. *Workplaces, The Transformation of Places of Production: Industrialization and the Built Environment in the Islamic World* (2010, 아가칸건축상), *Contemporary Architecture and Urbanism in the Middle East* (2012) 등을 출간했다.

빌 프로인드 Bill Freund (제33장)

남아프리카공화국 크와줄루나탈대학교 경제사 명예교수. 아프리카와 남아프리카 역사에 관한 광범위한 주제들을 연구했다. *The African Worker* (1988), *The African Worker and The Making of Contemporary Africa*, *The African City: A History* (2007), *Twentieth-Century South Africa* (2018) 등을 출판했다.

훙호펑 Ho-fung Hung (제34장)

미국 존스홉킨스대학교 사회학과 헨리 M. & 엘리자베스 P. 비젠펠드Henry M. and Elizabeth P. Wiesenfeld 교수. 학문적 관심사는 글로벌 정치경제, 저항, 민족국가 형성, 사회이론, 동아시아 개발이다. *The China Boom: Why China Will Not Rule the World* (2015), *Protest with Chinese Characteristics: Demonstrations, Riots, and Petitions in the Mid-Qing Dynasty* (2011) 등을 출판했다.

잔사오화 Shaohua Zhan (제34장)

싱가포르 난양공과대학교 사회과학대학 조교수. 존스홉킨스대학교에서 사회학 박사 학위를 받았고, 중국사회과학원에서 연구조교수를 지냈다. 연구 영역은 농촌개발, 노동이민, 사회정책, 비교역사사회학, 세계체제 분석 등이다. 논문은 과거와 현재 중국의 산업혁명과 관련된 주제들을 다룬다.

레오 루카센 Leo Lucassen (제35장)

네덜란드 레이던대학교 글로벌 노동 및 이민사 교수, 국제사회사연구소IISH 소장. 연구는 세계이민사, 도시사, 국가 형성과 근대국가의 사회적·정치적 발전에 초점을 둔다. *Migration History in World History* (2010), *Globalising Migration History*, *Vijf Eeuwen Migraties* (2018) 등을 출간했다.

마틴 V. 멜로시 Martin V. Melosi (제37장)

미국 휴스턴대학교 컬런Cullen 명예교수. 연구 관심사는 도시환경 에너지사, 기술사, 환경정의 등이다. 미국도시사학회, 미국환경사학회, 공공활동역사학회, 공공사전국위원회 회장을 지냈다. *The Sanitary City* (2000), *Effluent America* (2001), *Garbage in the Cities* (2005), *Atomic Age America. Pearson* (2013) 등을 출간했다.

마르야타 히에탈라 Marjatta Hietala (제38장)

핀란드 탐페레대학교 역사학 명예교수. 도시사, 혁신의 역사, 과학사가 주 연구 분야다. *Services and Urbanization at the Turn of the Century: The Diffusion of Innovations* (1987), *Helsinki-The Innovative City. Historical Perspectives* (2002). *Helsinki, Finland's Innovative Capital* (2017) 등을 출판했다.

한누 살미 Hannu Salmi (제39장)

핀란드 투르쿠대학교 문화사 교수 겸 아카데미 교수. 연구 전문 분야는 문화사, 미디어사, 디지털 인문학 등이다. *Nineteenth-Century Europe: A Cultural History* (2008), *Historical Comedy on Screen: Subverting History with Humour* (2011), *Yves Montand in the USSR: Cultural Diplomacy and Mixed Messages* (2021) 등을 출간했다.

토머스 R. 멧캐프 Thomas R. Metcalf (제40장)

미국 캘리포니아대학교(버클리) 명예교수. 같은 대학에서 1962년부터 2003년까지 영제국사, 인도사, 남아시아사를 가르쳤다. 연구는 주로 19세기 영제국의 역사와 인도 통치에 집중된다. *Ideologies of the Raj* (1995), *A Concise History of Modern India*, *Imperial Connections: India in the Indian Ocean Arena* (2007) 등을 출간했다.

천상밍 Xiangming Chen, 陳向明 (제41장)

미국 트리니티칼리지 글로벌도시 연구 및 사회학 폴 E. 레더Paul E. Raether 특임교수. 중국 푸단대학교 사회개발 및 공공정책대학원 해외저명초청교수. *The World of Cities* (2003; 중국어판, 2005), *As Borders Bend* (2005), *Shanghai Rising* (2009; 중국어판, 2009), *Introduction to Cities: How Place and Space Shape Human Experience* (2012; 중국어판, 2012) 등을 출간했다.

헨리 피츠 Henry Fitts (제41장)

미국 뉴욕주 로체스터 시청의 혁신 책임자. 트리니티칼리지를 졸업했다(2012). 중국 양쯔강 거대도시권 하계대학 프로그램에 참여했고 사회학과 도시학을 전공했다.

유시 S. 야우히아이넨 Jussi S. Jauhiainen (제42장)

핀란드 투르크대학교 지리학 교수. 연구는 도시지리학, 지역개발, 혁신네트워크에 집중하며, 핀란드·에스토니아·발트해 지역개발 관련 여러 연구 프로젝트에 참여했다. *Innovation for Development in Africa* (2020), *Undocumented Migrants and their Everyday Lives* (2021) 등을 출간했다.

카롤라 하인 Carola Hein (제43장)

네덜란드 델프트공과대학 건축학과 건축사·도시계획 교수. 최근 관심 분야는 특히 항구도시와 석유의 글로벌 건축에 초점을 맞춘 국제 네트워크를 통한 건축 및 도시 아이디어의 전달을 포함한다. *Cities, Autonomy and Decentralisation in Japan* (2006), *Brussels: Perspectives on a European Capital* (2007), *(Re)Imagining Port Cities: Understanding Space, Society and Culture* (2021) 등을 출간했다.

퍼넬러피 J. 코필드 Penelope J. Corfield (제44장)

영국 런던대학 로열홀러웨이 역사학과 명예교수. 시간과 역사에 대한 접근법, 도시사·사회사·문화사를 연구한다. 현재 국제18세기학회ISECS 회장이다. *Power and the Professions in Britain, 1700-1850* (1995; 1999), *Time and the Shape of History* (2007), *The Georgians: The Deeds and Misdeeds of 18th-Century Britain* (2022) 등을 출간했다.

옮긴이 해제

인류 도시 문명의 '오래된 미래'를 위한 지침서

문명 전환의 시대와 도시

21세기 초반에 인류의 절반 이상은 도시에 살고 있으며 거대도시metropolis, 초거대도시megacity의 규모는 나날이 증가하고 있다. 도시를 연구하는 이들은 '지구 도시화' '행성적 도시화'라는 개념으로 도시 문명의 과거와 현재 그리고 미래를 성찰적으로 탐색하고 있다. 인구가 밀집된 영속적 정주지인 도시는 개개인은 물론 인류 전체의 미래를 좌우할 삶의 장소이자 생활양식이 되었다. 과밀한 도시, 특히 위생과 보건 기반설비가 제대로 갖추어지지 않은 저개발국가 도시들은, 14세기 중반의 흑사병과 19세기 초반의 '스페인독감' 이후 최대 규모의 보건 위기인 2020년 봄부터의 코로나19COVID-19 팬데믹에도 일정한 영향을 끼쳤다. 많은 이들은 지구적 차원의 도시화로 인한 환경 변화가 21세기 들어 새로 등장한 호흡기 바이러스 감염병들인 사스SARS, 메르스MERS, 코로나19 발생에도 직간접적 영향을 주었다고 생각한다. 국경과 대륙을 넘나드는 지구적 네트워크가 확산시킨 팬데믹은 이의 극복이 어느 한 국가, 어느 한 지역이나 대륙의 문제가 아니라 인류 모두의 문제, 문명의 지속가능성에 대한 문제임을 주지시킨다. 팬데믹과 보건위기가 진정되고 코로나 이후 뉴노멀New Normal 시대가 도래하더라도 도시 문명의 지속가능성은 거센 파도로 밀어닥칠 기후변화의 위기에 대한 바람직한 대응에 연동될 것이다.

현대의 최첨단 과학기술 및 정보통신기술을 도시의 물리적 형태나 도시민의 삶에 직접 연계한 스마트시티Smart City의 도래처럼 도시 문명은 그 절정에 도달한 상태다. 각종 위기를 극복하고 이 문명을 지속하려면 6000여 년 전 도시 문명의 시원에서부터 현재까지 도시가 역사적으로 겪어온 성장과 발전은 물론 온갖 위기와 고난에 어떻게 대응해왔는지를, 즉 도시 성쇠의 역학을 깊이 있게 천착할 필요가 있다. 미래는 오래된 과거다. 과거의 더 나은 삶을 위한 무수한 성찰적 사유와 의지적 실천이 시간의 흐름 속에서 미래의 변화들을 이끌어 내왔기 때문이다. 현재에 가까운 과거는 우리에게는 과거지만 먼 과거의 역사적 주체들에는 미래였다. 앞으로의 미래 역시 현재의 아니 현재에 연결된 과거의 역사적 실천이 만들어가는 것이다. 도시 문명의 미래는 곧 도시의 수천 년 역사 속에서 미처 이루지 못한 꿈들을 현실화해 가는 것이다. 세상에 존재하는 모든 도시는 저마다 자신의 역사를, 곧

'도시의 역사City History'를 지니고 있다. 동시에 모든 도시는 한정된 공간과 그 안에서 밀집해 살아가는 인간이 상호 만들어내는 도시적 특성을 공유하는데, 이 같은 도시적 속성을 역사적으로 고찰하는 게 '도시사Urban History'다. 한국어로 도시사라는 표현은 흔히 둘 모두를 포괄적으로 의미한다.

도시사에 관한 관심은 연구자들의 학술적 차원뿐 아니라 일반 독자들의 교양적 차원에서도 매우 높은 편이다. 저마다 여행하기를 꿈꾸는 도시들, 한 달 살아보기 혹은 그 이상 살아보기를 원하는 도시들의 목록을 가지고 있다. 이를 반영하듯, 온·오프라인 서점에서 독자들을 기다리는 도시사 관련 저서나 번역서들은 전문 학술서, 학술적 교양서, 일반 교양서, 글·그림·사진이 포함된 각종 에세이, 실용적 여행안내서까지 다양하다. 그 저자들도 국내외 전문 도시사학자, 문학과 철학에서 도시문제를 학문의 대상으로 삼는 도시인문학자뿐 아니라 사회학·지리학·행정학·지역개발이나 부동산학 분야에서 도시를 연구하는 도시사회과학자들, 그리고 건축학이나 도시계획학 연구자 등 다양하다. 전문 학자는 아니더라고 각양각색 도시 현장에서의 활동이나 경험에 기반을 둔 국내외 도시활동가는 물론이고 프리랜서 언론인이나 작가가 쓴 저·역서 역시 생동감 넘치는 내용으로 많은 독자의 눈길을 끈다.

그런데 이미 한국에 출간된 다수의 도시사 저역서는, 학술서건 교양서건, 시공간적으로 일정한 한계를 가지고 있다. 책들이 대개 특정 지역이나 특정 시기의 몇몇 도시만을 다루거나 아예 하나의 도시에 집중하기 때문이다. 현 인류 문명의 시작으로 간주되는, 기원전 4000년대에 등장한 메소포타미아의 도시들로부터 21세기 초반 도시 문명이 초래한 각종 환경 변화에 이르기까지 도시문명사 전체를, 그것도 지구상에 존재하는 모든 대륙의 도시들을 포괄하며 종합적으로 서술하는 책은 지금까지 찾아보기 어려웠다.*

《옥스퍼드 세계도시문명사》의 장점과 특성

이 책 《옥스퍼드 세계도시문명사》(전 4권)는 도시사와 관련해 지금까지 한국에서 출간된 모든 저역서의 아쉬운 점을 메워주는 완결판이라고 자신 있게 말할 수 있다. 여러 장점이나 특성 중에서 특히 주목할 것은 여섯 가지인데, 첫째·둘째·셋째는 내용적 측면에, 넷째·다섯째·여섯째는 구성적 측면에 해당한다. 첫째, 《옥스퍼드 세계도시문명사》는 말 그대로 세계사를, 즉 세계의 모든 지역과 역사의 모든 시대를 다루고 있다. 영어 원서에서 총 3부 44개 장 882쪽에 달하는 방대한 분량은 고대 메소포타미아 도시들로부터 21세기 초반 세계 각지의 거대도시와 초거대도시까지를 고찰한다. 어느 특정 지역이 세계사적으로 주요한 영향을 끼쳤던 시기만을 집중해서 다루고 그 외 시기의 역사에 대해서는 거의 다루지 않는 기존의 여러 세계사 관련 책과는 달리, 《옥스퍼드 세계도시문명사》는 지구의 다양한 지역 문화권 도시의 역

* 꽤 많은 독자의 사랑을 받은 《도시와 인간: 중세부터 현대까지 서양 도시문화사》(마크 기로워드Mark Girouard, 민유기 옮김, 책과함께, 2009)는 부제처럼 서양의 도시문명사만을 다루었고 고대 도시를 다루지 않아 아테네·로마 등 서양의 위대한 고대 도시에 관심 많은 이들이 다소 아쉬워했다.

사를 고대, 전근대, 근현대에 걸쳐 고르게 소개하고 있다. 중세란 시기 구분을 별도로 설정하지 않는 것은 중세라는 역사 시대가 유럽을 벗어난 지구 전역에서 보편성을 갖기 어렵다는 공저자들의 인식 때문이다.

둘째, 《옥스퍼드 세계도시문명사》는 분석하는 도시들로 널리 알려진 각국의 수도나 오랜 역사문화 도시만이 아니라 잘 알려지지 않은 도시들을 망라한다. 다루고 있는 도시들은 아시아, 유럽, 아메리카, 아프리카, 오세아니아 모든 대륙에 위치하며, 동북아시아, 유럽, 북아메리카에 비해 상대적으로 덜 알려진 인도-서남아시아, 동남아시아, 아프리카, 메소아메리카의 각양각색 도시들이 어떤 역사를 지녔는지를 알게 해준다. 여기에는 인도의 칼리방간Kalibangan, 모로코 남부의 시질마사Sijilmâsa, 튀니지의 카이루안Kairouan처럼 이름을 잘 들어보지 못했거나 어느 지역 어느 나라에 있는 도시인지 바로 파악되지 않는 소도시, 고고학적 흔적만이 과거에 그곳이 주요 경제 교류의 거점도시였음을 증언해주는 북부 독일의 헤데뷔Hedeby, 과테말라의 익심체Iximché나 쿠마르카흐Cumarkaj처럼 스페인의 정복 이전 독자적 도시 문명을 지녔던 메소아메리카의 사라진 도시들도 포함하고 있다.

셋째, 《옥스퍼드 세계도시문명사》는 20세기 중후반부터 기존의 서양중심주의를 벗어나 세계사를 서술하고 중국중심주의에서 벗어나 동아시아사를 서술하려는 세계 역사학계의 흐름 및 최신 연구 성과들을 폭넓게 반영하고 있다. 예를 들어, 막스 베버Max Weber의 '이념형Idealtypus'으로서 도시에 대한 정의를 서유럽을 벗어난 지역에 적용하려고 들지 않는다. 동북아시아 여러 고대 도시에 적용된 중국의 이상적 도성 체계를 주요하게 다루면서도 무엇보다 동남아시아나 인도-

서남아시아를 중국과 동북아시아 못지않게 중시한다. 주요 고대 문명이었던 이집트나 지중해 문명권에 속했던 북아프리카 도시들만이 아니라 사하라 이남과 서아프리카의 고대 도시와 전근대 도시들에도 관심을 보인다.

넷째, 《옥스퍼드 세계도시문명사》 각 장에는 다루는 내용을 시각적이며 직관적으로 보여주는 도형figure, 도판plate, 주요 통계들을 소개하는 표table들이, 각 부의 시작 부분에서는 주요 지역지도들이 제시되어 있다. 지역지도들만 비교해도 고대, 전근대, 근현대 지구의 특정 지역에서 주요 도시들이 어떻게 지속가능했는지, 혹은 새로 대두된 도시들은 어느 곳들인지 쉽게 파악이 가능할 것이다.

다섯째, 《옥스퍼드 세계도시문명사》 각 부는 먼저 대륙별/지역별/시대별 도시사를 고찰하는 개관survey을 하고, 이후 도시사의 주요 주제들을 대륙별, 지역별, 시대별로 비교 분석하는 주제〔테마〕theme로 구성하고 있어서 비교 도시 문명사적 시각과 분석을 강조한다. 이는 기존의 다른 어떤 도시사 저역서에서도 쉽게 찾아보기 어려운 새로운 방식이다. 주요 주제에는 고대 도시와 전근대 도시의 경우 도시경제, 이민과 이주, 권력과 시민권, 종교와 문화, 도시계획, 근현대 도시에는 산업화, 빈곤과 불평등, 도시환경, 창의도시, 영화와 도시, 식민도시, 거대도시, 항구도시, 교외 등을 망라한다.

여섯째, 《옥스퍼드 세계도시문명사》는 세계 각지의 도시사 연구자 55명이 공저자로 참여해 그야말로 도시문명사를 집대성한 책이며, 학술적인 내용을 대중에게 쉽게 전달하기 위해 이해하기 쉬운 문체로 서술하고 있다. 공저자로는 그동안 유럽 각국의 도시사 연구자들의 학회인 유럽도시사학회에서 20여 년 넘게 활동한 책의 기획편집자이자 대표저자로 이름을 올린 핀란드 헬싱키대학교 명예교수 피터 클라크Peter Clark, 세계적으로 저명한 문화사학자인 전 캠브리지대학교 교수 피터 버크Peter Burke를 포함해 미국, 영국, 프랑스, 네덜란드, 벨기에, 이탈리아, 핀란드, 요르단, 터키(튀르키예), 남아프리카공화국, 오스트레일리아의 대학이나 연구소 소속 교수 및 연구자가 참여했다. 중국계 미국인을 포함해 미국과 영국 학자가 약 절반을 차지하고 프랑스나 독일을 포함해 비영어권 유럽의 저명 도시사학자 중 참여하지 못한 이들도 있지만, 책은 현재 전 세계에서 도시사를 연구하는 대표적 학자들의 개별적이면서도 집단적인 학문 활동의 성과물이다. 많은 연구자가 하나의 책을 공동으로 집필하면 개념적 불일치나 다의미를 갖는 단어 용례의 차이 등 크고 작은 문제가 발생한다. 이런 문제점을 예방하거나 해소하기 위해 공저자들은 2010년 유럽과 2011년 미국에서 두 차례 국제 학술대회를 개최해 저마다의 글을 발표하고 집단 토론과 의견 교환을 거쳐 책의 원고를 완성했다.

옮긴이 개인적으로는, 유럽에서 해당 학술대회에서 한국 도시사 관련 발표가 가능하냐는 개인적 문의 연락을 받은 적이 있다. 그러나 파리에서 박사학위를 받고 귀국해 연구교수를 하다 막 대학교 교수로 임용된 지 얼마 안 된 시점에서 강의 부담과 프랑스 근현대 도시사 관련 후속 연구에 따른 시간 여유가 없어 학술대회에 참여하지 못했다. 비슷한 시기에 한국에서 도시사 연구 현황에 관한 논문 2편을 발표했고, 두 논문은 한국어 논문임에도 일본이나 미국 학계에서 나온 논문들에 소개·인용되기도 했다. 옮긴이가 한국사, 동양사, 서양사 분야의 도시사 연구자들을 규합해 2005년에 연구모임 도시사연구회를 조직하고, 이를 기초로 2008년 도시사학회를 창립하는 과정에서 한국 도시사 연구 경향을 옮긴이 나름대로 정리하고 분석한 게 이들 논문이었다.* 이는 사학사적 차원에서 비평논문으로 작성된 것이었고 한국에서의 도시사 연구 지형도를 분석한 것이었지, 국제 학술대회에서 요구한 한국 도시사의 개괄적 특성 고찰과는 다소 거리가 있었다. 당시 한국 도시사 전공자들에게 관련 국제 학술대회 발표 가능성을 알아보기도 했으나 마땅한 연구자를 찾기도 어려웠다.

《옥스퍼드 세계도시문명사》를 번역해야겠다고 생각한 바탕에는 책을 준비했던 국제 도시사학자들의 모임에 참여하지 못한 약간의 아쉬움이 놓여 있다. 그러나 한눈에 봐도 두터운 분량인 882쪽의 책을 번역하겠다고 결심한 진정한 이유는 다음 두 가지다. 첫째, 지구촌 시대 전 세계에서 도시사를 연구하는 대표적 전문가 집단이 도시 문명을 어떻게 이해하고 있으며, 어떤 새로운 시각과 관점에서 도시의 역사를 분석하고 있고, 역사를 통해 미래의 도시 문명에 대한 어떤 성찰적 전망을 제시하는지 한국의 독자들에게 수준 높은 지식을 소개하고 알리고 싶었다. 둘째, 도시사에 관심이 많은 대학생과 대학원생들, 연구자들에게 이 책이 도시사에 대한 인식의 지평을 확장하고 여러 연구 주제에 영감을 주는 주요한 참고자료로 활용되기를 기대했다.

* 민유기, 〈한국 도시사 연구에 대한 비평과 전망〉, 《사총》 64호 (2007). 이 논문은 수정·보완되어 다음 공저에 실렸다. 도시사연구회 기획, 강일휴, 김경현, 김백영, 민유기 외 지음, 《공간 속의 시간: 유럽, 미국, 동북아 도시사 연구 현황과 전망》 (심산, 2007). 민유기, 〈한국의 도시사 연구 지형도와 향후 전망〉, 《도시연구: 역사·사회·문화》 1호 (2009).

우리 학계나 사회에서 도시사라는 역사학의 한 하위 영역에 관한 관심은 지난 10여 년 동안 크게 늘었다. 도시사 석박사 논문이 늘어나고 있고, 다수의 저역서가 출간되고 있다. 한국·동양·서양 도시사 연구자들은 물론 다양한 학문 분야에서 도시를 연구하는 이들과 함께 2008년에 도시사학회를 창립하고 KCI 등재지 학술지를 발간하는 틈틈이 여러 공저를 기획해 출간해왔고, 한·중·일 도시사 연구자들이 함께하는 동아시아도시사학회의 창립과 영문저널 발간에도 참여하고 있는 옮긴이의 다양한 학술 활동이 이와 같은 흐름에 일조한 것 같아 나름의 보람도 느낀다. 옮긴이는 또한 지난 10여 년 동안, 재직하고 있는 경희대의 대학원뿐 아니라 서울 소재 다른 대학원 네 곳에서 도시사 연구 방법론 강의를 담당하기도 했다. 이때마다 매번 마땅한 교재가 없어 도시사 연구의 고전들을 강독하거나 외국의 논문들을 선별해 강의해왔는데, 영국에서 이 책이 출간된 이후에는 경희대 대학원에서 두 학기에 걸쳐 책의 3권과 4권을 교재로 사용하기도 했다. 이 한국어 번역본이 도시사에 관심이 있는 더 많은 대학원생과 학부 학생들에게 외국 학계의 최신 연구 성과들이 반영된 필수적인 참고서의 역할을 할 것으로 기대한다.

제1권 고대 도시 관련 장별 주요 내용

이제 《옥스퍼드 세계도시문명사》가 다루고 있는 것들을 장별로 간단히 소개하고자 한다. 책의 제1권은 고대 도시의 역사와 주요 주제를

11개의 장에 걸쳐 다룬다. 1장의 서론에서는 도시사에 대한 비교사적 접근의 필요성, 고대, 전근대, 근현대 도시화의 경향성, 책의 장별 주요 내용을 소개한다. 2장은 도시 문명의 시작인 메소포타미아의 도시를 고찰한다. 메소포타미아 도시들의 기원과 주요 특징, 도시경관, 고대 도시 생활의 장단점, 도시와 주변 배후지의 관계, 도시국가 개념 등을 검토한다. 3장은 고대 지중해 도시들의 특성을 살펴본 후, 그리스의 폴리스들과 로마 및 로마 제국의 도시들을 네트워크의 역사로 분석하며, 도시 간의 위계 및 지중해에 존재했던 도시들의 다양성을 제시한다. 고대 아프리카 도시를 다루는 4장은 이집트 나일강 도시 문명을 비롯해 북아프리카의 도시, 나이저강 유역의 서아프리카에서 존재했던 여러 도시의 기능과 연결성을 검토한다. 남아시아를 고찰하는 5장은 인더스 문명 도시의 성장과 번영 및 쇠락, 이후 인도의 초기 역사 시대 도시화 과정 두 국면을 비교하며 공통점과 차이점을 정치·경제·사회 활동과 수준을 통해 도출한다. 6장에서는 고대 중국의 다양한 도시 문명들을 소개하고 중국 도시의 특성, 《주례周禮》〈고공기考工記〉에 서술된 이상적 도성 체계, 장안·뤄양 등 중국의 주요 고대 도시의 구조를 분석하고 수·당隋唐 시기까지의 도시화 과정을 소개한다.

제1권의 뒷부분인 7장부터 11장까지는 고대 도시의 주요 주제에 따라 1장에서 6장까지 검토한 세계 각 지역 도시를 비교사적으로 검토한다. 7장은 경제의 주요 영역인 계층화, 시골, 사치품과 원거리 교역, 특화 생산, 그리고 쇠락을 기준으로 고대 도시들을 비교한다. 도시의 성장은 생산, 노동, 무역, 부, 그리고 계층화에 근본적 변화를 낳았다. 8장은 메소포타미아, 그리스와 로마, 중국, 남아시아 도시에서의 인구

변동과 이주를 비교한다. 인구밀도가 높은 도시는 이주민 없이 유지되기 어려웠다. 자발적 이주건 강제적 이주건 이주는 도시성장에 기여했다. 9장은 권력을 기반으로 한 동양 도시와 시민성을 바탕으로 한 서양 도시의 전통적 구분을 폐기한다. 동서양 도시 모두 권력 구조가 작동했기 때문이다. 공동체적 도시 제도들도 헬레니즘과 로마, 비잔티움과 이슬람 도시 모두에 계승되었다. 10장은 종교의 공간적·시간적 속성, 도시의 종교조직, 도시 간 이동을 촉진한 축제나 순례, 도시 내 여러 종교 공동체의 공존과 경쟁을 검토한다. 이를 통해 종교가 고대 도시 발전과 형태에 핵심 요소임을 규명한다. 11장은 주로 로마와 중국 초기 도시의 유사성을 분석하며 도시계획과 환경을 비교한다. 동서양을 막론하고 격자형 도시계획은 중앙 권력의 지시에 따라 새로운 도시를 조성하고 도시를 확산하는 징후였다.

제2권 전근대 도시 관련 주요 내용

전근대 도시를 탐구하는 책의 제2권은 12장부터 24장까지다. 중세 유럽 도시를 다룬 12장은 중세 타운의 형성에 영향을 준 요소들을 살피고, 도시 공동체주의의 발전, 도시 이데올로기의 확산을 분석해 근대성을 추동한 도시의 인구학적, 경제적, 정치적 변수의 상호 작용을 강조한다. 13장에서는 16세기부터 18세기까지 근대 초기 유럽 도시들의 형태, 경제, 문화, 사회구조를 검토한다. 이를 통해 근대 초기가 현대 유럽의 주요 도시들과 도시네트워크 형성에 결정적 전환의 시기였음을 밝힌다. 7세기부터 15세기까지 중동의 도시를 고찰하는 14장은 이슬람 등장부터 십자군 전쟁까지의 중동의 도시들, 비잔티움 제국의 도시들, 중앙아시아로부터 이동해 온 튀르크인의 도시들이 종교와 어떤 상관성을 갖는지를 분석한다. 15장에서는 오스만 제국의 도시를 다루는데, 이스탄불의 중심성이 유지되면서도 제국 통치 체제가 보인 유연성, 도시들의 지리적 조건, 도시민과 행정 당국의 권한 협상, 도시 공동체의 제도들이 도시 다양성을 가져왔다고 소개한다. 16장은 7세기부터 13세기까지 중국 도시에 관한 내용이다. 당·송唐宋 시기 시장화와 상업화가 중국 도시사회에 끼친 영향, 도시공간의 변화들을 검토하며 이 시기 중국이 유럽보다 더 도시화한 사회였다고 평가한다. 17장은 14세기부터 19세기까지의 중국 도시를 다룬다. 주로 명·청明清 시기 상업화와 도시화에 의한 시진의 확산과 성장, 도시 문화의 혁신을 분석하며 국가권력의 영향을 덜 받은 도시 공동체의 모습에 주목한다. 18장은 일본의 전근대 도시를 살펴본다. 고대 도시를 간략히 언급하고 교토의 특성을 다룬 후 주로 17세기 에도의 물리적 속성, 에도의 상업 활동과 문화에 집중하며, 교토·에도·오사카를 비교하기도 한다. 19장은 15세기부터 18세기까지 포르투갈과 네덜란드의 동남아시아 진출로 건설된 항구도시들을 탐구한다. 계절풍 몬순에 의한 상업 항로와 항구도시 네트워크, 항구도시의 여러 유형, 이들 도시의 정치와 행정을 소개한다. 20장은 라틴아메리카 도시의 원주민 전통, 스페인과 포르투갈의 도착 이후 정주민 공동체, 선교 및 광산업 타운 등의 정치적·경제적·군사적 요인에 따른 도시공간 구조를 검토하고 이들 도시가 세계 교류망에 통합되었음을 분석한다.

제2권의 뒷부분은, 제1부의 뒷부분과 마찬가지로, 주요 주제별 비교사이다. 21장은 전근대 도시의 경제를 압박과 시장교환 형태 그리고 집중과 분산 체계로 구분하면서 형태와 체계에 의한 네 가지 유형으로 분석하고 각각의 장단점을 소개한다. 에도나 마드리드는 집중적 강제, 토스카나 도시들은 분산적 강제, 오사카나 런던은 집중적 시장교환, 북아메리카 도시들은 분산적 시장교환 체계로 구분된다. 22장에서는 인구와 이주 문제를 검토하며 주로 13세기부터 18세기까지 유럽과 송 대부터 청 대까지 중국을 비교하고 있다. 강제 이주와 자발적 이주, 이주 양상의 위계, 이민 규제, 이주민의 통합 문제 등을 비교사적으로 고찰한다. 권력 문제를 다루는 23장에서는 산업 이전의 유럽, 중국, 이슬람권 도시권력의 차이를 비교한다. 권력의 생태적 기반, 도시 공동체에 필요한 자원 동원의 서로 다른 잠재성, 계층화 구조 등을 분석한다. 24장은 문화와 표상을 유럽, 중국, 일본. 이슬람권 도시를 비교하면서 소개한다. 도시 의례와 축제, 도시 문학과 도시 안내서, 회화와 판화 속 도시의 표상을 고찰하며 유럽 도시 공공공간의 중요성을 환기한다.

제3권 근현대 도시 관련 주요 내용 I

책의 제3권은 25장부터 33장까지 9개 장에서 9개 지역의 근현대 도시사를 고찰한다. 25장은 19~20세기 유럽의 도시를 다루며, 주로 기술 변화의 영향, 환경문제 및 사회문제의 출현, 이에 대처하는 도시와 중앙 정부의 상호적 노력을 살펴본다. 라틴아메리카를 다루는 26장은 19세기 초반 스페인과 포르투갈로부터 독립한 직후의 도시 상황, 19세기 후반과 20세기 초반 산업화와 도시화, 20세기의 무분별한 도시 팽창 흐름을 고찰하고 초거대도시와 왜곡된 도시체계들을 분석한다. 27장은 북아메리카 도시를 검토하며, 유럽 제국의 전초기지에서 독립 이후 대륙 내부로의 팽창, 이민의 양상, 도시 내 사회문제, 자동차 문화, 현대 글로벌도시의 위상 등을 소개한다. 28장은 현대 중국 도시를 살펴본다. 청 말과 민국 시기 도시체계를 형성하는 정치와 경제 환경의 변화, 1949년 중화인민공화국 수립 이후 소련의 영향을 받은 도시주의, 1978년 이후 개혁개방 시기 도시 생활 등을 고찰한다. 현대 일본 도시를 다룬 29장은 메이지 시대 도시 변화, 20세기 초반의 도시개발, 1941~1945년 태평양전쟁으로 인한 파괴와 재건, 고도 성장기의 도시 팽창, 거품 경제 이후 도시의 변화를 분석한다. 30장은 남아시아의 도시개발 양상을 19세기 중반부터 오늘날까지 고찰한다. 식민 지배 아래 인도 아대륙의 도시 거버넌스와 도시 문화를 검토한 후 독립 이후의 도시화 흐름과 양상, 국가와 도시의 상호 관계 등을 소개한다. 31장은 동남아시아와 오스트레일리아의 현대 도시를 다룬다. 주로 도시화 흐름, 도시 거버넌스, 도시위계, 국제적 연결성과 지역적 정체성을 결합하는 도시 역학을 탐구한다. 32장은 19세기 중반부터 오늘날까지 중동의 도시에 영향을 끼친 정치적, 경제적 변화, 인구학적 역학을 검토하면서 이 지역 도시의 사회적·공간적·문화적 변화를 분석한다. 33장은 약 1000년에 걸친 장기적인 아프리카 도시화를 다룬다. 초기 도시의 흔적들, 근대 초기 국제 상업 네트워크와의 연결과 도시화, 식민 시기 도시화의 계층적 특성과 도시의 급속한 성장, 식민주의 종식 이후 도시의 변화 등을 탐구한다.

제4권 근현대 도시 관련 주요 내용 II

34장부터 44장까지의 제4권은, 제1권과 제2권의 뒷부분에서 주요 주제를 통해 여러 지역의 고대 도시와 전근대 도시들을 비교한 것처럼, 제3권에서 다룬 세계 각지 근현대 도시들을 주제에 따라 비교사적으로 접근한다. 34장은 산업화와 도시의 상관성을 유럽이 산업화에 착수할 때 중국은 왜 그러지 않았는지에 대한 원인 분석을 통해, 그리고 현대 중국의 경제적 역동성과 서구의 상대적 쇠퇴의 이유 분석을 통해 설명한다. 35장은 인구와 이주 양상에 관한 5개 유형을 구분하고 유형별로 도시 서비스에 관한 접근성, 민족적 유대의 중요성, 도농 연계성 등을 체계적으로 비교한다. 아울러 유럽과 북아메리카, 중국, 인도, 아프리카의 도시화와 이주 양상을 검토한다. 36장은 도시에서의 빈곤, 불평등, 사회적 분리, 범죄와 폭력, 도시 거버넌스를 지역별 도시 간에 비교한다. 도시화는 빈곤과 불평등을 낳았지만, 도시가 없었다면 세계적으로 삶의 질을 개선하기 어려웠다는 것도 명확하다고 평가한다. 도시환경을 탐구하는 37장은 건강과 위생, 쓰레기 처리, 도시 생태와 배후지 사이 긴밀한 연결성, 공해, 도시 속 자연, 환경과 사회정의 문제들을 분석한다. 도시환경 문제는 도시의 경제적·사회적 기능과도 관련을 맺는다. 38장은 18세기부터 현대까지 주요 창의도시 사례를 분석해 창의도시 이론의 타당성을 확인한다. 창의도시의 개념과 정의, 전근대와 근대의 다양한 창의도시, 도시의 창의산업을 검토한다. 39장은 세계 각지의 영화에서 재현된 도시의 표상을 분석한다. 영화는 도시 체험을 시각화해 확산하며 도시와 농촌의 이분법을 강화했지만, 사회문제를 논의하고 미래 도시를 상상하는 플랫폼 역할을 하기도 했다. 40장은 식민도시를 고찰하며, 근대 초기 스페인과 포르투갈의 식민도시, 뒤이은 네덜란드, 프랑스 및 영국 제국의 확대와 식민도시, 식민지에서의 도시 설계, 백인 정주 도시들을 살펴보고 탈식민 이후 도시의 특성도 다룬다. 41장은 갈수록 복잡해지는 현대 거대도시를 다루면서 여러 지역 거대도시나 초거대 도시지역에서의 부와 빈곤, 세계화, 거버넌스, 도시 기반설비를 글로벌 관점에서 비교한다. 교외를 탐구하는 42장은 18세기부터 현재까지 교외의 다양한 유형을 분석하고, 교외를 만들어낸 장기적인 사회적·정치적·경제적·기술적 측면을 검토하며 세계 각지의 교외를 비교한다. 항구도시를 분석하는 43장은 19세기 후반과 20세기 초반 유럽 항구도시의 세계적 지배력, 이후 미국·일본·중국 항구도시들의 중심성을 분석하며 항구도시의 세계적 상호 연결성이 구성하는 지역적 주도성과 세계적 변환을 탐구한다. 마지막 장인 44장은 역사 속 도시의 역할이 순환적 역사, 선형적 역사, 혁명적 역사 인식과 어떻게 조응하며 장기적 역사발전의 동력을 구축했는지 종합적이고 성찰적으로 분석한다.

감사의 말

《옥스퍼드 세계도시문명사》는 총 44개 장에 달하는 방대한 분량이다. 이를 번역하는 것뿐 아니라 각종 언어의 고유명사 발음을 정확하게 표기하고 개념들의 적확한 번역을 위해 각종 참고자료를 확인하는 데 많은 시간이 소요되었다. 영어로 쓰인 책이나 각 장 사이사이 등장하는 언어가 10여 개나 되었다. 영어와 프랑스어와는 달리 기초적 읽기나 말하기만 가능한 라틴어, 독일어, 이탈리아어, 스페인어는 각 언어 사전을 찾아가면서, 이들 언어보다 친숙하지 않은 포르투갈어, 네덜란드어 등은 이들 언어와 영어 및 프랑스어 비교 사전을 활용해가면서 발음이나 표기 등을 파악했다. 알파벳을 사용하는 서양 언어와 달리 한자와 가나를 사용하는 중국어·일본어의 고유명사나 개념은 표기된 영어를 기초로 중국어와 일본어 원어를 재확인하는 데 상당한 노력이 필요했다. 중국어 발음이 동일한 한자가 많기에 알파벳 표기만으로 정확한 중국어 단어를 찾기 위해 사전, 인터넷 검색, 해당 상황을 소개하는 책과 논문을 찾아봐야 했고, 해당 전공자에게 자문을 구하기도 했다. 특히 학문 공동체의 따뜻하고 애정 어린 조언과 응원을 해준 경희대 사학과 동료 교수들과 도시사학회 주요 연구자들에게 감사의 말을 전한다.

번역을 결심하면서부터 출판사와 계약을 맺은 후에도 관련 연구자들에게 공동 번역 의사를 타진하기도 했으나 여의치 않아 홀로 방대한 분량을 번역하다 보니, 문맥 파악을 위한 기본적인 내용 파악에 시간이 많이 필요했고, 몇 차례 번역 수정을 한 상태에서도 어색한 문장이 많았다. 각종 자료를 찾아주고, 번역과 윤문에 틈틈이 도움을 준 제자들, 경희대학교 사학과 대학원 박사과정 조민혁, 경희대학교 사학과 석사 졸업 후 영국 유학 중인 권익현과 프랑스 유학 중인 김윤옥과 김종식에게 고마운 마음을 전한다. 독자들이 읽어나가는 데 불편하지 않도록 원문의 문체를 살리면서도 가독성 있도록 최종 윤문 작업을 마무리하기까지는 좌세훈 편집자의 공이 가장 크다. 그는 옮긴이가 공저를 포함해 저·역서 30여 권을 출간하면서 만났던 여러 편집자 가운데 가장 꼼꼼하고 열정적이었다. 그는 독자의 입장에서 조금이라도 어색하거나 이해하기 어려운 부분을 사소한 것 하나도 기탄없이 지적하고 그 나름의 교정 대안들을 제시해주며 편집자로서 온갖 정성을 다했다. 도서출판 책과함께의 류종필 대표님에게도 진심으로 감사한 마음을 전한다. 정해진 원고 마감을 여러 번 지키지 못했으나, 이 책의 중요성을 이해해 출간을 포기하지 않고 역자를 계속 응원해주었다. 이 책의 대표 저자로, 정년 이후에도 유럽 각지와 미국의 여러 도시사 학술모임에 참여하며 바쁘게 지내면서도, 기꺼이 한국어판의 서문을 작성해주고 옮긴이를 응원하고 격려해준 피터 클라크 헬싱키대학교 명예교수에게도 존경과 감사를 전한다.

낳은 아이가 무탈하게 그리고 주위 사람들에게 두루 사랑받으며 자라길 바라는 부모의 마음처럼 한 권의 책을 출간할 때마다 그 책이 많은 사람에게 사랑받고, 소소하거나 커다랗거나 지식이건 지혜건, 감흥이건 영감이건 누군가에게 무언가 울림을 줄 수 있기를 기원한다. 앞에서 설명한《옥스퍼드 세계도시문명사》의 많은 장점과 특성이 독자들의 눈에 잘 드러나 이 책이 많은 이들에게 사랑받으면 좋겠다. 지구도시화, 행성적 도시화 시대 도시는 단순한 건축물 집합체가 아니라 오랜 역사를 통해 축적해온 인류 문명 자체이며 일상이 펼쳐지는 내 삶의 소중한 장소이자 생활양식이다. 이 책이 보건위기, 기후변화 등 인류가 직면한 여러 문제를 해결하고 도시 문명의 더 나은 미래를 꿈꾸는 이들에게 도시의 오랜 발자취를 성찰적으로 되돌아보는 기회를 제공하길 희망한다.

2023년 2월, 서울에서 민유기

찾아보기

-ㄴ-

- ㄷ -

-ㄹ-

-ㅂ-

–ㅅ–

-ㅇ-

-ㅈ-

-ㅊ-

-ㅋ-

-ㅌ-

-ㅎ-

옥스퍼드 세계도시문명사

1판 1쇄 2023년 2월 28일

총괄편집 | 피터 클라크
지은이 | 오거스타 맥마흔 외
옮긴이 | 민유기

펴낸이 | 류종필
책임편집 | 좌세훈
편집 | 이정우, 이은진, 권준
마케팅 | 이건호
경영지원 | 김유리
표지 디자인 | 석운디자인
본문 디자인 | 박애영

펴낸곳 | (주) 도서출판 책과함께
주소 (04022) 서울시 마포구 동교로 70 소와소빌딩 2층
전화 (02) 335-1982
팩스 (02) 335-1316
전자우편 prpub@daum.net
블로그 blog.naver.com/prpub
등록 2003년 4월 3일 제2003-000392호

ISBN 979-11-92913-04-9 94900 (세트)